UN LIT PRÈS DE LA FENÊTRE

Dr SCOTT PECK

UN LIT
PRÈS DE LA FENÊTRE

roman
Où il est question de mystère et de rédemption

Traduit de l'américain par Hélène Collon

ROBERT LAFFONT

Illustration de la couverture :
" Room in Brooklyn ", par Edward Hopper,
Charles Henry Hayden Fund ; Museum of Fine Arts, Boston.

Titre original : A BED BY THE WINDOW

© Scott Peck, 1990

Publié avec l'autorisation de Bantam Books, un département de Bantam Double-
day Dell Publishing Group, Inc.

Traduction française : Éditions Robert Laffont, S.A., Paris, 1991

ISBN : 2-221-06876-9
(Édition originale :
ISBN 0-553-07003-7 Bantam Books, New York)

Ce livre est dédié au secrétariat d'État américain chargé des centres de soins pour personnes âgées, et à tous ceux qui y travaillent.

CHAPITRE PREMIER

Vendredi 12 février

De la banquette arrière du break, Mrs. Georgia Bates contemplait avec dégoût la neige de février amassée en congères douteuses au bord de la Nationale 83. Son fils Kenneth était au volant. Marlène, sa belle-fille, occupait le siège côté passager. De part et d'autre de la route se déroulait la campagne désespérément plate du Midwest, partiellement débarrassée du manteau blanc déposé là par la dernière tempête. Jadis, Georgia avait aimé l'idée que sous la neige, la terre renfermait une promesse de vie nouvelle. Mais il y avait des dizaines d'années qu'elle n'avait plus d'idées de ce genre.

Lorsqu'ils furent arrivés à mi-parcours, elle rompit le silence.

— Encore une fois, on ne m'a pas demandé mon avis, annonça-t-elle.

— Pour l'amour du ciel, Mère ! Tu sais très bien que tu ne peux plus vivre toute seule. En quinze jours, tous tes vêtements sont imprégnés d'urine, sans parler du canapé et des fauteuils.

— Tu n'as aucun droit de me traiter de cette façon, poursuivit Georgia sans lui prêter la moindre attention.

Pour Kenneth, ce genre de discours n'était pas nouveau. Il adopta un ton raisonnable bien digne du comptable qu'il était.

— Tu m'as donné pouvoir il y a deux ans. Si tu n'es plus d'accord, tu es parfaitement en droit de présenter une requête devant le tribunal des successions. Il ne faudrait que quelques jours pour qu'on charge un psychiatre de s'entretenir avec toi. Lui et toi comparaîtriez devant le juge, qui rendrait alors son verdict. Rien de plus simple.

Georgia ne se sentait pas le moins du monde intimidée. Seulement, elle n'avait pas du tout l'intention de passer encore devant un psychiatre. Le silence retomba dans la voiture, et se maintint jusqu'à leur arrivée, dix minutes plus tard.

Au fond d'une vallée peu profonde jouxtant la rivière nommée Willow s'étalait le vaste bâtiment d'un étage dont les trois ailes pointaient vers l'extérieur comme de gigantesques griffes. Tout en parpaings enduits d'une peinture brune rébarbative, il évoquait immanquablement pour Kenneth une usine moderne. Une usine où on fabriquerait quoi ? se demanda-t-il. Sur un côté de l'allée un panneau annonçait : WILLOW GLEN — CENTRE DE SOINS LONGUE DURÉE. Kenneth s'arrêta devant l'entrée. Marlène descendit d'un bond et ouvrit la portière arrière.

— Vous avez besoin d'aide, Mère ? s'enquit-elle.

— Je suis parfaitement capable de me débrouiller toute seule, merci, répondit Georgia d'un ton glacial.

Le fait est qu'elle sortit avec entrain, et suivit Marlène dans le hall pendant que Kenneth garait la voiture.

À gauche se trouvait le Service administratif. Marlène se dirigea vers la réceptionniste qui en gardait l'accès et signala leur arrivée. Puis elle traversa le hall et gagna une petite salle d'attente où Georgia s'était déjà installée. Marlène prit tout d'abord place à côté d'elle, puis se ravisa et préféra le canapé situé à l'autre bout de la pièce. Kenneth entra à son tour et s'assit auprès de sa femme. Un silence pesant s'installa.

Tandis qu'ils attendaient, le regard de Georgia tomba par hasard sur sa main, posée sur ses genoux. C'était une petite main. La peau en était toute ridée et ressemblait à un collage de taches empiétant les unes sur les autres, chacune avec sa propre histoire. Les veines y dessinaient une série de filaments bleutés tout tordus. Une main de vieillarde, songea-t-elle. Une brusque bouffée de panique. Elle ôta prestement la main de son champ de vision. La panique subsista. Je me demande bien à qui appartenait cette main, se dit-elle encore.

Roberta McAdams entra d'un pas martial dans la salle d'attente et rompit le silence.

— Bonjour, Mr. Bates ! Bonjour, Mrs. Bates ! fit-elle avec entrain. Georgia, bonjour ! Nous sommes heureux de vous accueillir de nouveau à Willow Glen.

Tiens, voilà madame Glaçon, songea Georgia en émettant un reniflement de mépris. Elle n'appréciait guère Ms. McAdams, la sous-directrice. Chez cette femme svelte d'une trentaine d'années aux cheveux sombres tirés en arrière, tout était net et précis, efficace et quasi mécanique.

Ms. McAdams alla droit au fait.

— Impossible de vous donner la même chambre, Georgia, mais vous résiderez à nouveau dans l'Aile C. Ainsi vous ne serez pas trop dépaysée. Voulez-vous que je demande à une aide soignante de vous y emmener pendant que je règle les modalités de votre admission avec vos enfants ?

— Non merci, répondit fermement Georgia. (Sur le chapitre de l'autorité, elle n'avait rien à envier à Ms. McAdams.) Je serais très heureuse de participer à ce que vous appelez mon « admission ». Il me déplairait fort que vous racontiez des choses sur moi derrière mon dos comme la dernière fois. Par ailleurs, il me paraît normal que mes enfants m'accompagnent jusqu'à ma chambre, qu'ils voient un peu où ils me mettent.

Ms. McAdams eut un regard de sympathie pour Kenneth et Marlène.

— Dans ce cas, je vais vous demander de me suivre, tous les trois.

Sur ces mots, elle les fit retraverser le hall d'entrée et pénétrer dans le Service administratif, où régnait une certaine agitation. Trois secrétaires tapaient à la machine, dont une sur un ordinateur de traitement de texte. Une imprimante crépitait dans un coin. Ils suivirent Roberta jusque dans son bureau. Là, elle leur fit signe de s'asseoir et se mit aussitôt à l'œuvre : elle alluma son ordinateur personnel et entra le code approprié.

— Donnez-moi les raisons de cette réadmission, fit-elle vivement sans quitter des yeux son écran.

Comme Georgia restait silencieuse, ce fut Kenneth qui répondit.

— Dès que Mère est sortie, il y a trois semaines, elle est redevenue incontinente, déclara-t-il en prenant bien soin de s'adresser directement à Ms. McAdams. Marlène a beau nettoyer à fond, cette partie de la maison est imprégnée de l'odeur. Il faut qu'elle l'aide à se changer, et elle m'annonce que Mère commence à avoir des escarres à cause de l'urine. Nous nous sommes dit que nous avions manifestement commis une erreur en la reprenant avec nous. Alors j'ai appelé Mrs. Simonton, qui nous a assurés que vous pourriez la reprendre. Nous voilà donc de retour, après vingt jours seulement.

Ms. McAdams frappait son clavier. Marlène se tortillait sur sa chaise. Entendre son mari parler ainsi de sa propre mère comme si cette dernière n'était pas là la mettait mal à l'aise. Mais il y avait autre chose : elle se sentait coupable d'avoir failli à son devoir, d'une certaine manière ; elle était également soulagée de ne plus avoir à laver ses vêtements et ses draps, et aérer quotidiennement la maison. Mais par-dessus tout, elle ne comprenait pas. Pourquoi Georgia était-elle incapable de contrôler sa vessie ? Le faisait-elle exprès ? Pourquoi l'incontinence avait-elle disparu dès son entrée à Willow Glen, juste après Noël ? Elle y avait pourtant été malheureuse, à tel point qu'ils avaient dû la ramener à la maison. Pourquoi ? Et grand Dieu, pourquoi avoir recommencé aussitôt ? Elle jeta un regard à Kenneth ; elle savait bien que sous ses airs stoïques, il se heurtait aux mêmes interrogations.

— Bien qu'il s'agisse d'une réadmission, la procédure exige que j'examine à nouveau les détails, fit Ms. McAdams en détournant brièvement les yeux de son écran. Voyons, quel âge a votre mère, maintenant ?

— Soixante-seize ans, répondit Kenneth.

Jusqu'alors plongée dans ses rêveries, Georgia revint d'un seul coup sur terre.

— Trente-sept ! proclama-t-elle.

— Pardon ? s'enquit Ms. McAdams en levant les yeux sur elle comme si Georgia la dérangeait dans son travail.

— Trente-sept, répéta cette dernière. Je disais que j'avais trente-sept ans.

Ms. McAdams eut un sourire de compréhension peinée. Puis elle revint à son clavier et tapa « Soixante-seize. » Elle passa ensuite au reste de la fiche : date de naissance, date de mariage, nombre d'enfants, date du décès de l'époux, hospitalisations antérieures, maladies somatiques, traitements, situation financière, couverture sociale. Georgia n'écoutait déjà plus. Néanmoins, elle s'émerveillait de la précision avec laquelle Kenneth répondait à l'interminable liste de questions qu'on lui posait. Il n'était pas simple comptable : il avait brillamment réussi sa carrière d'expert ; et si elle ne jugeait pas utile de le dire, elle n'en était pas moins fière de son fils. Il s'en était fort bien sorti. Les deux plus jeunes aussi, d'ailleurs : le deuxième était dentiste, et la cadette déjà proviseur adjoint. Donc, elle-même s'en était bien tirée aussi. Le succès engendre le succès. Elle avait rempli sa mission. Et Dieu merci, maintenant c'était fini.

La procédure d'admission aussi. Ms. McAdams les reconduisit dans le hall.

— Voulez-vous une aide soignante ? demanda-t-elle.

— Je ne crois pas que ce soit nécessaire, répondit Kenneth. Nous devrions connaître le chemin, maintenant.

La sous-directrice fit brusquement demi-tour et repartit à grands pas vers le Service administratif.

— Je vais chercher les bagages, annonça Kenneth en laissant là son épouse et sa mère.

Les deux femmes évitaient de se regarder. Puis Marlène eut honte de cette situation absurde.

— Je suis sincèrement navrée, Mère, fit-elle gentiment. Je sais bien que ça vous ennuie.

— Si vous étiez vraiment navrée, nous ne serions pas là, répliqua vertement Georgia.

— J'ai fait de mon mieux, Mère. J'ai fait de mon mieux, soupira désespérément Marlène.

Kenneth revint avec une valise dans chaque main, et tous trois se dirigèrent en silence vers l'Aile C. Bien qu'il prétendît le contraire, il n'était jamais très sûr de retrouver son chemin. Avec ses ramifications à ras de terre, le bâtiment le faisait penser à un aéroport : les ailes se ressemblaient toutes. À chacune correspondait une couleur : d'après ses souvenirs, pour l'Aile C c'était l'orange ; mais l'éclairage fluorescent des couloirs délavait à ce point les nuances qu'il devenait difficile de les distinguer. Le soleil y pénétrait seulement quand la porte d'une chambre était ouverte. Le sol était tapissé de linoléum impeccable. Pourtant, dès qu'ils eurent quitté le hall, Kenneth perçut l'odeur, faible mais tenace et facilement reconnaissable, de l'urine. Mais il n'ignorait pas qu'elle était inévitable dans ce genre d'endroits, et qu'en matière d'institutions, Willow Glen était ce qu'on pouvait trouver de mieux.

À mi-chemin, une femme âgée sanglée dans un fauteuil roulant attrapa Kenneth par la manche.

— Vous n'avez pas vu mon sac ? geignit-elle. Vous savez pas ce qu'ils ont fait de mon sac ? On m'a volé mon sac. Où est le docteur ? Je veux voir le docteur. Ils ne veulent pas me laisser voir le docteur.

Mal à l'aise, il se dégagea.

Quelques instants plus tard, il se sentait déjà mieux : ils arrivaient à hauteur du bureau des infirmières, et déjà il apercevait le visage rayonnant de Heather ; cela lui fit l'effet d'un rayon de soleil dissipant son humeur sombre. Il se réjouit qu'elle soit de service en cette matinée par ailleurs si pénible. De toutes les infirmières diplômées affectées à l'Aile C, c'était elle sa préférée. Chez elle, tout n'était que douceur : cheveux noirs et doux encadrant un visage aux courbes et à la peau douces − elle ne devait guère avoir plus de vingt-cinq ans.

− Bonjour, Heather, lui dit-il en souriant gaiement.

− Comment allez-vous, Mr. Bates ? fit-elle en lui rendant son sourire. Et vous, madame ? Bonjour, Georgia ! Contente de vous revoir. Je vous attendais.

Georgia tenta bien de lui décocher un regard furieux, mais en vain. Pour une raison ou pour une autre, être désagréable avec Heather demandait une trop grande dépense d'énergie.

− Peggy, reprit Heather en s'adressant cette fois à une aide soignante maigrichonne dont les yeux exprimaient un profond ennui. Voulez-vous montrer aux Bates la chambre de Georgia ? Vous serez avec Mrs. Carstairs, Georgia. Je viendrai vous voir tout à l'heure, quand vous serez installée.

Apathique, Peggy les conduisit jusqu'à la chambre C-18, située un peu plus loin dans le couloir. La porte était ouverte. La soleil de la mi-journée entrant par une fenêtre panoramique baignait de lumière une chambre à deux lits joliment meublée. Une vieille dame au teint pâle ronflait discrètement dans le lit près de la fenêtre. Georgia éprouva une jalousie subite envers Mrs. Grochowski, la seule pensionnaire de l'Aile à disposer d'une chambre individuelle. Évidemment, tout le monde savait pourquoi. Mais la crise de jalousie passa comme elle était venue. De toute façon, Georgia ne voyait pas d'inconvénient à partager sa chambre. Ce qu'elle voulait, elle, c'était le lit près de la fenêtre. Puis elle se rappela la maladie dont souffrait Mrs. Carstairs, et se rassura en songeant que la vieille dame ne tarderait pas à changer de service.

− Si vous avez besoin de quelque chose, faites-le-moi savoir, dit Peggy.

Sur quoi elle repassa la porte avant qu'ils n'aient eu le temps de réagir.

Kenneth hissa les valises sur le lit de sa mère, qui s'installa dans un confortable fauteuil à bascule en regardant ses enfants déballer ses affaires sans un mot. Lorsque les vêtements furent tous suspendus sur les cintres ou pliés dans les tiroirs, Kenneth déclara :

− On reviendra te voir dimanche après la messe. Tu veux qu'on t'amène les petits ?

− Je ne vois vraiment pas pourquoi vous vous donneriez cette peine, alors que votre seul but est de me mettre au rancart.

Kenneth fit la sourde oreille.

— Veux-tu que je te fasse poser le téléphone dans ta chambre ?

— Comme je te l'ai déjà dit la dernière fois, je suis sûre que tu trouveras de meilleures occasions de dépenser *mon* argent.

— Très bien. Puisque c'est comme ça, si tu as besoin de quoi que ce soit, tu nous appelleras depuis la cabine téléphonique du séjour.

Kenneth se pencha pour déposer un rapide baiser sur son front et Marlène l'imita. Pour eux, cela relevait davantage de l'abnégation que de l'affection.

Sur le chemin du retour, ils s'arrêtèrent au bureau des infirmières.

— Je voudrais parler à Heather, expliqua Kenneth. Je ne sais plus très bien où j'en suis.

Comme les autres services, l'Aile C était en forme de Y, avec à l'embranchement le bureau des infirmières. À l'intérieur, divers plans de travail et armoires à dossiers. Assise devant l'un des comptoirs, Heather s'entretenait avec son autre aide soignante. En attendant qu'elle ait terminé, Kenneth jeta un coup d'œil au mur qui jouxtait la salle. Il aperçut un jeune homme aux cheveux bruns et au visage émacié sanglé sur un étroit chariot poussé contre la paroi, qu'il se rappelait avoir vu lors du précédent séjour de Georgia. À l'époque, il occupait déjà la même place ; même position : couché sur le côté, mêmes mains recourbées comme des griffes, mêmes bras remontés sur sa poitrine comme des ailes repliées. Sous le drap qui le recouvrait partiellement, Kenneth discerna des jambes décharnées, tordues en arrière contre ses fesses. Un cathéter sortait de dessous le drap et plongeait dans un sac en plastique à demi rempli d'urine.

Kenneth évita instinctivement son regard. L'Aile C était en principe réservée aux malades ambulatoires, capables de se débrouiller plus ou moins par eux-mêmes. Et pourtant, cette... cette *créature* exigeait une prise en charge totale. Que faisait-il donc là ? Il ne put s'empêcher de le regarder à nouveau, et pour la première fois ils se trouvèrent face à face.

Leurs regards se croisèrent, et Kenneth ressentit un choc. Ses yeux étaient comme deux mares sombres et sans fond. Bizarrement, il songea aux yeux des agneaux, bien qu'il n'en eût jamais vu. Gêné, il se détourna, et vit avec soulagement que l'aide soignante s'en allait.

— J'ai besoin de vous parler, Heather. Vous avez une minute ? s'enquit Kenneth, posté derrière le comptoir qui séparait le bureau des infirmières du couloir.

15

— Mais certainement.

— C'est à propos de ma mère, évidemment. Elle me déroute complètement. L'année dernière, elle est devenue de plus en plus incontinente. Et dès son arrivée ici, tout est rentré dans l'ordre. Donc elle a voulu rentrer. Et là, ça a recommencé. Pourquoi ? Vous croyez qu'elle essayait de nous montrer qu'elle pouvait s'en sortir toute seule ? Même si c'était faux ? Ou bien avez-vous le pouvoir d'accomplir ce genre de miracle, ici ? Une espèce de pouvoir magique, peut-être ?

— Les deux sont possibles, sourit Heather. Mais moi, j'opterais pour le tour de magie.

— Et vous savez en quoi il consiste ?

— Oui, je crois. C'est peut-être parce que nous n'attendons rien de nos malades.

— Je ne comprends pas.

— Voyez-vous, ça nous est égal que votre mère soit ou non incontinente. Parce qu'en réalité, ça n'a aucune importance. Votre mère est entièrement libre de l'être ou de ne pas l'être.

— Je ne comprends toujours pas. Si elle voulait se retenir, pourquoi ne pas l'avoir fait chez nous ? Pourquoi serait-elle plus raisonnable ici alors qu'elle prétend y être si mal ?

— Vous vous sentez coupable, n'est-ce pas ? répondit-elle en posant sur lui un regard pénétrant. Peut-être votre mère désire-t-elle sincèrement être chez nous.

— Je vais vous paraître stupide, mais si c'est le cas je ne vois pas pourquoi elle affirme le contraire.

— Pour elle, avouer son désir de vivre ici serait assumer la responsabilité de ce désir. Or, elle en est peut-être incapable.

Kenneth esquissa un sourire.

— Si je comprends bien, il se peut que ma mère soit devenue incontinente pour nous obliger à la placer ici ; c'était ce qu'elle voulait, mais il fallait qu'elle nous en fasse porter la responsabilité. Vous êtes fine psychologue.

— Oui, c'est peut-être ce qui s'est passé ; mais non, je ne suis pas si bonne psychologue. Simplement, quand on travaille ici on prend peu à peu conscience de la manière dont fonctionnent les personnes âgées. Toute notre vie, les gens attendent quelque chose de nous. Ça peut devenir lassant, vous savez. Parfois, ce peut être un grand soulagement, dans les dernières années d'une vie bien remplie, que de vivre dans un endroit où l'on n'attend plus rien de vous. On peut y trouver une espèce de refuge.

16

Kenneth avait entendu ce qu'il voulait entendre, mais n'était pas sûr d'avoir bien assimilé la réponse. Dans le couloir menant vers la sortie, il dit à Marlène :

— Voilà, c'est fait. Tu ne peux pas savoir comme je redoutais ce moment. Peut-être que Heather a raison. Peut-être qu'en fin de compte, ma mère se sent bien ici. Mais si c'est ça, devenir vieux, j'aimerais autant que tu abrèges mes souffrances.

— On achève bien les chevaux ? s'enquit Marlène avec une gravité feinte.

— Exactement. (L'humour noir de sa femme le fit sourire. Il appliqua un doigt contre sa tempe.) Pan ! Mais que ce soit net et sans bavure. Comme pour les chevaux, c'est tout à fait ça.

Après le départ de Kenneth et Marlène, Georgia resta dans son fauteuil à bascule et s'enfonça un peu plus profondément dans ses plaisantes rêveries. Mais au bout de dix minutes, celles-ci furent interrompues par une voix sur le seuil.

— Georgia, ma chérie ! Qu'est-ce que je suis content de vous revoir !

Levant les yeux, elle vit Hank Martin appuyé au montant de la porte. C'était un petit homme rubicond aux cheveux roux coupés ras et au nez bulbeux. Déjà le bout de sa canne s'avançait dans la chambre.

— Je savais bien qu'il ne vous faudrait pas longtemps pour débarquer, constata-t-elle.

— Évidemment ! lança joyeusement Hank. Je suis venu dès que j'ai appris la nouvelle. Ça vous dérange si j'entre ?

— Vous savez pertinemment que oui, répliqua Georgia, dont la voix dénotait néanmoins un regain d'énergie, comme si cette diligence prévisible n'était finalement pas pour lui déplaire. Vous n'avez qu'une chose en tête : poser vos pattes sales sur moi.

— Vous vous trompez, ma chère. Je me suis consciencieusement lavé les mains il n'y a pas trois minutes. Mais je reconnais que je les poserais volontiers sur vous. Vous m'avez manqué.

— Vos *fantasmes* vous ont manqué, vous voulez dire, rétorqua Georgia. Je ne vous ai encore jamais laissé poser la main sur moi. Qu'est-ce qui vous fait croire que je vais vous y autoriser maintenant ?

— J'espérais que vous seriez devenue adulte pendant votre absence. Allez, laissez-moi entrer, que je vous touche un peu.

Georgia jeta un coup d'œil à sa compagne de chambre, toujours endormie près de la fenêtre.

— Taisez-vous donc, vieux fou. Vous allez réveiller Mrs. Carstairs.

— On pourrait aller dans la salle de bains, proposa Hank. Personne ne nous entendrait.

— Vous savez comment on vous surnomme ? demanda Georgia.

Hank ne se laissa pas démonter.

— Mais oui, le Chaud Lapin.

— À votre avis, si on vous appelle comme ça, ce ne serait pas parce que vous êtes prêt à vous jeter sur n'importe qui ?

— Ça, ce n'est pas vrai, ma belle, répondit Hank sur un ton doucereux. Je ne sais pas si vous avez remarqué, mais je ne m'approche jamais de Rachel Stimson. Quoi qu'il en soit, c'est après vous que j'en ai, chérie. Allez, laissez-moi entrer.

— Si vous mettez un pied dans cette chambre, je me mets aussitôt à hurler. Avec un peu de chance, ils vous transféreront dans l'Aile A.

Hank résolut de changer de tactique.

— Est-ce que je vous ai déjà raconté ma bataille aérienne, celle avec les Messerschmidt au-dessus de l'Atlantique Nord ?

— Ça oui. Même sans y avoir cru la première fois, la deuxième je me suis ennuyée à mourir. Quand vous avez fait mine de me la raconter pour la troisième fois, je vous ai cloué le bec.

Hank fit à nouveau marche arrière.

— Ça serait marrant de faire ça dans la salle de bains. On pourrait...

— Je n'ai pas la moindre intention de coucher avec vous, Hank Martin, que ce soit dans la salle de bains ou dehors sur la pelouse, dans la neige. Ni aujourd'hui, ni jamais.

— Allons, Georgia, reprit-il d'un ton enjôleur. Vous êtes une vieille dame, je suis un vieux monsieur. Nous n'avons plus tellement de temps devant nous. Autant profiter de ce qui nous reste.

— Je ne suis pas une vieille dame, proclama Georgia.

— Vous êtes à peu près aussi vieille que moi, ma chère, répliqua-t-il. Et j'aurai quatre-vingts ans dans quelques années.

— Mais moi, j'en ai trente-sept.

Dans sa bouche, cela sonnait comme une simple constatation. Hank lui lança un regard perçant.

— Seigneur, fit-il. Vous parlez comme si vous en étiez réellement persuadée. Vous ne croyez pas à mon histoire de Messerschmidt, mais vous vous prenez pour une femme de trente-sept ans.

— Puisque je vous dis que j'ai trente-sept ans, rétorqua Georgia d'un ton sans équivoque.

Pour la première fois, Hank se trouva à court d'arguments. Mais il n'eut pas à se creuser la tête ; tous deux sursautèrent en entendant une voix grinçante sortir du haut-parleur :

— Peggy Valeno, vous êtes priée de vous rendre au bureau. Peggy Valeno au bureau, s'il vous plaît.

— Tiens, je me demande bien ce que la commandante lui veut, s'intéressa Hank.

Georgia le regarda sans comprendre.

— La commandante ?

— Mais oui, vous savez bien. Chaque fois qu'on entend ce truc, c'est la directrice de ce camp de concentration qui parle. Je me demande bien ce qu'elle a à dire à Peggy.

— Eh bien, peut-être que si vous me laissiez tranquille, vous découvririez le fin mot de l'histoire, déclara Georgia avec fermeté.

La lugubre petite Peggy était le cadet de ses soucis, et elle avait décrété qu'il était temps de se retrouver un peu seule. Elle avait quelque chose à savourer dans la plus stricte intimité.

Au ton de sa voix, Hank ne s'y trompa pas.

— D'accord, ma douce. Je retenterai ma chance plus tard.

Là-dessus il se détourna et, traînant la jambe, s'éloigna en sifflotant.

Un camp de concentration, songea Georgia. (Voilà l'expression qui la ravissait.) La prochaine fois, Kenneth et Marlène y auront droit. Satisfaite, elle se balança dans son fauteuil, oubliant ses enfants pour revenir à sa conversation avec Hank. Un de ces jours, se dit-elle, il faudra que je lui dise que je n'ai jamais aimé le sexe. Puis, sans cesser de se balancer, elle prit conscience d'une envie d'uriner. Elle se leva et, sans la moindre hésitation, sans le moindre problème, se dirigea vers la salle de bains.

Ce matin-là, Mrs. Edith Simonton n'était pas de très bonne humeur. D'ailleurs, les rares personnes qui la connaissaient depuis longtemps savaient qu'elle était de mauvaise humeur depuis au moins dix ans. Son visage de sexagénaire taillé en lame de couteau en témoignait. Il était profondément ridé, presque buriné, mais pas par les rides du sourire. Point de douceur dans ce visage-là. Mais pas d'accablement non plus. Les yeux étaient vifs. Pour certains, c'était un visage sévère ; pour d'autres, il était simplement rude.

Mrs. Simonton se trouvait de bonnes raisons d'être de mauvaise humeur. C'était une pionnière. Vingt-cinq ans plus tôt, forte du petit pécule tiré de son divorce, elle avait emménagé à New Warsaw* – capitale du comté –, et fait l'acquisition d'une vieille demeure victorienne de conception originale qu'elle avait retapée pour en faire la première maison de retraite privée du comté. Le besoin s'en faisait désespérément sentir. En l'espace de deux mois, elle n'avait plus une place de libre. Dès qu'elle eut prouvé que l'affaire était rentable, elle s'acharna à obtenir prêts, dons et subventions afin de créer un établissement beaucoup plus grand et mieux équipé. Il fallut douze années pour que son rêve se réalise enfin, et qu'on appose la dernière touche de peinture à Willow Glen, la meilleure institution de l'État, toutes catégories confondues.

Et puis du jour au lendemain, le rêve tourna au cauchemar. Dès que les institutions devinrent un domaine d'activité rentable, le gouvernement pointa son nez. Commissions fiscales, médicales, sociales et autres se mirent à pleuvoir. Chaque fois, il fallait faire un rapport. Ce n'étaient que rapports, rapports, rapports à longueur de temps. Sans parler des inspections. Il y avait non seulement la sécurité incendie, mais aussi l'hygiène alimentaire, le traiteur, l'Inspection du Travail, le contrôle de qualité des soins... À présent, il lui était difficile de rester polie quand, deux fois par mois, il lui fallait répondre à une enquête bureaucratique conduite par quelque jeune arrogant frais émoulu de l'université.

Quand Peggy Valeno arriva devant la porte de son bureau, Mrs. Simonton planchait sur un de ces innombrables rapports, qui consistait cette fois à caractériser le degré d'invalidité des pensionnaires de Willow Glen. Elle en ressentit presque du soulagement, encore que l'arrivée de l'aide soignante annonçât des désagréments d'un autre genre.

– Vous m'avez fait demander ? fit de sa voix morne Peggy toujours figée sur le seuil.

Mrs. Simonton contempla ce visage renfrogné. Elle avait une petite idée de la famille défavorisée et du système éducatif relativement injuste dont était issue cette gamine de dix-neuf ans.

---

* C'est-à-dire « la Nouvelle Varsovie ». (N.d.T.)

— Fermez la porte et asseyez-vous, Peggy. (La jeune fille s'exécuta. Mrs. Simonton la regarda dans les yeux.) Est-ce que vous aimez votre travail ici ?

— C'est un boulot, répondit Peggy.

— Eh bien, au moins vous êtes honnête, constata la directrice en cherchant sous son rapport en cours le dossier de Peggy. Il faut que nous parlions un peu, toutes les deux. Vous avez été embauchée à l'essai pour une période de six mois. Il y a maintenant trois mois que vous êtes là. J'ai ici deux séries d'appréciations vous concernant. D'abord, les notes des malades, relevées tous les quinze jours par Ms. McAdams. Plusieurs vous trouvent brusque. Mais ce n'est pas vraiment ce qui me préoccupe ; ces malades-là diraient la même chose de n'importe qui. Ce qui m'inquiète, c'est qu'il n'y a pas eu *un seul* patient pour parler de vous en termes positifs. (Elle jeta un coup d'œil à la feuille de papier posée devant elle.) Les termes employés sont : insensible, froide, indifférente, négligente, muette, déplaisante, réservée, distante et brusque. Pas un malade ne vous trouve amicale, chaleureuse, coopérative ou diligente. Les autres rapports dont je dispose émanent des infirmières diplômées qui vous ont eue sous leur responsabilité durant leurs différentes périodes de travail. Les unes comme les autres, elles vous ont toutes classée parmi les plus médiocres des aides-soignantes avec lesquelles elles ont fait équipe durant ces trois derniers mois.

Mrs. Simonton referma son dossier, se laissa aller en arrière et attendit la réaction de Peggy.

— Même Heather m'a descendue ?

— Pour tout vous dire, c'est elle qui vous a donné la plus mauvaise note. (Peggy eut un hoquet de surprise.) Peggy, voulez-vous continuer à travailler chez nous ?

— Je fais ce que je peux.

— C'est possible. Je veux bien croire que vous fassiez de votre mieux. Mais cela ne suffit pas, Peggy. Avec ce que contiennent ces rapports, je pourrais mettre fin à votre contrat aujourd'hui même. Si je vous laisse aller au bout de vos six mois, il va falloir faire de grands progrès pour que je vous garde ensuite. Sans amélioration évidente, je serai obligée de me passer de vos services. Si vous ne tenez pas réellement à travailler ici, il serait beaucoup plus simple pour vous et pour moi d'en finir tout de suite.

— Je suis toujours à l'heure, fit Peggy.

Mrs. Simonton abaissa ses paupières lasses. Elle se rendait bien compte que Peggy n'avait pas répondu à sa question. Elle savait aussi que la petite en était probablement incapable. Vouloir ou ne pas vouloir travailler, la question n'avait aucun sens. Sans doute n'avait-elle aucun désir de travailler, que ce soit ici ou ailleurs. Ce que disait Peggy, ce n'était pas qu'elle voulait travailler, mais qu'elle y était obligée, et qu'elle continuerait à respecter ses horaires.

Mrs. Simonton rouvrit les yeux.

— On ne vous demande pas seulement d'arriver et de partir à l'heure, dit-elle en regardant Peggy bien en face. Ce n'est qu'un aspect du travail. Ce qui compte, c'est la sensibilité. On vous demande d'être sensible. Si je devais résumer tout ce qu'on dit de vous dans ces rapport, Peggy, je dirais que manifestement, vous êtes insensible. Or, je ne sais pas comment vous apprendre à ne plus l'être. Ni à vous, ni à personne. J'aimerais, pourtant. Mais si vous n'apprenez pas dans les trois mois, je devrai me séparer de vous. Dieu sait comment vous y parviendrez, mais je vous donne, à vous et à Lui, trois mois pour vous y efforcer.

Peggy eut le bon sens de saisir que l'entrevue était terminée. Elle se leva et sortit. Mrs. Simonton secoua la tête. Il faudrait un miracle, songea-t-elle.

Elle avait déjà assisté à quelques miracles, en son temps. Mais elle était assez sage pour savoir qu'il ne fallait pas trop y compter. En fait, elle n'aimait même pas y repenser. La notion même d'intervention surnaturelle la mettait mal à l'aise. Pourtant, dans le cas de Peggy il n'y avait pas d'autre solution. Mrs. Simonton poussa un soupir et retourna à sa sempiternelle paperasse.

En rentrant à l'Aile C, Peggy claqua derrière elle la porte basse du bureau des infirmières. Heather leva sur elle un regard surpris.

— Quelle vieille bique autoritaire et stupide ! cracha Peggy.

— Qui ça ?

— Mais Mrs. Simonton, bien sûr ! Elle ne pense qu'à sa paperasse et ses rapports ! Papiers, rapports, directives, règles et règlement ! Je lui ferais bouffer, moi, son règlement.

C'était la première fois que Heather voyait son aide soignante sortir de sa maussaderie habituelle et se mettre en rage.

— Elle ne s'en laisse pas conter, reconnut-elle, mais il lui arrive aussi souvent de céder.

Peggy ne se calma pas pour autant.

— Le règlement ! Elle n'a que ce mot à la bouche. On se croirait encore à l'école. Quand elle m'a appelée par le haut-parleur, j'ai eu l'impression d'être convoquée chez le proviseur. Le règlement !

— Èèèè.

Un bêlement intermédiaire entre l'agneau et la chèvre interrompit la tirade de Peggy. Heather bondit sur ses pieds et se dirigea vers le chariot poussé contre le mur à l'extérieur du bureau des infirmières.

— Tu veux me parler, Stephen ? demanda-t-elle au jeune homme brun qui gisait là, paralysé et impuissant.

— Euheuheuheu.

Nouveau bêlement, mais cette fois-ci un ton plus bas. Heather savait que cela signifiait « non ».

— Tu veux dire quelque chose ?

— Aaaaaa.

Un ton plus haut : cela voulait dire « oui ».

— Attends, je te donne ton ardoise.

Elle décrocha une planchette suspendue à la tête du lit. C'était un carré de cinquante centimètres carrés dont la surface était divisée en trente-six cases de sept centimètres de côté. Les vingt-six premières affichaient les lettres de l'alphabet dans l'ordre ; puis venaient la barre oblique et neuf autres signes de ponctuation. Heather l'éleva à la hauteur des mains de Stephen, serrées contre sa poitrine.

Avec la première articulation des deux médius, Stephen épela :

— JE / VEUX / PARLER / À / PEGGY.

— Peggy ! fit-elle. Stephen voudrait te parler.

La jeune fille sortit du bureau. La première chose qu'on lui eût demandé quand elle avait débuté à l'Aile C avait été d'apprendre à dialoguer avec Stephen. Elle s'empara de la planchette et la tint devant lui. Il épela :

— TU / ES / UNE / IDIOTE.

Elle le regarda bouche bée.

— Je suis *une idiote* ?

Stephen se remit à épeler.

— OUI, TU / PARLES / DE / RÈGLEMENT / ET / TU / NE / REGARDES / MÊME / PAS / ASSEZ / AUTOUR / DE / TOI / POUR / T'APERCEVOIR / QU'IL / N'EST / PAS / RESPECTÉ. JE / VAIS / TE / POSER / QUELQUES / QUESTIONS. À / TON / AVIS, POURQUOI / EST-CE / QU'ON / M'A / MIS / ICI / ET / PAS / DANS / L'AILE / A ? POURQUOI / HEATHER / A-T-ELLE / SOUVENT / UNE / AIDE SOIGNANTE / DE / PLUS / QUE / LES / AUTRES INFIRMIÈRES ? POURQUOI /

S'ARRANGE-T-ON / POUR QUE / LE DEUXIÈME / LIT / DE / LA / CHAMBRE / DE / MRS. / GROCHOWSKI / SOIT / TOUJOURS / LIBRE ? CE / SONT / DES / ENTORSES / AU RÈGLEMENT. OR, MRS. / SIMONTON / EST / AU / COURANT / DE / TOUT.

Sur ce, Stephen repoussa la planchette d'un légère pression du dos de la main. Peggy la remit en place et revint sur ses pas.

Heather lui jeta un regard curieux.

— Qu'est-ce qu'il voulait ? s'enquit-elle.

— Me poser tout un tas de questions bizarres, répondit évasivement Peggy.

— Quel genre ?

— Par exemple, il voulait savoir pourquoi vous aviez souvent une aide soignante de plus que les autres. Au fait, pourquoi ?

— Sans doute pour s'assurer que l'Aile C est sous surveillance quand je reçois un appel d'un mourant logé dans une autre aile. Que voulait-il savoir d'autre ?

— Pas grand-chose, répondit Peggy. (Heather comprit que la jeune fille n'avait pas envie d'en parler. Elle semblait calmée. Pourtant, une certaine tension régnait et il y eut un long silence entre les deux femmes. Heather attendait. Peggy regardait fixement ses pieds.) Vous m'avez donné une très mauvaise note, proféra-t-elle soudain.

— C'est vrai.

— Je croyais pourtant que vous étiez gentille.

Les yeux de Heather se firent brusquement de glace.

— C'est mon boulot d'être aussi gentille que possible avec les malades, dit-elle, mais pas forcément avec les aides soignantes.

— Alors c'est quoi, votre boulot ?

— Pendant mes heures de travail, je veille à ce que cette aile fonctionne mieux que tous les autres services de Willow Glen.

— Même s'il faut marcher sur les pieds des autres ? jeta Peggy.

— Sincèrement, est-ce que je vous ai marché sur les pieds ?

Peggy se dit qu'en fait, elle n'en était pas sûre. D'ailleurs, elle ne savait plus très bien quoi penser de Heather. Sa douceur légendaire ne lui paraissait plus aussi flagrante. Il lui vint à l'idée que Heather pouvait être dure sous ses dehors tendres, méchante derrière sa façade mielleuse. Mais elle ne sut que penser de la méfiance rampante qu'elle ressentait tout à coup à son égard.

Heather changea de sujet et retrouva d'un coup ses manières amicales.

— Avec cette convocation chez Mrs. Simonton et votre petite conversation avec Stephen, vous êtes en retard pour la toilette. Je vais vous donner un coup de main. Mais en échange de mon aide, j'aimerais m'occuper de mes préférés : Stephen et Mrs. Grochowski. D'accord ?

Peggy acquiesça.

— Avertissez-moi si Rachel Stimson est de mauvaise humeur et vous donne du fil à retordre.

En général, Mrs. Stimson subissait passivement la toilette en se plongeant dans son fameux mutisme rageur. Mais de temps en temps, il fallait à Heather au moins deux aides soignantes pour l'immobiliser dans son lit.

Lorsque Heather pénétra dans la chambre de Mrs. Grochowski, elle ne fut guère surprise de trouver Tim O'Hara assis à son chevet. L'intimité discrète qui régnait entre ces deux-là semblait emplir de chaleur la pièce tout entière.

— Bonjour, Tim ! Bonjour, Mrs. G. ! claironna Heather. Peggy a pris du retard dans la toilette, alors je lui ai proposé de l'aider en me chargeant de vous, Mrs. G.

Tim se retourna sur sa chaise pour regarder Heather.

— Salut, petit ange, fit-il. Je m'en vais.

Il se hissa à grand-peine sur ses pieds. Il avait tout le côté gauche paralysé à partir du bas du visage. Attaque ou pas, Heather jugeait que Tim était le plus beau vieux monsieur qu'elle eût jamais connu. Non seulement il avait le teint fleuri et une magnifique crinière blanche, mais aussi une grosse moustache à la gauloise. Chaque fois qu'elle le voyait, elle ne pouvait s'empêcher de penser à une publicité en couleurs pour un vieux whisky de bonne marque ; elle se représentait Tim debout le verre à la main devant un feu ronflant, dans la bibliothèque d'un élégant manoir. Elle attendit qu'il ramasse sa canne et se mette en marche en traînant la patte. En passant devant elle, il sourit et déclara :

— L'Ange de Willow Glen.

Lorsqu'il eut disparu, Mrs. Grochowski prit la parole.

— C'est Tim qui a inventé l'expression, vous savez. Et depuis, tout le monde vous connaît sous ce nom. Il vous va très bien.

— Alors vous, vous êtes l'ange de l'Ange, répliqua spontanément Heather.

Elle était sincère. En arrivant à Willow Glen, il ne lui avait pas fallu longtemps pour s'apercevoir que, d'une certaine manière, certains malades la soutenaient, lui remontaient le moral. Paradoxalement, ils se trouvaient le plus souvent parmi les mourants. Les deux seules exceptions étaient Stephen et Mrs. G. Lorsqu'elle était avec eux, elle se sentait – littéralement – plus légère. C'était tellement frappant qu'elle se demandait souvent si cette sensation de légèreté émanait d'elle ou bien d'eux. Mais il y avait plus : la lumière. Au sens propre du terme. À certains moments, quand elle les regardait elle voyait vraiment émaner d'eux une espèce de lumière, qui leur faisait comme une auréole. Elle se dirigea vers la salle de bains et emplit d'eau tiède une cuvette qu'elle revint poser sur l'appui de la fenêtre, avec le savon et le gant de toilette. Tout doucement, elle dégagea de la chemise de nuit le bras gauche de Mrs. Grochowski, et entreprit de le laver.

– Je m'excuse de ne pas avoir pu venir vous voir plus tôt, Mrs. G.

Marion Grochowski était la seule malade de l'établissement que Heather n'appelât pas par son prénom. Elle avait aussi d'autres particularités. Premièrement, elle occupait la seule chambre dont le second lit ne fût jamais occupé ; Stephen et elle étaient les deux seuls grabataires du service. Ensuite, elle était la première personne perpétuellement gaie que Heather eût jamais rencontrée. On lui avait dit à l'école d'infirmières que les patients atteints de sclérose en plaques souffraient peut-être de lésions cérébrales qui les mettaient dans un curieux état d'euphorie. Mais Heather en doutait. Ce n'était certainement pas le cas de Mrs. G. Nul autre signe de lésion cérébrale chez cette femme de cinquante-huit ans totalement paralysée à partir du cou par la sclérose en plaques. Elle avait l'esprit plus vif que n'importe qui.

– Votre visite m'a manqué, dit Mrs. Grochowski à Heather sur un ton qui faisait de sa remarque une simple déclaration, et non une accusation quelconque.

Heather abaissa l'encolure de la chemise de nuit et se mit à lui laver la poitrine.

– Je crains de devoir vous manquer encore, Mrs. G. Ces trois prochains jours, je suis en congé.

– Oh, mais je le sais ; je connais votre emploi du temps par cœur. En fait, je suis contente pour vous. Vous avez bien besoin de prendre un peu de temps libre chaque fois que vous le pouvez.

Heather ne s'étonna pas que Mrs. G. soit au courant de son emploi du temps. Qui n'était pas ordinaire, d'ailleurs. Si les aides

26

soignantes faisaient comme tout le monde leurs huit heures par jour, les infirmières observaient des périodes de douze heures sur quatre jours consécutifs, puis partaient trois jours en congé. Elles alternaient également travail de jour et travail de nuit. Pendant un mois, elles venaient de sept heures du matin à sept heures du soir ; le mois suivant, c'était l'inverse. Mrs. Simonton avait instauré ce rythme en raison de la pénurie d'infirmières − surtout quand il s'agissait de travailler de nuit.

Armée de son gant de toilette, Heather s'attaqua au bras droit de Mrs. Grochowski.

− S'il fait beau, j'irai peut-être skier, déclara-t-elle. Il y a une nouvelle station dans ces petites montagnes, au nord-ouest d'ici. Mais je dois dire que ça me fait un peu peur. Je n'ai encore jamais fait de ski.

− C'est votre petit ami Tony qui vous y emmène ?

Mrs. Grochowski n'oubliait jamais rien de ce que lui racontait Heather.

− Il me l'a promis, oui. Je crois que je suis en train de tomber amoureuse, Mrs. G.

− Mais j'espère bien ! C'est merveilleux de tomber amoureux, n'est-ce pas ? Même si ça fait mal quand ça se termine.

Le commentaire ne sous-entendait aucune critique. Mrs. Grochowski avait vu Heather tomber maintes fois amoureuse depuis son arrivée à Willow Glen, trois ans auparavant ; et si ses remarques comportaient une nuance de mise en garde, elles exprimaient un espoir qui était aussi celui de la jeune femme : l'espoir que cette fois-ci, ce serait la bonne.

La toilette était terminée. Après avoir retourné la malade sur le flanc, elle emporta ses ustensiles dans la salle de bains, rinça la bassine et laissa tomber gant et serviettes dans le panier à linge.

− À dans quatre jours, Mrs. G. D'ici là, faites attention à vous.

− Je ne vois pas comment il pourrait m'arriver quoi que ce soit, gloussa cette dernière. Je n'ai guère l'occasion de prendre des risques, clouée au lit comme je le suis.

Heather lui tira la langue.

− Vous m'avez très bien comprise.

− Bien sûr, reconnut Mrs. Grochowski. Et vous aussi, faites attention à vous.

− J'essaierai.

Heather sortit en souriant et laissa la porte entrebâillée en prévision du retour de Tim.

Mrs. Grochowski ferma les yeux. Elle éprouvait à la fois de l'amitié et de la tendresse pour Heather. Mais elle ne se faisait aucune illusion sur elle. Elle était consciente de toujours voir la jeune femme sous son meilleur jour ; elle savait que le puzzle comprenait d'autres pièces, et que l'ensemble n'était pas aussi cohérent qu'on aurait pu le souhaiter. Sachant non seulement que l'avenir de Heather était loin d'être clair, mais pressentant aussi que des nuages s'amassaient à l'horizon, elle se mit à prier en silence.

Heather revint vers le bureau des infirmières, le contourna et emprunta le couloir opposé, qui débouchait sur un vestibule donnant accès à une petite pharmacie. On y entreposait les médicaments, gardés sous clef dans une armoire, mais aussi tout le matériel : gants stériles, collecteurs d'urine et instruments chirurgicaux. Elle attrapa sous l'évier une bassine propre, un gant de toilette et du savon. Stephen n'avait ni chambre ni salle de bains personnelles. Il vivait nuit et jour sur son chariot. C'était un choix. Il ne dormait que par courtes périodes, et si on l'avait mis dans une chambre normale il se serait retrouvé isolé la plupart du temps. Sur son lit roulant, au contraire, il était en permanence en contact avec les événements survenant au bureau, et avec la vie qui se déroulait tout autour de lui.

Une fois qu'elle eut rempli la cuvette, Heather sortit de l'armoire à pharmacie un ensemble cathéter-condom stérile. Il s'agissait d'un appareillage destiné aux hommes tels que Stephen : capables d'uriner, ils n'avaient pas besoin de sonde vésicale, mais leur paralysie leur interdisait l'usage de l'urinal. Elle emporta son matériel, alla trouver Stephen et posa le tout au pied de son lit roulant.

— Peggy est en retard pour la toilette, l'informa-t-elle. Je lui donne un coup de main en m'occupant de toi et de Mrs. Grochowski. Ça te va ?

— Aaaaaa.

« Oui », interpréta Heather. À part cela, la réaction de Stephen restait un mystère : sa paralysie spasmodique était si grave qu'il n'avait aucun contrôle sur ses muscles faciaux.

— Je ne sais pas ce que tu as dit à Peggy, reprit-elle en le savonnant, mais en tout cas tu l'as drôlement aidée à se tirer de ce mauvais pas. Tu dois être sacrément bon psy, Stephen. Il y a longtemps que je le sais, de toute façon.

Elle le savait même très bien. Elle avait la conviction que cette fameuse lumière n'était pas seulement due à leur brillant intellect mais que Stephen et Mrs. Grochowski étaient les deux êtres les plus intelligents au monde.

Stephen se laissait faire sans broncher – et probablement avec plaisir, songea-t-elle. Elle garda les organes génitaux pour la fin. Elle vérifia qu'il n'y avait ni visiteur ni malade dans les parages et lui enleva sa couche, qui se révéla propre. Ne pas oublier de noter au registre qu'il n'avait pas encore eu d'évacuation intestinale ce jour-là. Elle ôta le condom entourant son pénis et détacha le tube du sac d'urine accroché sur le côté du chariot. Rabattant le drap sur ses reins, elle décrocha le sac et le ramena à la pharmacie avec l'ensemble cathéter-condom. Là, elle le vida dans l'évier, le rinça, puis revint le mettre en place. Ensuite, elle trempa le gant de toilette dans la bassine, l'enduisit de savon, se redressa et, repoussant le drap, lava doucement le scrotum et les fesses. Lorsqu'elle arriva au pénis, elle eut la surprise de constater qu'il avait un début d'érection. Elle nettoya le prépuce, puis le reste. Pas de doute, il était à présent à demi dressé.

Cela ne s'était encore jamais produit lors des toilettes précédentes, et Heather aurait pu s'arrêter là. Mais elle sentit en elle une pulsion presque violente qui l'incita à continuer. Néanmoins, elle sentit qu'il fallait laisser l'initiative au jeune homme. Elle plongea donc son regard dans ses yeux insondables et l'interrogea :

– Tu veux que je continue ?

Stephen aurait pu répondre « Aaaaaa » pour oui ou « Euheuheuheu » pour non ; au lieu de cela, il émit un son qu'elle n'avait encore jamais entendu. Cela faisait « Mmmmmm », et on aurait dit un ronronnement. Elle sourit toute seule, se pencha, enduisit à nouveau le gant de savon et se mit à masser son pénis. Ravie par la taille qu'il atteignait, ravie de l'exciter à ce point, elle le regarda grandir dans sa main. Enfin, lorsqu'il fut tout à fait rigide, elle se força à le lâcher. Alors elle se pencha de nouveau sur la bassine, rinça le gant, puis se releva pour éponger le savon.

– Superbe, dit-elle.

– Mmmmmm.

Elle s'empara ensuite du nouveau collecteur d'urine et le déroula sur son pénis en érection.

– Tu m'as drôlement facilité la tâche, remarqua-t-elle en songeant : Je jacasse parce que je ne sais pas comment réagir.

Puis elle redevint Heather l'infirmière, enfonça le tube dans le sac à urine vide, rabattit le drap, ramassa la bassine et repartit à grands pas vers la pharmacie.

— Je pense que je ne t'apprends rien, dit-elle lorsqu'elle revint lui mettre sa couche, mais je pars en congé pour trois jours. Je voulais que tu saches que tu peux compter sur moi : je serai là dans quatre jours. (Comme d'habitude, le visage de Stephen n'exprima rien en retour, mais c'était une autre réponse qu'elle voulait maintenant obtenir de lui.) Est-ce que ça arrive aussi avec les aides-soignantes ?

— Éèèèè.

Manifestement, le bêlement signifiait que Stephen voulait la planche à lettres. Elle la plaça devant ses mains et, à l'aide de ses articulations, le jeune homme épela :

— NON.

— Ce n'est pourtant pas la première fois que je te fais ta toilette. Alors pourquoi aujourd'hui ?

— JE / NE / SAIS / PAS.

Heather reprit brusquement la planche et la raccrocha à la tête du lit. Puis elle retourna Stephen sur le côté presque négligemment et s'en alla sans lui dire au revoir tant était grande sa perplexité. Elle avait parfaitement conscience d'avoir commis un acte contraire à l'éthique de sa profession. Or, c'était avant tout une professionnelle. Elle éprouvait de la gêne, de la honte. Une certaine excitation, aussi. Plus un tressaillement dû à la sensation de pouvoir. Mais il y avait autre chose... Une impression qu'elle ne sut pas identifier, un sentiment nouveau, mais qui s'accompagnait d'étranges résonances, comme si un passé primitif, antérieur à sa naissance, venait de se manifester.

Kenneth Bates était dans son bureau, chez Bates & Brychowski, le plus gros cabinet comptable de la ville. Fondée au début du siècle par des immigrants polonais, New Warsaw était une bourgade paisible comptant à peine quinze mille habitants ; mais c'était également la capitale du comté, et elle desservait un région bien plus vaste : riches fermages appartenant pour la plupart à des exploitants prospères, plus quelques villages épars. Kenneth s'y sentait très loin de New York (où il avait grandi) et de son agitation — à vrai dire, il s'y sentait même bien loin de Chicago. Mais c'était là que Marlène était née, là qu'elle avait voulu qu'ils s'installent après leur mariage. Idéal pour élever des enfants. Et si la vie à New Warsaw sentait un peu trop son Midwest, professionnellement parlant il avait autant à faire ici que dans un zone plus urbaine.

Surtout ces temps-ci. Le système d'exercices fiscaux des entreprises lui donnait du travail tout au long de l'année, mais à cause des contribuables ordinaires, le trimestre précédant le 15 avril était de loin le plus trépidant. Depuis l'admission de sa mère à Willow Glen et le moment où il avait déposé Marlène à la maison, Kenneth n'avait pas eu le temps de réfléchir. Sa secrétaire lui avait passé un sandwich entre deux clients, et tout l'après-midi il avait accumulé du retard.

Par la fenêtre, il vit qu'il faisait nuit. Le personnel était parti. Il referma le dernier dossier ouvert sur son bureau. Mais il s'attarda. Il se sentait vaguement triste. Il se laissa aller en arrière dans son fauteuil, songeant à sa mère (ex-épouse d'un riche banquier de Wall Street), sa mère chez qui veuvage et sénilité étaient apparus presque simultanément. Après la mort de son père, elle avait accepté sans problème de venir s'installer chez son aîné. La maison était assez vaste pour qu'on puisse lui ménager une aile à part. Kenneth n'avait pas compris pourquoi elle était si vite devenue irascible, puis incontinente. « Sénilité », fut le diagnostic du spécialiste en médecine interne, puis celui du psychiatre ; pourtant, nulle lésion visible à la radio, pas le moindre dysfonctionnement physiologique décelable.

Il repensa à Willow Glen, avec ses bâtiments étalés dans le noir à une quinzaine de kilomètres au sud de la ville. Et cet homme à la quarantaine bien mûre, chef d'une famille comptant déjà trois générations, se demanda avec une lucidité nouvelle s'il finirait lui aussi par échouer dans un tel endroit. L'idée lui déplut fortement. Il en aurait frissonné si un mot entendu le matin même ne lui était revenu en mémoire. Un « refuge », avait dit Heather. Qu'entendait-elle par là ?

Quoi qu'il en fût, il était temps pour lui de regagner le refuge de son foyer, avec son cocktail bien mérité en compagnie de Marlène, et les enfants tout autour d'eux à la table du dîner, qui raconteraient leurs petites crises de lycéens. Il se leva et enfila son manteau. Oui, son foyer était bien un refuge, un lieu protégé où il se sentait en sécurité. Il se réjouissait de savoir sa mère également en sécurité, confortablement installée à Willow Glen.

Mais au moment où il sortait dans le froid pour rejoindre vers sa voiture, le mot « refuge » lui évoqua brusquement un sanctuaire. Kenneth n'était pas croyant. Néanmoins, le mot lui rappelait les fuyards qui, jadis, cherchaient refuge dans les églises. D'ailleurs, la partie centrale de celles-ci portait le nom de « sanctuaire », et avait un caractère sacré. Bizarre, se dit-il en ouvrant la portière. Willow

Glen, cet univers impersonnel pour individus décrépits... se peut-il qu'il y ait là quelque chose de sacré ?

Ce n'était qu'une idée en passant. Kenneth se savait plus porté sur l'introspection que la moyenne. Mais pas très imaginatif. Il n'y avait certes rien qui inspirât là-bas le respect ou la crainte : ni les couloirs neutres et froids, ni la folle en fauteuil roulant qui l'avait attrapé par le bras, ni cette créature difforme et quelque peu irréelle sanglée sur son chariot, ni le reproche glacé qu'exprimait l'attitude de sa mère. Inconsciemment, il se redressa, mit le contact et prit de bon cœur le chemin de son foyer, le chemin de la vraie vie.

CHAPITRE DEUX

Mardi 16 février

Heather revint avec un œil au beurre noir.

— Qu'est-ce qui vous est arrivé ? s'enquit Peggy.

— Je me suis disputée avec mon petit ami.

Peggy était encore trop blessée pour chercher à en savoir davantage.

— Il faut que j'aille faire la toilette maintenant, lança-t-elle d'un ton acerbe.

Heather s'assit dans le bureau des infirmières et songea que la journée allait être dure. Peggy ne serait pas la seule à remarquer son œil. De plus, un reste de gueule de bois pulsait douloureusement dans sa tête. Malgré tout, c'était une consolation de se retrouver au travail. Si elle gâchait sa vie sentimentale, au moins réussissait-elle dans sa profession. Là, elle était compétente. Heather entreprit de lire le registre des infirmières couvrant ses trois jours d'absence.

Deux incidents seulement avaient été signalés, dont un qui ne constituait vraisemblablement pas un réel problème. La veille, à l'heure du dîner, Rachel Stimson avait jeté son verre par terre dans le séjour. Ce n'était guère surprenant ; en fait, elle était plutôt coutumière de ce genre de chose. C'était d'ailleurs pour cela qu'on ne lui servait pas ses repas dans la salle à manger. Mais Heather irait tout de même voir ce qui se passait.

L'autre incident était plus significatif. À la page du dimanche elle lut que Betty Carstairs s'était endormie pendant deux des trois repas qui lui avaient été proposés, et à celle du lundi qu'elle n'avait pas pu se lever. Betty faisait partie des quelques malades venus à Willow Glen pour y mourir. Quand on lui avait dit, six semaines auparavant, que le cancer du côlon dont elle souffrait depuis longtemps s'était métastasé et avait atteint le foie, elle avait pris ses dispositions. Elle avait refusé le traitement par chimiothérapie que lui conseillait l'oncologiste, repoussé l'offre de ses enfants qui voulaient la faire soigner à domicile. Elle ne voulait ni d'une agonie pénible et prolongée, ni d'une fin qui serait un fardeau pour ses enfants. Personnellement, Heather se réjouissait de son choix. Elle aimait travailler avec les mourants. Il y avait quelque chose de terriblement *réel* chez un grand nombre d'entre eux, comme s'ils n'avaient plus le temps de dissimuler leur véritable nature. Elle appréciait énormément cela, sans compter que c'était chez ces malades qu'elle avait le plus de chances de remarquer la fameuse lumière. Elle avait eu de bons rapports avec Betty pendant son bref séjour à Willow Glen. Manifestement, il n'y en avait plus pour très longtemps. Elle décida d'aller lui parler.

Elle n'arriva même pas jusqu'à sa chambre. Juste avant le changement d'équipe, l'aide soignante de nuit postait devant le bureau des infirmières, contre le mur opposé au chariot de Stephen, la vieille Carol Kubrick (qu'on appelait parfois Carol la Folle), sanglée dans son fauteuil roulant. Elle n'avait pas plus tôt franchi la porte que Carol l'arrêta de sa plainte impérieuse :

— Vous n'auriez pas vu mon sac ? Vous savez ce qu'ils ont fait de mon sac ? On m'a volé mon sac. Où est le docteur ? Je veux voir le docteur. On m'empêche de voir le docteur.

Éternel refrain. Heather ne l'avait jamais rien entendue dire d'autre. Sachant pertinemment quelle serait sa réaction, mais lui accordant tout de même le bénéfice du doute, elle lui posa la main sur l'épaule et lui demanda :

— Qui est-ce qui ne veut pas vous laisser voir le docteur ?

Pas de réponse. Plongeant son regard dans les yeux vides de la malade, Heather reprit :

— Pourquoi voulez-vous voir le docteur, Carol ? Quelque chose ne va pas ?

Mais comme toujours, les yeux restèrent dépourvus de toute expression. Ils ne reflétaient pas même un soupçon de perplexité. C'était le plus difficile à supporter. Il semblait impossible d'entrer en communication avec Carol. Elle disait la même chose à tout le monde, et dans les mêmes termes. Les phrases qu'elle proférait formaient une espèce d'incantation. Elle attrapait n'importe qui par le bras ; pourtant, on aurait dit que nul n'existait pour elle.

Carol avait quatre-vingts ans. Hormis son incontinence chronique, elle était en bonne santé. Seulement, c'était une fugueuse.

Voilà pourquoi elle restait sanglée sur son fauteuil roulant le jour, sauf quand on lui faisait prendre un peu d'exercice, et attachée sur son lit la nuit. Sinon, elle s'aventurait aussitôt dans les couloirs en serinant son sempiternel couplet. Dans l'heure qui suivait, qu'il pleuve ou qu'il vente, on la retrouvait devant la porte d'entrée, à arrêter les passants et leur infliger sa litanie.

— Y a-t-il quelque chose que je puisse faire pour vous ce matin ? s'enquit Heather.

— Vous n'auriez pas vu mon sac ? reprit Carol d'une voix geignarde. Vous savez ce qu'ils ont fait de mon sac ?

Heather eut un geste de frustration exaspérée. L'espace d'une fraction de seconde, elle fut sur le point de gifler Carol. De toutes ses forces. Mais elle se reprit, abaissa lentement son bras et passa les doigts dans ses cheveux. Puis elle rentra en courant au bureau des infirmières et se prit la tête à deux mains.

Quelle horreur ! Elle avait failli frapper une malade ! Heather détestait ce sentiment d'impuissance. Et même, elle le haïssait. Elle ne pouvait pas le supporter. Dans l'état où elle était, il était hors de question qu'elle aille rendre visite à Betty Carstairs, quel que fût son désir de voir si elle avait la lumière.

Cela lui rappela l'aura de Mrs. Grochowski. Instinctivement, Heather s'engouffra dans le couloir comme un poussin égaré. Mais au moment de franchir la porte de la chambre, elle se reprit suffisamment pour rire de son propre besoin d'être maternée.

— Coucou, supermaman ! s'exclama-t-elle.

Le visage souriant que tourna vers elle Mrs. Grochowski prit instantanément une expression consternée.

— Heather, ma chérie, qu'est-il arrivé à votre œil ? Vous êtes tombée en faisant du ski ?

— Si seulement c'était ça ! Non, la vérité est que je me suis bagarrée avec mon petit ami, hier soir.

— Avec Tony ?

— Oui, c'est ça.

— Comment est-ce arrivé ?

— Ma foi, je ne sais plus très bien, commença Heather. Vous savez comment ça se passe quand on se dispute. Parfois, on s'enflamme pour des détails sans importance, et ensuite on ne sait plus comment tout a démarré. On avait bu tous les deux, ce qui n'était pas pour arranger les choses.

— Mmm, répondit Mrs. Grochowski en fixant sur elle un regard perçant. Je sens qu'il y a autre chose, mais je ne voudrais pas me montrer indiscrète. Ce n'est pas mon rôle, n'est-ce pas ? Je ne suis pas votre psychiatre. Vous allez en parler au docteur Kolnietz, j'imagine ?

— Il le faut bien, grimaça Heather. C'est la règle.

— Quand devez-vous le revoir ?

— La semaine prochaine, pendant mon congé. C'est-à-dire dans six jours.

— Pas avant ? s'enquit Mrs. Grochowski d'un air inquiet.

— Tant que je travaille douze heures par jour, pas moyen .

— Vous travaillez tellement dur pour prendre soin de nous ! Si seulement les autres s'occupaient mieux de vous...

— Vous savez très bien que vous faites beaucoup pour moi, Mrs. G. Si je suis venue vous voir aujourd'hui, c'est parce que j'avais besoin de vous, et non l'inverse. Je quêtais votre sympathie. Et je ne me suis pas trompée. Mais nous n'avons fait que parler de moi. Pas un mot sur vous ! Vous voyez bien que je ne suis pas si attentionnée que ça.

— Au contraire, vous êtes une personne pleine d'attentions, Heather, affirma Mrs. Grochowski.

— Tout à l'heure, j'ai failli frapper Carol la Folle, rétorqua Heather. C'est ça, être pleine d'attentions ? J'ai failli exploser en la voyant refuser obstinément de réagir à ma présence.

— C'est précisément parce que vous êtes attentionnée que vous avez failli la frapper.

— Je ne vois pas très bien ce que vous voulez dire, Mrs. G.

— Vous êtes sensible aux besoins des autres, mais vous avez également une très forte volonté. Voilà pourquoi vous vous mettez parfois en colère, Heather. Ce sont les gens dotés d'une volonté de fer qui démolissent leurs clubs de golf contre un arbre parce que cette satanée petite balle refuse d'aller où ils veulent. Vous vous êtes emportée contre Carol parce qu'elle ne veut pas des attentions que vous voulez tant lui prodiguer.

L'analogie fit son effet ; Heather sentit flamber à nouveau sa rage. Elle s'empressa de changer de sujet.

— Comment se fait-il que vous connaissiez si bien le golf ?

— Je n'y connais rien. C'est mon ex-mari qui y jouait. Mais la volonté, ça, ça me connaît.

— Votre mari démolissait ses clubs de golf contre les arbres ?

— Oui, si vous voulez le savoir. Il avait une sacrée volonté, mais la mienne était encore plus forte, répondit Mrs. Grochowski, qui refusait manifestement de laisser tomber le sujet.

— Il le faut bien, quand on vit avec une sclérose comme la vôtre.

— C'est tout le contraire, répliqua Mrs. Grochowski. C'est ma volonté inébranlable qui a failli me tuer.

— Comment ça ? interrogea Heather d'un air interloqué.

— Quand j'étais jeune, ma principale motivation dans la vie était d'être admirée. Je m'efforçais donc constamment d'être quelqu'un de bien, afin que les autres aient de l'admiration pour moi. C'était de l'égocentrisme à l'état pur, voyez-vous, parce que je faisais cela uniquement pour susciter l'admiration. Et pour y arriver, forte de ma fameuse volonté de fer, j'ai fait tout ce que je pouvais pour être la meilleure des épouses et la meilleure des mères.

» Mais tandis que je m'efforçais d'être quelqu'un de bien, les choses ont mal tourné. Tout d'abord, mon mari m'a quittée pour une autre en m'abandonnant avec trois enfants en bas âge. Je n'arrivais pas à comprendre pourquoi. J'avais tellement voulu être une bonne épouse ! J'ai donc décrété que mon mari n'était pas quelqu'un de bien, et j'ai voulu devenir la plus méritante des mères délaissées. Pour mes enfants, je me suis dépensée sans compter. Mais à mesure qu'ils grandissaient, les choses ont tourné de plus en plus mal. Ils volaient dans les magasins, ils se retrouvaient mêlés à des histoires de drogue, ils avaient de mauvaises fréquentations. Encore une fois, je n'arrivais pas à comprendre pourquoi j'avais tant de problèmes avec eux alors que je me comportais en mère modèle. Alors j'ai eu recours à ma fameuse volonté, et redoublé d'efforts pour parvenir à la perfection. À les sortir de tous les mauvais pas où ils se fourraient, j'ai failli me tuer à la tâche.

Heather l'écoutait fascinée. En trois ans, jamais Mrs. G. ne lui avait parlé aussi franchement. Elle trouvait cela chaleureux, intime, tout en pressentant confusément qu'elle était censée y détecter un message.

— Et c'est là que s'est déclarée la sclérose, reprit Mrs. Grochowski. Là non plus, je n'ai pas compris. Comment Dieu pouvait-il m'envoyer cette épouvantable maladie alors que j'avais tant voulu bien faire ? Mais j'ai fait de mon mieux pour ne pas sombrer dans le désespoir, et j'ai eu recours à ma volonté afin de m'appliquer encore plus. Ainsi les gens m'admireraient non seulement comme femme abandonnée, mais aussi comme mère handicapée s'efforçant d'élever des enfants à problèmes. Seulement, la sclérose s'est très vite aggravée. Elle a évolué plus rapidement que ne l'avaient prédit les médecins, et je me suis retrouvée handicapée au point que, de plus en plus, c'étaient mes enfants qui devaient s'occuper de moi.

» Alors s'est produite une chose très curieuse. Dès qu'ils se sont mis à me prendre en charge — dès que je n'ai plus pu être la mère idéale —, mes enfants ont commencé à mettre de l'ordre dans leur vie, et les choses se sont améliorées. Cela m'a profondément déprimée. J'ai compris petit à petit que tous mes efforts étaient restés vains. Non seulement mes enfants s'en sortaient mieux depuis que je ne pouvais plus être une mère admirable, mais je me suis mis à soupçonner que si mon mariage s'était brisé, c'était peut-être aussi parce que j'avais trop essayé d'être quelqu'un de bien. Voyez-vous, j'ai compris à ce moment-là que j'avais consacré toute mon énergie à sauver les apparences plutôt qu'à réussir mon mariage. Et donc qu'en recherchant l'admiration d'autrui, j'avais vécu une existence entièrement fondée sur de fausses bases. Mais je ne savais pas vivre autrement. Je me retrouvais tout à coup handicapée à cent pour cent ou presque, et je ne savais plus sur quoi me reposer. Ce fut une période très difficile. J'ai fait une grave dépression. Finalement, j'ai renoncé à ma volonté d'être admirée. Et vous savez ce qui s'est passé ? La sclérose a cessé de progresser aussi vite. C'est grâce à cela que je suis toujours en vie.

Heather se sentait sur le point d'exploser. Les questions se pressaient sur ses lèvres. Si Mrs. Grochowski avait cessé d'être bonne, comment expliquer qu'elle le soit autant, justement ? De toute évidence, ce récit la visait personnellement, mais elle ne voulait pas y réfléchir — du moins pas pour l'instant. Cependant, comme toujours avec Mrs. G., elle avait reçu ce qu'elle était venue chercher. Bien que l'histoire la laissât quelque peu perplexe, elle la trouva étrangement réconfortante. Jamais sa propre mère ne s'était ainsi ouverte à elle, jamais elle ne lui avait raconté d'histoires de ce genre. En fait, elle ne lui avait jamais rien raconté. Mais à cela non plus elle ne voulait pas penser. Par certains côtés, elle se réjouissait de ce que Mrs. G. passe aussi par des moments de trouble, de dépression.

— Je vous remercie, Mrs. G., dit-elle. Je ne sais pas très bien de quelle manière, mais vous venez de m'aider. Je suppose que vous, vous le savez, mais vous tenez à ce que je débrouille tout ça par moi-même. C'est ainsi que vous procédez habituellement.

— Je vois que vous connaissez mon style, sourit Mrs. Grochowski. Sauvez-vous maintenant, petite. Vous avez beaucoup à faire. Mais revenez quand vous voudrez. Je suis contente de vous avoir aidée, mais vous aussi, vous me donnez beaucoup.

Ayant retrouvé toute son énergie, Heather dépassa d'un pas décidé le bureau des infirmières et prit la branche opposée du couloir, en direction de la chambre 18. Elle constata avec soulagement que Georgia était sortie — sans doute en train de prendre son petit déjeuner. Elle désirait s'entretenir seule à seule avec Betty. Les paupières closes et le teint encore plus pâle qu'avant son départ en congé, celle-ci gisait dans son lit près de la fenêtre. Heather approcha le fauteuil à bascule, s'y installa, effleura la main diaphane de la vieille dame assoupie et annonça tout doucement sa présence.

— Bonjour, Betty.

Les paupières de Mrs. Carstairs s'ouvrirent brusquement. Les doses de morphine qu'on lui administrait ne diminuaient en rien sa vigilance. Elle n'avait pas plus tôt posé les yeux sur Heather qu'elle s'exclamait :

— Mon Dieu, mais qu'est-il arrivé à votre œil ?

— Mon petit ami et moi nous sommes disputés.

— Oh, je suis désolée !

— Merci, Betty, c'est gentil. Mais ça devrait s'arranger assez vite, non ? Et pour vous, vous croyez que ça va s'arranger bientôt ?

— Vous savez aller droit au but, hein, Heather ? fit Mrs. Carstairs avec un pauvre sourire. C'est ce que j'apprécie chez vous. Vous ne perdez pas de temps, et justement, je n'en ai plus beaucoup devant moi. Non, je crois que ça ne va pas s'arranger.

— Voulez-vous revenir sur votre décision et tenter la chimiothérapie ? s'enquit Heather. Les séances pourraient débuter très vite. On peut vous hospitaliser aujourd'hui même et commencer demain matin.

Mais elles savaient l'une comme l'autre qu'au mieux, la chimiothérapie ne lui ferait gagner qu'un mois ou deux.

— Non, répondit Mrs. Carstairs d'un ton résolu. Comme vous le savez, mon mari est mort et mes enfants sont grands. Comme je vous l'ai dit, ils prennent bien soin de mes petits-enfants. Bien sûr, ils auront du chagrin ; mais ils n'ont plus réellement besoin de moi. Par ailleurs, cela leur fera du bien de savoir ce que c'est qu'incarner la vieille génération. (L'espace d'un instant, Heather crut déceler dans ses yeux une lueur de gaieté.) Je n'ai pas eu à me plaindre de ma vie, dans l'ensemble. Je ne vois pas la nécessité de la prolonger péniblement.

— Vous n'avez donc pas peur ?

Mrs. Carstairs lui jeta un regard reconnaissant.

— Si, bien sûr. J'ignore ce que ça fait de mourir. À ma manière, j'ai de la religion ; mais ce n'est pas la foi toute simple de ceux qui

39

savent exactement à quoi ressemble le paradis et sont certains d'y aller tout droit. Moi, je vais vers l'inconnu. Et cela fait toujours un peu peur, je crois. Mais c'est aussi une aventure, non ?

— Si, répondit Heather. Il me semble. Il me semble aussi que vous avez plus de bon sens que ceux qui croient tout savoir sur la question. Il y a du mystère là-dedans.

— Comment peut-on savoir cela à votre âge, Heather ?

— Je l'ignore. Je ne sais pas très bien qui je suis, en fait.

L'espace d'une minute de silence paisible, elles se contentèrent de se regarder. Puis Heather prit le poignet de Mrs. Carstairs et lui tâta doucement le pouls. Il était régulier, mais sensiblement affaibli ; ce n'était plus qu'un murmure rythmé. Ce fut Heather qui rompit le silence.

— J'ai lu dans le registre que vous n'aviez pas pu vous lever, hier. Vous sentez-vous prête pour l'Aile A ?

Pour la première fois, Mrs. Carstairs eut réellement l'air effrayée.

— Là-bas on s'occupera mieux de vous, poursuivit Heather. Mais je vois que l'idée vous fait peur. Pourquoi ?

Mrs. Carstairs observa un long silence pensif. Puis :

— Ce n'est pas le caractère inévitable de l'Aile A qui m'effraie, déclara-t-elle enfin. Ça, j'ai fini par m'y faire. Vous allez me trouver ridicule, parce qu'il s'agit de détails, mais il y a deux petites choses qui m'ennuient.

— Lesquelles ?

— Eh bien, la plus importante, en fait, c'est vous, Heather. Je ne m'attendais pas à trouver quelqu'un comme vous quand je suis arrivée ici. Depuis un mois, vous êtes une véritable bénédiction pour moi. Le moment venu, j'aurais aimé que vous soyez auprès de moi, si possible. Et à l'Aile A, ce ne sera pas possible.

— Oh, mais si ! la rassura Heather. Il y aura tous les jours une aide soignante ou une infirmière pour vous dire si je suis de service, ou quel jour je vais revenir. Ne craignez pas de me demander, si je suis là ; elles prendront contact avec moi. Je peux être là en quelques minutes. C'est très courant. Elles ont l'habitude de m'appeler, à l'Aile A.

Le soulagement se peignit sur les traits de Mrs. Carstairs.

— Vous disiez que deux choses vous ennuyaient, insista Heather.

— Oh, l'autre est vraiment insignifiante. Simplement, le lit près de la fenêtre me manquera. Je sais bien qu'il n'y a pas grand-chose à voir. Une petite cour avec un arbre, et la plupart du temps la neige est sale. Mais s'il neige à nouveau, je serai tellement heureuse de la voir tomber ! De temps en temps, un ou deux cardinaux viennent se poser sur l'arbre.

— Voilà ce qu'on va faire, déclara Heather. Je vais appeler tout de suite l'Aile A. S'ils ont un lit près de la fenêtre pour vous, ils viendront vous chercher dans la matinée. Sinon, je reviendrai vous le dire et on vous gardera ici jusqu'à ce qu'ils en aient un. Est-ce que ça vous va ?

Mrs. Carstairs lui lança un regard reconnaissant.

— Heather, vous êtes merveilleuse.

— En effet, sourit l'intéressée. (Elle recula de quelques pas et contempla la malade. Oui, il y avait bien une faible lueur, une espèce de lumière autour d'elle. Une grande joie l'envahit.) Il faut que je m'en aille maintenant, fit-elle. Je reviendrai dans un petit moment pour vous tenir au courant.

Heather regagna le bureau des infirmières et appela l'Aile A. Deux lits allaient se libérer au service des femmes. L'une des chambres était occupée par une comateuse ; il lui importait donc peu d'être d'un côté ou de l'autre. Mrs. Carstairs pouvait prendre son lit près de la fenêtre, et on viendrait la chercher dans l'heure.

Sur sa lancée, Heather fit porter la nouvelle à Mrs. Carstairs et trouva le courage d'aller voir Rachel Stimson. De la lumière aux ténèbres, songea-t-elle. Rachel avait quatre-vingt-deux ans et partageait la chambre de Carol la Folle. Elle n'avait plus de pieds. En raison de son diabète, on avait dû amputer une jambe juste au-dessus de la cheville et l'autre au-dessous du genou. Lorsque Heather arriva auprès d'elle, Rachel était déjà installée dans son fauteuil roulant.

Rachel passait toute seule du lit au fauteuil en accomplissant chaque fois un exploit remarquable. Elle tenait absolument à ce que le fauteuil fût placé à côté de son lit, et que les deux roues en fussent bloquées. Elle arrivait à se hisser en position assise au bord du lit, face au fauteuil, et à attraper les bras de ce dernier. Puis elle posait les genoux sur le coussin, marquait un temps d'arrêt, et complétait la manœuvre en faisant une volte-face acrobatique à l'issue de laquelle elle se retrouvait assise dans le bon sens. Tout minces qu'ils fussent, les bras de Rachel étaient dignes d'une gymnaste.

— Bonjour Rachel, fit Heather, bien déterminée à ne pas se laisser démonter. Comment allez-vous aujourd'hui ?

Pas de réponse. Elle prit place dans le rocking-chair, face au fauteuil roulant, et dévisagea Rachel. Les deux femmes s'affrontèrent du regard. C'était à celle qui baisserait les yeux en premier. Chez Rachel, l'apathie était très différente de chez Carol. Ses yeux n'étaient ni inexpressifs ni déments. En fait, pour Heather ils émettaient une lueur concentrée rappelant les rayons laser.

— Est-ce que je peux faire quelque chose pour vous ? hasarda-t-elle à nouveau.

Toujours pas de réponse. Curieusement, Heather trouva cela moins irritant qu'avec Carol. Carol ne se souciait pas de l'attention qu'on lui portait. Rachel, elle, la refusait. Heather baissa les yeux et examina rapidement la malade. Elle avait besoin d'un coup de peigne ; Peggy viendrait lui faire sa toilette en temps voulu. Son teint était normal. Heather souleva le bas de sa chemise de nuit. Les extrémités avaient l'air normales aussi. D'ailleurs, Rachel était à Willow Glen depuis des années et ne paraissait pas changer d'un iota.

— Si vous avez besoin de quelque chose, dites-le-moi, fit l'infirmière en se levant pour partir.

Au moment où elle passait la porte, elle entendit dans son dos la voix de Rachel articulant avec une précision mesurée :

— Il aurait dû amocher l'autre, tant qu'il y était.

Heather ne se laissa pas déconcerter ; le fiel de cette flèche assassine n'avait rien d'extraordinaire chez Rachel. Comme pour Carol la Folle, elle inscrirait dans le registre : *Aucun changement*. Mais des deux compagnes de chambre, c'était tout de même Rachel qu'elle préférait. Au moins y avait-il une parcelle de vie en elle — parfois trop, d'ailleurs, comme quand elle balançait des assiettes, qu'elle ne voulait pas se laisser laver ou encore lançait des remarques hostiles. Mieux valait avoir l'esprit combatif que pas d'esprit du tout. Elle se rappela l'expression de Mrs. Grochowski : volonté de fer. La volonté de Rachel paraissait constamment négative, mais en dépit des ennuis qu'elle causait, il arrivait parfois que Heather admire sa férocité.

Dossier à la main, Roberta McAdams franchit à grands pas la porte du bureau de Mrs. Simonton.

— Le listing des recettes et dépenses du 15 janvier au 15 février, annonça-t-elle en déposant la liasse sur la table. Je ne serai pas dans mon bureau d'un moment. Il faut que je fasse les évaluations bimensuelles des patients de l'Aile C ; nous avons dépassé le milieu du mois.

Mrs. Simonton contempla sa sous-directrice d'un air légèrement amusé. Elle regrettait parfois de ne pas être aussi organisée qu'elle. Mais d'un autre côté, il lui arrivait aussi de s'en réjouir.

— Vous est-il arrivé une fois dans votre vie de manquer d'efficacité, Roberta ?

Jamais personne d'autre ne l'appelait par son prénom.

Roberta McAdams lui jeta un regard interloqué.

— Pourquoi chercherait-on à être inefficace ?

— Je ne sais pas. Pour voir ce qui va arriver, peut-être. Ou pour s'amuser un peu. Comme dans les histoires d'amour. L'amour, ce n'est pas très efficace. Vous êtes séduisante, Roberta, vous savez. Avez-vous des amis proches ? Voyez-vous des hommes ?

— Ça m'est arrivé, répondit l'autre d'un ton qui coupait court à toute confidence.

Mrs. Simonton laissa tomber et changea de sujet.

— À propos, j'ai de bonnes nouvelles. L'Office de Réadaptation a appelé hier ; notre demande de subvention pour l'ordinateur de Stephen est acceptée. Il faudra bien six semaines avant que l'argent n'arrive, mais vous voulez bien le lui dire pendant votre tournée ? Il en sera tellement heureux ! Dites-lui qu'on ne peut rien garantir, mais qu'avec un peu de chance, il l'aura pour Pâques.

— Entendu, je le lui dirai.

— Quand la subvention arrivera, c'est vous qui irez acheter l'ordinateur. Vous savez que je n'aime pas beaucoup ces engins ; d'autre part, en ce qui me concerne, vous êtes le meilleur expert du monde en la matière.

Si Mrs. Simonton avait cru faire plaisir à Roberta McAdams en rendant ainsi hommage à ses compétences informatiques, elle se trompait. L'autre n'eut aucune réaction. La directrice poussa un petit soupir et lui fit signe de la laisser.

Mrs. McAdams commença par la chambre C-18 et trouva Georgia se balançant bien tranquillement dans son rocking-chair, toute seule. On avait déjà transféré Mrs. Carstairs.

— Votre installation s'est bien passée ?

Georgia ne tenait pas particulièrement à se montrer aimable envers cette dame Glaçon, mais ne put résister à l'envie d'essayer sur elle le nouveau concept dont Hank lui avait fait cadeau.

— Autant qu'on puisse être bien installé dans un camp de concentration.

— Avez-vous à vous plaindre du personnel ? s'enquit Ms. McAdams sans prêter attention à ses sarcasmes.

Là encore, Georgia n'eut guère envie de répondre ; mais elle songea que ne pas se plaindre, ce serait capituler.

— La petite Peggy n'est pas très chaleureuse.

Ms. McAdams inscrivit.

— Avez-vous des questions ? poursuivit-elle en passant à l'article suivant de sa liste.

Ordinairement, Georgia n'aurait rien eu à demander. Mais la notion de camp de concentration la fit penser à autre chose et lui remit en mémoire la question qu'elle s'était posée lors de sa première admission.

— À propos de camps de concentration, qui est ce jeune homme couché dans le couloir, près du bureau des infirmières ? On dirait bien qu'il en sort, celui-là.

— Il s'agit de Stephen Solaris.

— Bon. Mais pourquoi a-t-il cette allure ?

— Il a souffert de lésions cérébrales à la naissance.

— D'accord, mais il n'est tout de même pas né ici. Il y a combien de temps qu'il est bloqué comme ça sur son chariot ?

— Plus de dix ans, répondit de mauvaise grâce Ms. McAdams. Ce fut le premier patient de Willow Glen. Et probablement le plus célèbre.

— Célèbre ?

— Oui, on a même écrit un livre sur lui.

Roberta McAdams commençait à ressentir un peu d'anxiété. Elle n'avait jamais aimé parler de Stephen. De plus, cette conversation n'entrait pas dans le cadre des questions de sa liste. Elle n'accordait généralement pas beaucoup de temps à sa tournée d'évaluation. Mais Georgia continuait de plus belle.

— Pourquoi a-t-il fait l'objet d'un livre ?

— Quand il avait deux ans, on l'a cru définitivement arriéré. On l'a donc placé en institution. Mais quand il a eu cinq ans, un éducateur a remis en cause ce diagnostic. Le livre raconte comment il lui a appris à lire et à écrire. C'est ce qu'on appelle une étude de cas.

Le ton de sa voix traduisait bien ce qu'elle pensait de ce genre d'ouvrages.

— Puis-je le lire ?

— Il est épuisé.

Mais Georgia n'allait pas se laisser arrêter si facilement.

— J'ai du mal à croire qu'on ne puisse pas trouver dans ce camp de concentration un exemplaire d'un livre traitant de sa victime la plus célèbre.

La sous-directrice commençait à s'irriter sérieusement de l'opiniâtreté de cette vieille femme volubile ; elle avait mieux à faire que de l'écouter jaser. Elle chercha le compromis qui lui ferait perdre le moins de temps possible. On conservait bien un exemplaire de ce livre au bureau. Mais le demander créerait des complications. Néanmoins, elle se rappela que Mrs. Simonton avait tenu à inclure une photocopie du premier chapitre dans le dossier de Stephen afin que les nouvelles aides soignantes et infirmières puissent se renseigner sur lui. Et puisque le livre avait été publié, il ne s'agissait pas d'un document confidentiel.

— Je ne sais pas du tout si ce livre est encore chez nous, répondit-elle avec une amabilité forcée. Mais je crois savoir que le dossier du patient en contient le premier chapitre.

— Pouvez-vous me l'obtenir ?

— Vous n'avez qu'à demander à l'infirmière, coupa carrément Ms. McAdams. Bonne journée, acheva-t-elle en tournant les talons, laissant derrière elle une Georgia qui n'en croyait pas ses oreilles.

Et dire que je trouvais la petite Peggy peu aimable..., songea cette dernière.

La chambre suivante portait le numéro 17 : Stimson-Kubrick. Ms. McAdams aperçut au bout du couloir Carol la Folle sanglée dans son fauteuil. Inutile de lui adresser la parole. Ce serait en pure perte. Elle écrivit donc « PR » (pour : « Pas de réponse ») dans chacune des colonnes de sa liste en face de la case « Kubrick ». Puis elle entra dans la chambre et constata avec plaisir qu'elle était occupée : elle n'aurait pas à hanter les couloirs.

— Bonjour, Rachel ! claironna-t-elle sur son fameux ton de gaieté forcée. Vous vous sentez bien ?

Depuis son fauteuil roulant, l'interpellée dévisagea sans un mot Roberta McAdams. N'ayant point espéré de réponse, cette dernière écrivit « PR » et passa à la colonne suivante.

— Avez-vous à vous plaindre du personnel ?

Cette fois-ci, elle eut plus de succès.

— Vous savez très bien que je ne les supporte pas. À part vous, évidemment. Vous, je vous comprends.

Ms. McAdams n'avait guère envie d'entendre ce genre de discours. Elle nota « RH » (Récriminations habituelles) et attaqua directement la colonne suivante.

— Avez-vous des questions à poser ?

Contrairement à son habitude, Rachel enchaîna :

— Qu'est-ce qu'il fait là, ce jeune homme sur son lit roulant ?

Ms. McAdams s'autorisa une seconde d'étonnement.

— Voyons, Rachel ! Stephen est là depuis aussi longtemps que vous. Qu'est-ce qui vous prend de m'interroger sur lui aujourd'hui ?

— Il me dérange de plus en plus. Il n'a rien à faire ici. Pourquoi ne le place-t-on pas en institution spécialisée ? C'est là qu'il devrait être.

Ms. McAdams éprouvait des sentiments contradictoires. D'un côté, elle était irritée. Pourquoi s'intéressait-on tant à Stephen, tout d'un coup ? Mais par ailleurs, connaissant le rôle que jouait son mari et le pouvoir qu'il détenait dans la commune, elle tenait à ménager Rachel. Il était plus prudent de lui répondre.

— Il a bien séjourné en institution, dit-elle, mais on a découvert un jour qu'il n'était pas arriéré. Son handicap est exclusivement physique — sur le plan mental, il est tout à fait normal. On lui a appris à lire et à écrire, on lui a donné toute l'instruction qu'on a pu. Mais alors le règlement voulait qu'il quitte l'établissement, puisqu'il n'était plus arriéré. On l'a donc placé en établissement de soins. Seulement, il ne s'y est pas plu. Aussi, quand Willow Glen a ouvert, on a décidé de l'y transférer.

— Eh bien, je souhaite qu'on le transfère ailleurs, déclara carrément Rachel, mettant ainsi fin à l'entrevue.

Ms. McAdams ne se demandait pas pourquoi elle était la seule avec laquelle Rachel acceptât de coopérer. Mais elle aussi, la présence de Stephen l'indisposait. Elle l'indisposait même beaucoup. Il n'avait sa place nulle part. Il n'avait même pas de chambre. Le simple fait de penser à l'inclure dans la liste représentait un travail supplémentaire. Tout cela était tellement irrégulier ! Et puis, il y avait ces maudits yeux... et cette maudite *gentillesse*, si incompatible avec son état. Enfin, puisqu'on l'obligeait à y penser, autant s'en débarrasser tout de suite. Elle se dirigea à contrecœur vers le lit roulant.

Comme toujours, elle formula ses questions de manière qu'elles n'appellent pas de réponse.

— Vous me le diriez si vous ne vous sentiez pas bien, dit-elle à Stephen.

Pas de réponse. Ms. McAdams écrivit : « PR. »

— Et je suis sûre que vous me le diriez si vous aviez à vous plaindre du personnel. (Pas de réponse. Même commentaire dans la colonne.) Je suis sûre que vous me le diriez si vous aviez des questions à poser.

Troisième notation identique.

Sans quitter des yeux son formulaire, elle fit ce qu'on lui avait demandé :

— Mrs. Simonton vous fait dire que la subvention pour votre ordinateur est accordée et que si tout va bien, vous devriez l'avoir pour Pâques.

— Èèèèèè, bêla Stephen.

Ms. McAdams décrocha de mauvaise grâce la planche à lettres suspendue à la tête du chariot. Elle n'aimait pas s'en servir ; cela la contraignait à s'approcher trop près du corps grotesque de Stephen. Par ailleurs, elle trouvait ce moyen de communication inefficace. Mais le devoir avant tout.

— MERCI, épela Stephen.

Ms. McAdams raccrocha la planchette sans plus prêter attention au jeune homme. Elle ne pouvait (ni ne voulait, d'ailleurs) réprimer son intense agacement à l'idée que Stephen allait posséder un ordinateur personnel. Il n'en avait absolument pas le droit. C'était son domaine à *elle*. Et comme si ça ne suffisait pas, elle savait pertinemment que Mrs. Simonton avait l'intention de gaspiller le temps précieux du Service d'Entretien (dont la responsabilité lui incombait à elle, Roberta) pour lui faire fabriquer un support. Traitement de faveur ! Irrégularités, exception faite tout exprès pour lui, encore une fois ! Toutefois, en reprenant sa tournée, elle vit Heather assise dans le bureau des infirmières et, notant son œil poché, eut la sensation revigorante que le reste de la matinée se déroulerait en bon ordre.

En revenant de la salle à manger, après déjeuner, Georgia aperçut Heather dans le bureau des infirmières.

— La personne déplaisante qui exerce au bureau — cette Macadamia à la noix˙... Elle dit que vous pouvez me donner à lire un chapitre du livre concernant ce jeune homme, là-bas, fit-elle en indiquant le lit roulant.

Consciente que les gens tendaient à parler de Stephen comme s'il n'était pas là, Heather lança :

— Mrs. Bates veut lire ton histoire, Stephen !

Georgia se rendit compte qu'elle avait manqué de tact et s'en irrita. Tandis que Heather ouvrait le dossier du jeune homme, elle lui jeta un coup d'œil inquiet. Fallait-il lui faire des excuses ? Elle savait bien pour l'avoir observé durant son précédent séjour qu'il ne pouvait répondre que par l'intermédiaire de sa planche à lettres, et ne se sen-

---

* Jeu de mots entre « McAdams », « Macadamia nut », espèce de noix poussant en Amérique, et « nut », qui signifie également « fou ». *(N.d.T.)*

tait pas encore prête à franchir cette étape. Elle resta là à ne pas savoir que faire, jusqu'à ce que Heather lui tende une liasse maintenue par un trombone.

Elle se serait immédiatement sauvée avec si l'infirmière n'était pas intervenue :

— Vous savez que Mrs. Carstairs a changé de service ce matin. Vous aurez sans doute une nouvelle compagne de chambre dès demain. Si vous voulez en profiter pour prendre le lit près de la fenêtre, c'est le moment ou jamais.

Georgia éprouva des sentiments inhabituels : d'abord une certaine gêne, puis de la gratitude.

— Merci, ça me plairait beaucoup, bégaya-t-elle avant d'ajouter : Je vous rapporte le chapitre dès que j'ai terminé.

Cette fois-ci, elle s'enfuit sans demander son reste.

Une fois bien à l'abri dans sa chambre, Georgia se sentit pleine d'allégresse. Elle jeta les feuillets sur son lit (ou plutôt, son *ancien* lit) et entreprit sur-le-champ de transférer ses affaires de la commode près de la porte à celle qui jouxtait la fenêtre. La photo représentant une jeune fille sur une balançoire au milieu d'un verger trouva sa place sur sa nouvelle table. Cela fait, elle se souvint du chapitre sur Stephen. Toujours en proie à la même excitation, elle s'en empara et s'installa dans son nouveau fauteuil à bascule en constatant avec plaisir que la lumière y était bien meilleure. Sur la première page, on pouvait lire en grosses lettres :

RÉSURRECTION
par Stasz Kolnietz

Tout en bas figurait le nom d'un éditeur qui lui était inconnu.

Sur la deuxième page, les caractères étaient plus petits et les mots un peu flous. Sa mauvaise humeur habituelle revint. Ils pourraient tout de même faire des photocopies décentes, songea-t-elle en allant chercher ses lunettes. Elle ne comprenait pas très bien pourquoi elle en avait déjà besoin. Mais certaines personnes devenaient presbytes avant l'âge, c'était bien connu.

Elle reprit place dans son fauteuil et put enfin déchiffrer la deuxième page, qui comportait à nouveau le nom de l'éditeur, une date (1967) et, au-dessous, entre parenthèses, une note manuscrite (de la main de Heather, peut-être ?) : Rédigé alors que le docteur K. était encore à l'université.

Georgia tourna la page.

LE OUI IMPRONONÇABLE

Je ne sais plus très bien quand j'ai décidé de devenir avocat. Il y avait au lycée de New Warsaw un groupe de débat. C'est peut-être quand j'y ai été admis, en classe Terminale, que mes ambitions se sont brusquement révélées. Quoi qu'il en soit, il ne me fallut pas longtemps pour me voir dans toute ma gloire future en version décharnée de Perry Mason, flanqué d'une secrétaire compétente et d'un détective privé à mes ordres, et jouissant d'une présence imposante dans les salles d'audience.

Ainsi poussé par l'ambition, non seulement je devins un véritable rat de bibliothèque, mais j'eus en outre la présomption de postuler pour une bourse d'études auprès d'établissements plus prestigieux que l'université de mon État. Mon orgueil fut récompensé par une réponse favorable de Yale. Mais le voyage pour la côte ouest coûtait cher, les livres aussi, et la vie dans ces contrées était extravagante. Il me fallait de l'argent.

Or, mes parents me demandèrent de travailler tout l'été à la ferme, sans rémunération. La sécheresse des deux années précédentes avait mis la famille dans une situation financière pour le moins précaire. Cependant, mon père accepta de me libérer de mes obligations à partir de deux heures de l'après-midi afin que je puisse prendre un emploi rétribué. Tout ce que je trouvai, l'été qui suivit ma première année à Yale, fut un job de garçon de salle assorti d'un salaire minimum à l'Institution pour Arriérés Mentaux de la ville.

Ce fut pour moi un véritable choc. En tant qu'étudiant âgé de dix-neuf ans et dépourvu de toute qualification, je me vis naturellement assigner les plus basses tâches dans l'un des services pour hommes sévèrement arriérés. C'était une vaste salle carrée sans aucun agrément comprenant quatre rangées de lits-cages. L'âge de leurs occupants allait de deux à cinquante ans. Voir pour la première fois un homme adulte, couché dans un lit-cage et pourvu d'une couche-culotte, c'est un spectacle particulièrement éprouvant. La plupart étaient lourdement handicapés. Mais les pires étaient ceux qui ne souffraient que d'une spasticité partielle. Ils gisaient inertes, ou se balançaient sans fin, ou se cognaient la tête contre les barreaux. Les crises étaient monnaie courante.

On m'apprit que les arriérés étaient répartis en trois catégories : les débiles légers, dont le Q.I. était compris entre 50 et 75, les débiles profonds, au Q.I. allant de 25 à 50, et les idiots, qui ne dépassaient pas

25. Les pensionnaires de mon service entraient dans cette dernière catégorie.

On m'informa également qu'il était bien entendu impossible de déterminer le Q.I. des idiots puisque, par définition, les individus à ce point arriérés ne pouvaient communiquer suffisamment pour être « testables ». L'aptitude au langage leur faisait défaut. Non qu'ils fussent incapables d'émettre des sons, au contraire ; ils crient, ils hurlent, ils bredouillent et ils bêlent. À dire vrai, il régnait dans ce service un tohu-bohu permanent.

Et puis il y avait la chaleur. L'institution n'avait pas les moyens de s'offrir la climatisation. La salle puait l'urine et les excréments. Mais il est stupéfiant de constater à quel point on s'habitue rapidement aux pires remugles.

Mon travail était d'une simplicité assommante : il s'agissait de nourrir les pensionnaires et de changer leur couche. En deux jours j'en avais appris tous les gestes, et me vis confier par la suite la responsabilité du service au sein de mon équipe. Je commençais par les couches. Je passais dans les rangs en poussant un chariot supportant trois seaux et deux boîtes, l'une renfermant les couches propres, l'autre des linges de toilette, propres aussi. Le premier seau était rempli d'eau, les deux autres étaient destinés respectivement aux couches et aux linges de toilette souillés. Lit numéro un : dégrafer la couche salie, la dégager, la laisser tomber dans le seau prévu à cet effet ; prendre une serviette propre, la plonger dans l'eau, nettoyer les fesses et les parties génitales de l'urine et des excréments, puis la déposer dans son seau ; prendre une autre serviette propre et frotter les fesses jusqu'à ce qu'elles soient sèches (comme quand on lessive un mur) avant de la mettre dans le seau ; prendre une couche neuve (elles étaient déjà pliées) dans la boîte et l'agrafer ; retourner le malade si nécessaire, puis passer au lit numéro deux. Sept minutes par patient. On ne pouvait pas aller plus vite. Ni plus lentement. On n'avait pas le temps.

Ensuite, je sortais dans le couloir et je ramenais le chariot au service cuisine-blanchisserie ; là, je le garais à côté des autres. On ne me demandait ni de vider les seaux, ni de les nettoyer. C'était l'équipe de 11 heures-7 heures qui s'en chargeait. Ensuite, je traversais la salle pour aller chercher le chariot-repas, pourvu celui-là de trois boîtes et trois seaux. La petite boîte contenait les cuillers, les deux grandes les bols et les serviettes. Plus un seau pour les serviettes sales, et un pour les bols et cuillers usagés. Le troisième seau était rempli à ras bord de nourriture pour bébés. Je poussais donc mon chariot jusqu'au service, et je reprenais ma promenade dans les rangs : remplir un bol, prendre une cuiller, enfourner la bouillie dans la bouche du malade, laisser tomber bol et cuiller dans le seau adéquat ; prendre une serviette propre, essuyer la bouche du patient, puis la laisser choir dans son seau et passer au suivant.

Cela prenait également sept minutes. J'ai dit plus haut que les idiots étaient incapables de communiquer. Ce n'est pas tout à fait vrai. Je me rendis compte très vite que, s'ils ne voulaient pas s'alimenter, ils tournaient la tête. Auquel cas il leur arrivait de crier, de hurler ou de bêler. Certains avalaient plus lentement que d'autres, quelques-uns n'avaient jamais leur content. Mais si les sept minutes étaient écoulées, il fallait que je passe au suivant. Les idiots sont rarement gros.

Arrivée à ce stade, Georgia abandonna. Elle ne voyait pas du tout comment, de nos jours, on se complaisait à écrire des livres sur des sujets pareils. En tout cas, on n'était pas obligé de les lire. Quant à elle, elle s'en garderait bien.

Mais elle se rendit compte alors qu'elle était prise entre deux feux. Elle avait promis à Heather de lui rapporter le chapitre aussitôt qu'elle l'aurait lu. Georgia regarda la dernière page : il y en avait vingt et une en tout, et elle n'en avait encore lu que trois. Devait-elle faire un nouvel essai ? Non. Elle aimait bien Heather, certes, mais elle n'allait tout de même pas se laisser intimider par une infirmière (ni personne d'autre, d'ailleurs), quelle que soit la gentillesse dont on fasse preuve envers elle.

Elle repartit d'un pas décidé vers le bureau.

— Heather, demanda-t-elle, voulez-vous avoir l'amabilité de m'accompagner dans ma chambre ? Il faut que je vous dise un mot en privé.

— Pas de problème. Tout de suite, si vous voulez.

Dès que la porte de la chambre C-18 se fut refermée derrière elles, Georgia s'expliqua.

— Je ne voulais pas vous parler devant ce jeune homme. Vous avez eu tout à fait raison, tout à l'heure, de me faire remarquer mon impolitesse.

— Vous êtes une petite futée, vous !

— Merci. Je voulais vous rendre le chapitre qui le concerne.

— Vous l'avez déjà fini ?

— Non, et je n'en ferai rien. J'en ai lu plusieurs pages, et je n'y ai rien trouvé que de très déplaisant.

— C'est vrai que ça commence mal, concéda Heather, mais par la suite, c'est très émouvant. Par ailleurs, le livre est peut-être déplaisant, mais il est réaliste.

— Je m'en moque, contra Georgia. Pour moi, on a le droit de choisir la réalité dans laquelle on veut vivre.

— Et vous, Georgia, quelle est la réalité où vous choisissez de vivre ? s'enquit Heather en lui jetant un regard pénétrant.

— Je voulais simplement vous rendre ce chapitre, et non me lancer dans une discussion philosophique.

Feignant l'innocence, Heather changea de sujet.

— Quel effet cela vous fait-il d'être de retour parmi nous ?

— Écoutez, c'est un asile, ici. Personne ne souhaite vraiment se retrouver à l'asile.

— Beaucoup de gens âgés se trouvent infiniment mieux dans ce genre d'établissement qu'ailleurs. Il leur est donc plus facile de s'adapter, ici.

— Mais je ne suis pas vieille !

— Quel âge avez-vous ?

— Trente-sept ans, répondit Georgia d'un ton sans réplique.

Heather prit place dans l'ex-fauteuil de Mrs. Carstairs et ferma les yeux. Deux minutes de silence s'écoulèrent. Georgia était restée debout, et cela la mettait profondément mal à l'aise.

— Vous n'avez rien à dire ? demanda-t-elle enfin.

Heather rouvrit les yeux.

— Ça me fait de la peine que vous vous sentiez coupable sans raison.

Georgia lui lança un regard indéchiffrable.

— Coupable ? Et de quoi donc ?

— Il ne faut pas vous sentir coupable d'être en institution.

— Je ne ressens rien de tel. Ce n'est pas moi la coupable dans l'histoire, s'exclama Georgia. C'est mon fils et ma belle-fille qui m'ont amenée ici sans me demander mon avis. Ce sont eux les responsables. Ce sont eux, les coupables !

— Mais non. Vous ne faites que projeter votre propre culpabilité sur eux.

— Pro... quoi ? (Georgia eut un reniflement de mépris.) Balivernes ! Je ne sais pas de quoi vous voulez parler.

— Si vous viviez dans une réalité où vous n'avez pas trente-sept ans − une réalité où vous êtes *vieille* −, expliqua Heather, vous pourriez considérer que vous avez parfaitement le droit d'être ici. Vous avez bien mérité de passer votre vieillesse à vous reposer. Il est tout à fait normal de laisser tomber certaines choses ; cela peut même être souhaitable. Mais vous, vous vous sentez coupable. Alors, au lieu de dire à vos enfants que vous êtes prête à céder, vous leur reprochez de vous avoir placée ici. Vous leur en faites porter la responsabilité, alors qu'en fait, c'est à vous de la prendre. Et tout ça parce que vous vous sentez trop coupable pour assumer cette responsabilité.

— Je croyais que c'était un asile de vieillards, ici, pas un hôpital psychiatrique, rétorqua Georgia.

Heather la regarda droit dans les yeux.

— Je vous aime bien, Georgia. Je crois que vous avez bon fond, et j'aimerais que nous soyons amies. Mais je ne veux pas être l'amie de quelqu'un qui n'est pas honnête avec elle-même.

— Je suis tout à fait capable d'appeler un psychiatre si j'ai envie d'en consulter un, s'offusqua Georgia. D'ailleurs, vous êtes trop jeune pour être psychiatre.

— Là, vous avez raison, reconnut Heather. Mais il n'y a pas de mal à avoir besoin d'un psychiatre, vous savez. J'en ai bien un, moi.

— Ah bon ? Vous voyez un psychiatre ? s'enquit Georgia avec un regain d'intérêt.

— Mais oui.

L'autre lui lança un regard curieux.

— Est-ce que ça a quelque chose à voir avec votre œil au beurre noir ? interrogea-t-elle.

— D'une certaine manière oui, sourit Heather. Mon petit ami m'a frappée hier soir. Ma vie sentimentale n'est pas brillante, voyez-vous.

— Et il y a longtemps que vous consultez un psychiatre ?

— Environ un an.

— Eh bien, dites donc, il ne vous fait pas beaucoup de bien, hein ?

— C'est plus ma faute que la sienne. (Heather ne put s'empêcher de glousser.) Visiblement, j'ai beaucoup de mal à changer. Il y a des moments où on dirait que je refuse le changement. Donc, vous n'avez pas tout à fait tort. S'il m'est difficile de changer, ou même de vouloir changer, comment puis-je exiger que vous changiez, vous ?

Cela n'appelait pas réellement de réponse. Juste à ce moment-là, le haut-parleur se mit à grincer.

— Heather Barsten. Heather Barsten est priée de se rendre au bureau.

— Tiens ! Sauvée par le gong, comme l'autre jour ! s'exclama Georgia.

— Comment ça, comme l'autre jour ? fit Heather en se levant.

— Oui, ce truc m'a déjà sauvée des démonstrations amoureuses de Hank Martin. Et voilà qu'aujourd'hui, il me sauve de vos velléités psychiatriques.

— J'abandonne ! dit Heather en riant. (Elle se dirigea vers le bureau des infirmières et replaça les feuillets dans le dossier de Stephen.) C'est mon tour d'aller voir Mrs. Simonton, dit-elle à Peggy. Vous voulez bien garder le fort jusqu'à mon retour ?

Heather avait beau savoir depuis longtemps qu'elle n'avait rien à redouter de Mrs. Simonton, elle ne pouvait s'empêcher de ressentir un léger malaise au creux de l'estomac chaque fois qu'elle était convoquée. Peggy avait raison ; on avait l'impression d'être appelée chez le proviseur. Néanmoins, le malaise se dissipa tandis qu'elle repensait à sa conversation avec Georgia. Elle n'avait pas menti : elle avait réellement de l'affection pour la vieille dame. Elle était susceptible en diable, et un peu marteau aussi, mais elle s'en sortait grâce à son sens de l'humour. Heather sourit en se rappelant le surnom qu'elle donnait à Ms. McAdams : « Macadamia à la noix ». Lorsqu'elle s'apprêta à frapper, elle avait retrouvé tout son calme.

— Entrez, Heather. Et fermez la porte, fit Mrs. Simonton.

Heather s'exécuta et s'assit.

— Qu'est-ce qui se passe ? s'enquit-elle.

— Je voulais vous voir, parce qu'on m'a dit que vous aviez un œil au beurre noir. Presque toutes les rumeurs qui circulent ici se révèlent exactes, mais je préfère constater par moi-même.

— Eh bien, dites donc ! Ça n'a pas traîné. Comment la nouvelle est-elle parvenue jusqu'à vous ?

— Les espions, voyons. J'ai des espions dans la place, vous savez. Ms. McAdams fait une excellente sous-directrice. Il m'arrive parfois de douter qu'elle ait une âme, mais elle est compétente, et c'est le plus important.

— Je ne me souviens même pas de l'avoir vue aujourd'hui.

— C'est pourtant elle qui me l'a dit. Comment elle-même l'a appris, je n'en ai pas la moindre idée. Mais ce n'est pas cela qui me préoccupe. Dites-moi plutôt comment c'est arrivé.

— Je me suis bagarrée avec mon petit ami hier soir, dit Heather, qui avait l'impression de prononcer cette phrase pour la centième fois de la journée.

— Alors, vous allez en parler au docteur Kolnietz ?

— Quand je le verrai la semaine prochaine, je suppose.

— Vous supposez ? Vous voulez savoir ce que je suppose, moi ? fit Mrs. Simonton.

— Euh... oui, répondit Heather.

— Vous espérez que d'ici la semaine prochaine, cet œil poché aura disparu ; et s'il en reste des traces, vous les recouvrirez de maquillage. Comme ça vous oublierez complètement de lui en parler.

— Je pense sincèrement que ce qui se passe entre le docteur Kolnietz et moi fait partie de ma vie privée, protesta Heather.

— Vous avez tout à fait raison, naturellement, sourit Mrs. Simonton. Je ne suis qu'une vieille enquiquineuse qui aime fourrer son nez partout, en plus d'être cynique. Mais si je suis cynique, c'est parce que je sais très bien que si, d'un côté, vous souhaitez affronter vos problèmes, de l'autre vous ne voulez pas en entendre parler.

» L'origine de vos problèmes n'est pas votre travail. Vous vous dites donc que je n'ai aucune raison de m'en mêler. Seulement, c'est bien cela qui m'inquiète. Vous êtes ma meilleure infirmière, Heather. Il y a dans ce monde un cruel manque de gens compétents, et quand j'ai la chance d'en avoir autour de moi, je les garde précieusement. Vous m'êtes précieuse, Heather. Et vous m'inquiétez. Je n'ai pas droit de regard sur ce que vous faites quand vous n'êtes pas de garde, mais je peux, dans une certaine mesure, m'occuper de vous quand vous l'êtes. Je n'ignore pas que vous programmez vos rendez-vous avec le docteur Kolnietz quand vous êtes en congé, et je vous en sais gré. Mais cela ne veut pas dire qu'en cas d'urgence, vous ne pouvez pas prendre une heure ou deux pour aller le consulter.

— Je ne vois pas l'urgence, contra Heather.

— Vous ne voyez peut-être pas l'urgence quand vous vous faites taper dessus mais moi, à votre place, j'aurais sûrement besoin d'en parler ; et parce que vous représentez pour moi un bien précieux, il se trouve que pour *moi*, c'est un cas d'urgence. Je vous conseille donc de prendre rendez-vous pour aujourd'hui ou demain. Choisissez l'heure qui vous convient le mieux, je n'y trouverai rien à redire.

— Je vous remercie, répondit Heather avec lassitude. Je vais y réfléchir.

— Réfléchissez autant que vous voudrez. Vous pouvez choisir de ne pas le faire. Ou de ne jamais revoir le docteur Kolnietz. Mais ce que vous ne pouvez faire en aucun cas, Heather, c'est partir du principe que je suis trop rigide, ou vos problèmes trop bénins, pour ne pas vous absenter quelques heures quand le besoin s'en fait sentir. C'est tout.

Lorsqu'elle eut regagné le bureau des infirmières, Heather s'assit devant le téléphone et resta deux minutes à le regarder fixement. À un moment elle souleva le combiné de quelques centimètres, avant de le reposer brusquement ; le téléphone émit un tintement de protestation.

— Oh, et puis merde, fit-elle en décrochant à nouveau.

55

Elle composa le numéro et, à son grand désespoir, obtint le docteur Kolnietz sans la moindre difficulté. Il pouvait lui trouver un créneau, et lui fixa rendez-vous pour le lendemain midi. Elle raccrocha et jura à nouveau. Elle ne savait plus si elle avait envie d'embrasser Mrs. Simonton ou de l'étrangler.

Le coup de téléphone de Heather avait piqué la curiosité du docteur Kolnietz. Il y avait un an qu'elle le consultait régulièrement, et c'était la première fois qu'elle demandait une entrevue exceptionnelle. Et un jour de travail, de surcroît. Que pouvait-il bien se passer ? Quoi qu'il en soit, il le saurait bien assez tôt.

L'idée de l'emploi qu'occupait Heather le fit penser à Willow Glen et, naturellement, à Stephen. Il revint en pensée (comme il le faisait si souvent, et ne cesserait probablement jamais de le faire) à cette nuit mémorable, vingt ans plus tôt, à l'institution.

Dès son quatrième jour chez les idiots, il avait compris que s'il n'affichait pas en permanence une espèce d'entrain inepte, il ne tiendrait jamais jusqu'à la fin de l'été. Tous les après-midi, en se rendant au travail, il concoctait une banalité du genre « J'espère que la journée a été bonne » ou « Dire qu'on n'est même pas en juillet et que le maïs est déjà haut ! » Chaque fois qu'il changeait ou nourrissait un pensionnaire, il l'appelait par son prénom (facile, puisqu'il était inscrit en grosses lettres sur une fiche insérée dans une glissière, au pied du berceau), et répétait sa phrase toute faite. Bien entendu, ils ne répondaient jamais (ils en étaient bien incapables, sauf pour exprimer un « non » de protestation quand ils refusaient la nourriture ou la piqûre de l'infirmière), mais cela l'avait beaucoup aidé à garder le moral.

Puis vint la vague de chaleur. Au bout de deux jours il avait adopté la phrase « Fait drôlement chaud, hein ? » Comme d'habitude, il n'obtenait pas de réponse. Du moins jusqu'au moment où il arriva devant Stephen Solaris, le petit paralytique de cinq ans occupant un lit-cage au milieu du troisième rang. Pour la forme, il lança :

— Fait drôlement chaud hein, Stephen ? et obtint en réponse un bêlement :

— Èèèèèè.

Tout d'abord, il ne s'en émut pas outre mesure ; mais en allant échanger son chariot à couches contre le chariot-repas, il commença à se poser des questions. Sans doute une coïncidence. Néanmoins, c'était le premier semblant de réaction positive qu'il eût jamais obtenu de ses vingt patients. Il décida de renouveler l'expérience, juste histoire de s'amuser un peu. Lorsqu'il arriva à nouveau devant Stephen (cette fois avec le chariot-repas), il annonça :

– Fait drôlement froid ce soir hein, Stephen ?

Pas de réponse.

Il insista.

– Je te raconte des histoires, Stephen. Je te demande pardon. C'était une espèce de test. En réalité, il fait une chaleur à crever. Encore plus qu'hier soir, tu ne trouves pas ?

– Èèèèèè, bêla à nouveau Stephen.

Kolnietz se laissa aller en arrière dans son fauteuil, savourant rétrospectivement cet instant si profondément gravé dans sa mémoire. Avec un sentiment d'excitation croissant, il avait précipitamment testé tous les autres. Au mieux, tout ce qu'ils étaient capables de communiquer était un « non » primitif en réaction à la menace. Se pouvait-il que ce petit sache répondre par un vrai « oui » à une question pertinente ? Dès la fin de sa journée, Kolnietz en avait acquis la certitude. Il était resté deux heures de plus rien que pour essayer de communiquer avec l'enfant. Lorsqu'ils s'arrêtèrent, à une heure du matin, non seulement il lui avait appris à bêler sur un ton différent selon qu'il voulait dire oui ou non, mais de surcroît, l'enfant avait su utiliser le ton adéquat chaque fois qu'il avait répondu.

Rentrant chez lui dans la camionnette de ses parents, fouetté par la chaleur de l'air nocturne, le coude passé par la vitre baissée, Kolnietz avait éprouvé un sentiment proche de l'exaltation. À l'époque, il ignorait encore tout de la neurologie. Il ne savait même pas si Stephen serait un jour capable d'apprendre à lire et à écrire. Il ne connaissait absolument pas son dossier. Mais il savait trois choses : que l'enfant pouvait non seulement entendre, mais aussi comprendre le langage humain ; qu'il savait expédier des signaux adressés au monde extérieur sur la base de cette compréhension ; et par-dessus tout, que Stephen Solaris n'était pas un idiot.

Kolnietz se redressa et ramassa le dossier posé sur son bureau. Le client suivant attendait, et il avait mieux à faire que de se remémorer pour la dix millième fois cet instant surgi d'un lointain passé. Néanmoins, il ne se reprocha pas d'y avoir repensé. Quoi de plus naturel qu'il se reportât si souvent à ce fameux jour, puisque celui-ci avait représenté, de la manière la plus profonde qui soit, non seulement un tournant dans la vie de Stephen, mais aussi dans la sienne.

Cette satanée Commission de Justification des Ressources exigeait un rapport sur chaque pensionnaire de l'Aile C afin de déterminer le bien-fondé de son séjour prolongé à Willow Glen. Mrs. Simonton en avait déjà achevé deux. Restait à traiter le cas le plus ambigu, celui de Hank Martin. Elle réfléchit une minute, puis reprit son bloc-notes, commença une nouvelle page et écrivit :

Henry Martin est un individu de race blanche âgé de soixante-dix huit ans au passé de chômeur chronique, pris en charge à cent pour cent par la Sécurité sociale depuis un accident vasculaire cérébral survenu en 1980 qui l'a laissé paralysé du côté gauche. À la suite de cet accident, il s'est installé dans une pension de famille, mais constituait un problème pour la communauté pour cause de fréquents épisodes alcooliques aggravés de comportements sexuels inadéquats. En vertu de quoi l'avocat général a requis il y a quatre ans son admission à Willow Glen. Depuis lors, il s'est bien adapté et a complètement cessé de boire. Son hypersexualité (considérée comme résultant d'une ischémie cérébrale ayant entraîné une désinhibition corticale) s'est maintenue, mais ne représente pas une menace significative à l'égard du personnel ou des malades.

Mrs. Simonton mit de côté son bloc-notes dans l'intention de donner plus tard son texte à dactylographier. Elle eut un petit sourire amer néanmoins teinté d'une certaine satisfaction en relisant l'expression « ischémie cérébrale ayant entraîné une désinhibition corticale ». Voilà qui attirerait l'attention. Ils voulaient toujours la preuve que le handicap était physique, et non social − comme si on pouvait vraiment en avoir la preuve ! Quels imbéciles ! Comment savoir dans quelle mesure le priapisme de Hank était dû à son attaque, ou à une immaturité affective permanente ? Et de toute façon, quelle importance ? Ce qui comptait, c'était qu'il se trouve bien à Willow Glen, non ? S'ils l'avaient collé dans un quelconque centre de réadaptation il aurait aussitôt recommencé à poser des problèmes, et coûté encore plus cher à l'État. Toute cette comédie était d'une absurdité !

Elle passa ensuite au listing des recettes et dépenses que McAdams lui avait apporté le matin. Elle n'y trouva aucune anomalie, aucune surprise, encore qu'elle ressentît comme à son habitude une certaine irritation en voyant la somme affectée au docteur Ortiz et aux infirmières diplômées d'État. Légalement, elle était tenue d'avoir en permanence une diplômée en service, mais c'étaient les infirmières auxiliaires telles que Heather qui faisaient en fait tourner Willow Glen. Les diplômées d'État représentaient une formalité coûteuse. Sans parler du docteur Ortiz. Pourquoi les certificats de décès devaient-ils être signés par un praticien ? Le premier venu pouvait constater le décès, dont la cause ne faisait généralement aucun doute – Willow Glen était tout de même une institution pour personnes âgées nécessitant des soins. Quant aux médicaments que prescrivait Ortiz (le plus souvent par téléphone, sans même voir le malade), elle-même s'en serait mieux tirée. En une vie de travail, elle avait beaucoup appris sur la médecine. Mais la loi était la loi, et le docteur Ortiz devait percevoir ses honoraires hebdomadaires.

Brusquement, elle se rendit compte que tout était silencieux autour d'elle. Elle n'eut pas besoin de consulter sa montre pour savoir pourquoi. De l'autre côté de la porte, la pulsation bavarde des machines à écrire du Service administratif s'était subitement tue : il était 5 heures – la sortie des bureaux. Vraiment, ces employées avaient constamment l'œil sur la pendule. Quel événement, si l'une d'entre elles restait une seule fois 5 minutes de plus ! Mais elles étaient comme ça ; il ne fallait pas s'attendre à autre chose de leur part...

Malgré tout, elle savait que côté bureau, le moral n'était pas au beau fixe. La fréquence de renouvellement du personnel était beaucoup trop élevée. Elle supervisait elle-même le personnel infirmier, mais devait laisser les autres à McAdams. Elle ne pouvait quand même pas tout faire toute seule. Pourtant, elle s'en voulait de dépendre à ce point de sa sous-directrice, avec sa maîtrise des ordinateurs et de la tenue des livres, et sa façon irréprochable de mener sa barque. Du moins sur le plan administratif. Si Mrs. Simonton était soulagée de ne pas avoir à s'en occuper, le rythme des démissions prouvait amplement que McAdams était aussi glaciale dans son rôle de cadre que dans les relations de collègue à collègue.

Mrs. Simonton savait très bien que son irritabilité chronique comme son perpétuel ressentiment étaient de nature dépressive. Elle avait trop vécu, vu trop de choses. Il n'était pas facile de continuer à mettre un pied devant l'autre quand le monde n'offrait plus rien de neuf. Encore une fois, elle envisagea de vendre son institution. Elle aurait largement de quoi prendre sa retraite. Mais à qui, sinon à l'un de ces nouveaux trusts de la santé qui nommerait à sa tête Roberta McAdams – ou quelque autre exemple d'efficacité sans cœur ? Et puis de toute façon, où irait-elle, et pour faire quoi ?

Elle se laissa aller, comme elle le faisait depuis quelque temps, à imaginer qu'un jour, elle remettrait Willow Glen entre les mains de Heather. Mais elle savait bien que ce n'était qu'un fantasme. En pensant à son infirmière, elle se demanda si la jeune femme avait fini par prendre un rendez-vous exceptionnel avec le docteur Kolnietz. Ce qui l'amena à se demander si Heather résoudrait jamais ses problèmes. Elle l'espérait. Mais elle ne pouvait s'empêcher de songer qu'en guérissant, Heather changerait ; et alors, comment espérer qu'elle continuerait à travailler à Willow Glen ?

Peggy et Laura, les deux aides soignantes de jour, étaient rentrées chez elles depuis longtemps. Irène, celle qui venait de 3 heures à 11 heures, venait juste d'entreprendre la tournée du soir. Au bureau des infirmières, Heather profitait de ses quelques instants de solitude et pensait à Stephen. Elle avait délibérément évité d'aller le voir avant la fin de la journée. Elle n'ignorait pas qu'ils venaient d'atteindre un tournant dans leurs relations, et souhaitait apporter à son plan certaine touche finale. Elle n'avait pas encore trouvé, mais en réfléchissant (jusqu'à l'obsession, en fait), ces quatre derniers jours, à la promptitude de sa réaction sexuelle devant elle, la solution inévitable avait fini par se présenter à son esprit. Naturellement, c'était lui qui en parlerait le premier ; Stephen n'évitait jamais rien. Elle avait préparé sa réponse. À présent, il ne restait plus qu'à passer à l'acte.

— Alors, petite, on se sent seule ?

C'était Hank Martin, qui s'était hissé jusqu'à mi-corps sur le comptoir séparant le bureau du couloir et l'interpellait en affichant son habituel sourire concupiscent.

— Mais non. (Elle lui lança un regard empreint de lassitude.) Vous avez besoin de quelque chose, Hank ?

— Vous savez très bien ce que je veux : vous peloter un bon coup.

— Oh, fichez-moi la paix.

— Vous ne faites pas autant attention à moi qu'aux autres malades, geignit Hank. Par exemple, vous êtes tout le temps en train de tourner autour de cet infirme, là.

Heather bondit sur ses pieds.

— Allez dans le séjour. J'ai deux mots à vous dire. Dépêchez-vous.

Devant cette explosion de colère, Hank s'éloigna en claudiquant et en faisant tournoyer sa canne. Elle lui emboîta le pas.

— Espèce de salaud ! cracha-t-elle. Vous ne comprenez donc pas qu'il vous entend, qu'il comprend tout ce que vous dites ?

Hank ne s'émut pas le moins du monde.

— Vous êtes infirmière, répliqua-t-il. Vous êtes censée vous occuper de moi. Et pourtant, vous ne voulez pas me rendre le service qui compte le plus pour moi.

— Vous savez très bien que ce n'est pas mon boulot de m'occuper de vous de cette façon-là.

— Eh bien, je parie que *lui*, ça ne vous dérange pas de le peloter, et il me semble que vous devriez plutôt vous consacrer à un homme, un vrai.

Brusquement, le jour se fit dans l'esprit de Heather.

— Vous êtes jaloux de Stephen, c'est ça ? (Incroyable ! Être jaloux d'un individu aussi atteint, aussi limité que Stephen !) Puisque c'est comme ça, laissez-moi vous dire deux choses, poursuivit-elle froidement. Premièrement, vous avez toutes les raisons d'être jaloux de lui. Stephen est aussi intelligent et sensible que vous êtes stupide et égoïste. Deuxièmement, si jamais je vous entends encore parler de cette façon devant lui, je prends votre canne et je me charge personnellement de vous la briser sur le dos. À bon entendeur salut.

Heather sortit à grands pas dans le couloir. Pour la deuxième fois de la journée, elle avait eu envie de frapper un malade. Ce n'était pas une coïncidence. À sa manière, Hank était aussi raseur, répétitif et déconnecté que Carol la Folle. La seule différence, c'était que cette fois-ci, Heather ne ressentait pas la moindre culpabilité ; cette espèce de porc le méritait amplement.

Malgré tout, il était étrangement près de la vérité, et cela exigeait qu'elle modifie légèrement sa stratégie. Elle avait eu dans l'idée de se rendre tout droit auprès de Stephen, mais maintenant, ce n'était peut-être plus très indiqué. Que faire ? Elle bouillait encore de colère ; il lui fallait quelqu'un pour la calmer. Tim O'Hara, bien sûr. Pour être compagnons de chambre, ces deux-là n'en étaient pas moins radicalement différents.

Elle le trouva assis dans son rocking-chair. Sa première réaction était prévisible. Avant même qu'elle n'ait eu le temps de lui dire bonjour, il demanda :

— Mon Dieu mais... mon ange ! Qu'est-il arrivé à votre œil ?

— Je me suis bagarrée avec mon petit ami.

— Mais enfin ! Comment a-t-il pu vous faire une chose pareille ?

— Oh, vous savez, Tim... Dans ces cas-là on est deux, répondit-elle avec un pauvre sourire. Je suis sans doute autant à blâmer que lui.

— Beaucoup d'Irlandais ont coutume de battre leur femme, remarqua Tim, mais moi, je ne m'en suis jamais senti capable. Cela ne me paraît tout simplement pas très viril.

Heather se sentit agressée. Mais de toute façon, Tim n'était pas irlandais. Elle changea de sujet.

— Comment allez-vous, aujourd'hui ?

— Oh, très bien, mon ange, répondit Tim.

Effectivement, il avait l'air en pleine forme. Le rose de son teint contrastait avec le blanc de sa belle chevelure et de sa fière moustache. Mais Heather savait bien ce qu'il en était en réalité. Tim aussi, d'ailleurs. L'angiogramme montrait que du côté droit, la carotide et les artères vertébrales étaient complètement obstruées tandis que du côté gauche, seule une très petite quantité de produit de contraste réussissait à franchir la plaque d'athérome. Loin de le sauver, toute tentative pour dégager chirurgicalement l'une ou l'autre artère le tuerait sans coup férir. La question n'était pas de savoir s'il aurait une autre attaque, mais *quand* elle se produirait. Tim et Heather en avaient discuté sérieusement un certain nombre de fois. Mais depuis quelque temps, ils abordaient le sujet par le biais de la plaisanterie.

— Alors, les artères ? Ça gargouille toujours ? fit-elle.

— Je vis au jour le jour, Heather, au jour le jour, sourit Tim. J'ai beaucoup de chance. Qui aurait cru que Dieu ferait cadeau de Marion à un vieux bonhomme comme moi ? Même s'Il ne m'en fait cadeau qu'au jour le jour...

Heather se pencha et déposa un baiser sur sa joue bien rose.

— Vous êtes quelqu'un de très beau, Tim O'Hara.

Elle n'eut pas le temps de se relever que le vieux monsieur lui demandait d'un ton léger :

— Votre père est alcoolique, n'est-ce pas ?

Heather se redressa d'un seul coup.

— *Quoi ?*

— Votre père est alcoolique, répéta-t-il.

Il y eut un long silence.

— Il se trouve que oui, répondit-elle enfin. Mais comment pouvez-vous savoir ça ?

— C'est que je suis bien placé, voyez-vous, sourit-il. J'en suis un moi-même. Oh, bien sûr, j'ai cessé de boire il y a vingt ans avec l'aide des Alcooliques Anonymes, mais on n'en guérit jamais, vous savez. Je suis un alcoolique convalescent. C'est le nom que nous nous donnons, aux A.A.

Heather alla chercher une chaise et s'assit auprès de Tim. Elle éprouvait un sentiment de curiosité intense, mais avait besoin d'accomplir ce geste pour retrouver une contenance.

— Que vous soyez alcoolique ou non, vous n'avez jamais vu mon père, dit-elle une fois assise. Alors, à quoi l'avez-vous deviné ?

— À toutes sortes de détails.

— Par exemple ?

— Votre œil poché, pour commencer. Moi, je n'ai jamais frappé ma femme, encore que j'aie fait des choses tout aussi graves. Mais la plupart des hommes qui font ça sont des alcooliques.

Malgré toute l'affection qu'elle lui portait, Heather se sentit tout à coup détachée, raisonneuse et profondément sceptique.

— Tim, vous vous trompez complètement, déclara-t-elle. Non seulement vous n'avez jamais rencontré mon père, mais en plus vous ne connaissez pas Tony. Vous tirez des conclusions hâtives.

Tim ne parut pas remarquer sa contre-attaque.

— D'autre part, les femmes qui fréquentent des alcooliques ont souvent eu des pères qui buvaient, poursuivit-il. C'est comme ça. C'est une tendance. Ça se perpétue. Le père de ma femme était alcoolique.

— Vous êtes en train d'essayer de me coller une étiquette, protesta Heather.

— C'est parce qu'elle vous va très bien, insista Tim. C'est pour cela que vous êtes aussi bonne infirmière.

Pour la première fois depuis l'arrivée de Tim, un an auparavant, Heather se sentit fâchée contre lui. Il n'avait aucun droit de lui dire de telles choses. Et il ne s'arrêtait plus.

— Ma femme était infirmière. Très bonne infirmière, comme vous. Elle s'est très bien occupée de moi, jusqu'au jour où elle en a eu assez. Alors elle m'a quitté. C'est ça la tendance, vous comprenez. Son père était alcoolique. Elle s'est donc occupée de lui. Elle l'a soigné comme l'aurait fait une infirmière. Et d'une certaine façon — il y a de la perversité là-dedans —, elle y a pris goût. Alors elle est devenue infirmière. Seulement, soigner les gens peut devenir une espèce d'obsession. On ne peut plus s'empêcher de rechercher sans cesse des gens qui ont besoin qu'on s'occupe d'eux. Les alcooliques, par exemple, ou bien les infirmes, ou les grands enfants. Voilà comment elle m'a trouvé — je représentais un bébé de plus dont il fallait réparer les dégâts. À mon avis, ces personnes en retirent une certaine sensation de pouvoir.

Heather recula sa chaise.

— Vous êtes en train de me dire que je suis une espèce de monstre assoiffé de pouvoir simplement parce que je suis infirmière, dit-elle avec virulence. Il y a tout un tas de raisons qui font qu'on devient infirmière. Toutes sortes de raisons — et des bonnes. Je croyais que vous aviez de l'amitié pour moi, Tim O'Hara.

— Mais je vous aime beaucoup, petit ange. Je veux simplement que vous sachiez ce que vous faites. Et je ne veux plus que vous vous fassiez taper dessus.

La conversation n'avait pas du tout pris le tour escompté. Au lieu d'encouragements, c'étaient des réprimandes qui lui tombaient dessus, et plutôt rudes avec ça. Pourtant, elle n'arrivait pas à éprouver de réelle colère comme face à Hank. Même si le discours de Tim était à côté de la plaque (complètement à côté de la plaque, non ?), elle se sentait changée. Elle avait l'impression que quelqu'un se souciait d'elle.

— Bon ! Eh bien, si c'est pour me faire engueuler, je ne reviendrai plus. (Bien entendu, tous deux savaient qu'elle plaisantait.) Allez, salut.

Elle était maintenant prête à aller voir Stephen.

Il l'attendait. N'ayant pas d'autre choix, il était devenu très doué pour l'attente. Heather, qui aimait prendre soin des gens, lui avait demandé plus d'une fois comment il pouvait supporter de rester allongé sur un lit roulant, jour après jour, en recevant apparemment si peu de stimuli. Après trois années, elle continuait de lui apporter des cassettes : livres ou cours enregistrés, de la musique... Il les acceptait à l'occasion, le plus souvent pour lui faire plaisir. Parfois la musique lui plaisait, mais la plupart du temps les livres enregistrés l'ennuyaient. Il avait peur de paraître prétentieux en lui révélant que très souvent, il savait déjà tout ce qu'ils contenaient. « J'AI UNE VIE INTÉRIEURE TRÈS RICHE, » essayait-il de lui expliquer. Mais comment aurait-elle pu comprendre ? Les gens ne pouvaient pas savoir à quel point il avait matière à réflexion, à part ceux qui étaient pareillement intelligents et impuissants, comme Mrs. Grochowski.

Surtout ces derniers temps. Que de choses à méditer ! Tant qu'il restait posté près du bureau des infirmières, c'étaient des montagnes de faits qu'il lui fallait digérer. L'œil poché de Heather. Voilà qui lui causait du souci, et même beaucoup. Les premiers signes d'intérêt manifestés par Georgia Bates. Bien que Heather eût tout fait pour qu'il ne s'en aperçoive pas, il se rendait bien compte que le premier chapitre du livre du docteur K. avait réintégré son dossier avant que la vieille dame n'ait eu le temps de le lire en entier. Il croyait savoir pourquoi, mais n'était pas vexé pour autant ; il pensait bien que tôt ou tard, elle reviendrait à la charge. La jalousie évidente de Hank Martin ne le dérangeait pas trop non plus ; c'était tellement peu surprenant de sa part ! En temps normal, il aurait réfléchi davantage à ces incidents ; seulement, il s'était passé tant d'autres choses... Son ordinateur arriverait bientôt ! Enfin il allait pouvoir écrire le livre qu'il rédigeait dans sa tête depuis deux ans ! Mais à ce propos, pourquoi Ms. McAdams se montrait-elle tout à coup plus déplaisante, plus brutale qu'à l'ordinaire ? Quelle était donc cette rage folle qu'elle cachait au tréfonds d'elle-même ? Néanmoins, il y avait quelque chose qui éclipsait toutes ces idées (y compris sa préoccupation principale, à savoir son livre) : il s'efforçait désespérément de résoudre le mystère de sa sexualité, cet incroyable mystère qui ne s'était manifesté que quatre jours plus tôt.

On lui avait donné des notions d'anatomie dans ce domaine. Aussi loin que remontaient ses souvenirs, il lui était toujours arrivé de se réveiller au beau milieu d'un rêve en constatant qu'il avait une érection. Ces rêves avaient commencé quand il avait douze ans. Parfois le contenu en était vaguement teinté de sexe (mais vaguement seulement) et lui laissait une légère sensation de manque − mais légère seulement. Souvent il avait des érections spontanées à l'état de veille, mais pas parce qu'il avait consciemment pensé au sexe. Il ne pensait jamais consciemment au sexe. Et jamais il n'avait eu d'érection pendant la toilette. Jusqu'à l'autre jour, avec Heather.

Pourquoi ce changement ? Pourquoi cette soudaine excitation ? Et pourquoi, depuis cette érection-là, avait-il à l'âge de vingt-neuf ans la tête pleine de fantasmes sexuels, comme si une digue venait brusquement de se rompre ? En fantasme, il voyait la poitrine nue de Heather, prenait le bout de ses seins dans sa bouche, sans parler des choses qu'elle pourrait lui faire et dont il ignorait tout. Et il n'y avait pas que Heather. Pourquoi se demandait-il, depuis, comment était la petite Peggy sans ses vêtements ? On aurait dit que ses yeux venaient tout à coup de s'ouvrir − et d'entrevoir une dimension nouvelle.

Une amorce de solution se présenta lorsqu'il comprit que l'énigme devait être formulée autrement. La question n'était pas tellement de savoir pourquoi ses yeux venaient de s'ouvrir, mais pourquoi ils ne s'étaient pas ouverts plus tôt. Pourquoi les avait-il *maintenus* fermés ? Pourquoi ne s'étaient-ils pas ouverts normalement à l'âge de treize, quinze, dix-sept ans, comme chez les autres adolescents ? Pourquoi avait-il inconsciemment voulu éviter − refouler − sa sexualité ?

Formulé ainsi, le mystère était facile à résoudre. C'était à cause de la souffrance. Ce qu'il avait voulu éluder, c'était la souffrance liée au sexe. Toute sa vie il avait souffert. Beaucoup. Trop. Il ne voulait pas pleurer sur son sort, mais comment s'étonner qu'il ait cherché à fuir cette souffrance alors qu'il se souvenait si bien de son premier chagrin ?

C'était arrivé lorsqu'il avait sept ans. Le docteur Kolnietz (qui n'était pas encore médecin à l'époque, évidemment) lui avait appris à lire au cours de l'été de ses cinq ans. Puis on l'avait transféré dans une chambre spéciale, dans le bâtiment réservé aux malades les moins atteints. En fait, ce déménagement constituait l'un de ses premiers souvenirs nets : on l'avait sorti de son lit-cage, déposé sur un chariot et poussé dans une allée menant à son nouveau domicile ; il avait vu pour la première fois le ciel et les nuages, l'extérieur des bâtiments, des automobiles, et d'autres enfants qui marchaient ; on l'avait installé sur un vrai lit, entouré de barreaux, dans une chambre bien à lui. Lorsque le docteur K. était retourné à l'université, on lui avait assigné deux éducateurs pour compléter son instruction. Il avait tant de choses à apprendre ! Pour lui, le monde devint alors incroyablement riche. Mais l'époque la plus prolifique fut l'été de ses sept ans.

Cet été-là fut entièrement consacré à la géographie. À son insu, le docteur K. avait mobilisé pendant l'automne, l'hiver et le printemps précédents tout le personnel de l'école, plus ses camarades de Yale, leur demandant de rassembler des cartes postales du monde entier. Il en regroupa près de quatre mille, toutes différentes. Le professeur et l'élève commencèrent par New Warsaw, à partir de photographies que le docteur Kolnietz avait prises de sa ville natale et de la campagne environnante. Puis ils passèrent aux cartes postales et, aidés d'un atlas, voyagèrent jusqu'à Chicago, Minneapolis, St. Louis. Ensuite ce furent les Appalaches et leurs aciéries, Boston, New York et la côte du Maine ; les églises coloniales de la Nouvelle-Angleterre, les lacs étirés de l'État de New York, les Black Hills et les Montagnes Rocheuses, le Mont Rainier et les séquoias ; Seattle, San Francisco, la côte de Californie ; la Vallée de la Mort, le désert Mojave ; le Grand Canyon et les habitats troglodytes indiens ; les cactus géants et les petits arroyos ; Phoenix, Santa Fe, Taos, San Antonio et le Sud profond ; les plantations et la mousse en fleurs ; Memphis et le Mississippi ; La Nouvelle-Orléans et les bayous.

Bizarrement, le docteur K. avait gardé la Floride pour la fin. Stephen ne savait pas pourquoi. Il ne comprit pas non plus (et ne comprenait toujours pas) pourquoi il sentit un frisson lui courir dans le dos en voyant une photo de palmier. On aurait dit que ce n'était pas la première fois qu'il en voyait un ; or, il savait très bien que ce n'était pas le cas. Par la suite, il insista pour faire le tour du monde par l'équateur en zigzaguant à travers les tropiques, et les palmiers du globe terrestre tout entier ; palmiers aux Bahamas, aux Caraïbes ; palmiers au Venezuela, à Hawaii ; les îles Fidji, Bora Bora, l'Indonésie, Singapour, la Malaisie, Ceylan.

Puis ils passèrent aux dattiers, en bordure du Sahara, et encerclèrent le monde musulman : Téhéran, Bagdad, Damas, Istambul, Le Caire, Fez, Malaga, Cordoue. Ce qui les amena aux ruines : Corinthe et Delphes, Délos et le Parthénon, Petra et Angkor, le Forum de Rome, Pompéi, et jusqu'aux grands temples mayas du Yucatán, Chitchen Itzá et Uxmal. Et les palais, aussi : l'Alhambra, Versailles, Hampton Court. Puis les cathédrales : Chartres, Salisbury, Winchester. Les grandes villes d'Europe : Londres, Paris, Prague, Leningrad. Carte après carte, tout seuls tous les deux dans leur petite chambre d'hôpital, lui et le docteur K. s'empressaient d'aller visiter les Cotswolds Hills et le district des lacs, en Angleterre ; les pampas d'Argentine, la forêt tropicale du Brésil, Nairobi et les immenses troupeaux du Kenya, les steppes de Russie, la Mongolie, le Tibet...

C'était à la fin du mois d'août. Le docteur K. avait expliqué qu'il ne lui restait que quinze jours avant de regagner Yale pour finir ses études, et proposé à Stephen de penser aux cartes postales qu'il avait le plus envie de revoir. L'enfant avait réfléchi un instant, puis de grosses larmes s'étaient mises à couler sur ses joues paralysées. Désirer sourire alors que ses muscles faciaux ne le lui permettaient pas, c'était déjà pénible. Mais pleurer sans pouvoir exprimer son chagrin sur son visage, c'était épouvantable.

Lorsque le docteur Kolnietz était revenu le lendemain et lui avait demandé s'il avait fait son choix, Stephen lui avait fait signe que non. Là-dessus, les larmes s'étaient remises à couler. Elles n'échappèrent pas à Kolnietz.

— Qu'est-ce qui ne va pas ?

— RIEN, épela rageusement Stephen.

— Mais si, je vois bien ! répliqua Kolnietz. Il faut tout me dire.

L'enfant avait fini par céder.

— PARIS. VERRAI / JAMAIS / PARIS. JAMAIS. JAMAIS. VERRAI / JAMAIS / UN / PALMIER. SEULEMENT / DES / CARTES. VERRAI / JAMAIS / RIEN / D'AUTRE / QUE / DES / CARTES.

Le docteur K. avait subi avec lui l'épreuve de la réalité. À la fin de ces deux dernières semaines, la douleur s'était quelque peu estompée ; mais il lui fallut six autres mois pour accepter le fait que son corps serait à jamais immobilisé sur un lit ou un chariot dans une institution, et qu'il n'avait absolument aucun espoir de voyager un jour, excepté en pensée.

Puisqu'il ne pourrait jamais y aller, pourquoi rêver d'arpenter les rues de Paris ? Pourquoi désirer voir et entendre pour de vrai les palmes d'un cocotier fouettées par l'orage tropical ? Mais il n'avait jamais consciemment laissé sa souffrance l'entraîner plus loin. Naturellement, il ne s'était pas permis de s'intéresser aux choses du sexe. C'était plus qu'il n'aurait pu en supporter à l'âge de treize, quinze ou dix-sept ans, et peut-être à n'importe quel âge. Puisque ses mains paralysées ne pourraient jamais explorer le paysage d'un corps féminin, pourquoi s'autoriser une pulsion aussi futile ? Pourquoi devenir concerné par le sexe, alors que c'était parfaitement inutile ? Pourquoi ?

Et voilà que quatre jours plus tôt, sans qu'il en comprenne la raison, tout avait changé. Voilà que maintenant, il attendait Heather. Le problème, c'était que cette question (désormais consciemment formulée) n'appelait toujours pas de réponse claire. Une facette de lui-même (qui semblait, ces quatre derniers jours, avoir acquis une existence propre) s'exprimait on ne peut plus clairement : elle hurlait « Oui ! » devant la perspective de n'importe quel attouchement, n'importe quel plaisir à venir. Mais il y avait une autre facette, et celle-là se rétractait, cherchait à fuir la souffrance éventuelle et à retrouver la sécurité, la maîtrise de soi, tout ce qui évoquait la raison, le bon sens, la sagesse. Lorsqu'il sentit enfin la main de Heather se poser sur la sienne, il fut à la fois prêt et parfaitement pris au dépourvu.

— Je suis désolée pour la façon dont ce petit salaud minable s'est permis de parler de toi, fit-elle.

— Èèèèèè.

Heather décrocha la planche à lettres et la lui présenta.

— NE / T'EN / FAIS / PAS, épela-t-il en cognant ses articulations sur la planche. C'EST / TOI / QUI / M'INQUIÈTES. QUI / T'A / FAIT / DU / MAL ?

Évidemment, songea-t-elle. Il a eu toute la journée pour s'en rendre compte.

— Mon petit ami, répondit-elle.

— PETIT / AMI ? ? ?

— Tu sais, dans ces cas-là on est deux, fit maladroitement Heather en répétant ce qu'elle avait déjà dit à Tim.

— TU / L'AS / FRAPPÉ / AUSSI ?

Heather fit signe que non.

— POURQUOI / ESSAIES-TU / DE / LE / DÉFENDRE ?

Heather s'irrita de ce que personne (pas même Stephen) ne semblât disposé à laisser tomber ce sujet.

— Je ne suis peut-être pas aussi gentille que tu le crois, Stephen. Si nous étions plus intimes, toi et moi, peut-être voudrais-tu me taper dessus aussi.

— DANS / MON / ÉTAT ? J'EN / SERAIS / BIEN / INCAPABLE, NON ?

Heather éclata de rire. Stephen continua d'épeler :

— J'AIMERAIS / BIEN / QU'ON / SOIT / PLUS / INTIMES.

— Moi aussi.

— MAIS / J'AI / PEUR / DU / SEXE. C'EST / TOUT / NOUVEAU / POUR / MOI.

— Tu n'as pas à avoir peur, affirma Heather, qui n'avait pas la moindre idée de ce que cela représentait pour lui. J'y ai beaucoup pensé. En fait, j'ai eu du mal à penser à autre chose. On ne pourra pas le faire pendant la journée. La toilette, c'est le travail de l'aide soignante, et ça paraîtrait bizarre si je me chargeais de toi. Il faudra donc attendre le mois prochain, quand je serai de nouveau de nuit. Là, je ferai beaucoup mieux que te laver. Je crois que j'ai tout mis au point dans ma tête.

— C'EST / VRAI ? épela Stephen, à la fois enthousiasmé et abasourdi par leur façon radicalement opposée de voir les choses. COMMENT / PEUX-TU / ÊTRE / SÛRE / QUE / TU / NE / LE / REGRETTERAS / PAS ?

— Stephen le Scrupuleux ! railla-t-elle. Ne t'inquiète donc pas pour moi. Alors, tu acceptes ma proposition ?

La planche à lettres était un moyen de communication bien trop malaisé pour lui permettre d'exprimer les sentiments qui explosaient dans son cœur.

— FAUT / VOIR, répondit-il. C'EST / PEUT-ÊTRE / MOI / QUI / VAIS / LE / REGRETTER. TU / AS / SANS / DOUTE / TOUT / MIS / AU / POINT / DANS / TA / TÊTE, MAIS / PAS / MOI. MAIS / LE / MOMENT / VENU / JE / SERAI / PRÊT. ENFIN, SI / TU / ES / TOUJOURS / D'ACCORD.

— Tu es en train de me faire mariner, bouda Heather, misérieuse, mi-amusée. (Elle comprit qu'il était temps de changer de sujet.) Bref, si tu me disais comment tu te sens aujourd'hui ? Tout va bien ?

— MIEUX / QUE / BIEN. JE / VAIS / ENFIN / AVOIR / MON / ORDINATEUR.

— Oh, Stephen ! Mais c'est merveilleux ! s'exclama Heather. (Il attendait cela depuis si longtemps ! Il avait même eu peur de croire que cela arriverait réellement un jour. Elle partageait sa joie.) Tu vas enfin pouvoir écrire ton livre, ajouta-t-elle.

— OUI, épela Stephen. MAINTENANT / JE / VAIS / POUVOIR. SI / C'EST / BIEN / CE / QUE / JE / DOIS FAIRE.

Heather sentit le doute qui se cachait derrière ces mots.

— Et pourquoi ne l'écrirais-tu pas, ce livre ?

— LE / DOCTEUR / K. / EN / A / ÉCRIT / UN. PEUT-ÊTRE / QUE / J'ESSAIE / SIMPLEMENT / DE / FAIRE / COMME / PAPA.

— Et alors ? Il n'y a pas de mal à ça.

Stephen ne répondit pas tout de suite. Ses mains gisaient inertes sur la planche à lettres comme si les mots qu'il cherchait refusaient de venir. Au bout d'un moment, il épela :

— SI / JE L'ÉCRIS, IL / FAUT / QUE / CE / SOIT / POUR / UNE / BONNE / RAI-SON, ET / NON / UNE / MAUVAISE.

— Et voilà Stephen le Scrupuleux qui revient à la charge ! plai-santa-t-elle dans l'espoir que son insouciance dissiperait le malaise du jeune homme. Écris-le. Tu le mérites ; il y a longtemps que tu attends ça.

— LE / MÉRITE / N'A / RIEN / À VOIR / LÀ-DEDANS.

— Tiens ! Stephen le Théologien, maintenant. Mais c'est presque toujours lui qui parle, n'est-ce pas ?

— BIEN / OBLIGÉ.

— Oui, eh bien, tout ce que j'espère, moi, c'est que quand vien-dra mon tour de faire les nuits, tu te montreras moins scrupuleux et moins théologien, que ça ne t'empêche pas d'accepter ce que je te prépare, répliqua Heather, moqueuse.

Elle lui serra affectueusement le genou et raccrocha la planche à lettres. Elle s'était laissé tellement absorber par la conversation qu'elle n'avait pas remarqué Hank Martin, adossé contre le mur d'en face, sa canne à la main. Le vieux monsieur s'éclipsa juste au moment où elle se retournait pour rentrer dans le bureau des infirmières. Mais il avait assisté à toute la scène ou presque, et n'en avait pas perdu une miette.

CHAPITRE TROIS

Mercredi 17 février

À l'âge de quarante-trois ans, le docteur Stasz Kolnietz était fatigué. Plus précisément, il était fatigué de lutter. La plupart du temps, la pratique de la psychothérapie lui faisait l'effet d'une bagarre continuelle. Deux ans plus tôt, il en était venu à se demander s'il n'était pas déjà à bout. Il avait cru alors qu'un passe-temps lui ferait du bien, et s'était mis au jardinage. Mais là encore, c'était une lutte continuelle : il fallait constamment se bagarrer contre les mauvaises herbes, la vermine, la sécheresse, les lapins et les ratons-laveurs.

Avec un peu de chance (ou bien de grâce divine ?), la bataille de la psychothérapie connaissait parfois une issue victorieuse. Mais alors le patient ne tardait pas à s'en aller, laissant derrière lui un vide aussitôt rempli par une nouvelle bataille : il fallait tout recommencer de zéro. Kolnietz songea à Heather assise dans la salle d'attente et soupira. Cette bataille-là était loin d'être gagnée. Il se leva, contourna son bureau et alla se tenir au milieu de la pièce. Pendant une dizaine de secondes, il se mit à bondir dans tous les sens en esquissant les gestes de la boxe à vide. Si ses patients l'avaient vu, ils l'auraient probablement jugé fou. L'idée le fit sourire et lui redonna le moral. Prêt à repartir en guerre, il ouvrit la porte et lança :

— Entrez, Heather, je vous en prie.

La jeune femme alla s'asseoir à sa place habituelle, dans le fauteuil campé à un bout du divan, tandis que le psychiatre prenait celui qui lui faisait face. Un jour, il faudrait peut-être qu'ils se servent du divan, mais le moment n'était pas venu. Heather n'était pas encore prête. Avec un peu de chance, ce ne serait pas nécessaire...

— Je ne voulais pas venir vous voir si tôt, commença Heather, mais Mrs. Simonton m'y a pratiquement forcée hier. Elle pense que je dois vous parler de mon œil au beurre noir. J'avais rendez-vous avec Tony avant-hier. On a beaucoup bu et ça s'est terminé au lit. Après, il a voulu partir. Moi, je ne voulais pas qu'il s'en aille. Je me suis suspendue à ses basques, alors il m'a tapé dessus.

Un long silence. Puis :

— C'est tout ?

— C'est tout.

Kolnietz se leva et alla se poster près de la fenêtre, derrière le fauteuil de Heather.

— Je vais encore vous faire la leçon, déclara-t-il. La même que d'habitude. Et je ne doute pas de devoir vous la faire encore. Qui sait combien de fois il vous faudra l'entendre avant de vous la mettre dans le crâne une bonne fois pour toutes ?

Furieux, il revint au centre de la pièce et la regarda droit dans les yeux.

— Vous êtes une des meilleurs conteuses que je connaisse, Heather, poursuivit-il. Vous me régalez d'anecdotes sur vos malades, sur Tim et Mrs. G., sur Stephen, Hank le Chaud Lapin et Carol la Folle. Vos histoires abondent en détails et en descriptions pathétiques. Parfois, elles sont à mourir de rire, parfois si émouvantes que j'en ai les larmes aux yeux. Elles sont extrêmement évocatrices. J'ai toujours l'impression d'avoir assisté à la scène. Or, aujourd'hui vous avez une histoire à raconter sur votre propre vie — vous vous êtes fait agresser —, et vous ne me donnez pas le moindre détail, aucun pathos, aucune couleur, ni richesse, ni émotion. Aucune image de la scène ne me vient à l'esprit. Pourquoi ?

Heather ne répondit pas.

— Vous avez une névrose. Le terme a été inventé par Freud. En réfléchissant aux causes possibles de la névrose, Freud a créé une autre expression : compulsion de répétition. Ces mots savants signifient que les névrosés ont tendance à réitérer éternellement la même bêtise. Si les gens intelligents comme vous se révèlent stupides par certains côtés, c'est qu'ils ne savent pas penser à ce côté-là de leur personnalité. Et s'ils ne savent pas y penser, c'est parce qu'ils ont fait dans leur enfance une expérience qui leur a appris à ne pas penser *avec* ce côté-là de leur personnalité.

— Si vous êtes venue me voir, c'est parce que vous avez une névrose, une compulsion à répéter. Plus précisément, vous souffrez d'une névrose dans vos relations avec les hommes. Vous avez beau être jolie, brillante, vous vous acoquinez toujours avec des victimes,

72

des perdants. Vous êtes venue à moi parce que vous vous en rendiez compte, vous saviez que vous tourniez à vide. Seulement, nous n'avons pas beaucoup avancé, jusqu'à présent. Vos rapports avec les hommes sont toujours aussi ineptes, parce que vous n'avez toujours pas appris à penser avec un certain côté de votre esprit. Voilà pourquoi vous me rapportez une histoire aussi terne, aussi limitée.

— Maintenant, je veux que vous me racontiez à nouveau cette histoire. Mais cette fois-ci, en y réfléchissant. Pas question de laisser de côté les détails. Je veux un compte rendu détaillé, évocateur, que je voie la scène comme si j'y avais assisté.

— Il n'y a pas grand-chose à raconter, protesta Heather. On avait pris rendez-vous pour aller faire du ski, Tony et moi. Il est venu me chercher à une heure de l'après-midi. On a skié de deux heures et demie à cinq heures environ. Puis on est rentrés à l'appartement. J'ai préparé à dîner. Après, on a fait l'amour. Et puis, comme je vous l'ai dit, il a voulu partir. Je ne voulais pas qu'il s'en aille. On s'est disputés, et il m'a frappée. Là-dessus, il est parti.

Debout au beau milieu de son cabinet, le docteur Kolnietz essayait de refouler son exaspération. Finalement, il reprit :

— Bon, nous allons faire quelque chose que nous n'avons jamais tenté. Nous allons jouer à un petit jeu. Sauf que ce n'est pas vraiment un jeu, bien sûr ; c'est même très sérieux. Si je dis que c'est un jeu, c'est parce que je vais jouer un rôle. Le rôle de la partie saine de votre esprit.

Il traversa la pièce à grands pas et vint se poster derrière le fauteuil de Heather.

— Je vais vous poser des questions ; vous, vous allez faire comme si ce n'était pas moi qui les posais, mais votre propre esprit — dans son aspect sain. Voyez-vous, penser c'est en partie se poser des questions ; or, quand il s'agit de vos rapports avec les hommes, vous ne vous posez pas autant de questions que dans les domaines plus sains de votre vie. Je vais donc me pencher en avant, là, derrière vous, et vous poser ces questions comme si vous vous les posiez à vous-même. Vous comprenez ?

— Je crois que oui, répondit Heather, anxieuse.

— Bien, fit le docteur Kolnietz en s'accroupissant de manière que ses lèvres se trouvent à quelques centimètres de la nuque de Heather.

— Tony est venu me chercher pour m'emmener skier à une heure, commença-t-il. Pourquoi n'est-il pas venu plus tôt ?

— C'est ce qu'il m'avait dit, oui. Qu'il viendrait me prendre vers dix heures. J'ai attendu, attendu... et finalement, il est arrivé à une heure.

— Je me demande pourquoi il m'a fait autant attendre, poursuivit Kolnietz.

— Je le lui ai demandé quand il est arrivé, et il m'a répondu qu'il avait dû travailler sur une voiture — que c'était une urgence.

— Est-ce que je l'ai vraiment cru ?

— J'ai eu des doutes, avoua Heather. Il est mécanicien, et je n'ai jamais entendu dire que les mécaniciens travaillent à la demi-journée. Mais je ne voulais pas l'interroger là-dessus. Il en aurait conclu que je ne lui faisais pas confiance, et ça n'aurait fait que le mettre en colère.

— Je me demande pourquoi il ne m'a pas appelée pour me prévenir ? demanda Kolnietz.

— Je ne lui ai pas posé la question. Là encore, je ne voulais pas avoir l'air d'insister.

— Est-ce que je me suis amusée, en faisant du ski avec Tony ?

— Non. Ça m'a terrorisée. D'abord, il a fallu louer l'équipement. Je n'avais jamais fait ça, je n'y comprenais rien. Puis il m'a emmenée vers ce qu'il appelait la « piste bleue ». Je n'arrêtais pas de tomber. Il a dit que je devais apprendre à tourner. Je lui ai demandé de m'apprendre. Il a bien essayé pendant une dizaine de minutes, mais ça n'a pas donné grand-chose. Je crois que je ne suis pas très douée. Après ça il a déclaré qu'il en avait marre et que j'allais devoir apprendre à tourner toute seule pendant qu'il allait faire quelques descentes. Je tombais sans arrêt, je ne faisais aucun progrès. Puis un type s'est proposé pour m'apprendre les rudiments du chasse-neige. J'ai commencé à tomber moins souvent. Puis Tony est revenu à cinq heures, quand ils ont fermé le remonte-pente, et nous sommes rentrés dîner.

— Est-ce que j'avais envie de préparer à dîner ?

— Non. J'étais fatiguée et je n'avais pas très envie de cuisiner. J'espérais que Tony m'emmènerait au restaurant. Je me serais contentée d'une pizza. Mais il a déclaré qu'ayant payé pour la journée de ski, il n'avait plus d'argent. J'ai donc acheté deux steaks, des pommes de terre et de la crème glacée. J'avais déjà chez moi une bouteille de gin bon marché.

— Est-ce que j'ai bu plus qu'à l'ordinaire ?

— Oui.

— Je me demande pourquoi ?

— Tout ça m'avait mise de mauvaise humeur. Je me disais que ça me calmerait un peu. Et en effet, je me suis sentie mieux.

74

— Est-ce que j'avais envie de me mettre au lit avec Tony ?

— Oui. L'alcool me donne toujours envie de faire l'amour, et je voulais que la soirée finisse sur une note positive.

— Est-ce que ça m'a plu ? Est-ce que je suis arrivée à l'orgasme ?

— Non. Tony a eu une éjaculation précoce. D'après lui, c'était à cause du gin.

— Est-ce que je l'ai cru ?

— Non. Je croyais qu'au contraire, l'alcool avait pour effet de retarder l'orgasme chez les hommes. Mais peut-être que je me trompe. Chez moi, c'est plutôt le contraire. Une fois qu'il a eu joui, je lui ai demandé de m'aider avec sa main, mais il m'a dit qu'il était trop fatigué pour ça.

— Qu'est-ce que j'ai ressenti, à ce moment-là ?

— Je me suis sentie abandonnée. Je ne pouvais pas m'empêcher d'espérer que finalement, il en sortirait quelque chose, de cette journée. Ce que j'aime avant tout, moi, c'est avoir quelqu'un qui dort à côté de moi, qui me fait des câlins, quelqu'un que je puisse tenir dans mes bras toute la nuit. S'il était resté, ça m'aurait fait oublier le reste.

— Je me demande pourquoi je ne lui ai pas demandé avant d'aller au lit s'il passerait la nuit avec moi ?

— J'y ai bien pensé, mais il m'a semblé qu'il valait mieux me taire. Tony dit toujours qu'il déteste se sentir obligé de rester.

Le docteur Kolnietz se releva et s'étira. Il se sentait tout raide. Certes, il était resté accroupi derrière Heather dans une position inconfortable ; mais c'était surtout la raideur du combattant après la bataille. Et celle-ci n'était pas terminée. Il alla prendre un magnétophone dans un tiroir et s'assit sur le rebord de son bureau.

— La journée a été un véritable fiasco, n'est-ce pas ?

— Ça alors, vous pouvez le dire, acquiesça Heather.

— J'aimerais reprendre notre « petit jeu ». Je m'agenouille derrière vous, je vous pose les questions que vous devriez vous poser vous-même en parlant pour la partie saine de votre esprit. Seulement, cette fois, je vais enregistrer notre dialogue. Êtes-vous d'accord pour mettre tout ça sur bande ?

Heather hocha la tête. Le docteur Kolnietz posa le magnétophone à côté d'elle, sur le divan, et retourna s'accroupir derrière son fauteuil.

— Quand Tony m'a fait attendre toute la matinée, commença-t-il, est-ce que ça m'a mise en colère ?

— Oui.

— Est-ce que je le lui ai dit ?

— Non.

— Est-ce que ça m'a mise en colère qu'il ne m'ait pas appelée pour me prévenir de son retard ?

— Oui.

— Est-ce que je le lui ai dit ?

— Non.

— Et quand il a fini par arriver en disant qu'il avait dû réparer une voiture et que je ne l'ai pas cru, est-ce que ça m'a mise en colère ?

— Oui.

— Est-ce que je le lui ai dit ?

— Non.

— Et quand il a refusé de m'emmener dîner dehors, ça m'a mise en colère ?

— Oui.

— Est-ce que je lui ai dit que je me sentais trop fatiguée pour faire la cuisine, et que ça me mettait en colère ?

— Non.

— Est-ce que ça m'a mise en colère qu'il ait une éjaculation précoce ?

— Oui.

— Est-ce que je le lui ai dit ?

— Non.

— Est-ce que j'ai ressenti de la colère quand il s'est déclaré trop fatigué pour m'aider à jouir à mon tour ?

— Oui.

— Est-ce que je le lui ai dit ?

— Non.

— Et quand il s'est levé et qu'il a fait mine de s'en aller, ça m'a mise en colère ?

— Oui.

— Est-ce que je lui ai dit que je lui en voulais de partir ?

— Oui, répondit Heather, mais il ne m'a pas fallu autant de mots.

— Qu'est-ce que je lui ai dit ?

— Il était tout habillé, il ouvrait la porte d'entrée. Moi j'étais debout toute nue au milieu du salon et je lui ai dit qu'il avait des couilles en beurre de cacahouète.

Le docteur Kolnietz ne put s'empêcher de rire. Puis il se leva, alla se poster devant elle et s'étira à nouveau.

– Excusez-moi si j'ai ri, Heather, mais il faut avouer que c'était plutôt drôle.

– Je ne sais pas trop ce que je voulais dire par là. Je l'ai dit, c'est tout.

– Il vous a fallu cinq ou six mots pour lui dire qu'il n'était pas un homme, et qu'au-dessous de la ceinture il n'était bon à rien. C'est là qu'il vous a frappée, je suppose ?

– Oui.

Le docteur Kolnietz retourna s'accroupir derrière elle.

– Quel effet ça m'a fait quand Tony m'a frappée ? demanda-t-il.

– En fait, je n'avais rien senti. Comme si je m'en moquais.

– Souvent, quand on dit qu'on s'en moque c'est qu'on ressent simultanément tout un tas d'émotions fortes et contradictoires. Quelle combinaison d'émotions ai-je ressentie après que Tony m'a frappée ?

– Ça m'a fait du bien de l'envoyer promener. J'étais toujours furieuse contre lui, mais contente de l'avoir forcé à réagir. J'avais l'impression qu'il m'avait violée, violentée. Et que je le méritais sans doute. En fait, j'avais honte de moi. S'il m'avait traitée comme une merde, c'était probablement parce que j'en étais une.

Les questions se succédaient impitoyablement.

– Je me demande ce que ressent ma mère quand mon père lui tape dessus ?

– Aucune idée.

– Posez-vous la question, bon sang !

– Peut-être qu'elle ressent la même chose que moi. De la frustration. De la haine, peut-être. Peut-être qu'elle se déteste. Ou qu'elle n'en a plus rien à foutre.

– Je me demande si ma mère dit parfois à mon père qu'il a des couilles en beurre de cacahouète.

– Elle lui dit qu'il est mou.

– Et c'est là qu'il la frappe ?

– Oui.

– Je me demande si Tony est comme mon père ?

– Non, mon père est un alcoolique.

– Je me demande si Tony ne serait pas alcoolique ?

– Impossible.

– Pourquoi ?

– Il n'en a pas du tout l'air.

– Je me demande si mon père avait l'air d'un alcoolique il y a vingt-cinq ans ?

— Tony n'est pas passif comme mon père.

— Je me demande si ce ne sont pas les hommes passifs qui cognent les femmes ? Ou qui les violent ? Je me demande si les hommes passifs frappent parce qu'ils sont faibles, et non parce qu'ils sont forts ?

— Tony a une personnalité très différente, protesta Heather sur un ton presque geignard.

— Je me demande si mon père tient toujours ses promesses ? poursuivit le docteur Kolnietz. Est-ce qu'il n'est pas toujours en retard ? Est-ce qu'il n'avance pas toujours des excuses que je ne suis pas en mesure de vérifier ? Je me demande si on peut compter sur lui ?

Heather explosa.

— Je refuse d'aller plus loin ! cria-t-elle, au bord de l'hystérie. On est déjà passés par là. Je sais très bien ce que vous allez me dire : toujours les mêmes bandes, je fonctionne selon le modèle de mes parents, enregistré dans ma tête. Vous allez me dire que je traite les hommes comme ma mère les traite. Que je choisis le même genre d'hommes qu'elle. Des hommes qui me traitent comme mon père traite ma mère. Mais à quoi ça nous avance ? J'ai ai ras le bol de vos histoires de bandes enregistrées.

Le docteur Kolnietz était venu se planter face à elle.

— Nous en avons tous les deux ras le bol, Heather, mais nous devons insister encore et encore, jusqu'à que vous changiez de bandes. Le problème, c'est que pour le moment vous n'en connaissez pas d'autres.

— Mais non. Le problème, c'est que je ne rencontre jamais de types bien, contra Heather. Les types bien, ça n'existe pas.

Le docteur Kolnietz résista à la tentation, fréquente chez les psychiatres de sexe masculin, de lui dire que justement, elle en avait un sous les yeux. Au lieu de cela il reprit :

— Mais si, ça existe. Seulement, vous ne les remarquez pas. Ils ne vous attirent pas. Ils ne comptent pas. Ils ne collent pas avec les bandes enregistrées dans votre tête. Si l'un d'eux vous tombait dans les bras, vous ne sauriez pas quoi en faire. Vous partiriez en courant. Vous ne sauriez pas comment vous comporter avec lui, parce que vous n'avez pas de bandes enregistrées pour vous apprendre à vous comporter avec les types bien.

Il vit qu'elle avait l'air épuisée. Mais si elle l'avait observé, elle aurait pensé la même chose de lui. Il se mit à lui débiter sa leçon d'un ton plus calme :

— La névrose a en quelque sorte une existence propre. Elle se défend. Elle essaie de se protéger. C'est ce qu'on appelle la résistance. Il y a déjà quelque temps que nous combattons votre résistance. On trouve tellement plus facile de suivre ses vieilles bandes, même quand elles ne donnent pas de bon résultat ! On sait qu'on devrait sans doute s'en enregistrer de nouvelles, mais cette perspective ne paraît pas naturelle. Mais plus on prend conscience de sa propre résistance, plus les choses deviennent faciles. Voilà pourquoi j'ai enregistré notre conversation. Je veux que vous emportiez la cassette chez vous et que vous l'écoutiez du début à la fin, au moins deux fois, avant notre prochaine séance. Vous n'en aurez pas envie. Je veux que vous preniez conscience de votre résistance à l'idée de la réécouter. Je veux que vous vous rendiez compte de votre répugnance à l'idée de devoir entendre ce qu'elle contient.

» Vous n'êtes pas la seule dans ce cas, Heather. Tous les névrosés sont pareils. Ils arrivent tous en thérapie en disant qu'ils veulent changer, et ils se comportent comme si c'était la dernière chose qu'ils aient envie de faire. La névrose se défend toujours. Je veux que vous voyiez à quel point vous luttez contre le changement, à quel point vous luttez contre moi et ce que j'essaie de faire.

Il se dirigea vers le divan, éteignit le magnétoscope et éjecta la cassette avant de la lui tendre.

— Notre prochain rendez-vous est déjà fixé, fit-il. Je vous verrai à ce moment-là.

Heather glissa la cassette dans son sac, mais se dit en partant : Je ne sais pas si j'y viendrai, à ce foutu rendez-vous.

Une fois qu'elle eut refermé la porte, le docteur Kolnietz alla s'asseoir à son bureau. Au cours de sa formation, on lui avait appris que les psychiatres se devaient d'être distants, détachés, non verbaux, passifs. Peut-être était-il préférable que Heather voie un autre genre de thérapeute.

Heureusement que Heather avait pu s'arranger pour que Georgia prenne le lit près de la fenêtre libéré par Mrs. Carstairs, car moins de vingt-quatre heures plus tard, elle avait une nouvelle compagne de chambre. Lutzina Stolarz était une vieille dame grande et mince de soixante-dix-neuf ans dont la dignité ne réussissait pas à dissimuler la détresse.

— Que je suis bête ! déclara-t-elle à Georgia. Si j'avais su que je me retrouverais un jour dans un pétrin pareil !

Le pétrin en question s'était présenté plus vite que prévu lorsque, dix jours auparavant, en rentrant de la boîte aux lettres elle avait glissé sur le verglas dont les frimas de février avaient tapissé l'allée et s'était fracturé le col du fémur. Heureusement, Rob, son métayer, était passé au volant de sa camionnette une dizaine de minutes plus tard et l'avait vue gisant au sol. Bien que sa chute l'ait prise au dépourvu, Lutzina sut parfaitement ce qui se passait. Elle demanda à Rob d'aller lui chercher des couvertures dans la maison, et d'appeler une ambulance. Le reste ne fut que routine. On l'emmena à l'hôpital de New Warsaw et on l'opéra le lendemain matin. On lui posa une broche.

Tout cela était fort simple, excepté qu'elle était veuve et qu'elle vivait seule. Enfin, seule avec Plissé, son épagneul. Elle l'avait adopté quatre ans plus tôt (six mois après la mort de son mari), et l'avait baptisé ainsi parce que, quand il était petit, sa peau était toute plissée. Maintenant qu'il était vieux, il était de nouveau tout ridé. Déjà la photo du chien avait trouvé sa place sur le bureau, à côté de celle de son mari. Georgia aussi avait des photos : son mari défunt, ses enfants et petits-enfants, mais elles étaient toutes rangées à l'envers au fond d'un tiroir. La seule image qu'elle ait laissée sur son bureau était une carte reçue plusieurs dizaines d'années plus tôt, et à laquelle elle s'était tant attachée qu'elle l'avait fait encadrer − c'était celle qu'elle avait posée là la veille, et qui représentait une très jeune fille, seize ans tout au plus, assise sur une balançoire.

Lutzina (« Appelez-moi Lucy, comme tout le monde ») et son mari étaient tous deux issus de la colonie d'immigrants polonais qui s'était jadis installée à New Warsaw. Ils étaient restés sans enfants, mais avaient créé à la sueur de leur front la plus grosse laiterie de la région. À la mort de son mari, Lutzina avait vendu ses vaches au maquignon du coin et la majeure partie de ses terres à l'une des entreprises agro-alimentaires qui s'épanouissaient alors. Puis elle avait transformé la grange à foin en maison d'habitation (qu'occupaient depuis Rob et sa femme), démoli l'étable et vendu le bois de charpente. Elle tira de l'ensemble une somme confortable.

Là encore, elle s'était retrouvée dans le pétrin. Elle aurait eu largement les moyens de se payer des soins à domicile. Seulement, des infirmières, il n'y en avait pas. À l'hôpital, on lui avait dit qu'elle aurait besoin de soins et de rééducation pendant six semaines après sa sortie. C'était à ce moment-là qu'elle s'était rendu compte de la pénurie d'infirmières qui sévissait dans la région, et qu'on lui avait suggéré de passer six semaines à Willow Glen. Elle n'avait pas d'autre choix.

— Je n'aurais jamais cru que je finirais dans un asile de vieillards, dit-elle à Georgia. Mais enfin, je ne « finirai » pas ici. Je devrais rentrer chez moi dans six semaines. Tout de même... une maison de retraite !

— Un véritable camp de concentration, n'est-ce pas ? fit Georgia, pleine de commisération. (Une sonnerie retentit.) C'est la cloche du déjeuner, expliqua-t-elle, qui nous convoque dans la salle à manger. Est-ce qu'on vous fait passer un plateau, vous ?

— Non, ils veulent que j'aille jusqu'à la salle à manger, grimaça Lutzina. Je suis censée marcher autant que possible. Il paraît que ça fait partie de la rééducation. Mais partez devant. J'avance très, très lentement.

— Ça ne fait rien, dit Georgia. On a un peu de mal à trouver son chemin jusque là-bas les premiers temps, et puis je ne suis pas fâchée d'avoir de la compagnie.

Toutefois, Lutzina n'avait pas encore les moyens de se montrer d'agréable compagnie. Elle devait se concentrer sur chaque pas en prenant appui sur son déambulateur. Et manifestement, elle souffrait toujours.

— C'est parce qu'il y a du sang dans les tissus, m'a-t-on dit, expliqua-t-elle laborieusement. Dans une quinzaine de jours ça devrait aller mieux.

Le trajet fut interminable, mais Georgia n'y vit pas d'inconvénient. Elle avait l'impression d'être le vieux marin qui apprend les manœuvres au mousse.

Georgia éprouvait à l'égard de la salle à manger des sentiments ambigus. Il lui plaisait que le dessert fût disposé d'avance sur la table — un compotier plein de salade de fruits et une tranche de gâteau, plus un petit pain et une portion de beurre sur l'assiette prévue à cet effet. On pouvait s'asseoir où on voulait, et dès qu'on était installée une employée venait vous apporter votre plat principal, tout chaud sorti de la cuisine. Comme c'était agréable de se faire servir, de ne pas avoir à faire la cuisine et la vaisselle. Seulement, la salle à manger proprement dite était trop brillamment éclairée. Dans les chambres, il y avait des rideaux, des meubles vernis et des lampes dispensant un éclairage tamisé. Cette vaste salle, elle, était fonctionnelle à l'extrême et dépourvue de fenêtres : moderne et luisante de propreté. Typique des institutions de ce genre. D'autre part, on ne savait jamais qui allait venir s'asseoir en face de vous ; parfois, elle se sentait prise au piège.

Mais pas ce jour-là. La marche avait manifestement épuisé Lutzina, et toutes deux mangèrent en observant un silence plaisant. Au cours du repas, la vieille dame reprit des forces.

— Et vous ? demanda Lutzina. Que faites-vous en maison de retraite ?

— Ce sont mes enfants qui m'y ont amenée de force.

— Ça alors ! Mais pourquoi ? Vous n'avez pas l'air d'avoir de problèmes de santé.

— Je me porte comme un charme, renifla Georgia. Je vous l'ai dit, on m'a forcée à venir.

— Je croyais qu'on ne pouvait plus faire ce genre de choses, de nos jours. Il doit sûrement y avoir une raison.

— Je suis un peu fatiguée, annonça Georgia. Je crois que je vais rentrer à l'Aile C, maintenant, si ça ne vous fait rien. Vous saurez retrouver le chemin toute seule ?

— Bien sûr.

Déjà Georgia s'était levée. Elle tourna les talons et s'en fut sans dire un mot, plantant là une Lutzina attablée dont le visage exprimait une profonde stupéfaction.

Avant de partir pour son rendez-vous chez le docteur Kolnietz, Heather avait poussé le lit roulant de Stephen dans le séjour afin qu'il puisse regarder la télévision jusqu'à ce que Peggy lui apporte son plateau-repas et le fasse manger. Il n'avait pas protesté.

— Mais enfin, Stephen, il te faut absolument de la diversité, avait-elle insisté par simple désir de prendre bien soin de lui.

En réalité, elle lui avait déjà donné plus de diversité qu'il ne pouvait en assumer. Depuis qu'il avait appris, la veille au soir, qu'elle souhaitait avoir des relations sexuelles avec lui, que ça lui trottait dans la tête, à elle aussi, son impatience s'était encore accrue. Ce jour-là, quelques secondes avaient suffi, au lieu des deux ou trois minutes habituelles, pour que son attention se détourne des imbécillités télévisées. Heather avait dit qu'elle avait une idée pour eux deux, qu'elle lui préparait quelque chose. Il n'avait aucune notion de ce que ça pouvait être, mais toute la nuit et toute la matinée il n'avait cessé d'avoir des érections intermittentes sur la base de fantasmes peu clairs.

Et pourtant, une partie de lui-même continuait de résister. Farouchement. Presque comme si une voix intérieure lui criait : « Stop ! Ne te laisse pas aller ! Bats-toi ! Sois le plus fort ! » De toute évidence, le mystère n'était pas résolu. Il fallait creuser plus profond. Il n'avait jamais désiré avoir des rapports sexuels parce qu'il pensait que jamais l'occasion ne se présenterait ; mais maintenant, il y avait des chances pour que cela se produise sous peu, et voilà qu'il se sentait réticent, effrayé. Pourquoi ? Et puis tout à coup, il sut. C'était, bien entendu, à cause du Grand Chagrin.

Quand on l'avait sorti du service des idiots, l'institution avait informé ses parents : non seulement il n'était pas arriéré mais en plus, il était sans doute d'une intelligence remarquable. Ses parents avaient refusé ne serait-ce que de venir le voir. Ils avaient réussi à l'exclure de leur vie, et n'étaient pas prêts à tout recommencer de zéro. Mais quand le docteur Kolnietz lui avait parlé en détail de ce rejet pur et simple, cela ne lui avait fait ni chaud ni froid. Il ne gardait aucun souvenir de ses parents. Il ne se rappelait ni avoir connu un quelconque foyer, ni le jour où on l'avait placé dans cette institution, ni même sa première rencontre avec le docteur K. Quant au service des idiots, il ne se le rappelait que très vaguement ; ses véritables souvenirs commençaient le jour de son transfert. Pour lui, ses parents c'était le docteur K., père et mère à la fois ; les autres éducateurs de l'école n'étaient rien d'autre que ses assistants. Naturellement, sur le plan intellectuel, il savait bien que ce n'était pas vrai ; mais les faits matériels n'avaient aucune importance.

Pourtant, tout changea le jour où le docteur K. (qui était presque un vrai docteur, maintenant) revint de l'université pour les vacances de printemps, en 1971.

— Nous n'avons plus beaucoup de temps, avait-il annoncé.

Puis il avait expliqué que l'État commençait à regimber devant la perspective de continuer à verser une pension spéciale pour son éducation particulière. Ne pouvant rien faire d'autre, Stephen avait développé un appétit insatiable pour l'instruction ; à l'âge de onze ans il abordait déjà des matières habituellement réservées à l'enseignement supérieur.

— Je vais les faire patienter aussi longtemps que possible, promit le docteur K. Notre argument est que, légalement, tu as droit à des cours jusqu'à l'âge de seize ans minimum. Mais ils se font tirer l'oreille, et tôt ou tard ils te feront transférer dans une institution spéciale. Ce sera presque aussi dur que de retourner au service des idiots. Là-bas, on ne pourra rien faire d'autre pour toi que te nourrir et te faire ta toilette. Je suis désolé, Stephen.

— JE / POURRAIS / PARTIR / AVEC / VOUS, épela l'enfant.

Patiemment, le docteur K. lui expliqua que c'était impossible. Restait le plus difficile : faire comprendre à Stephen qu'il avait sa propre vie, et qu'il ne serait plus que rarement capable de lui rendre visite : en tant qu'interne en psychiatrie exerçant dans un établissement très éloigné, il n'aurait que quinze jours de vacances par an. Et puis, en temps voulu, il se marierait et aurait des enfants à lui.

Ce fut le début des récriminations.

— VOUS AURIEZ DÛ ME LAISSER CHEZ LES IDIOTS. J'AURAIS ÉTÉ MOINS MALHEUREUX. D'AILLEURS, À L'HEURE ACTUELLE JE SERAIS PROBABLEMENT MORT. J'AIMERAIS MIEUX ÊTRE MORT.

Les psychiatres appelaient ce processus « finalisation », lui avait dit le docteur K. Le terme était décidément bien choisi. Stephen se retrouvait finalisé. Comme un wagon de chemin de fer abandonné tout seul sur une voie de garage. Délaissé. Oublié. Finalisé.

Le processus avait duré des années. Des années de souffrance insupportable avant que Stephen ne trouve enfin une paix relative. Il ne s'agissait pas seulement de lutter pour renoncer au docteur K., mais aussi de lutter contre Dieu. Aussi loin que remontent ses souvenirs, il avait toujours cru en Dieu. C'était une foi simple, une foi d'enfant. Maintenant, elle était mise à l'épreuve. Pourquoi Dieu l'avait-il créé ? Pourquoi avait-Il laissé se produire une chose pareille ? Puis, vers la fin, lors d'une visite du docteur K. (qui se faisaient de plus en plus rares), Stephen lui annonça :

— JE / VOUS / AI / REMPLACÉ / PAR / DIEU. IL / FAUT / BIEN / QUE / JE / SOIS / L'ENFANT / DE / QUELQU'UN. DIEU / SERA / MES / PARENTS / POUR / SEMBLANT. JE / L'AI / PEUT-ÊTRE / INVENTÉ. COMMENT / SAVOIR ? CE / N'EST / QU'UN / DIEU / POUR / SEMBLANT. MAIS / JE NE / PEUX / PAS / VIVRE / SANS / LUI. IL / NE / S'AGIT / PAS / DE / FOI. MAIS / JE / N'AI / PAS / D'AUTRE / CHOIX. QU'EST-CE / QUE / LA / FOI / QUAND / ON / N'A / PAS / LE / CHOIX ? / UNE / FOI / FORCÉE, UNE / FOI POUR / SEMBLANT ?

L'école avait réussi à le garder jusqu'à son seizième anniversaire. Quand vint le moment de le transférer dans un autre centre, Stephen avait accepté son sort. Il était mal tombé. Une des aides soignantes le battait en cachette, très régulièrement. Il faillit mourir le temps que le docteur K. trouve le moyen de le faire admettre dans un centre flambant neuf appelé Willow Glen, l'année de ses dix-sept ans. Il savait désormais que la meilleure manière d'apprendre n'était pas de recevoir des leçons ni de regarder des cartes postales, mais de se livrer à la contemplation. Étant réduit à l'immobilité, il était passé maître dans l'art d'absorber de petits fragments d'expérience et d'en extraire le maximum. Ses rapports avec son Dieu « pour-semblant » s'approfondissaient un peu plus chaque jour, et son rythme d'acquisition s'accélérait. Il ne se languissait plus du docteur K. Il avait mené à bien le processus de finalisation.

Mais pouvait-on vraiment l'affirmer ? Gisant sur son chariot dans la salle de séjour de Willow Glen avec en fond le babillage assourdi de la télévision, Stephen se posa la question. D'accord, il avait renoncé au docteur K. Mais apparemment, il avait également réussi à renoncer au sexe. Était-ce vraiment surprenant ? Survenu à l'âge où s'épanouit normalement la sexualité, le chagrin succédant à l'abandon s'était révélé quasi insurmontable. Il était logique qu'il ait cherché à se protéger d'une éventuelle rechute, qu'il ait érigé des barrières destinées à le protéger d'un deuxième attachement, aussi fort que le premier.

Oui, ça se tenait. Mais alors, pourquoi ces barrières s'effondraient-elles maintenant, à l'âge de dix-neuf ans ? Un jour, à la radio, il avait entendu un évangéliste déclarer que Dieu n'envoyait jamais aux hommes plus de souffrance qu'ils n'en pouvaient supporter. Il savait bien que ce n'était qu'une demi-vérité, comme la plupart des affirmations catégoriques. À quatorze ou quinze ans, il n'aurait certainement pas pu en supporter davantage. Se pouvait-il qu'il en fût capable maintenant ? L'idée qu'il soit devenu assez fort pour combattre à nouveau la perte lui plut et l'effraya en même temps. Si le docteur K. n'avait pas pu rester auprès de lui, comment imaginer que Heather puisse le faire ? Pourtant, la tête pleine de fantasmes il était pour l'instant persuadé de pouvoir encaisser cette souffrance. D'une manière ou d'une autre, tout irait pour le mieux. On dit que l'amour est aveugle... Eh bien, lui, il irait à sa rencontre les yeux grands ouverts. Il saurait s'en sortir. Enfin, peut-être... Son sentiment de confiance provenait-il du fait qu'il lui restait encore quinze jours pour prendre une décision ?

Hank Martin s'était glissé dans le séjour pour regarder la télévision bien après que Stephen eut cessé de lui prêter attention. Hank s'était tout d'abord laissé absorber par la rediffusion d'un vieux feuilleton retraçant l'histoire d'une famille. Mais arriva une scène où un groupe de gamins chassaient un plus jeune sous prétexte qu'il était trop petit pour jouer avec eux. Hank avait toujours été petit pour son âge. Or, il ne faisait pas bon être trop petit, dans le quartier de Cleveland où il était né. Il s'obligea à penser à autre chose, et se rabattit sur les Messerschmidt.

L'eût-on fait prêté serment à la barre, pour rien au monde Hank n'aurait avoué qu'il n'avait jamais vu un Messerschmidt de sa vie. Les archives prouvaient le contraire : il y était clair que, quand il avait voulu s'enrôler dans les *marines*, à l'âge de trente-deux ans, on l'avait refusé à cause de sa petite taille et d'une hernie ombilicale. Il le savait très bien. Mais l'armée, elle, l'avait accepté ; et après avoir subi une nouvelle fois l'entraînement de base, il avait fait la guerre comme soldat de troisième classe employé à la paperasse, à Fort Polk, en Louisiane. Il aurait peut-être atteint le grade de caporal si ses abus de boisson ne lui avaient créé quelques ennuis.

Mais la plupart du temps, il se « rappelait » les choses différemment. Il se « rappelait » notamment avoir senti la menace nazie bien avant Pearl Harbor, et s'être par conséquent engagé dans l'aviation canadienne. Son brillant instinct et ses talents naturels de pilote avaient été promptement remarqués. Promu lieutenant et pilote de chasse, il avait été expédié en Angleterre, pour protéger ses côtes contre les Boches. Il avait participé à d'innombrables combats aériens contre les Messerschmidt. Une fois, il avait réussi à en descendre trois. Assis devant un écran de télévision qu'il ne voyait pas, Hank se « rappelait » : un de ses étançons d'aile endommagé par une mitrailleuse boche, il avait dû atterrir en catastrophe. Arrivé au mess des officiers, tout le monde s'était levé pour l'applaudir. Juste au moment où le lieutenant-colonel allait faire un speech avant de lui agrafer une décoration de plus, la cloche du déjeuner retentit.

Hank se leva et constata que Stephen était éveillé. En fait, l'infirme regardait droit dans sa direction, encore qu'il ne parût pas particulièrement conscient de sa présence. Eh bien, il allait arranger ça. Hank regarda autour de lui. Personne. En partant pour la salle à manger, il empoigna sa canne, la fit tournoyer et en assena un coup bref et violent sur un des pieds du chariot de Stephen.

Entendant la cloche, Peggy alla chercher les plateaux-repas à la salle à manger. Quatre patients de l'Aile C prenaient leurs repas dans leur chambre. Le premier plateau fut pour Carol la Folle, assise dans son fauteuil roulant près du bureau des infirmières. C'était une chaise à dossier droit équipée d'anneaux pour attacher les sangles, et d'un plateau fixe servant d'entrave supplémentaire, bien que le loquet en fût très facile à manipuler. Tandis que Peggy disposait les plats devant elle, Carol débita sa sempiternelle litanie ; néanmoins, une fois qu'elle fut arrivée au bout, elle attaqua son déjeuner avec entrain.

Peggy passa à la chambre suivante. Sur son fauteuil roulant, Mrs. Stimson y était rentrée dès que la sonnerie avait retenti et attendait son repas devant sa table. Parfait, songea Peggy. Peut-être ne le jetterait-elle pas par terre, aujourd'hui. Comme prévu, Rachel se laissa servir sans prononcer un mot.

Le troisième plateau était destiné à Mrs. Grochowski. Puisque, comme Stephen, elle était entièrement paralysée, elle devait être nourrie. Peggy s'assit et entreprit cette corvée, qui lui faisait perdre son temps et dont elle s'acquittait toujours sans un mot. Lorsqu'elle eut terminé et essuyé les lèvres de la malade, Mrs. Grochowski remarqua :

— Vous n'êtes pas très bavarde, Peggy.

Fidèle à sa réputation, Peggy ne répondit pas.

— Bon, poursuivit Mrs. Grochowski, je suppose que c'est parce que vous n'avez encore rien à dire. Mais ça viendra. Bientôt peut-être, vous aurez des tas de choses à dire ; des choses qui vaudront la peine d'être écoutées.

Tout en remportant le plateau vide, Peggy se dit qu'il n'y avait guère de chances pour que cette prédiction se réalise. Toutefois, les paroles de Mrs. Grochowski lui avaient plu. Elle n'excluait pas la possibilité d'avoir un jour quelque chose d'important à dire.

Le dernier plateau était pour Stephen. Lorsqu'elle eut fini de le nourrir, ce dernier bêla :

— Èèèèèè.

Elle lui tendit la planche à lettres et le jeune homme épela :

— SORTEZ-MOI / DU / SÉJOUR.

Peggy poussa son chariot jusqu'à sa place habituelle, contre le mur face au bureau des infirmières. Stephen avait demandé à Dieu s'il était juste de se plaindre de Hank Martin. Mais Dieu ne considérait apparemment pas la question comme suffisamment cruciale pour se donner la peine de répondre. Aussi, bien que la peur ne l'ait pas quitté, Stephen décida de ne rien dire pour l'instant. Mais Peggy, elle, voulait parler.

— Quand je me suis plainte de Mrs. Simonton, l'autre jour, vous m'avez posé des questions, commença-t-elle. En particulier, vous m'avez demandé pourquoi Heather avait souvent une aide de plus que les autres infirmières. Eh bien, je lui ai posé la question. Elle m'a expliqué que c'était parce qu'on l'appelait souvent dans les autres services quand quelqu'un allait mourir, et ça, je l'avais déjà remarqué. Vous m'avez aussi interrogée sur votre cas : pourquoi est-ce qu'on vous garde à l'Aile C alors que vous êtes grabataire ? D'ailleurs, comment ça se fait qu'on vous laisse en permanence sur un chariot, et pas dans un lit ? Et pourquoi toujours là, près de la salle des infirmières ?

— AVANT, J'ÉTAIS / DANS / UN / CENTRE / POUR / ARRIÉRÉS / MENTAUX. VOUS / ME / TROUVEZ / ARRIÉRÉ ?

— Pas vraiment, non, fit lentement Peggy. (Puis, tout à coup, son esprit et sa langue se délièrent simultanément.) On ne peut pas être arriéré quand on sait si bien écrire. En fait, vous écrivez mieux que moi. Si ça se trouve, vous êtes drôlement intelligent.

— JE / SUIS / EFFECTIVEMENT / TRÈS / INTELLIGENT, MAIS / DANS / UN CORPS / D'ARRIÉRÉ. VOUS / VOUS / RENDEZ / COMPTE / DE / CE / QUE / C'EST ? VOUS / VOULEZ / BIEN / Y / RÉFLÉCHIR ?

Peggy le regarda sans rien trouver à répondre.

— VOUS / VOULEZ / BIEN ? épela-t-il encore, avec insistance.

— Oui, j'y réfléchirai. C'est promis.

Déjà elle entrevoyait qu'il était non seulement très intelligent, mais aussi pleinement *humain*. Aux deux sens du terme. Et combien plus sain que les patients des Ailes A ou B qui, pour la plupart, semblaient complètement hors d'atteinte.

— TANT / MIEUX.

Peggy rassembla son courage et reprit :

— Vous m'avez posé une autre question. Sur Mrs. Grochowski cette fois : comment se fait-il qu'elle aussi soit à l'Aile C alors qu'elle est grabataire ?

— ELLE / AUSSI / EST / TRÈS / INTELLIGENTE. CE / SERAIT / DRÔLEMENT / AMUSANT / POUR / ELLE / ET / MOI / SI / JE / POUVAIS / ÊTRE / DANS / SA / CHAMBRE, ET / SI / ELLE / POUVAIT / TENIR / LA / PLANCHE / À / LETTRES. SEULEMENT, ELLE / NE / PEUT / PAS.

— Vous m'avez aussi demandé pourquoi l'autre lit de sa chambre n'est jamais occupé, poursuivit Peggy. Alors, pourquoi ?

— PUISQUE / JE / SUIS / CONSTAMMENT / SUR / UN / CHARIOT, L'AILE C / EST / TOUJOURS / AU / COMPLET / TOUT / EN / CONSERVANT / UN / LIT / DE / LIBRE. MAIS / CE / N'EST / PAS / LA / VRAIE / RAISON. LA / VÉRITÉ / EST / QUE / MRS. / GROCHOWSKI / A / UN / AMANT.

— Comment ! proféra Peggy. Un amant ? Mais qui ?

— C'EST / UNE / QUESTION / D'ORDRE / PERSONNEL, épela Stephen. SI / VOUS / VOULEZ / LE / SAVOIR, DEMANDEZ-LE-LUI / VOUS-MÊME. D'AILLEURS, SI / VOUS / REGARDIEZ / AUTOUR / DE / VOUS, VOUS / LE / SAURIEZ.

Peggy ne pouvait guère en encaisser davantage. De plus, il fallait une grande quantité d'énergie pour suivre l'épellation laborieuse de Stephen. Même Heather avait ses limites en la matière. La jeune fille raccrocha la planche à lettres et alla s'occuper de Carol. Elle débarrassa les plats, défit les sangles qui la maintenaient contre le dossier de son fauteuil roulant, fit pivoter le plateau et aida la vieille dame à se mettre debout. Il fallait la faire marcher deux fois par jour. Peggy lui fit faire quatre aller et retour dans le couloir en passant devant la pharmacie, puis l'aida à se rasseoir dans son fauteuil. Elle remit le plateau en place de manière que Carol se retrouve emprisonnée derrière, mais elle était tellement occupée à se demander ce que ça faisait d'être intelligent dans un corps débile qu'elle en oublia de rattacher les sangles à l'arrière du fauteuil. Décidément, Stephen savait drôlement s'y prendre pour la faire réfléchir.

Elle alla même jusqu'à se demander l'effet que ça faisait de ne pas avoir de pieds lorsqu'elle entra dans le séjour pour récupérer le plateau de Rachel. Cette dernière n'avait pas bougé et regardait dans le vide devant les restes de son repas. Peggy s'enhardit.

— Comment vous sentez-vous aujourd'hui, Mrs. Stimson ?

Rachel tourna vers elle un visage où se lisait une expression indéchiffrable.

— Inutile de faire l'infirmière avec moi, aboya-t-elle.

Sur ce elle recula son fauteuil, s'éloigna de la table, fit demi-tour et fila tout droit par la porte avant de disparaître dans le couloir.

Ce spectacle inspira deux réflexions à Peggy. Tout d'abord, elle se dit que non seulement Rachel se déplaçait vraiment très vite et très efficacement (cela, elle s'en était déjà fait la remarque), mais aussi qu'un fauteuil roulant pouvait être parfaitement silencieux. Rachel avait quitté le séjour sans faire le moindre bruit. Par ailleurs, elle songea qu'on n'était guère récompensé quand on essayait d'être gentil avec les gens. Elle replaça mollement le plateau sur son chariot-repas, qu'elle ramena dans la salle à manger.

Dès qu'elle fut rentrée de chez le docteur Kolnietz, Heather vit le fauteuil roulant de Carol vide au milieu du couloir ; le plateau mobile était ouvert et les sangles traînaient par terre. Elle trouva Peggy assise bien tranquille au bureau des infirmières.

— Pour l'amour du ciel ! lui cria-t-elle. Vous n'avez pas bien attaché Carol après l'avoir fait marcher. Allez voir dans tous les couloirs et toutes les chambres de l'Aile. Et au trot ! Allez !

Heather s'assit à son tour et se prit la tête dans les mains. Ces dernières quarante-huit heures avaient été épouvantables. Tony l'avait tabassée ; à leur façon, les malades et Mrs. Simonton lui étaient également tombés dessus à bras raccourcis ; Kolnietz venait de l'achever et maintenant, voilà que ça continuait. Elle ne savait donc rien faire correctement ? Qu'est-ce qui n'allait pas chez elle ? Elle ne pouvait donc même pas assurer la bonne marche du service ?

Peggy revint en courant lui annoncer que Carol restait introuvable. Heather appela Mrs. Simonton et, au bord des larmes, lui raconta ce qui venait d'arriver.

La directrice fit rapidement le tour de la situation. Il y avait une chance pour que Carol se trouve encore dans le bâtiment. Mais il ne fallait pas trop y compter tout de même, et dehors il faisait un froid de canard. Chaque minute comptait. Elle appela la police pour signaler la disparition de Carol, puis fit venir Ms. McAdams.

— Carol s'est encore sauvée. On ne la trouve pas à l'Aile C. Avertissez les infirmières des Ailes A et B et dites-leur de fouiller partout. Vous vous chargerez personnellement du reste : le réfectoire, la salle de rééducation, tout. Ordonnez qu'on me téléphone — non, faites-le vous-même — dès qu'on l'aura retrouvée.

Ms. McAdams tourna promptement les talons et sortit. Si on finit par mettre la main sur Carol dans un coin de Willow Glen, il sera toujours temps d'en informer la police, songea Mrs. Simonton. Toutefois, les infirmières appelèrent l'une après l'autre et s'avouèrent bredouilles. Dix minutes plus tard, Ms. McAdams revint lui faire le même rapport. La directrice rappela donc la police et insista sur la gravité de la situation. Puis elle téléphona à Rebecca Kubrick en s'excusant d'avoir à lui annoncer que sa belle-mère s'était encore une fois sauvée.

Il n'y avait plus qu'à attendre. Anxieuse et abattue, la directrice se laissa aller en arrière dans son fauteuil. Pourquoi est-ce que ça me tracasse à ce point ? se demanda-t-elle. Ce n'est tout de même pas la première fois. Pourquoi y attachait-elle tant d'importance ? Parce qu'elle se souciait au plus haut point de la réputation de Willow Glen ? Il y avait un peu de cela, certes, mais aussi quelque chose de plus profond. Elle s'imagina Carol errant toute seule dans le froid. Selon toute probabilité, la vieille dame n'en avait cure ; mais elle, elle sentait presque le vent glacé sur sa peau, comme si l'on avait substitué son corps à celui de Carol.

Si seulement elle avait pu faire partager son angoisse ! Il y avait bien deux ou trois personnes : Marion Grochowski était toujours prête à la soulager un peu de son fardeau. Stephen trouverait certainement quelque chose d'extraordinairement concis à dire (chez lui, à cause de la planche à lettres, la concision était devenu un art), une petite phrase qui l'aiderait à prendre du recul. C'étaient des patients comme ceux-là qui donnaient de la valeur à l'œuvre de toute sa vie. Elle ne craignait pas d'en appeler à eux (ce ne serait pas la première fois), mais cette fois-ci c'était différent. Elle ne devait pas s'éloigner du téléphone. Mystérieusement, une bribe de liturgie issue de sa lointaine éducation religieuse, plus ou moins au sein de l'Église épiscopalienne, lui revint en mémoire : « Ô Seigneur, hâte-toi de nous aider ; Ô Seigneur, hâte-toi de nous sauver. »

Les pensées de Roberta McAdams suivaient un cours tout autre. Toute cette agitation l'énervait, ce qui n'était pas étonnant. Non seulement elle lui faisait perdre son temps, mais en plus elle était parfaitement inutile. Voilà ce qui arrivait quand on ne respectait pas le règlement. Les malades comme Carol n'avaient rien à faire dans l'Aile C. Ceux qui devaient être attachés, les paralytiques comme Stephen et Mrs. Grochowski... leur place était dans les Ailes A ou B.

N'eût-été la commotion plus grande encore, Ms. McAdams aurait espéré qu'on ne retrouverait jamais Carol. Ce serait bien fait pour Mrs. Simonton si la vieille dame mourait de froid au-dehors. Au moins, Willow Glen deviendrait une maison bien tenue.

Les choses se passeraient autrement si elle était directrice. L'ordre régnerait. La demande en lits était telle qu'elle irait jusqu'à refuser les malades qui causaient des ennuis. Et elle veillerait à ce que le personnel ne commette pas de faute de ce genre. Il leur fallait plus de discipline. Elle ferait en sorte qu'ils reçoivent la formation nécessaire.

Rien que de penser à la discipline, rien que de prononcer le mot dans sa tête, Roberta McAdams sentit une légère moiteur naître entre ses cuisses. Elle se permit de savourer cette sensation l'espace d'un instant. Mais pas plus. Ce n'était pas le moment. Chaque chose à sa place, chaque chose en son temps.

Seul dans son bureau du poste de police de New Warsaw, le lieutenant Thomas Petri était aux anges. Il regarda encore une fois son nom et son grade gravés sur la plaque de cuivre, à l'avant de son bureau. Mince, ils ont été drôlement chouettes de me donner ça, songea-t-il. Si j'étais resté à New York, ou n'importe où sur la côte est, il aurait fallu que je m'en paie une moi-même. Mais ici, le jour où il avait pris son service, il l'avait trouvée qui l'attendait. Dans le Midwest, les gens étaient encore attentionnés, ils savaient se comporter décemment. Il ne regrettait pas sa décision.

Étant donné qu'on l'avait très tôt nommé inspecteur, beaucoup de gens s'étaient demandé pourquoi il avait accepté un poste dans une petite ville alors qu'il aurait pu prétendre à mieux. Mais il avait ses raisons, et elles étaient nombreuses. Le commissaire qui lui avait fait passer son entrevue lui avait plu, et cette première impression s'était confirmée le matin même, lorsqu'il lui avait résumé les procédures habituelles. La région (prospère, rurale et stable) avait un taux de criminalité assez bas, et c'était la police locale qui prenait couramment en charge le maintien de l'ordre. Par ailleurs, il appréciait d'être le seul lieutenant et le seul détective de son département, d'ailleurs très réduit. Il lui plaisait d'être directement responsable devant le commissaire. Mais surtout, il avait passé les vingt-neuf premières années de sa vie à New York et dans le New Jersey, et il ne pouvait plus supporter le désordre, la crasse et la décrépitude. S'il avait décidé de s'installer à New Warsaw, c'était justement parce que c'était une ville où régnaient le calme et l'ordre, et par-dessus tout la *propreté*.

On frappa à la porte. C'était Bill Mitchell, le sergent-chef, l'homme qui lui servirait de premier assistant quand il aurait besoin d'aide.

— Excusez-moi, chef, fit ce dernier, mais je voulais vous dire qu'on a retrouvé la vieille dame. Wodjenczi et Roberts l'ont repérée sur le seuil d'une maison à environ huit cents mètres de l'institution. Apparemment elle va bien, mais on l'emmène aux urgences pour s'assurer qu'elle n'a pas souffert du froid. Je leur ai dit de l'attendre sur place et de la ramener ensuite. Mais je me suis dit que vous voudriez être tenu au courant.

Étrange mais pas déplaisant, de s'entendre appeler « chef » par un vétéran de vingt ans son aîné alors qu'à peine un an plus tôt, à New York, lui-même n'était que sergent. Néanmoins, il respectait la tradition exigeant que seuls les officiers de même grade s'appellent par leur prénom.

— Merci, Bill, répondit-il. Je suis content d'apprendre qu'elle est entre de bonnes mains. Mais je pensais à une chose. Si vous n'avez rien d'autre à faire, je vous propose d'aller la chercher nous-mêmes et de la ramener à Willow Glen. Ainsi je me familiariserai avec l'hôpital et l'institution, et je commencerai à me repérer dans la ville — surtout si c'est vous qui conduisez. (L'occasion rêvée pour établir dès maintenant de bons rapports avec mon assistant, se dit Petri.) Qu'en pensez-vous ? De toute façon, c'est plutôt calme.

Le sergent Mitchell acquiesça. Ils prirent une voiture de patrouille.

– Il n'y a sans doute pas beaucoup d'institutions qui s'occupent convenablement de leurs pensionnaires, observa Petri sur un ton délibérément léger tandis qu'ils démarraient.

– Oh, Willow Glen est une bonne maison, monsieur. La meilleure de l'État.

– N'empêche, je trouve bizarre qu'ils laissent s'échapper une malade comme ça.

– Vous savez, les vieux sont parfois drôlement malins, rétorqua Mitchell. Il arrive très fréquemment qu'ils se sauvent.

Respectant l'expérience perçant dans la voix de son aîné, le lieutenant Petri s'abstint de répondre. Mais en tant qu'unique inspecteur de police de la ville, il se devait avant tout de faire régner l'ordre dans la communauté. Ce n'était peut-être pas un délit, mais il lui paraissait scandaleux que les autorités à qui on confiait le sort d'une vieille dame la laissent se balader toute seule dans la neige. Il garda ses pensées pour lui, mais n'en décida pas moins de se livrer à une petite enquête, juste histoire de voir par lui-même à quoi ressemblait Willow Glen.

Lorsqu'ils arrivèrent aux urgences, Carol avait déjà été examinée. On l'avait trouvée en bonne santé. Tandis que Mitchell l'escortait jusqu'au siège arrière de la voiture, elle attrapa Petri par la manche et geignit :

– Vous n'auriez pas vu mon sac ? Vous savez ce qu'ils ont fait de mon sac ? On m'a volé mon sac.

Petri était sur le point de faire demi-tour, quand Mitchell l'arrêta.

– Ne la prenez pas au sérieux, chef. Chaque fois qu'on l'a récupérée, elle nous a répété la même chose.

Une fois qu'ils l'eurent bien calée sur la banquette arrière, Carol se tint tranquille et leur parut paisible.

– Et combien de fois l'avons-nous récupérée ainsi, Bill ? s'enquit Petri.

– Ces deux dernières années, seulement deux ou trois fois. (Petri se sentit à nouveau scandalisé, mais Mitchell poursuivit.) À une époque, c'était une fois par semaine, jusqu'à ce que sa famille la mette à Willow Glen.

Ms. McAdams guettait leur arrivée et vint les retrouver à l'entrée en compagnie d'une aide soignante.

– Carol ! Nous sommes tellement contents que vous soyez revenue saine et sauve ! Je me suis fait un de ces soucis ! J'ai prié pour vous, s'exclama-t-elle théâtralement. Vous nous avez fait une peur bleue.

Carol n'était manifestement pas consciente des ennuis qu'elle avait créés. Passive, elle suivit en trottinant l'aide soignante qui la ramenait à l'Aile C.

— Heureusement que vous l'avez retrouvée, déclara dans un débordement d'effusions Ms. McAdams aux deux policiers. Entrez, venez voir Mrs. Simonton. Je suis sûre qu'elle voudra vous remercier personnellement.

Petri commençait à voir Willow Glen d'un œil plus clément. C'était moderne, le hall d'entrée était propre, le Service administratif bourdonnait d'activité, et il était favorablement impressionné par la netteté, la précision émanant de cette jeune femme qui, visiblement, prenait son travail à cœur. Pourtant, il recommença à se poser des questions en faisant la connaissance de Mrs. Simonton. Elle était en train de fumer, et deux volutes jumelles lui sortaient des narines. Une image de vieux dragon lui vint à l'esprit. Lui-même ne faisait pas partie des gens qui ne peuvent supporter l'odeur de la fumée, mais il se demandait toujours avec perplexité comment on pouvait prendre plaisir à cette sale manie. Il contempla avec dégoût le cendrier plein à ras bord, sur son bureau. Cette femme n'était certainement pas une mauviette, mais il lui manquait l'allure compétente de Ms. McAdams. Il fut d'ailleurs frappé par le manque de formalisme avec lequel elle les accueillit.

— Salut, Bill ! (Puis, se tournant vers Petri :) Tiens, tiens... Mais qui avons-nous là ? Je ne vous connais pas, vous.

Cependant, une fois qu'il se fut présenté, elle lui fit un accueil chaleureux.

— Ravie de vous avoir parmi nous, inspecteur. Merci de nous avoir ramené Carol et de m'avoir donné l'occasion de faire votre connaissance. J'ai déjà averti ses enfants que vous l'aviez retrouvée saine et sauve. Ils vous en sont très reconnaissants. Voulez-vous que je vous fasse faire le tour du propriétaire ?

Petri éprouva une brusque bouffée d'angoisse. Il n'avait jamais mis les pieds dans une institution. Il avait par avance mis en doute la qualité des soins dispensés derrière ces murs ; mais maintenant, il avait la certitude de ne pas vouloir assister aux affres qui, dans son imagination, devaient s'y dérouler. Les affres, la dégradation liée à la vieillesse... Il ne voulait pas savoir non plus s'il y avait d'autres individus genre Carol pour se pendre à son bras. Une fois par jour lui suffisait amplement.

— Non, merci, répondit-il. Aujourd'hui, je me fais une idée de la ville dans son ensemble. Mais j'aimerais bien rendre visite aux enfants de Mrs. Kubrick, histoire de visiter un peu les environs. Vous croyez que c'est possible, Bill ?

— Je me ferai un plaisir de les appeler et de leur annoncer votre venue, acquiesça ce dernier.

En fin de compte, ce fut Mrs. Simonton qui se proposa. Petri la remercia, lui serra la main et constata qu'elle avait une poigne solide. Cette femme était peut-être d'une autre trempe que les apparences ne le laissaient croire.

Ayant plus d'une fois ramené Carol chez elle, Mitchell connaissait l'adresse de Rebecca et Henry Kubrick. Un ménage peu fortuné, lui dit-il, de bons citoyens qui s'efforçaient tant bien que mal de gérer leur petite ferme et d'éviter de vendre leurs biens à une quelconque entreprise agro-alimentaire. Petri apprécia le paysage uniformément plat qui défilait des deux côtés de la route, avec ses clôtures et ses petits chemins boueux bien droits formant autant de démarcations nettes et précises. La vraie vie, songea-t-il. Au diable New York et le New Jersey.

Les Kubrick les accueillirent ensemble, leur serrèrent vigoureusement la main et les firent entrer dans un petit salon. Ils prirent place dans des fauteuils rembourrés à l'excès recouverts de housses en plastique disposés autour d'une table basse vernie supportant un bouquet de fleurs également en plastique. Henry et sa femme étaient sans doute peu habitués à recevoir des visites, mais parurent se réjouir de celle-ci.

— Je ne sais comment vous remercier, dit Rebecca.

C'était une femme râblée qui respirait la santé ; bien qu'elle fût mariée et comptât une bonne dizaine d'années de plus que lui, Petri ne put s'empêcher d'admirer la fermeté de ses seins sous le tablier.

— N'en parlons plus, répondit-il. Nous sommes contents d'avoir pu vous aider, et de savoir que votre mère est tirée d'affaire. Si j'ai bien compris ce que m'a dit le sergent Mitchell, c'est assez dans ses habitudes, non ?

— C'est un des problèmes avec Maman, fit Henry, un homme trapu et buriné un peu plus âgé que sa femme. Elle fiche le camp de temps en temps. C'est cette maudite maladie d'Alzheimer.

— Il y a combien de temps qu'elle en est atteinte ?

— Ça a commencé il y a environ sept ans. Juste avant la mort de Papa. D'abord, ça n'a pas été bien grave. Elle ne savait plus ce qui s'était passé la veille, mais elle se souvenait de tout ce que j'avais fait quand j'étais gosse. Ça s'est développé très progressivement. Et puis il

95

y a cinq ans, elle a commencé à oublier nos prénoms. C'est là qu'elle s'est mise à se sauver. On l'a emmenée chez un médecin, puis un autre. Ils n'ont rien trouvé d'anormal sur le plan physique, mais il paraît qu'elle était trop jeune pour être sénile.

— Ils appellent ça « démence présénile », ajouta Rebecca. C'est à ce moment-là que nous avons entendu pour la première fois le terme « Alzheimer ».

— Vous devez trouver un peu irritant qu'ils ne s'occupent pas mieux d'elle, à l'institution, fit Petri pour les consoler.

— Irritant ? renifla Henry. Mais ils prennent merveilleusement soin d'elle, au contraire. Je remercie le ciel que Willow Glen existe !

— Vous ne savez pas ce que c'est que de devoir attacher quelqu'un nuit et jour sous son propre toit, renchérit Rebecca.

— Ils s'en tirent drôlement bien, à Willow Glen, poursuivit Henry. Je m'étonne qu'elle ne se sauve pas plus souvent. Elle a une façon de vous filer entre les doigts ! En voyant à quel point elle est sénile, on penserait qu'elle est incapable de défaire un nœud. Eh bien, pas du tout. Si vous voyiez comment elle se tortille ! Elle arrive toujours à se détacher. Une véritable anguille !

— Ça n'a pas dû être facile pour vous, fit Petri d'un ton plein de commisération.

Ces deux êtres tout simples lui plaisaient, et il commençait à comprendre de ce qu'ils avaient dû supporter.

— Le pire, ce n'était pas d'être obligés de l'attacher, reprit Rebecca. Même quand elle est devenue sale. Pour moi, le plus dur c'était avant qu'on l'attache en permanence. Elle venait me voir dans la cuisine pendant que je préparais à manger. Par exemple, je faisais une bonne sauce. J'allais touiller ma casserole sur le fourneau et dès que je me retournais, je la trouvais devant l'évier ; elle avait vidé toute la sauce dans la poubelle et elle lavait le plat, l'air toute fière. Comme dit Henry, remercions le ciel que Willow Glen existe.

Sur ces mots, Rebecca se mit à pleurer tout doucement.

— Sans oublier l'État, poursuivit Henry. On a bien essayé d'éviter ça, mais on n'a pas eu le choix. Enfin, c'est grâce à l'État qu'on n'a pas eu le choix. C'est lui qui paie. Dès que les économies de Maman ont été épuisés, l'État a pris le relais. Papa s'était rendu compte que Maman perdait la tête, alors il m'a légué la ferme à moi. Sinon, l'État aurait été obligé de la prendre, même si c'était tout ce qu'on possédait. Vous savez, il y a des hommes politiques, à la capitale, qui disent que les gens comme nous devraient payer pour la maison de retraite de leurs parents. Mais on n'y arriverait pas ! Vingt mille dollars par an ! C'est à peu près ce qu'on gagne ! Il ne nous resterait plus rien pour vivre. J'aimerais bien qu'un de ces types soit obligé de mettre sa mère en institution, tiens. Je parie qu'il changerait vite d'avis.

— C'est vrai, on n'avait pas le choix, dit Rebecca comme pour se rassurer. On avait beau faire attention, tous les quinze jours au moins, elle fichait le camp. Tôt ou tard elle serait morte de froid, hein, Bill ?

— Pour sûr, Becky, acquiesça Mitchell.

— Et pourtant, on se sent coupable. Je crois que ce dont on se sent le plus coupable, c'est de ne pas aller la voir.

— Pour moi, le pire est arrivé environ un an après son admission à Willow Glen. Quand elle a cessé de me reconnaître, ajouta-t-il d'une voix brisée. Moi, son propre fils, qui ai vécu toute sa vie avec elle.

Petri eut brusquement envie de passer son bras autour des épaules d'Henry. Mais, comprenant que ce geste familier risquait de le mettre mal à l'aise, il se retint. Bon Dieu, ces gens étaient le sel de la terre.

— Bien sûr, nous allons la voir à Noël et pour son anniversaire, précisa Rebecca. Ça nous fait mal au cœur de ne pas y aller plus souvent. Mais à quoi bon ? Tout ce qu'elle fait, c'est dire qu'on lui a volé son sac. Après ça, elle regarde dans le vague. Elle ne se rend même pas compte de notre présence.

— C'est vrai, renchérit Henry. À quoi bon, inspecteur, je vous le demande ?

Ne sachant que répondre, Petri se leva. Les Kubrick les remercièrent à nouveau, et tandis qu'il descendaient l'allée pour regagner la voiture, Henry cria dans leur dos en guise d'adieu :

— Dieu bénisse Willow Glen !

Mitchell prit le volant, et ils rentrèrent en ville. Tom Petri ne prononça pas un mot de tout le trajet. Deux choses le préoccupaient. D'abord, il y avait le souvenir des seins renflés de Rebecca Kubrick. Il se sentait tout à fait prêt à trouver une jeune femme avenante. Une seule chose l'avait mis un tant soit peu mal à l'aise quand il avait décidé de s'installer dans une petite ville comme New Warsaw : il savait qu'il serait difficile de trouver chaussure à son pied. Puis il se rappela Ms. McAdams dans sa blouse bien ajustée, les accueillant chaleureusement à l'entrée de Willow Glen. Peut-être était-elle seule dans la vie* ? Enfin... Même si elle ne l'était pas, il y aurait forcément

---

* Par opposition à « Miss » et « Mrs. », « Ms. », terme inventé par les féministes américaines se prononçant « Missus », ne permet pas de déterminer si une femme est mariée ou non. *(N.d.T.)*

quelqu'un d'autre pour croiser son chemin tôt ou tard, et à l'inverse des grandes villes, ce serait quelqu'un de sain.

Mais ce qui le préoccupait davantage, c'était Henry Kubrick. Qu'est-ce que ça fait, de se « débarrasser » de sa propre mère ? se demanda-t-il. Lui qui n'avait même pas voulu mettre un pied hors du Service administratif de Willow Glen... Il repensa à sa mère toute seule à Newark, dans le New Jersey. En plein milieu de la banlieue tentaculaire, de sa crasse et de sa dégradation généralisée. Le jour viendra-t-il où moi, son fils unique, je serai obligé de la mettre à l'asile ? Mais en réalité, la question ne se posait pas en ces termes ; même si, à sa connaissance, sa mère n'était pas sénile, il s'en était d'ores et déjà débarrassé. Et il ne s'en voulait pas du tout de ne pas lui rendre visite. Ni à Noël, ni le jour de son anniversaire. Il ne lui écrivait même pas. Il ne lui téléphonait jamais. Il ne l'avait pas vue depuis des années, il ne lui parlait pas non plus. Et il avait bien l'intention de continuer.

CHAPITRE QUATRE

Samedi-dimanche, 5-6 mars

— Bonsoir, Irène, annonça Heather à l'intention de l'aide soignante chargée de la période trois heures-onze heures en arrivant au bureau des infirmières à sept heures du soir tapantes.

La plupart des infirmières préféraient travailler de jour, mais pour Heather, les deux formules présentaient des avantages. Il arrivait parfois qu'on s'ennuie ferme pendant la nuit, mais elle avait plus de travail que les autres parce que c'était la nuit que survenaient la plupart des décès. C'était aussi pour elle l'occasion de converser avec Stephen et Mrs. Grochowski. Et ce soir-là, il fallait ajouter une impatience particulière en ce qui concernait le jeune homme.

Elle s'installa pour lire les notes de l'infirmière de jour. Elle n'en avait pas parcouru la moitié quand les hurlements commencèrent. Elle bondit sur pied, puis se rappela qu'on était samedi soir.

— Ça, c'est Rachel et son mari, déclara Heather. Je m'en occupe, Irène.

C'était un des rituels de Willow Glen. Tous les samedis soir à six heures et demie, Mr. Stimson venait rendre visite à sa femme. Tous les samedis soir à sept heures et demie, Rachel commençait à lui hurler des injures, et il fallait les séparer. Là-dessus Mr. Stimson rentrait chez lui, pour réapparaître le samedi suivant à six heures trente précises. Il en était ainsi depuis des années.

— ... espèce de sale petit con ! Tas de merde ! Sous-homme ! (Heather saisit les obscénités proférées par Rachel bien avant d'atteindre la porte de sa chambre. Mr. Stimson était assis face à sa femme, dont les yeux brillaient de rage.) Les gens pensent que tu es humain. Tu te promènes en ville et tout le monde te prend pour un humain. Mais ils ne savent pas qui tu es. Ils ne te connaissent pas comme je te connais. Ils ne savent pas qu'en fait, tu es un lézard. À côté de toi je suis un dinosaure ! (Dans son fauteuil roulant, Rachel hurlait à tue-tête.) Tu n'es qu'un sale petit lézard gluant, un triton, voilà ce que tu es, un triton qui vient tout juste de sortir de la mer en se traînant sur le ventre, ou plutôt de l'égout, encore tout barbouillé de merde et d'ordure, petit salaud !

— C'est l'heure ! annonça Heather d'un ton plein d'emphase.

Elle tira doucement Mr. Stimson par la manche et l'escorta jusqu'au séjour sans un regard pour Rachel. Tous deux s'assirent à la table, face à face.

— Pourquoi faites-vous ça ? demanda Heather.

— Pourquoi je fais quoi ? rétorqua Mr. Stimson.

Heather le dévisagea. À quatre-vingt-deux ans, le même âge que sa femme, Hubert Stimson avait encore l'air distingué. Elle savait qu'il avait fondé l'une des plus grosses agences immobilières de la ville, et qu'il était fort riche. Cinq ans plus tôt, il avait pris sa retraite, mais comptait toujours parmi les notables. Elle n'ignorait pas non plus que semaine après semaine, mois après mois, année après année, sans la moindre aide de l'État, sans sécurité sociale ni assurance particulière, il acquittait la pension de Rachel. En fait, Willow Glen lui devait des dons très généreux, et il faisait partie du conseil consultatif.

— Pourquoi venez-vous tous les samedis soir ? reprit-elle. Ne croyez pas que je veuille vous en dissuader. Je sais bien que, depuis des années, on vous conseille de ne plus venir parce que vos visites se terminent toujours mal. Non, le vacarme, la bagarre, ce n'est pas là mon propos. Je n'essaierai pas d'intervenir. Je suis simplement curieuse de savoir le pourquoi de tout cela. Ça doit être un moment épouvantable, pour vous. Pourquoi vous infliger sans cesse une torture pareille ?

— Parce que je l'aime, répondit Mr. Stimson avec raideur, comme si c'était une évidence.

— Pourtant vos visites ne semblent ni lui plaire, ni lui rendre service, répliqua Heather.

— Sans moi, elle mourrait.

Que répondre à cela ? Le vieux monsieur poursuivit :

— Elle n'a que moi au monde. Je fais mon devoir.

— Si elle est à Willow Glen, c'est justement pour que nous puissions vous soulager de cette responsabilité, remarqua l'infirmière.

— Elle a besoin de moi, insista Mr. Stimson en plissant les paupières.

Heather se leva.

– Très bien, fit-elle. À la semaine prochaine, alors.

En le regardant s'éloigner dans le couloir, elle se demanda distraitement pourquoi elle ne le plaignait pas davantage.

En entrant dans la salle des infirmières, elle constata qu'Irène était partie comme tous les soirs faire ses frictions dorsales, et alla voir Stephen. Les yeux sombres du jeune homme étaient grands ouverts. Elle se pencha sur lui et lui murmura à l'oreille :

– Maintenant qu'il fait nuit, on peut faire ce dont je t'ai parlé. Si tu es toujours d'accord, du moins.

– Aaaaaa.

– À onze heures, Bertha prend son service. Et c'est tant mieux, ajouta-t-elle, parce qu'elle passe tout son temps à lire ses romans, ce qui nous laissera le champ libre. Je vais lui dire que tu veux me tenir compagnie pendant que je distribue les médicaments, vers trois heures du matin. Ça te va ?

– Aaaaaa.

Heather lui mit la main sur un genou et sourit.

– À tout à l'heure, alors.

Il avait dit oui. Quelque tournure que prennent leurs rapports sexuels cette nuit-là, il était d'accord. Il avait pris sa décision une semaine plus tôt. Si Heather voulait toujours, alors lui aussi. Par le biais de ses érections et de ses fantasmes, Dieu lui avait fait savoir, à lui, Stephen Solaris, qu'il était enfin prêt. D'accord, au bout il y aurait peut-être un immense chagrin, mais fuir ne serait pas seulement fuir sa sexualité ; ce serait refuser la vie. Dieu lui-même.

Heather voulait faire l'amour avec lui ! Quelle merveille ! Un sentiment plus puissant prenait le pas sur l'excitation : la jubilation. Et pourtant, au milieu de tout cela un léger malaise subsistait. Heather était si jeune ! Comment savoir si elle ne le regretterait pas ? S'il lui posait encore une fois la question, elle se contenterait de répondre : « Voilà que ça recommence ! Stephen le Scrupuleux ! » D'un autre côté, il y avait cet œil au beurre noir. Manifestement, il y avait pire.

Stephen ne pouvait faire autrement que se montrer scrupuleux. Le jour où Heather lui avait demandé d'où il tenait sa sagesse, il avait répondu : « J'AI / SOIF / DE / SIGNIFICATIONS. » Cherchant à comprendre son existence apparemment dénuée de sens, forcé de se fier à Dieu, il en avait partiellement pénétré l'esprit. Assez pour accroître son sentiment de solitude. Mais seulement partiellement. La plupart du temps il se savait perdu, et en recourait à ses scrupules pour ne pas se laisser désorienter.

Mais ce qui lui arrivait maintenant était d'une telle force ! Sa sexualité s'était abattue sur lui comme un typhon qui pouvait facilement les emporter tous les deux. En vérité, il s'aventurait en terrain inconnu. Qu'allait-elle lui faire ? Quel type de rapports pouvaient-ils bien avoir, puisqu'il ne pouvait presque pas bouger ? Est-ce qu'il aimerait ça ? Est-ce que cela lui plairait à *elle*, quand ils le feraient, ou bien s'arrêterait-elle, dégoûtée, et le laisserait-elle tomber tout de suite ?

Mais son malaise n'était pas seulement dû à Heather et la perspective de faire l'amour avec elle. Lorsque Hank avait donné ce coup de canne dans son chariot, Stephen avait été choqué. Il ne s'était encore jamais rien passé de tel à Willow Glen. L'incident lui avait rappelé le centre de handicapés où il avait précédemment séjourné et l'aide soignante qui le battait quand il avait seize ans. C'était terrifiant de se sentir impuissant face à la violence. Il avait décidé de n'en parler à personne. Pas même à Heather. Cela ne ferait sans doute qu'attiser la haine. Si seulement Hank acceptait de décrocher la planche à lettres et de discuter avec lui ! Stephen croyait comprendre le petit vieillard et n'avait sans doute rien de sérieux à redouter de lui. Mais il n'en était pas certain. Pas certain du tout.

Autre source de malaise : son livre. Encore quatre petites semaines et il pourrait enfin le faire exister. Mais serait-il bon, ce livre ? Serait-il en accord avec sa foi ? L'ambition était une chose dangereuse qui donnait inévitablement naissance à l'angoisse. Pourtant, il fallait une certaine dose d'angoisse ; il était légitime, voire impératif d'avoir un peu d'ambition. Il désirait tellement que le livre soit bon, qu'il soit le meilleur possible !

Néanmoins, Stephen sentait que son malaise avait une origine plus profonde que ces préoccupations. Qu'il prenait sa source dans une autre partie de son esprit. Ou bien était-ce à l'extérieur de lui ? L'impression était encore très vague, mais elle ne cessait de croître. Mystérieusement, il sentait que le problème était situé en dehors de lui-même, mais il n'arrivait pas à mettre le doigt dessus.

— Coucou ! Vous êtes réveillé ?

La voix le fit sursauter. C'était Georgia. Tant qu'on la laissait mener le jeu, elle pouvait se montrer curieuse. Au cours des deux semaines qui s'étaient écoulées depuis qu'elle avait lu le premier chapitre du livre sur Stephen, elle avait observé d'un peu plus près la manière dont les infirmières et les aides soignantes communiquaient avec lui. En serait-elle capable ? Évidemment, ce serait lui qui mènerait le jeu, mais le risque ne lui paraissait pas démesuré et, ce soir, elle avait décidé de le prendre.

— Vous voulez bien me montrer comment on se sert de votre planche à lettres ? s'enquit-elle.

— Aaaaaa, émit-il.

Elle lui avait suffisamment prêté attention pour savoir que cela signifiait « Oui ». Elle décrocha donc la planchette et la lui présenta comme elle l'avait vu faire à Heather et Peggy.

— BONSOIR / GEORGIA, épela-t-il. IL / A / DÛ / VOUS / FALLOIR / DU / COURAGE / POUR / VENIR / ME PARLER.

Georgia le trouva instantanément sympathique.

— Est-ce que vous vous ennuyez, parfois ? demanda-t-elle.

— RAREMENT. SURTOUT / CES / TEMPS-CI.

— Ah bon ? Pourquoi ?

— PARCE / QU'ON / VA / ME / DONNER / UN / ORDINATEUR. COMME / ÇA / JE / POURRAI / ÉCRIRE. JE / VAIS / RÉDIGER / UN / LIVRE. J'Y / PENSE / TOUT / LE / TEMPS.

— Comment va-t-il s'appeler ?

— LE / POUVOIR / DE / L'IMPUISSANCE.

— Drôle de titre ! s'exclama Georgia. Qu'est-ce qu'il signifie ?

— COMME / JE / SUIS / COMPLÈTEMENT / IMPUISSANT — COMME / JE / NE / PEUX / RIEN / FAIRE / D'AUTRE / QUE / RESTER / COUCHÉ / SUR / MON / CHARIOT / ET / OBSERVER / CE / QUI / SE / PASSE, JE / ME / RENDS / COMPTE / DE / BEAU-COUP / DE / CHOSES. J'EN / SAIS / PEUT-ÊTRE / PLUS / SUR / LE / PETIT / MONDE / DE / WILLOW / GLEN / QUE / MRS. / SIMONTON / ELLE-MÊME.

— Je ne suis pas sûre de bien comprendre.

— À / PART / MOI, QUI / A / LE / PLUS / DE / POUVOIR / PARMI / LES / MALADES ?

Georgia ne s'était encore jamais posé la question ; pourtant, la réponse jaillit instantanément sur ses lèvres :

— Mrs. Grochowski.

Chacun devinait instinctivement que Mrs. Grochowski était la duègne de l'Aile C.

— ÉVIDEMMENT. ET / CROYEZ-VOUS / QUE / CE / SOIT / UNE / COÏNCIDENCE / SI / ELLE / EST / LA / SEULE / AUTRE / PENSIONNAIRE / DE / L'AILE / À / ÊTRE / COMPLÈTEMENT / PARALYSÉE ? ELLE / AUSSI / A / TOUT / LE / TEMPS / DE / PEN-SER / ET / D'OBSERVER.

— Je ne comprends toujours pas.

Stephen changea d'angle d'attaque.

— LA / PLUPART / DES / GENS / ÂGÉS SONT / UN / PEU / PATHÉTIQUES. MAIS / IL / Y / EN / A / AUSSI / DE / TRÈS / TRÈS / PUISSANTS. SPIRITUELLEMENT / PARLANT. VOUS / VOYEZ / CE / QUE / JE / VEUX / DIRE ?

— Comme Mrs. Grochowski, par exemple ?

— EXACTEMENT. LEUR / SAGESSE / PROVIENT / EN / PARTIE / DE / LEUR / LONGUE / EXPÉRIENCE. MAIS / MRS. / GROCHOWSKI / N'EST / PAS / SI / VIEILLE. LES / GENS / QUI DÉTIENNENT / CE / POUVOIR / SONT / CEUX / QUI / ONT / FINI / PAR / ACCEPTER / L'IMPUISSANCE / DUE / SOIT / À / LA / VIEILLESSE, SOIT / À / LA / MALADIE. VOUS / NE / TROUVEZ / PAS / QU'ON / SE / SENT / DE / PLUS / EN / PLUS / IMPUISSANT / QUAND / ON / DEVIENT / VIEUX ?

Georgia retira précipitamment la planchette.

— Je viens de me rappeler que j'avais quelque chose à faire, proféra-t-elle.

D'abord, elle avait eu peur de lui parce qu'il était anormal. Maintenant, elle avait toutes les raisons d'avoir peur.

À ce stade, Georgia aurait volontiers pris la fuite si Stephen ne l'avait pas figée sur place en poussant un bêlement insistant. Elle lui rendit la planchette à contrecœur.

— JE / M'EXCUSE / DE / VOUS / AVOIR / EFFRAYÉE, épela le jeune homme. JE / M'EMBALLE. JE / VOUS / EN / PRIE, CONTINUEZ / À / VENIR / ME / PARLER.

Là, Georgia prit effectivement la fuite, en se disant que ce jeune homme était décidément bien étrange et qu'elle ne savait pas si elle reviendrait le voir.

Quant à Stephen, il s'en voulait à mort. Une occasion rêvée se présentait, et voilà qu'il gâchait tout. Face à lui, les gens se sentaient menacés. Parfois, on aurait dit qu'il avait un véritable don pour ça. Il savait pertinemment que la vieillesse faisait peur, rien d'étonnant à cela. Ce n'était pas parce que lui, il savait composer avec l'impuissance que tout le monde se montrait également capable de faire face. Il s'était tellement absorbé dans ses propres explications qu'il avait oublié ; et si ça se trouvait, il avait définitivement fait fuir cette pauvre femme. Flûte ! Lui qui s'apprêtait à écrire un livre sur la conscience de l'environnement, il ne s'était même pas rendu compte qu'il faisait de la peine à une personne venue le trouver de sa propre initiative. Pardonnez-moi, mon Dieu, supplia-t-il en silence. Je ne suis pas encore tout à fait adulte.

Étant donné qu'elle dut d'abord préparer et distribuer les médicaments du soir, il était presque dix heures lorsque Heather put enfin aller voir Mrs. Grochowski. Elle était sûre que la malade ne dormait pas.

— J'ai repris mon service de nuit, annonça-t-elle. Le moment est venu de nous parler un peu de nos vies amoureuses. Comment va la vôtre ?

— Tant que Tim est en vie, tout va bien, comme vous le savez, répondit Mrs. Grochowski en lui adressant un grand sourire de bienvenue. Je suis heureuse de constater que vous ne portez presque plus de traces de cet œil poché. Avez-vous eu l'occasion d'en dire un mot au docteur Kolnietz ?

— Naturellement. Vous savez bien que je fais tout ce que vous me dites, Mrs. G., mentit gaiement Heather. D'après lui, je ne fréquente que des hommes comme mon père, des alcooliques. Il dit que même si ce ne sont pas des alcooliques, les hommes avec qui je sors sont de la même espèce.

— C'est un drôle de piège, n'est-ce pas ? commenta Mrs. Grochowski.

— Sans doute. Le docteur K. compare ça à une bande enregistrée, ou parfois à un disque rayé. « Compulsion de répétition », comme il dit. Il dit aussi que c'est une névrose.

Heather ne semble pas très malheureuse, malgré les circonstances, songea Mrs. Grochowski.

— Est-ce que vous avez rompu avec Tony ? s'enquit-elle.

— Eh bien..., pas exactement, non. Mais j'ai d'autres projets.

Heather eut un demi-sourire. Beaucoup de gens penseraient sans doute que Stephen était un drôle de projet...

— Vous savez, Heather, je n'aime pas du tout l'idée que vous fréquentiez des hommes qui vous tapent dessus, c'est tout. Ce genre de compulsion de répétition ne me plaît vraiment pas.

La jeune femme perçut dans sa voix une nuance de reproche. Elle préférait de loin que la malade lui raconte des histoires.

— Et si on parlait un peu de vous, pour changer ? fit-elle. Il y a quinze jours vous avez commencé à me parler de votre volonté de fer en me disant qu'elle avait failli vous tuer.

— Je me souviens.

— Il m'a semblé sur le moment que vous essayiez de me faire comprendre quelque chose sur ma propre volonté, mais je ne savais pas quoi. Je ne me suis jamais considérée comme dotée d'une forte volonté. Au contraire, je me laisse piétiner par les hommes. Mais le docteur Kolnietz dit que je présente une très forte résistance. Peut-être dans ce cas peut-on parler de volonté négative ?

— C'est fort possible, en effet.

— Vous savez, quand je suis avec ce sacré docteur Kolnietz, j'ai parfois l'impression d'être drôlement têtue. Si vous m'en disiez un peu plus, ça me rendrait service, je crois. Selon vous, votre sclérose a cessé de progresser quand vous avez renoncé à votre volonté d'être admirée. Mais vous dites également qu'à cette époque-là, vous avez fait une dépression. Or, vous ne me paraissez plus déprimée. Vous êtes... Eh bien, vous êtes presque gaie. Qu'est-ce qui s'est passé ?

— En fait, je sais très bien à quel moment les choses ont changé, répondit Mrs. Grcchowski. C'est très surprenant, mais ça s'est vraiment passé comme ça. Quand on est dépressif, on devient irritable. En ce temps-là, je n'essayais plus d'être gentille ; seulement je ne savais pas quelle autre attitude adopter. Ma fille aînée s'occupait de moi en même temps que de sa propre fille, Barbara, qui avait alors quatre ans. La petite est entrée dans ma chambre un après-midi et a entrepris de me raconter une de ces interminables histoires sans queue ni tête qu'inventent les enfants. Au bout d'un moment je lui ai dit de se taire et de me laisser tranquille. « Je ne t'intéresse pas », m'a-t-elle dit. Alors je lui ai demandé de revenir me voir le lendemain à la même heure.

» Je me suis mise à réfléchir sérieusement. Et j'ai compris que Barbara avait raison. Elle ne m'intéressait pas. En fait, j'ai compris que *personne* ne m'avait jamais intéressée. Tout ce qui avait jamais compté pour moi, c'était qu'on m'admire pour moi-même. Quand j'avais fait des efforts pour quelqu'un, ce n'était pas parce qu'il m'intéressait mais simplement parce que je recherchais l'admiration. Et effectivement, une fois arrivée à ce niveau de profondeur, j'ai découvert que la possibilité de m'intéresser était entièrement nouvelle pour moi.

» Quand la petite est revenue me voir le lendemain après-midi, je lui ai dit qu'elle avait raison, qu'avant je ne m'intéressais pas à elle. Mais j'ai ajouté que j'avais envie d'essayer autre chose. Je lui ai demandé de me donner des leçons, de m'apprendre à m'intéresser aux autres gens. Elle a dit oui, et c'est là que j'ai réellement commencé à faire mon éducation. J'ai pris l'habitude de m'intéresser aux autres pour le plaisir. Je me suis rendu compte qu'il était très difficile de changer. Je continue de le croire. Cependant, depuis cette époque j'ai une raison de vivre, un principe fondamental qui s'est révélé suffisant. Mais je dois reconnaître qu'il est parfaitement égoïste.

— Égoïste ? interrogea Heather. Je ne vois pas ce qu'il y a d'égoïste là-dedans.

106

— Eh bien, en fait, c'est pour cela que je suis venue à Willow Glen. Ma fille voulait entreprendre une carrière, et tant que je vivais sous son toit je l'en empêchais. Par ailleurs, elle voulait continuer à s'occuper de moi. Seulement, vous comprenez, c'était assommant. Il y avait plus de gens susceptibles de m'intéresser ici que là-bas, où je passais mon temps toute seule dans ma chambre. J'ai donc décidé de venir m'installer ici, en compagnie de personnes comme vous. Je ne l'ai pas fait pour ma fille, mais pour moi.

» Vous étiez contente que je m'intéresse à vous, Heather. Et je m'en réjouis. Mais ce n'est pas la peine. Je ne me suis pas intéressée à vous pour recevoir votre estime en retour. Je me moque bien de votre estime. Si je m'intéresse à vous, c'est pour mon propre plaisir — c'est parce que vous êtes intéressante, et que de ce fait, je n'en aime que plus la vie.

Il y eut un long silence. Puis :

— C'est bien, Mrs. G., je comprends. Mais d'où vient mon impression que vous essayez encore de me dire quelque chose de personnel ? Je me trompe ?

— Ma foi, peut-être devriez-vous vous demander ce que vous faites ici à prendre soin de nos vieilles carcasses. Est-ce vraiment ce qui vous intéresse dans la vie ? Vous êtes intelligente. Vous pourriez faire des études supérieures. Allez-vous passer le reste de votre existence à travailler dans une institution ? Vous valez mieux que ça.

— Comment voulez-vous que j'aille à l'université ? Mes parents ne sont pas riches. Vous savez bien que mon père boit tout l'argent du ménage.

— Il existe un système de bourses, vous savez, répliqua Mrs. Grochowski. Vous n'êtes pas obligée de vous laisser piétiner par tout le monde, y compris votre père. Je ne veux pas me disputer avec vous, Heather. Reste que ce travail est peut-être une impasse. Sans doute devriez-vous vous demander pourquoi. Est-ce parce que vous y trouvez un réel plaisir que vous vous occupez si bien de nous ? Parce que c'est cela que vous voulez ? Ou bien y a-t-il une autre raison ?

Heather sentit comme un rejet naître au creux de ses reins et remonter jusque dans sa poitrine.

— Pourquoi vous acharnez-vous sur moi, Mrs. G. ?

— Mais je ne m'acharne pas sur vous ! Si vous voulez vraiment voir les choses sous cet angle, j'ai envie de répondre ce que je répondais quand j'étais petite : c'est toi qui as commencé. Vous l'avez bien cherché, Heather.

Au grand soulagement de cette dernière, on frappa à la porte restée ouverte. C'était Irène.

— Heather, je peux vous parler cinq minutes ?

La jeune femme alla la rejoindre sur le seuil.

— Gloria vient d'appeler de l'Aile A, expliqua Irène à voix basse. Elle dit que Mrs. Carstairs vous demande.

— J'y vais tout de suite. Je ne serai probablement pas de retour avant la fin de votre service ; mettez Bertha au courant quand elle arrivera à onze heures, d'accord ?

Irène s'éloigna à petits pas et Heather se retourna vers Mrs. Grochowski.

— Excusez-moi, il faut que j'en m'en aille maintenant.

— Naturellement, répondit cette dernière, qui savait pertinemment ce qui se passait. Je suis avec vous en pensée.

Lorsque Heather arriva à l'Aile A, Gloria lui résuma la situation.

— Elle a fait une poussée de fièvre il y a trois jours. Avant-hier, on l'a fait examiner par le docteur Ortiz. Il soupçonne une pneumonie. Quand il lui a demandé si elle voulait des antibiotiques, elle a dit non. Depuis, elle est tout à fait calme, sauf qu'elle tousse beaucoup ; mais il y a cinq minutes, quand j'étais dans sa chambre, elle vous a demandée.

Aussitôt entrée, Heather tira le rideau entourant l'autre patiente de la chambre, la comateuse, et alla voir Mrs. Carstairs. Elle se réjouit de constater que la lumière baignait toujours son corps frêle et son visage aux paupières baissées. Elle perçut sa respiration rapide entrecoupée de toussotements. Elle s'assit à son chevet et lui prit la main.

— Je suis là, Betty.

La malade ouvrit les yeux.

— Je vous attendais, fit-elle. Je savais que vous reveniez travailler ce soir. Merci d'être venue si vite.

— Est-ce que vous avez peur ? s'enquit Heather.

— Non.

L'infirmière continua à lui serrer la main en silence et la dévisagea intensément. Une larme discrète s'échappa de l'œil droit de Mrs. Carstairs.

— Est-ce que vous êtes triste ? reprit Heather.

— Non, non, pas vraiment.

— Attendez, dit Heather.

Elle abaissa les barreaux qui entouraient le lit et redressa la malade en position assise ; puis, sans cesser de la soutenir, elle s'assit à la tête du lit et enserra dans ses bras son torse malingre. Là, elle se mit à la bercer doucement.

— Vous pouvez pleurer maintenant, Betty.

— Mais je ne veux pas pleurer, protesta faiblement Mrs. Carstairs.

Néanmoins, tandis que Heather continuait à la bercer, une larme puis une autre roulèrent sur ses joues ; moins d'une minute plus tard, entre deux toussotements elle sanglotait doucement. Bercée dans les bras de Heather, elle hoquetait comme si elle n'avait jamais pleuré de sa vie.

Au bout d'un moment elle se mit à parler entre les sanglots, les accès de toux et les halètements essoufflés.

— Je ne vois pas pourquoi je serais triste. Je vous ai dit que je n'avais aucun regret en ce qui concerne ma famille, et c'est vrai. Peut-être que c'est tout simplement la vie que je regrette. La vie a été bonne pour moi. Voilà pourquoi j'ai des regrets. Je veux bien la quitter, mais en même temps je la regrette. Je ne veux pas la perdre. Je n'en veux plus, mais c'est comme si je la perdais. Or, je ne veux pas la perdre. Et en même temps, je veux la perdre. C'est tellement bizarre. Je veux partir, et pourtant je regrette. Je suis lasse. Si je regrette, c'est parce que je suis lasse. Si seulement la vie n'était pas si fatigante. J'espère qu'elle ne le sera pas autant pour mes enfants et mes petits-enfants. Pour tous les enfants. Si seulement c'était plus facile ! Je suis contente que ce soit fini. Mais je ne veux pas y renoncer. Pourtant je veux partir. Oh, Heather ! Que c'est bête, tout ça !

— Pas du tout ! Ce n'est pas bête du tout, répondit l'infirmière d'une voix apaisante. Soyez simplement ce que vous avez envie d'être à cette minute, Betty. Je suis là, et je vous aime.

— Moi aussi, je vous aime, Heather.

— Vous êtes adorable, Betty, murmura cette dernière. Adorable. Absolument adorable. Vous êtes si bonne, si gentille !

Tandis qu'elle fredonnait ainsi de douces paroles, les yeux de Mrs. Carstairs se fermèrent pour ne plus se rouvrir. Très progressivement, ses toussotements s'affaiblirent, son souffle se fit de plus en plus léger. Les minutes passèrent.

— Si douce. Si bonne. Tellement adorable, continuait de susurrer Heather.

Alors, au bout d'un moment la lumière disparut, et elle sut qu'elle ne tenait plus dans ses bras qu'un cadavre. Elle remit la vieille dame en position assise, arrangea un peu le lit puis la reposa sur les draps. Ses yeux étaient à présent ouverts, mais morts. Heather lui caressa les cheveux et l'embrassa sur le front. Puis elle quitta la pièce, alla dire à Gloria que c'était fini et retourna à l'Aile C.

Elle vit en arrivant que Bertha avait pris la place d'Irène dans le bureau et, maîtresse des lieux, s'absorbait déjà dans la lecture d'un roman. Heather avait envie de parler de Mrs. Carstairs, mais il était impossible de soutenir une vraie conversation avec cette fermière impassible et si bien installée dans sa cinquantaine finissante. Néanmoins, étant donné les projets qu'elle avait pour Stephen cette nuit-là, cet inconvénient se trouva compensé par le fait que Bertha n'était pas curieuse. En fait, c'était la personne la moins curieuse que Heather eût jamais rencontrée. Bertha s'acquittait correctement de sa tâche, avec une efficacité tranquille et une certaine distance. Mais quand elle n'avait rien à faire, elle se plongeait dans un roman à l'eau de rose avec une faculté de concentration surprenante. Quand elle lisait, rien ne pouvait la déranger. Pour elle, la vraie vie résidait entre les pages de ses romans. Le reste était sans doute une espèce de mauvais rêve.

Mais la mort de Mrs. Carstairs, elle, était une réalité. C'était bel et bien arrivé. En revenant s'asseoir au bureau pour feuilleter distraitement les notes de la soirée près de Bertha la grande absente, sans y penser Heather prononça l'oraison funèbre de Mrs. Carstairs.

— Merci, mon Dieu, fit-elle intérieurement.

Roberta McAdams ne prenait pas ses congés comme tout le monde. Au lieu de cela, elle s'absentait invariablement le premier jeudi et le premier vendredi de chaque mois. Elle partait tôt le jeudi matin et rentrait tard le samedi soir, afin de pouvoir se reposer le dimanche avant de reprendre le travail. Lorsqu'elle gara sa Toyota dans le parking de sa résidence, ce soir-là, il était minuit passé. Elle avait conduit longtemps et en ressentait la fatigue, mais son apparence était comme toujours impeccable.

Malgré la lassitude, elle était habituellement gagnée par la sensation de décontraction qui accompagne la satisfaction sexuelle. Mais ce soir-là, c'était différent. Sur le chemin du retour elle avait allumé son autoradio pour écouter de la musique, et était tombée à la place sur un bulletin d'informations. Au moment où elle allait changer de station, elle avait entendu le commentateur mentionner un quelconque sénateur ou membre du congrès appelé Stephen Solarz. Ce seul nom (si proche de celui qu'elle connaissait) la poussa brusquement à éteindre la radio dans une bouffée de rage pure.

Pour Roberta McAdams, l'ensemble des patients et du personnel de Willow Glen entrait dans une seule et même catégorie : celle des enquiquineurs, à des degrés variables. Tous sauf un : Stephen Solaris. Lui représentait bien plus que cela. Elle le haïssait ; elle haïssait jusqu'à son nom. Elle se souciait comme d'une guigne de savoir pourquoi le simple fait qu'il existe puisse l'offenser à ce point. Tout ce qu'elle voulait, c'était se débarrasser de lui. Il fallait trouver un moyen.

Maudit Solaris ! Quel droit avait-il de la priver de la détente qui suivait l'amour ? Que faire de lui ? Je vais devoir y réfléchir sérieusement, songea-t-elle en entrant chez elle, sa valise à la main, avant d'allumer la lumière. Là-dessus elle se dirigea droit vers sa chambre et entreprit de vider sa valise. Elle n'y laissa qu'un objet : le fouet de cuir de taille moyenne resta enroulé tout au fond. Puis elle referma la valise et la rangea dans le placard. Elle en aurait besoin lors de son prochain week-end prolongé, comme d'habitude.

Le lieutenant Petri avait trouvé un modeste appartement dans un quartier soigné non loin du poste de police. Il lui convenait à merveille, hormis quelques taches sur le mur du salon et une petite plaque de moisissure au plafond. Il ne voulait rien qui puisse lui rappeler la crasse de Newark. Quand il avait demandé que la pièce soit repeinte, la propriétaire l'avait regardé comme s'il était fou. Mais l'affaire fut négociée sur des bases raisonnable, et elle accepta d'acheter la peinture s'il se chargeait des pinceaux et des travaux proprement dits.

Il avait passé tout son samedi à peindre, et le soir même tout était terminé. Le résultat l'enchantait. La pièce entière luisait d'un blanc éclatant. Voilà le genre de journées qu'il appréciait le plus : celles où il rendait une partie du monde plus propre et plus nette, celles qui suivaient une progression ordonnée s'achevant par une transformation visible. Il alla se coucher fort satisfait avec la sensation d'avoir bien mérité le repos. Qui aurait cru que ce repos serait perturbé par le plus affreux cauchemar de toute sa vie ! Plus tard il ne put que l'attribuer à l'odeur de la peinture ; elle avait sans doute imprégné son sommeil. Quelle autre explication avancer ?

Le cauchemar avait commencé de façon relativement rationnelle. Il venait d'en finir avec le salon et de replacer le couvercle sur le pot de peinture. Il se redressait pour aller nettoyer les pinceaux dans l'évier quand son attention fut attirée par une tache noire sur le mur d'en face. Il se demanda distraitement comment il avait bien pu passer à côté. Il souleva à nouveau le couvercle, trempa son pinceau dans le pot, traversa la pièce et recouvrit soigneusement la tache. Puis il revint fermer le bidon. Seulement, au moment où il se relevait, il vit que la tache avait réapparu, au même endroit. Il s'énerva. Il savait qu'il venait de la recouvrir. Encore une fois il ôta le couvercle du pot, y replongea son pinceau, recouvrit à nouveau la tache. Cette fois-ci, il fit quelques pas en arrière et observa son travail. On ne voyait plus du tout la tache, aucun doute là-dessus. Elle était entièrement masquée. Il retourna boucher son bidon et se releva. Puis il jeta un coup d'œil au mur. La même tache était revenue. Fou de rage, il fit un bond et alla l'examiner. Elle n'était pas tout à fait noire. Plutôt foncée, luisante et vert sombre — une espèce d'éclaboussure visqueuse qui se mit à croître sous ses yeux. Et puis tout à coup elle n'était plus ronde, mais se mettait à s'étirer vers le bas, comme si la substance gluante s'écoulait d'un minuscule trou dans le mur. Cela devait venir de l'intérieur de la cloison. Frénétiquement, il chercha du regard un objet qui lui permette de démolir le mur et de trouver la source. Un pied-de-biche incurvé apparut dans sa main. Il se mit à donner des coups dans le mur. L'instrument perça le plâtre. Le liquide répugnant continuait de suinter. Furieux, il arracha des plaques entières de plâtre, mettant au jour les planches qui maintenaient l'isolant. La fuite venait de derrière. Il fallait qu'il la trouve. Il détacha les planches et se retrouva debout au milieu d'un monceau de débris. Puis il arracha l'isolant. Il ne trouvait pas la source. Il ne la trouvait toujours pas, il ne trouvait pas la source !

Il se réveilla à deux heures du matin, hurlant de frustration et de rage et pénétré d'horreur et de honte à la fois, comme si ce n'était pas seulement le mur mais lui-même et le reste du monde qui se trouvaient irrémédiablement contaminés.

À trois heures du matin, Heather annonça à Bertha :

— Bon, je vais préparer les médicaments. Ah, au fait : j'emmène Stephen avec moi. Il a demandé à me tenir compagnie ; vous savez à quel point il aime ça.

Bertha ne leva même pas les yeux de son roman.

Heather emprunta le couloir et, poussant le chariot de Stephen, prit à droite en direction de la pharmacie. Elle le poussa contre le mur, ouvrit la porte et alluma la lumière. Puis elle revint dans la pièce juste assez grande pour eux deux et tendit sa planchette à Stephen.

— Comment te sens-tu, ce soir ? s'enquit-elle.

— EXCITÉ.

— Moi aussi.

— UN / PEU / INQUIET / AUSSI.

— À quel propos ?

— JE / NE / SAIS / PAS /TRÈS / BIEN, épela Stephen. PLEIN / DE / PETITES / CHOSES. ÇA / SE / BOUSCULE. PEUT-ÊTRE / TROP / POUR / MOI. J'AI / L'IMPRESSION / QUE / TOUT / S'ACCÉLÈRE / TOUT / À / COUP.

Heather ne sut que répondre.

— Tu préfères qu'on arrête là ?

— SURTOUT / PAS ! OUBLIE / CE / QUE / J'AI / DIT. ET / TOI, COMMENT / VAS-TU ?

— Très bien. Mrs. Carstairs est morte ce soir, lui dit-elle. Elle a eu une belle mort. Douce. Et la lumière était là. En fait, elle l'avait depuis plusieurs semaines. Ils ne l'ont pas tous, tu sais. C'est même rare. Environ un sur cinq l'a. Tu te rends compte de ce que ce sera quand viendra le tour de Mrs. Grochowski ?

— PARFOIS / JE / ME / DIS / QUE / TU / ES / UNE / ESPÈCE / D'OBSÉDÉE / DE / LA / MORT.

— Tu as peut-être raison, reconnut Heather. J'aime son côté tragique. Il y a une telle *réalité* dans le fait de mourir.

— COMMENT / SE / FAIT-IL / QUE / TU / SOIS / À / L'AISE / AVEC / LA / MORT / ALORS / QUE / TOUT / LE / MONDE / EN / A / PEUR ?

— Mais moi aussi, j'en ai peur. J'ai peur de ma propre mort. Je suis terrifiée à l'idée de mourir un jour. C'est la mort des autres qui ne me fait pas peur.

— LES / GENS / N'ONT / PAS / SEULEMENT / PEUR / DE / LEUR / PROPRE / MORT, MAIS / AUSSI / DE / CELLE / DES / AUTRES. ILS / NE / VEULENT / MÊME / PAS / EN / ENTENDRE / PARLER.

— Eh bien, je ne sais pas pourquoi. Je ne comprends pas ça.

— NE / DIS / PAS / DE / BÊTISES ! (Quand Heather faisait subitement son âge et semblait ne plus rien comprendre, Stephen avait du mal à suivre.) TU / SAIS / TRÈS / BIEN / QUE / SI / LES / GENS / ONT / PEUR / DE / LA / MORT / DES / AUTRES, C'EST / PARCE / QU'ELLE / LEUR / RAPPELLE / LA / LEUR. MAIS / DANS / TON / CAS, ON / DIRAIT / QUE / C'EST / AUTRE / CHOSE.

— Peut-être, avoua Heather. Il m'arrive parfois d'y penser. Ce n'est pas parce que je crois en Dieu à la manière de beaucoup de croyants. Je ne sais pas très bien en quoi je crois. Mais d'une certaine façon, il me semble que nous ne sommes pas chez nous ici-bas, Stephen. Et pour moi, mourir c'est rentrer chez soi. J'ai l'impression que nous sommes des étrangers en ce monde. Comme si nous avions été envoyés en mission sur une planète hostile. Donc, je me *réjouis* quand je vois les gens rentrer chez eux. Je sais bien que beaucoup de croyants parlent du paradis et de toutes ces choses en pensant eux aussi que nous ne sommes pas chez nous ici. Mais à mon avis, au fond d'eux-mêmes ils n'y croient pas. Moi si. Je ne sais pas pourquoi, mais j'y crois sincèrement. Pourtant, je ne connais rien d'autre que ce monde-ci et, si souvent je ne m'y sens pas chez moi, je prends peur à l'idée d'en être arrachée. Voilà pourquoi je suis contente quand je vois les autres rentrer chez eux tout en restant horrifiée à l'idée que mon tour viendra.

Stephen adorait ces moments où ils étaient exactement sur la même longueur d'onde.

— J'AI / PEUR / AUSSI, épela-t-il.

— Pour tout le monde, ou simplement pour toi ?

— SEULEMENT / POUR / MOI. MOI / AUSSI, JE / CROIS / QUE /NOUS / SOMMES / DES ÉTRANGERS / ICI. REGARDE-MOI. COMME / ÉTRANGER, JE / ME / POSE / UN / PEU / LÀ, NON ? QUAND / J'AVAIS / SEIZE / ANS, DANS / LE / CENTRE / DE / SOINS / OÙ / J'ÉTAIS / AVANT, UN / JOUR / UNE AIDE SOIGNANTE / M'A / DEMANDÉ / SI / JE / SOUHAITAIS / QU'ON / ME / DÉLIVRE — QU'ON / M'EUTHANA-SIE. VOILÀ / À / QUEL / POINT / JE / SUIS / ÉTRANGER / ICI. M'ENDORMIR / POUR / DE / BON / SERAIT / UNE / DÉLIVRANCE. J'IGNORE / SI / ELLE / ÉTAIT / PRÊTE /À / LE / FAIRE / ELLE-MÊME. J'AURAIS / PU / LUI / RENDRE / CE / SERVICE / SI / JE / N'AVAIS / PAS / EU / AUSSI / PEUR.

— Oh, mais moi, tu ne me fais pas l'impression d'être un étranger !

— C'EST / QUE / TOI / AUSSI/ TU / ES / UN / PEU / ÉTRANGE.

— Soit ! sourit Heather. Mais toi aussi. Tu sais, cette lumière dont je parlais, celle qui entoure les mourants ? Eh bien, je ne sais pas si tu t'en rends compte, mais tu l'as. Et ce n'est pas parce que tu vas mourir. Je la vois autour de toi depuis trois ans, depuis que je te connais. Maintenant que j'y pense, depuis un mois elle est plus vive que jamais. Je me demande pourquoi.

— MOI / JE / SAIS.

— Alors, pourquoi ?

— C'EST / À / CAUSE / DU / DÉSIR.

Heather se mit à rire.

— Le tien ou le mien ?

— PROBABLEMENT / LES / DEUX. QUOI / QU'IL / EN / SOIT, ÇA / ME / DONNE / ENCORE / PLUS / PEUR / DE / MOURIR.

— Tant mieux. Je suis contente que tu aies peur, Stephen. Je suis contente qu'on ait peur tous les deux ensemble. Et maintenant, tais-toi. Qu'est-ce que tu es bavard, ce soir ! Il faut que je m'occupe de mes médicaments, maintenant. Quand ce sera fini, je te réserve une surprise.

Heather raccrocha la planchette à la tête du chariot et entra dans la pharmacie afin de préparer les médicaments qu'elle distribuerait à l'aube.

Cela lui prit vingt minutes. Tout en travaillant, elle fredonnait à voix basse ; même si elle avait l'impression de chanter toute seule, elle savait qu'en réalité, c'était pour Stephen qu'elle le faisait. Il était là, couché sur son lit baignant dans la faible lumière qui entrait par la porte de la pharmacie, écoutant Heather chantonner pour lui, attendant la suite. C'étaient les instants les plus magiques de toute sa vie.

Lorsqu'elle eut terminé, Heather prit sur l'étagère supérieure gauche du placard un flacon de lait pour bébé qu'elle alla poser au pied du lit de Stephen. Laissant la lumière de la pharmacie allumée et la porte entrouverte, elle sortit dans le couloir et vérifia que personne ne se trouvait à proximité. L'Aile C était plongée dans un silence total.

— Stephen, fit-elle. On dirait que tu ne dors jamais. Je sais bien que ça t'arrive, mais par courtes périodes. Cela dit, après ce que nous allons faire maintenant j'espère que tu dormiras comme un loir.

Sur ces mots elle rabattit le drap, découvrant la poitrine et les reins du jeune homme. Puis elle déroula le collecteur d'urine et l'accrocha au coin du chariot.

— Je ne vais pas te faire ta toilette, déclara-t-elle. C'est ça, la surprise. Je vais me servir de lait pour bébé, à la place.

Elle déboucha le flacon, versa du lait dans sa main gauche et en enduisit le pénis de Stephen. Puis elle se frotta les mains et, très lentement, à deux mains, entreprit de le masser. Aussitôt elle le sentit croître.

Ils se regardaient dans les yeux. Elle s'obligea à ne pas aller trop vite, mais tout de suite il atteignit une taille impressionnante. Elle détacha son regard des yeux de Stephen et le reporta sur son pénis. Dans la lueur qui filtrait par la porte, elle se dit qu'elle n'avait jamais rien vu d'aussi beau. Elle avait l'impression que l'organe fixait sur elle un œil aussi intense que le regard du jeune homme. Alors elle se courba et, d'un bref coup de langue, se mit à le lécher. Ses reins ordinairement immobiles se soulevèrent très légèrement afin de venir à sa rencontre. Puis elle se redressa, et ils se regardèrent longuement dans les yeux. Enfin, incapable de se retenir, elle se pencha à nouveau et le prit dans sa bouche. En quelques secondes ce fut l'explosion. Tandis que la semence jaillissait dans la gorge de Heather, dans celle de Stephen éclata un rugissement inouï, intermédiaire entre le râle d'agonie et le gémissement, qui exprimait toute la souffrance du monde. Elle eut l'impression que tout Willow Glen en était empli.

Brusquement terrifiée, elle avala et rabattit d'un geste le drap sur son corps. Puis elle fonça dans le couloir. Personne. Pas le moindre bruit de pas. Elle réintégra la petite pièce et lui dit à voix basse :

— Mon grand, dorénavant il faudra faire moins de bruit. Promets-le-moi. Je suis prête à recommencer, mais tu ne dois pas faire de bruit. Je suis désolée. J'ai beaucoup aimé ton cri, mais personne ne doit nous entendre.

Lentement, amoureusement, elle replaça le collecteur d'urine sur le pénis détumescent et rangea le flacon dans le placard. Puis elle poussa le chariot de Stephen contre le mur, à son emplacement habituel. Dans la pénombre du bureau des infirmières, Bertha lisait toujours ; elle ne s'était pas rendu compte que la terre venait de trembler. Heather n'avait pas joui mais ressentait une satisfaction comparable. Elle se pencha sur Stephen et lui déposa un petit baiser sur les lèvres.

— Dors, maintenant, murmura-t-elle d'une voix presque inaudible.

Puis elle se redressa et retourna dans la salle des infirmières. Stephen s'endormit.

CHAPITRE CINQ

Dimanche-lundi, 20-21 mars

Il y avait vraiment des nuits bizarres à Willow Glen. Cela n'arrivait pas souvent, mais de temps en temps on aurait dit qu'une entité innommable arpentait les couloirs obscurs. Les malades se mettaient à s'agiter sans raison. Mais on en sentait planer la menace avant même qu'ils ne commencent. Heather et les autres échangeaient des plaisanteries sur Halloween* et les nuits de pleine lune, mais la cause était ailleurs. Celles qui avaient travaillé dans d'autres centres ou maisons de retraite disaient que le phénomène n'était pas réservé à Willow Glen. Lorsque Heather prit son service ce soir-là, elle sentit instantanément que quelque chose se préparait.

— On va encore avoir une sacrée nuit, dit-elle à Irène.

Pourtant, la soirée commença paisiblement. D'ailleurs, en allant rendre visite à Mrs. Grochowski, Heather eut l'impression d'avoir tout son temps.

— Il y a quelque chose que je voulais vous demander, Mrs. G, fit-elle en s'asseyant au pied du lit. Avez-vous jamais eu envie d'écrire un livre ? Comme Stephen ?

— Non. Stephen a quelque chose à dire. Pas moi.

— Mais vous pourriez parler de votre vie — de ce que vous m'avez raconté l'autre jour : comment vous avez cessé de rechercher l'admiration des autres, comment vous vous êtes finalement intéressée à eux pour eux-mêmes...

---

* Veille de la Toussaint ; la coutume populaire veut que ce soir-là, il se passe des choses surnaturelles, et que les enfants se déguisent en sorcières et fantômes. *(N.d.T.)*

— Il y a des siècles que des hommes et des femmes racontent cette histoire-là par écrit et, manifestement, ça n'a pas servi à grand-chose, répondit Mrs. Grochowski. Je ne dis pas que certaines personnes n'y ont pas puisé une aide. Mais la plupart des lecteurs n'en sont aucunement affectés. Apprendre, c'est autre chose que lire des récits qui vous inspirent.

— Pourtant, il m'a semblé que vous aviez réellement découvert quelque chose, protesta Heather.

— Mais non. C'est justement parce qu'il reste trop de mystères, trop de secrets et de questions sans réponse que mon histoire ne vaut pas la peine d'être couchée sur le papier.

— Que voulez-vous dire ?

— Beaucoup de gens font ce que je faisais autrefois. Ils s'efforcent de se faire admirer. De présenter une certaine image aux autres. Peut-être la majorité d'entre eux restent-ils toute leur vie prisonniers de ce piège, jusqu'à ce qu'ils rendent l'âme ou se donnent la mort d'une manière ou d'une autre. Pourquoi ai-je réussi à m'en sortir, je l'ignore. Pourquoi ai-je attrapé cette sclérose au lieu de continuer à me décarcasser, à en vouloir à mon mari de m'avoir quittée, à mes enfants de ne pas être les bons enfants que je méritais ? Pourquoi ai-je fini par me rendre compte du piège où j'étais tombée ? Pourquoi ai-je réussi à changer mes bandes enregistrées, comme dit votre docteur Kolnietz, et à cesser de vouloir être parfaite ?

Heather éprouvait un vif intérêt. Bien que, avec l'aide du docteur K., elle commençât à s'avouer qu'une partie d'elle-même refusait de changer, cela ne faisait que renforcer l'autre partie, celle qui voulait. Elle se sentait tout particulièrement concernée par cette histoire de changement de bandes.

— Pourtant, vous m'avez bien dit que vous saviez exactement comment et à quel moment vous vous êtes mise à changer, lui rappela-t-elle.

— Oui, on peut souvent situer avec précision les moments décisifs, acquiesça Mrs. Grochowski, et on est souvent en mesure de dire *en quoi* les autres ont changé. Mais on ne sait toujours pas pourquoi. Ce n'est pas parce que les gens devraient changer qu'ils le font. J'ai dû attendre que les signes se multiplient avant d'envisager de m'y prendre autrement. Si vous voyez le docteur Kolnietz, c'est parce que vous avez reconnu à certains signes que quelque chose vous poussait à choisir tel ou tel homme plutôt que tel ou tel autre. Beaucoup de gens refuseraient de voir ces signes. Quelle est la différence entre les individus comme vous et moi, qui acceptent l'évidence, et ceux qui continuent à la nier ? Voilà une question à laquelle je ne sais pas répondre. Je n'en ai vraiment aucune idée.

— Aucune idée ? répéta Heather.

— Non, enfin... pas vraiment. Nous autres chrétiens croyons que cela a un rapport avec ce que nous appelons la grâce. La grâce, c'est quand Dieu intervient d'une manière ou d'une autre dans nos vies pour nous aider à accepter l'évidence et à aller de l'avant. Je considère que c'est l'œuvre de Dieu et celle de la grâce si j'ai pu changer. Mais en réalité, ça n'explique pas grand-chose. Dieu intervient-il pour certains et pas pour d'autres ? Et si la grâce peut toucher tout le monde, pourquoi parvient-elle à adoucir le cœur de certains tandis que celui des autres reste sec ? Je l'ignore.

— Mais enfin, vous devez bien le savoir ! protesta Heather.

— Petite, avec vous il faudrait que tout soit explicable, hein ? ironisa Mrs. Grochowski. Ce que j'essaie de vous faire comprendre, c'est justement qu'il n'y a pas toujours d'explication. Souvenez-vous, quand j'ai cessé de chercher à être quelqu'un de bien, je me suis retrouvée profondément déprimée. Et quand je dis profondément... Je prenais beaucoup de médicaments pour ma sclérose. Plus d'une fois j'ai voulu les prendre tous d'un seul coup, pour en finir. Je ne me serais pas ratée, croyez-moi. Alors, pourquoi n'en ai-je rien fait ? Et quand ma petite-fille est venue me dire que je ne m'intéressais pas à elle, pourquoi ai-je réagi, puisque je ne voulais plus être gentille, que je ne recherchais plus l'admiration des autres ?

— Quelle est la réponse ? interrogea Heather

— Il n'y a pas de réponse à ce genre de question. Ou du moins, pas de ce côté-ci de la tombe.

Elle alla ensuite voir Tim O'Hara, qui se montra tout aussi sibyllin. Elle voulait lui poser une question qui lui trottait dans la tête depuis un mois.

— Vous disiez l'autre jour que vous aviez cessé de boire après être allé trouver les Alcooliques Anonymes, il y a vingt ans..., commença-t-elle.

— C'est exact, mon ange.

— À l'école d'infirmières, on nous a appris que pour les membres des A.A., les alcooliques ne devaient plus jamais boire.

— Encore exact.

— Eh bien, laissez-moi vous dire que vous êtes un vieil hypocrite, se moqua-t-elle. On peut savoir ce que fait cette bouteille de vin rouge dans le tiroir de votre bureau ?

— Ah ! Je vois que je suis pris la main dans le sac !

— Il n'y a pas que ça ; vous êtes le seul pensionnaire de Willow Glen qui soit autorisé à boire de l'alcool. C'est dans la liste des commandes de l'établissement. Apparemment, Mrs. Simonton fait dans votre cas une de ses très rares entorses à la règle. Pourquoi ?

— Ah ! Une femme adorable, non ? Vous ne m'avez jamais vu ivre, n'est-ce pas ?

— Je vous voir venir, avec votre façon de répondre à une question par une autre ! Non, en effet, je ne vous ai jamais vu ivre. Et pour autant que nous le sachions, Mrs. Simonton vous renouvelle votre bouteille environ deux fois par an. Je voudrais bien savoir de quoi il retourne.

— La vérité est que je réserve cette bouteille pour une circonstance très particulière, et qu'alors je ne fais qu'y goûter. Il ne m'en faut pas davantage, maintenant.

— De quoi s'agit-il ?

— Deux ou trois fois par mois, Marion et moi prenons ensemble un petit repas un peu spécial. Simplement une gorgée de vin et un petit morceau de pain. C'est une manière de cérémonie. Nous appelons cela l'« eucharistie ». C'est un mot grec un peu recherché qui signifie « célébration ».

Heather sentit s'éveiller un vague souvenir au fond de sa mémoire, l'écho d'un terme entendu autrefois dans la bouche de ses camarades de classe.

— La communion, c'est ça ? hasarda-t-elle. Ce que font les catholiques pendant la messe ?

— Tout juste, sourit Tim.

— Vous êtes catholique ?

— Naturellement. Je suis irlandais, ne l'oubliez pas. Et Marion aussi. La plupart des Polonais et des Irlandais sont nés dans la religion catholique.

— Êtes-vous toujours allé à l'église ?

— Ah, mais ne s'agit pas de ça ! Non, quand j'ai eu dix-neuf ans je n'ai plus voulu entendre parler de l'Église. Je n'y suis pas retourné jusqu'à l'âge de soixante ans, après avoir suivi le programme pendant une dizaine d'années.

— Quel programme ?

— Celui des Alcooliques Anonymes. C'est le nom qu'on donne fréquemment au traitement.

— Pourquoi être retourné à l'église à ce moment-là ?

120

— Eh bien, beaucoup de vieux habitués des A.A. y reviennent au bout de dix ou vingt ans. Ou alors, il y vont pour la première fois de leur vie. C'est souvent comme ça que ça se passe.

— D'accord, d'accord, coupa Heather, exaspérée. Mais pourquoi ?

— Mm... C'est difficile à expliquer, mon ange. Non, je ne crois pas pouvoir vous l'expliquer.

De toute évidence, il n'essaierait même pas. Heather changea de tactique.

— Je ne suis pas catholique, reprit-elle. Je crois que je ne suis même pas croyante. Je ne sais pas ce que je suis, en fait. Mais je crois me rappeler ce que disaient les gosses à l'école : la communion se pratique à l'église et avec un prêtre — seul le prêtre peut célébrer l'eucharistie ou la messe. Ou un pasteur si l'on est protestant. Alors comment se fait-il que Mrs. G. et vous fassiez ça ici tout seuls ?

— Ah ! Vous me coincez encore, petit ange. Eh bien, c'est peut-être parce que nous ne sommes pas de très bons catholiques. Et peut-être parce nous avons une dispense, une autorisation.

— De qui ?

— Eh bien, au moins de Mrs. Simonton, non ?

Heather ne comprenait toujours pas.

— Mais vous pourriez demander à un prêtre de s'en charger, insista-t-elle. Le père Pulaski vient au moins une fois par semaine. Je sais qu'il fait communier certains autres patients. Il pourrait faire la même chose pour vous deux.

— En effet, acquiesça Tim. Mais ce ne serait pas tout à fait la même chose. Marion et moi sommes très proches, vous savez. Cela prend une signification tout à fait particulière, quand nous sommes tout seuls à le faire.

Perplexe, Heather continua à tâtonner.

— Je ne voulais pas remettre en question votre religion, Tim. Je suis simplement curieuse. Pourquoi faites-vous ça ? Je ne connais rien du tout à la communion. Qu'est-ce que vous en retirez ?

— Oh, plein de choses, Heather, mais c'est si difficile à expliquer !

— Vous n'arrêtez pas de vous dérober, Tim O'Hara, fit remarquer Heather, qui se délectait de ce face-à-face. Vous pourriez au moins essayer.

Tim prit un air dubitatif.

— Le vin est le sang de Jésus. Le pain est son corps. Lorsque nous mangeons et buvons, nous nous livrons à une forme de cannibalisme. Vous savez, les cannibales ne mangent pas leurs ennemis par manque de viande. Ils se contentent souvent du cœur. Ils pensent que c'est là que réside le courage. Ce faisant, ils croient donc absorber le courage de l'ennemi. Naturellement, nous ne considérons pas Jésus comme notre ennemi, au contraire. Néanmoins, en mangeant son corps et en buvant son sang nous absorbons un peu de son courage.

— Mais il ne s'agit pas vraiment du corps et du sang de Jésus. Vous ne le mangez pas réellement. Ce n'est que du pain. Un symbole.

— Non, fit Tim avec certitude. Nous le mangeons, lui.

— C'est de la folie ! s'écria Heather

— Je croyais que vous ne vouliez pas remettre en cause ma religion, rétorqua Tim avec un clin d'œil. Non, ce c'est pas de la folie. C'est un mystère. Voilà pourquoi on appelle cela « le mystère de la transsubstantiation ». Pas mal comme grand mot, hein ?

— Que signifie-t-il ?

— Il désigne le mystérieux processus par lequel le pain devient réellement le corps de Jésus, et le vin son sang. Et puisque vous m'avez entraîné aussi loin, autant vous donner quelques éclaircissements sur la question que vous me posiez tout à l'heure. Les bons catholiques croient que seul le prêtre peut administrer la communion parce que lui seul a le pouvoir de déclencher ce processus. Peut-être parce que nous ne sommes pas de bons catholiques, Marion et moi croyons que notre amour et notre foi ont le pouvoir de provoquer la transsubstantiation. Voilà pourquoi nous n'avons nul besoin de prêtre.

— Je ne peux pas croire que vous ne soyez pas de bons catholiques.

— J'espère que vous avez raison, sourit Tim, mais vous devriez au moins vous rendre compte que nous sommes des catholiques renégats.

— Je ne voudrais pas vous attaquer, fit Heather avec une grimace, seulement pour moi, tout ça n'est qu'un ramassis de superstitions. Quant au cannibalisme... Brr !

— C'est bien plus que du cannibalisme. Il y aussi quelque chose de sexuel.

— Quoi ?

— Mais bien sûr, voyons. Ce que nous faisons, c'est mélanger les essences : la mienne, celle de Marion, celle de Jésus. C'est une certaine façon pour nous de nous accoupler avec Jésus, avec Dieu. Oui, il y a du sexe là-dedans. Et beaucoup d'autres choses aussi.

— Pardonnez-moi, Tim, s'excusa sincèrement Heather. C'est juste que j'ai beaucoup de mal à comprendre.

— Naturellement, mon ange. C'est comme avec les ordinateurs. On ne comprend pas les ordinateurs en suivant un cours d'informatique ou en lisant un livre, vous savez. Non, on apprend en pratiquant, en se servant des machines, en en faisant l'expérience. Vous ne voudriez pas essayer ? Sinon, si vous étiez prête à jouir de la communion, je suis sûr que je pourrais vous y initier.

— Vous en parlez vraiment comme du sexe, gloussa Heather. Mais non, je ne suis pas prête à être initiée, Tim. D'abord il faudrait que tout ça prenne un sens pour moi.

— Prenez votre temps, mon ange. Un sens, oui... mais par ailleurs, n'oubliez pas qu'il s'agit de quelque chose de mystique.

— De mystique ?

— Oui, d'une chose pleine de mystère. Aussi, même quand vous vous initierez vous ne comprendrez pas tout. Si vous attendez de tout comprendre, alors vous ne comprendrez pas grand-chose.

Heather s'en alla plus perplexe que jamais. Décidément, ce serait une étrange nuit.

Après dîner, Georgia se sentit nerveuse. À tel point qu'elle résolut d'aller à nouveau parler avec Stephen.

— Je suis revenue, annonça-t-elle en lui tendant la planchette. (Néanmoins, elle lui laissa l'initiative.) Vous me l'avez demandé, vous vous souvenez ?

— OUI, répondit Stephen en prenant bien soin d'épeler lentement. MERCI. JE / SAIS / QU'IL / DOIT / VOUS / FALLOIR / FAIRE / UN / GROS / EFFORT / DE / CONCENTRATION / POUR / DIALOGUER / AVEC / MOI.

— En effet, reconnut Georgia en éprouvant un sentiment de fierté. Comment vous sentez-vous, ce soir ?

Stephen hésita. Il n'ignorait pas que c'était à cause de sa franchise qu'il avait tendance à faire peur aux gens. Seulement, avec le temps, il était devenu incapable de se montrer évasif.

— TRISTE, répondit-il.

— Ah bon ? Pourquoi ?

Bien qu'il se sente effectivement très triste, ce n'était pas une raison pour lui épargner les détails.

— PARCE / QUE / JE / NE / SUIS / PAS / NORMAL. IL / Y / A / DES / FOIS / OÙ / JE / ME / LAMENTE / SUR / MON / SORT.

123

— Vous en avez bien le droit, à mon avis.

— PEUT-ÊTRE. ET / VOUS, GEORGIA, COMMENT / VOUS / SENTEZ-VOUS ?

— Nerveuse.

— POURQUOI ?

— Je ne sais pas.

— PARLEZ-MOI / UN / PEU / DE / VOUS.

— Il n'y a pas grand-chose à raconter. Je ne pense pas très souvent à moi.

Stephen songea que ce devait être vrai. Comment une vieille dame saurait-elle penser à elle-même si elle refusait de penser à la vieillesse ? Mais il ne le lui ferait pas remarquer. Il n'allait pas gâcher cette deuxième chance avec ses prêchi-prêcha.

— DITES-MOI / N'IMPORTE / QUOI... LA / PREMIÈRE / CHOSE / QUI / VOUS / PASSERA / PAR / LA / TÊTE.

— Mes parents ont été bons avec moi, balbutia-t-elle. J'ai eu une enfance heureuse.

— LÀ ! MAINTENANT / JE / SAIS / QUELQUE / CHOSE / DE / VOUS. MERCI.

Ces paroles avaient beau paraître superficielles, Georgia ne désirait pas aller plus profond.

— Je reviendrai une autre fois, promit-elle en guise de conclusion.

— TANT / MIEUX. J'ATTENDS / AVEC / IMPATIENCE.

Bien que cet échange lui ait fait meilleure impression que le premier, Georgia restait encore une fois déconcertée. En émettant ce commentaire spontané sur sa propre enfance, elle se rendait bien compte de ce qu'il sous-entendait : il n'en a plus été de même à l'âge adulte. Et cette idée-là, elle ne tenait pas à la creuser. Toujours aussi énervée, Georgia partit traîner dans le couloir menant au séjour. Hank Martin l'alpagua instantanément.

— Salut, chérie ! Justement, je pensais à nous. Je me disais qu'on devrait sortir, un après-midi.

— Qu'est-ce que vous me racontez là ?

— On n'est tout de même pas des infirmes. Si on leur demandait, je suis sûr qu'ils nous laisseraient sortir pour la journée.

— Et pour faire quoi ?

— Eh bien, j'ai économisé assez pour qu'on se paie une chambre d'hôtel.

Voilà donc où il voulait en venir, se dit Georgia. *Évidemment.*

— Naturellement, il ne vous viendrait pas à l'idée de m'emmener plutôt au cinéma, répliqua-t-elle vertement.

Hank envisagea cette possibilité. Sans doute ne lui permettrait-elle même pas de lui prendre la main. Mais il n'allait pas se laisser vaincre aussi facilement.

— Ma foi, je vous emmènerais bien voir un film, s'il y en avait un bon sur la Seconde Guerre mondiale... vous savez, un film qui me fasse revivre le bon vieux temps des combats d'avions de chasse.

— Vous ne vous êtes jamais fait prendre en chasse, Hank Martin, sauf par un chien si vous avez été facteur.

Hank encaissa le coup.

— Vous ne me croyez pas, geignit-il en lui tendant ses paumes ouvertes. J'ai tué des hommes, avec ces mains-là, ajouta-t-il.

— Vous n'avez jamais fait de mal à une mouche, rétorqua-t-elle. Vous ne seriez même pas assez rapide pour ça.

Sur ce, Georgia tourna les talons et sortit du séjour. Elle avait tellement l'habitude de le voir rester insensible à ses sarcasmes qu'elle ne se rendit compte de rien ; or, cette fois, elle avait réussi à le blesser.

Réintégrant sa chambre, elle trouva Lutzina plongée dans la lecture d'une brochure et alla s'asseoir auprès d'elle. Les deux compagnes de chambre étaient presque devenues amies.

Lucy avait appris à éviter le sujet de l'âge de Georgia. Mais elle savait qu'elle pouvait sans problème évoquer le sien.

— J'envisage de m'installer en Californie, annonça-t-elle.

— En Californie ? s'écria Georgia, interloquée.

— Il y a une nouvelle communauté d'adultes près de Santa Barbara. Deux de mes amies y sont depuis l'été dernier et me pressent de venir les rejoindre. Dans leurs lettres elles me disent que les fleurs y sont magnifiques, qu'il y fait frais en été et doux en hiver. Là-bas, pas de risque de glisser sur une plaque de verglas.

— Mais vos racines sont ici, à New Warsaw, protesta Georgia. Et puis, vous allez bientôt rentrer chez vous.

La semaine précédente, Lucy était passée avec succès du déambulateur à la canne, et pouvait désormais se rendre à la salle à manger presque aussi vite que Georgia.

— Justement, répondit Lucy. Au début, je ne pensais qu'à ça — rentrer chez moi. Mais maintenant que le jour approche, je commence à me demander pourquoi. C'est vrai, j'ai mes racines ici ; mais elles se font de plus en plus rares. Mon époux est mort depuis longtemps, ma terre est vendue. La plupart de mes amis valides sont partis, comme ceux de Californie, et les autres tombent comme des mouches.

— Ma foi, il y a du vrai dans ce que vous dites, reconnut Georgia.

— Naturellement. Et si j'avais un autre accident ? Si Rob n'était pas passé par là, je serais morte de froid. À mon âge, il n'est pas bon de vivre seule. On me dit que dans cette communauté, là-bas, on peut être aussi indépendant qu'on veut, mais qu'on vient tous les jours voir si tout va bien. Il y a un médecin qui fait des visites à domicile. Et s'il faut vraiment se faire hospitaliser, ajouta Lucy en faisant la grimace, il y a un centre qui fait partie du complexe où l'on est sûr de trouver une place. Comme il y a une kitchenette équipée dans chaque studio, on peut faire sa petite cuisine, mais ils ont aussi un réfectoire, comme ici, quand on ne veut pas prendre ses repas seul. On peut participer à des activités, faire des excursions en car. Il y a beaucoup plus de choses à faire qu'à New Warsaw. Mes amies m'écrivent qu'elles vont au concert, qu'il suffit de prendre un taxi pour aller faire les magasins. Oui, vraiment, tout ça me paraît très bien.

— Quand partez-vous ?

— Oh, je ne me suis pas encore décidée. (Un nuage passa sur le visage de Lucy.) Ils ne prennent pas les animaux domestiques. Il faudrait que je renonce à Plissé. Et je ne peux pas m'y résoudre. Encore, si je lui trouvais un bon foyer... Mais qui voudrait d'un vieux chien ? Il faudrait que je le fasse piquer. Comment pourrais-je faire une chose pareille ?

— Où est-il en ce moment ?

— Au début, il était chez Rob ; mais ils ont fini par trouver qu'il leur causait trop d'ennuis, alors ils l'ont mis au chenil. Vous comprenez, personne n'en veut. Si seulement il existait des maisons de retraite pour les chiens ! Je suis tellement impatiente de le sortir de là, de le revoir enfin !

— Je comprends, s'apitoya Georgia. Mais vous devez penser à votre avenir.

— Et vous, Georgia ? s'enquit Lucy. Votre avenir ? Avez-vous jamais songé à vous installer dans une communauté comme celle dont je vous ai parlé ?

— Comment ? sursauta Georgia.

— Eh bien, vous n'avez aucune raison de vivre en institution, en fait.

— Évidemment, fit sèchement Georgia. Vous savez très bien que ce sont mes enfants qui m'ont placée ici de force.

— Mais si vous le leur demandiez, peut-être vous laisseraient-ils aller en Californie ?

— On ne peut rien leur demander, articula Georgia. Ils refusent de me laisser agir à ma guise. Je suis coincée ici.

Lucy comprit qu'elle était allée trop loin.

— Bon, je crois que je vais aller me promener un peu, histoire de faire travailler ma jambe, dit-elle avec délicatesse.

Georgia resta toute seule dans son fauteuil à bascule, à ressasser un désagréable mélange d'irritation et de perplexité. Pourquoi les gens ne veulent-ils pas comprendre ma situation ? se demanda-t-elle. Mais elle reporta son attention sur le bureau et la photo représentant la jeune fille se balançant dans son verger, et commença à se sentir un peu mieux. Le cadre lui rappelait tellement le verger de ses parents, quand elle était petite ! Alors elle se plongea dans sa rêverie habituelle et revit le temps où elle n'avait pas encore d'enfants, où elle n'était même pas encore mariée, le temps où elle était encore libre.

Dans le fauteuil du salon, Edith Simonton humectait du bout de la langue la dernière enveloppe de sa pile de lettres. Elle recevait peu de visites, mais tous ceux qui venaient la voir se sentaient tout de suite à l'aise dans sa petite maison pourvue de deux chambres à coucher. Une pendule victorienne héritée de ses parents tictaquait bruyamment sur la cheminée.

Le courrier qui s'entassait sur la table basse n'était pas destiné à sa famille. Elle avait bien deux sœurs, sept neveux et nièces, et une dizaine de cousins, mais elle les trouvait mortellement ennuyeux. Il lui suffisait amplement d'échanger avec eux une carte de vœux à Noël.

Ce n'était pas non plus à des amis qu'elle avait écrit. Elle en avait bien assez par son travail. Pas une foule d'amis, peut-être, mais suffisamment. Des gens véritablement proches comme Stephen Solaris, Marion Grochowski, Stasz Kolnietz. Elle n'était pas une solitaire au sens courant du terme. En fait, elle était plutôt du genre contemplatif ; la solitude, elle en avait besoin.

Non, c'étaient des lettres adressées à des détenus. Depuis plus de dix ans, elle entretenait une correspondance régulière avec des hommes séjournant en prison. Elle avait pour cela des motivations humanitaires. Et platoniques. Après que deux d'entre eux furent venus la voir après leur libération sur parole, elle avait appris à décourager leurs fantasmes sexuels et à réprimer les siens. Elle s'était empressée d'écrire aux autres qu'elle était laide (ce qu'elle pensait sincèrement), et heureuse en ménage — ce qui était un mensonge.

Néanmoins, indirectement il y avait quelque chose de sexuel dans cette correspondance. Elle se rendait bien compte que si elle écrivait à ces hommes, c'était parce qu'elle se sentait un point commun avec eux : elle aussi était prisonnière − prisonnière de son propre corps. Ce corps qu'elle haïssait. Depuis son divorce, quelque trente ans auparavant, elle se sentait dépourvue de charme. Jamais elle n'avait fait la moindre tentative pour fréquenter d'autres hommes. Elle s'était même efforcée de tuer toute féminité en elle. Cependant, elle ne pouvait nier sa sexualité. Ce qui lui faisait par-dessus tout détester son corps, c'était le pouvoir qu'il exerçait sur elle, l'extraordinaire pouvoir de ce besoin d'appartenir, d'être comblée, saturée.

Aux yeux du monde, elle le savait bien, son attitude ne serait pas considérée comme « saine ». Elle avait même consulté quelque temps le docteur Kolnietz, quand il avait ouvert son cabinet. Ils avaient parlé de son enfance, de ses parents, exploré la psychodynamique freudienne classique. Mais les choses étaient allées plus loin. Tous deux n'avaient pas tardé à se rendre compte que ce n'était pas la bonne méthode.

− Bien sûr que je veux qu'on me baise, déclara-t-elle un jour. Vous le savez fort bien. Seulement, je ne veux pas me remarier. Et je ne veux pas non plus d'aventures d'une nuit. Quant à mes relations avec mes amis intimes, je ne veux pas que le sexe vienne les compliquer. J'ai horreur de m'asseoir devant ma coiffeuse et de me maquiller. Je ne l'ai jamais fait. Je déteste faire les magasins, et je me moque de ce que j'ai sur le dos. Autrefois, je croyais désirer une histoire d'amour, mais aujourd'hui l'amour me paraît inepte. Je n'aime pas les jeux. Je ne veux pas du pouvoir du sexe. Alors, qu'est-ce que vous allez bien pouvoir faire de moi, docteur ? Je veux qu'on me baise, mais je ne veux rien de tout ce qui va avec.

− Peut-être n'êtes-vous pas appelée à apprécier l'amour physique, hasarda Stasz.

− Alors, je me demande bien pourquoi j'en ai tellement envie.

− Peut-être est-ce à cause de Dieu.

Elle le regarda. Elle sentait naître en elle quelque chose comme de la peur. Non, pas de la peur. Plus que cela. De la terreur.

− Qu'est-ce vous me dites là ? protesta-t-elle.

− La plupart des moines et des nonnes se sentent appelés vers le célibat, poursuivit Stasz ; et pourtant, un grand nombre d'entre eux luttent pendant des années contre des désirs sexuels irrépressibles.

— Vous n'arrêtez pas d'employer le verbe « appeler. » On peut savoir ce que vous entendez par là ?

— Peut-être percevez-vous l'appel de Dieu à travers le sexe. Peut-être Dieu vous veut-il pour Lui.

— Vous pourriez être un peu plus explicite, si ça ne vous dérange pas trop, docteur ? rétorqua-t-elle, sarcastique.

— De par notre formation, nous autres psychiatres avons une attitude sceptique par rapport à la religion. Aussi, je vous en prie, n'allez pas répéter ce que je vais vous dire. Je n'ai pas totalement évacué ma bonne éducation catholique, et je me souviens d'une phrase de saint Augustin : « Seigneur, tu nous a créés pour Toi, et en Toi seul nous trouvons le vrai repos. » Peut-être êtes-vous comme saint Augustin ; peut-être cherchez-vous le vrai repos.

— Tiens ! Voilà que je suis une sainte, maintenant !

— C'est fort possible, en effet, répondit le docteur Kolnietz sans paraître relever cette provocation. La plupart des gens — même parmi ceux qui croient en Dieu — possèdent une âme relativement séculière, du moins en apparence. Mais quelques-uns éprouvent le désir particulièrement brûlant de se rapprocher de Dieu. Ou alors, c'est Dieu qui brûle de se rapprocher d'eux. Et il semble bien qu'il y ait quelque chose de sexuel là-dedans. Relisez le Cantique des Cantiques, Edith. Cette histoire de Dieu « époux » n'est pas là par hasard, vous savez. Quand je parle d'« appel », ou de « vocation », je veux dire que si votre sexualité est ce qu'elle est, c'est parce que vous êtes peut-être l'une des rares élues que Dieu a créées tout spécialement pour Lui-même.

Oui, c'était bien de la terreur qu'elle avait ressentie à ce moment-là. Quelque part en elle, elle avait su qu'il voyait juste. Mais elle n'était absolument pas disposée, absolument pas prête à affronter le problème. D'ailleurs, Stasz n'avait pas paru particulièrement pressé de l'y amener.

— À mon avis, ces choses-là se font très progressivement, avait-il déclaré.

Peu de temps après, elle avait cessé de lui rendre visite à son cabinet.

Tout cela s'était passé quinze ans auparavant, et elle n'était toujours pas prête à regarder les choses en face. Mais cela viendrait. Peut-être plus vite qu'elle ne le pensait. Ces derniers temps surtout, elle se surprenait à tourner de plus en plus fréquemment autour de ce problème central, ce nœud de vérité. Toutefois, cela n'avait aucun effet sur ses pulsions physiques, pour lesquelles elle éprouvait toujours la même haine. Elle se rappela qu'enfant, elle appelait ses règles « la malédiction ». Elles avaient peu à peu disparu huit ans plus tôt, mais les besoins du corps ne s'étaient pas tus pour autant. Le sexe était une malédiction qu'elle portait en elle. La malédiction de Dieu.

Nerveuse, elle alla dans la cuisine. Là se trouvait la bouteille de whisky. Elle en vérifia le niveau avant de se servir. Tous les jours de sa vie elle se demandait si elle était alcoolique. Elle n'ignorait pas ce que lui diraient ses amis des A.A. : si elle éprouvait le besoin de se poser régulièrement la question, c'était qu'elle l'était. Mais en fait, elle s'en moquait. L'alcool était la bénédiction que lui avait envoyée Dieu pour contrebalancer sa malédiction. L'alcool ne lui faisait jamais de mal. D'accord, elle ne pouvait pas y renoncer entièrement ; mais elle savait le doser. Elle ne s'enivrait jamais. Elle ne s'y adonnait que le soir, et s'arrêtait précisément au stade de la douce torpeur, lorsque le corps s'apaise et qu'elle n'avait plus besoin de cette *chose* – ce vibromasseur enfoui au fond du premier tiroir de son bureau.

Elle se versa un autre verre. Il lui en fallait habituellement deux et demi, trois au maximum. Elle acceptait désormais l'évidence : elle ne se languissait pas d'un autre être humain, mais de Celui-là même qui avait placé la langueur en elle. Et pourtant, l'Être (qu'il fût Il, Elle ou simplement Être) qui l'avait accablée de cette langueur refusait, sauf en de très rares occasions, de rendre Sa présence matérielle. C'était d'une telle *injustice !* Et bien qu'elle y eût de temps en temps recours, la masturbation était pour elle la chose la plus solitaire au monde.

Cela commença à deux heures du matin. Un gémissement modulé s'éleva comme une sirène dans les couloirs de Willow Glen.

– Je le savais, dit Heather. Je savais que ça arriverait ce soir – ça ou autre chose. C'est probablement Carol Kubrick. Vous voulez bien aller voir ce qui se passe, Bertha ?

Cette dernière reposa son roman à l'eau de rose et s'avança lourdement dans le couloir. En moins d'une minute, elle était de retour.

– Vous aviez raison. C'est Carol la Folle, comme d'habitude.

Heather se rendit à la pharmacie et déverrouilla le placard à médicaments afin de préparer une seringue. La malade avait une ordonnance de sédatif en prévision de ces nuits-là. Cela ne se produisait pas très souvent (une fois tous les deux mois environ), mais son ululement se prolongeait jusqu'à ce que la piqûre l'aide à se rendormir. Sa seringue posée sur un petit plateau, Heather se dirigea vers la chambre que Mrs. Kubrick partageait avec Rachel Stimson et alluma la lumière. Allongée sur le dos, Carol poussait une longue plainte. Couchée sur le côté dans son lit près de la fenêtre, Rachel regardait fixement devant elle.

— Qu'est-ce qui ne va pas ? s'enquit Heather sans trop espérer de réponse.

Le gémissement se poursuivit comme si l'infirmière n'était pas là. Heather retroussa la chemise de nuit de Carol, frotta la cuisse à l'alcool et enfonça son aiguille. Puis elle se tourna vers Mrs. Stimson.

— Je suis désolée que Carol vous ait réveillée, Rachel. Mais dans une dizaine de minutes, elle devrait se rendormir. Est-ce que je peux faire quelque chose pour vous ?

Rachel se contenta de la regarder en silence. On aurait dit qu'elle n'avait même pas conscience de sa présence. Heather n'avait plus qu'à éteindre la lumière et quitter la pièce. Cependant, au moment où elle s'apprêtait à le faire elle crut percevoir un faible murmure. Quelque chose comme « Ne partez pas ». Elle se retourna.

— C'est vous, Rachel ? Vous avez besoin de moi ?

Mais les ténèbres restèrent muettes. Heather attendit quelques instants, puis décréta qu'elle avait dû rêver.

Tim O'Hara s'éveilla en entendant la plainte de Carol et resta couché dans le noir jusqu'à ce que cela cesse. À sa respiration régulière, il jugea que Hank Martin dormait. Alors il se glissa au bas de son lit et, traînant laborieusement sa jambe paralysée, dépassa le lit de Hank et sortit dans le couloir. Puis il entra dans la chambre de Mrs. Grochowski.

— C'est moi, Marion, ma chérie, lui murmura-t-il.

Mais il s'était trompé, Hank ne dormait pas. Le gémissement l'avait lui aussi tiré du sommeil, et il sut où Tim s'en était allé. Tout le monde s'en paie sauf moi, songea-t-il. Est-ce qu'il n'était pas assez viril, pourtant ? Là-dessus, il se souvint des moqueries de Georgia, à savoir qu'il n'aurait pas fait de mal à une mouche. Et qu'est-ce qu'elle en savait ? Je vous demande un peu. S'il prenait sa canne et qu'il lui en flanque un bon coup, *là* elle saurait. Il n'avait peut-être pas descendu ces Boches, mais il ne fallait pas en conclure qu'il était incapable de tuer. Sentant sa honte se muer en rage, Hank continua à remâcher son amertume dans le noir.

À trois heures du matin, Heather poussa le chariot de Stephen jusqu'au vestibule de la pharmacie.

— On a encore droit à une de ces fameuses nuits, lui dit-elle. Tu as entendu Carol gémir ? (Elle lui donna sa planche à lettres sans qu'il lui ait rien demandé. Ces quinze derniers jours, elle en était venue à chérir l'intimité que leur procurait la pénombre de ce petit refuge bien à eux.) Comment te sens-tu ce soir, cher Stephen ?

— DÉSESPÉRÉ, épela-t-il en réponse.

Heather en fut abasourdie. C'était la première fois qu'elle voyait Stephen déprimé.

— Mon Dieu, Stephen ! Mais pourquoi ?

— TU / REPRENDS / BIENTÔT / TON / SERVICE / DE / JOUR.

— Moi aussi je le regrette. Les nuits vont me manquer. Mais dans un mois je serai de retour. Et même si ce n'est pas pareil, on pourra au moins se parler pendant la journée.

— CE / N'EST / PAS / LE PROBLÈME. JE / PEUX / ME / PASSER / DE / SEXE / PENDANT / UN / MOIS. JE / SAIS / BIEN / QUE / TU / REVIENDRAS. MAIS / ALORS, TU / REPARTIRAS. POUR / REVENIR / ENCORE. ET / PUIS / UN / JOUR, TU / NE / REVIENDRAS / PLUS.

— Oh, Stephen, fit-elle. Je suis désolée. Je n'avais pas vu si loin.

— MAIS / MOI, SI. ET / POUR / MOI, C'EST / INSUPPORTABLE. UN / JOUR, TU / TROUVERAS / UN / TRAVAIL / PLUS INTÉRESSANT. OU / BIEN / TU / VOUDRAS / ME / QUITTER / POUR / UN / HOMME / POUR / DE / VRAI.

— Mais tu *es* un homme pour de vrai , Stephen. Le plus vrai que j'aie jamais rencontré.

— ALORS, C'EST / TON / PROBLÈME. JE / NE / SUIS / PAS / MAUVAIS, MAIS / JE / SUIS / INFIRME / AU / DERNIER / DEGRÉ. UN / JOUR / OU / L'AUTRE, TU / TE / DÉBARRASSERAS / DE / MOI.

— Me débarrasser de toi ? répéta Heather d'un air hébété mais en commençant à se douter qu'il y avait sans doute un peu de vrai dans ce qu'il disait.

— OUI, TOUT / JUSTE. JE / SUIS / DÉSESPÉRÉMENT / INFIRME, SANS / AUCUN / AVENIR. ET / TOUT / EST / DE / MA / FAUTE. J'AI / CRU / QUE / JE / POURRAIS / ASSUMER / MES / SENTIMENTS / POUR / TOI. JE / SAVAIS / TRÈS / BIEN / CE / QUI / ALLAIT / ARRIVER. J'AI / CRU / QUE / JE / SAURAIS / ASSUMER / L'« AMOUR-AVEUGLE », MAIS / JE / SUIS / BIEN / LE / CRÉTIN / LE / PLUS / AVEUGLE / QUI / SOIT. MA / PLACE / ÉTAIT / BIEN / CHEZ / LES / IDIOTS.

— Oh ! Stephen. Je déteste quand tu dis ce genre de choses. Tu sais bien que ce n'est pas vrai, protesta Heather.

— SI, C'EST / EN / GRANDE / PARTIE / VRAI. L'AMOUR / EST / AVEUGLE / ET / JE / T'AIME. MAIS / JE / SAIS / MAINTENANT / QU'IL / N'Y / A PAS / D'AVENIR. POUR / TOI, OUI. MAIS / PAS / POUR / MOI.

— Il y a toujours un avenir.

— QUE / VEUX-TU / DIRE ?

— Je ne sais pas très bien. C'est difficile à expliquer. (Heather chercha ses mots.) Tu sais, quand je te parlais de la mort de Mrs. Carstairs et de la lumière qu'elle irradiait ? Cette lumière que toi, tu as en permanence ? Et qui brille de plus en plus ? Écoute. J'ai appris à l'école d'infirmières que la mort ne survenait pas à un instant précis. Même en cas de crise cardiaque. Il y a bien un moment où le cœur s'arrête, mais il faut environ trente secondes pour la personne perde conscience, et plusieurs minutes avant que n'intervienne la mort cérébrale. Donc, quand les gens qui ont cette lumière meurent, on pourrait s'attendre à ce qu'elle disparaisse progressivement, sur plusieurs minutes. Mais non, ce n'est pas comme ça que ça se passe. Quand je prends dans mes bras des mourants qui ont la lumière, elle disparaît d'un seul coup. En une seconde, elle s'éteint. Et pas progressivement : brusquement. Moi, je crois qu'elle se libère. Qu'elle s'en va ailleurs. J'en suis sûre.

— TAIS-TOI ! LA / MÉTAPHYSIQUE / NE / M'INTÉRESSE / PAS, épela très vite Stephen. JE / NE / TE / PARLE / PAS / DE / LA / MORT, NI / DE / LA / VIE / APRÈS / LA / VIE. JE / TE / PARLE / DE / NOUS. ET / IL / N'Y / A / PAS / D'AVENIR. PAS / D'AVENIR / POUR / NOUS. C'EST / SANS / ESPOIR.

— Oh, Stephen, mon chéri, je te demande pardon. Est-ce que ce serait plus facile pour toi s'il n'était plus question de sexe entre nous ?

— NON. ÇA / M'AIDE / À / DORMIR, COMME / TU / DIS.

— Là, tu deviens amer.

— UN / PEU, OUI ! MAIS / NE / CROIS / PAS / QUE / JE / PRENNE / LE / SEXE / À / LA / LÉGÈRE. AU / CONTRAIRE, C'EST / PARCE / QUE / POUR / MOI, C'EST / UNE / CHOSE / PRÉCIEUSE, NOUS / DEUX. J'ADORE / ÇA. JE / NE / VIS / PLUS / QUE / POUR / ÇA. JE / MOURRAIS / POUR / ÇA. (Une pause. Puis :) TU / AS / PEUT-ÊTRE / RAISON / DE / DIRE / QU'IL / Y / A / TOUJOURS / UN / AVENIR. GEORGIA / S'EST / MISE / À / VENIR / ME / PARLER. PEUT-ÊTRE / QUE / DANS / MON / AVENIR, IL / Y / A / UNE / VIEILLE / DAME. QUELLE / PERSPECTIVE ! ET / PUIS, IL / Y / A / MON / LIVRE. ET / LE / TEMPS. COMME / ON / DIT, LE / TEMPS / GUÉRIT / TOUTES / LES / BLESSURES. IL / GUÉRIRA / PEUT-ÊTRE / AUSSI / CELLE-LÀ. JE / NE / VOIS / PAS / COMMENT, MAIS / C'EST / TOUJOURS / UNE / POSSIBILITÉ.

— Dois-je en conclure que tu veux faire l'amour encore une fois, ce soir, même si tu te sens plein de tristesse, de colère et d'amertume ?

133

— OH, HEATHER ! J'AI / PLUS / QUE / JAMAIS / BESOIN / DE / TOI.

La jeune femme lui reprit la planchette et la remit à sa place.

— Il faut que je retourne au travail, fit-elle. Mes médicaments m'attendent. Quand j'aurai fini, je t'endormirai, mon chéri.

Parmi ceux que le gémissement de Carol la Folle avait réveillés, il y avait aussi Georgia Bates. Elle se leva pour aller aux toilettes, puis retourna se coucher. Lorsque la plainte cessa, elle crut qu'elle se rendormirait. Mais ce ne fut pas réellement le sommeil qu'elle trouva ; plutôt un mélange de sommeil, de rêve et d'éveil qui se fondaient les uns dans les autres. Dès qu'elle se croyait éveillée, elle replongeait. Dès qu'elle se voyait sur le point de faire un bon rêve, il lui échappait. Des images insaisissables de chiffres, de formes vagues, de mots sans signification tournoyaient dans sa tête. Il se dégageait de tout cela une sensation de lutte, mais sans direction ni but précis ; un éternel recommencement. Finalement (au bout de... quelques minutes, quelques heures ? Elle ne savait pas), son énervement céda la place à la colère. C'est ridicule, songea-t-elle. Autant me lever et faire quelque chose.

Elle enfila dans le noir ses pantoufles toutes douces, mais ne s'embarrassa pas de sa robe de chambre. En chemise de nuit, elle se dirigea vers la porte, passa devant le lit de Lucy et sortit dans le couloir faiblement éclairé. La nuit, on éteignait les globes fluorescents. Il n'y avait pas beaucoup de lumière non plus au bureau des infirmières. Elle en prit tout de même le chemin, histoire de causer un peu. Mais elle ne vit que Bertha, plongée dans un livre. Bertha, se souvint-elle, n'aimait guère causer ; par ailleurs, il serait impoli de la déranger sans motif valable. Elle pouvait toujours aller dans le séjour. Alors elle aperçut un rai de lumière dans le couloir opposé. Curieuse, elle contourna le bureau, passa devant la grande liseuse et comprit que cela venait de la pharmacie, ou plutôt de la petite pièce. Elle entra dans la lumière et vit Heather, en blouse blanche, penchée sur le corps de Stephen allongé sur son chariot, la tête au niveau de l'entrejambe du jeune homme. Il y a des choses qu'il vaut mieux ne pas voir, songea Georgia en faisant demi-tour.

Cette fois, elle se dirigea vers le séjour, contournant encore une fois le bureau sans que Bertha lève les yeux. Elle alluma un lampadaire, s'assit et prit un magazine. Mais il ne contenait rien qui retienne son attention. Quelle nuit épouvantable ! se dit-elle en éteignant la

134

lampe puis en ressortant dans le couloir. Je ferais tout aussi bien d'aller me recoucher. Mais dans le couloir d'en face, quelque chose effleura momentanément sa conscience. Elle plongea son regard dans l'obscurité. Était-ce une silhouette qui bougeait là-bas, de l'autre côté du hall ? Était-ce légèrement plus clair que les ténèbres environnantes, ou légèrement plus foncé ? Elle n'aurait su le dire ; c'était une impression aussi vague que les formes qui avaient peuplé ses rêves un peu plus tôt. Elle n'en avait eu conscience que parce que la chose avait bougé. Ou bien avait-elle tout imaginé ? Si la forme avait bougé, c'était dans le silence le plus complet. Le temps d'y regarder de plus près, la chose avait disparu. Si elle avait jamais existé.

Il se passe des choses de plus en plus étranges cette nuit, se dit Georgia en contournant encore une fois Bertha avant de regagner sa chambre et son lit. Elle se demanda si elle allait retomber dans le même état. Mais heureusement, cette fois-ci elle sombra dans un profond sommeil.

CHAPITRE SIX

Lundi 21 mars

Ce matin-là, Peggy fut en retard au travail. La veille au soir, son frère avait pris la voiture et laissé les phares allumés : la batterie était à plat. Il avait fallu qu'elle réveille son père pour qu'il l'aide à la faire démarrer avec celle du tracteur. Il s'était montré lent et grincheux. Ce n'est pas ma faute, se répétait-elle. Pas sa faute si son frère avait laissé brûler les phares. Pas sa faute si elle avait dû réveiller son père. Et pas sa faute non plus si elle était en retard. Elle se revit en train de dire à Mrs. Simonton qu'elle était toujours à l'heure. Elle ne pourrait plus le dire. Sans compter que l'autre jour, elle avait oublié de rattacher Carol. La directrice allait certainement la mettre à la porte. Et pourtant, ce n'était pas sa faute. Le temps d'atteindre Willow Glen, dans sa tête ce refrain était devenu : je m'en fiche.

Lorsqu'elle arriva au bureau des infirmières de l'Aile C, il était sept heures et demie et Heather était déjà partie.

— Je m'excuse d'être en retard, mais ma voiture ne voulait pas démarrer, dit-elle à Susan, l'infirmière de jour. Par quoi voulez-vous que je commence ?

— Occupez-vous simplement de la toilette, répondit cette dernière en lui jetant un regard froid.

Peggy se dit qu'elle allait d'abord s'occuper de Stephen. Elle commençait toujours par le malade le plus sympathique, ou celui qui posait le moins de problèmes. Aujourd'hui, cela lui était indifférent. Elle ne lui adresserait sans doute même pas la parole. Mais s'il voulait bavarder, au moins la conversation serait-elle plus intéressante qu'avec les autres.

Elle alla à la pharmacie et remplit une cuvette d'eau tiède à laquelle elle ajouta savon et gant de toilette, et retourna poser le tout au pied du chariot de Stephen. Le visage du jeune homme était à demi couvert ; il devait dormir encore. Mais dès qu'elle entreprit de soulever le drap, elle sentit que quelque chose n'allait pas. Sur le front, sa peau avait une couleur bizarre. Alors elle rabattit le drap jusqu'à la ceinture et poussa un hurlement. Une paire de ciseaux dépassait de sa poitrine. L'une des lames était enfoncée jusqu'à la garde. L'autre reposait à plat sur le sternum.

Elle ne pouvait plus s'arrêter de hurler. Susan sortit en courant du bureau et aperçut les ciseaux.

— Laura ! cria-t-elle. (L'autre aide soignante arriva en courant.) Occupez-vous de Peggy. Ne touchez à rien. Je vais appeler Mrs. Simonton ou Ms. McAdams.

Peggy continuait de hurler. Georgia sortit de sa chambre à pas feutrés. Hank Martin, encore en robe de chambre, arriva du séjour. Voyant que les malades commençaient à s'attrouper, Laura saisit Peggy par le bras et leur fit signe de se tenir à distance.

Sanglée dans son fauteuil roulant de l'autre côté du couloir, Carol la Folle demanda :

— Qu'est-ce qui se passe ? Qu'est-ce qui se passe ? Est-ce qu'une femme est en train d'accoucher ?

Mais nul ne l'entendit, nul ne remarqua qu'elle avait enfin prononcé autre chose que son refrain habituel. Peggy hurlait toujours.

Roulant vers Willow Glen en compagnie du sergent Mitchell, Thomas Petri se sentait tout excité. Il avait travaillé sur plusieurs meurtres à l'époque où il était sergent, mais aujourd'hui, pour la première fois ce serait lui qui mènerait l'enquête. Son enquête à lui. Pourtant, son excitation était légèrement teintée de regret et d'un sentiment d'ironie. Qui aurait cru que sa première enquête serait un assassinat en maison de retraite ? Le meurtre d'une personne déjà si proche de la mort ?

Ms. McAdams les accueillit à la porte et les introduisit directement dans le bureau de Mrs. Simonton.

— Ma foi, inspecteur, déclara celle-ci, j'ai bien peur que vous ne soyez finalement obligé de visiter Willow Glen.

La directrice avait l'air tendue et profondément peinée.

— Qu'avez-vous fait jusqu'à présent ? s'enquit Petri.

— Pas grand-chose, à part vous appeler. Il me semblait qu'on ne devait rien déranger, et il n'y avait plus rien à faire pour Stephen, de toute façon. Une aide soignante monte la garde auprès du corps. Les malades de l'Aile ont été consignés dans leurs chambres.

— Bill, dit Petri en se retournant vers son assistant. Voulez-vous prendre la place de cette aide soignante et faire en sorte que personne, je dis bien personne, ne s'approche du corps ? Je vous rejoins dès que j'ai dit quelques mots à Mrs. Simonton.

Mitchell empoigna la volumineuse mallette contenant le matériel nécessaire à l'enquête. Ms. McAdams se proposa de le conduire sur place.

— Je vous écoute, reprit Petri une fois que la porte se fut refermée derrière eux. (Il ouvrit son carnet de notes.) Dites-moi tout ce que vous savez.

— Je ne sais pas grand-chose, inspecteur. Le corps a été découvert il y a une heure — vers sept heures quarante-cinq, peu après l'entrée en service de l'équipe de jour — par l'une des aides soignantes qui s'apprêtait à lui faire sa toilette.

— Parlez-moi de la victime.

— Il s'agit de Stephen Solaris. Il avait vingt-neuf ans. Ce fut le premier pensionnaire de Willow Glen, et il était là depuis plus longtemps que quiconque, excepté moi-même. Il souffrait d'une paralysie cérébrale congénitale grave. On a cru qu'il était en plus profondément arriéré, et à l'âge de deux ans on l'a placé dans un centre de handicapés. Lorsqu'il a eu cinq ans, un employé du centre a découvert qu'il n'était pas du tout arriéré et a entrepris de l'éduquer. En fait, il a découvert qu'il était au contraire remarquablement intelligent, et a même écrit tout un livre à son sujet. Je vous l'ai retrouvé. Je me suis dit que vous voudriez peut-être y jeter un coup d'œil. Ainsi vous vous ferez une idée de son passé.

Elle désigna sur son bureau un volume ayant perdu sa couverture.

— Merci, fit Petri. Je verrai ça plus tard. Comment a-t-il atterri à Willow Glen ? Je pensais que c'était plutôt une institution pour personnes âgées, ici.

— C'est le cas général, en effet. Mais en théorie, on ne nous impose aucune limite d'âge. J'ai fait une demande spéciale pour lui. Lorsqu'il a eu seize ans, l'État, dans sa grande sagesse, a décrété que n'étant pas arriéré, il n'avait rien à faire dans le centre où il se trouvait. On l'a donc transféré dans un centre de soins. Moins bon que Willow Glen. L'homme qui a écrit ce livre sur Stephen s'est rendu compte qu'il y dépérissait, et m'a demandé si je l'accepterais à l'ouverture de mon propre centre. Stephen avait alors dix-sept ans. Il n'en a pas bougé depuis.

Petri regarda Mrs. Simonton. Est-ce un hasard, se demanda-t-il, si je suis venu ici deux fois en l'espace d'un mois ? Si une malade est partie se perdre dans la neige et si maintenant, un autre se fait assassiner ? Willow Glen était-il si bien tenu que voulaient bien le dire cette femme, le sergent Mitchell et les Kubrick ?

— Avez-vous une idée du mobile du crime ? s'enquit-il.

Mrs. Simonton l'observa avec la même attention. Elle nota son visage d'Américain moyen. Avait-il la maturité nécessaire pour affronter cette horrible affaire ? Elle remarqua ses manières nettes et précises. Presque pointilleuses. Au moins, on peut croire qu'il ne négligera rien, songea-t-elle.

— Non, répondit-elle enfin. Je ne vois vraiment pas qui aurait pu vouloir le tuer. Beaucoup de gens ne prenaient pas la peine d'apprendre à le connaître mais, à ma connaissance, personne ne le déteste.

Elle passait sans arrêt du présent au passé. Signe de détresse, se réjouit Petri. C'était un phénomène courant quand on était encore sous le choc, quand le décès n'était pas encore tout à fait assimilé. Il allait avoir besoin de son entière collaboration. Il se leva.

— Merci. Allons voir le corps maintenant, si vous le voulez bien.

Tandis qu'ils longeaient la salle de rééducation, puis le réfectoire, avant de bifurquer vers l'Aile C, Mrs. Simonton ouvrant la marche, Tom Petri se rendit compte que son excitation commençait à virer à la panique. Pas parce qu'il allait examiner un cadavre : il en avait vu des tas depuis le début de sa jeune carrière. Non, plutôt parce qu'il avait l'impression de pénétrer dans un monde inconnu. Quels êtres étranges dissimulaient en ce moment même toutes ces portes closes ? Histoire de soulager son anxiété, il se remit à poser des questions.

— Vous dites que le corps a été découvert aux environs de sept heures quarante-cinq ?

— C'est cela.

— Tous ceux qui étaient présents dans le bâtiment à ce moment-là doivent rester sur place jusqu'à nouvel ordre. À quelle heure intervient le changement d'équipe ?

— Sept heures.

— Les membres du personnel de nuit sont tous rentrés chez eux ? (Sur la réponse affirmative de Mrs. Simonton, Petri reprit :) Qui était de service cette nuit dans l'aile où a eu lieu le crime ?

— L'infirmière Heather Barsten et l'aide-soignante Bertha Grimes.

— Il va falloir les appeler pour interrogatoire. Vous pouvez vous en occuper ?

Le sergent Mitchell avait d'ores et déjà installé le scialytique portatif, qui illuminait maintenant le cadavre. Petri évita volontairement de le regarder et reporta son attention sur le bureau des infirmières, où était assise une Peggy encore toute pâle à cause du choc qu'elle avait reçu. Susan et Laura étaient allées rassurer les pensionnaires et veiller à ce qu'ils restent dans leurs chambres.

— Puis-je prendre une chaise dans cette pièce ? demanda-t-il.

— Je vous l'apporte, répondit Mrs. Simonton.

Tandis qu'elle s'exécutait, il jeta un coup d'œil par-dessus le comptoir séparant le bureau du couloir, et nota la disposition générale des lieux : l'emplacement de la porte à mi-hauteur, dont le loquet était à l'intérieur, les paillasses, l'armoire à dossiers. Puis il prit la chaise à roulettes que lui tendait la directrice et la poussa jusqu'à un point situé à un mètre cinquante du chariot, juste en dehors du cercle lumineux.

— Je veux qu'on me laisse un quart d'heure seul ici avec le sergent Mitchell, lui dit-il. Peut-être pourriez-vous en profiter pour téléphoner à l'équipe de nuit. Ensuite, il faudra que je m'entretienne avec vous et quelques autres membres du personnel.

Sur ces mots, il s'assit.

— Bill, fit-il lorsqu'il fut seul avec son assistant. Trois tâches vous attendent. Premièrement : éloigner tout le monde du corps. Deuxièmement : prendre des notes. Troisièmement : vous assurer que je ne quitte pas cet endroit avant au moins quinze minutes.

Mitchell prit un air interloqué en entendant cette dernière instruction.

— J'ai eu un mentor, expliqua Petri, un vieux détective avec qui je travaillais quand j'étais sergent. C'est à cause de lui que j'ai suivi tous ces cours spéciaux sur les indices, les preuves matérielles, les interrogatoires et tout le tremblement. Je le trouvais génial. Et je n'ai pas changé d'avis depuis. Un jour, juste avant ma promotion, il m'a pris à part et m'a dit : « Il n'y a qu'une seule différence entre un bon et un mauvais détective. Le bon suit un bon raisonnement, le mauvais suit un mauvais raisonnement. » Mais il m'a bien fait comprendre que ce n'était pas une question d'intelligence. Si le mauvais détective suit un mauvais raisonnement, c'est parce qu'il ne prend pas le temps de raisonner, à l'inverse du bon détective. « Un bon raisonnement, ça prend du temps. Prenez toujours votre temps », m'a-t-il dit.

Assis sur sa chaise, Petri avait les yeux au niveau du corps couché sur le chariot. Le drap ne recouvrait que les reins. Comme la victime était à demi tournée sur le flanc, le policier ne pouvait voir de face que son visage et la paire de ciseaux. Néanmoins, ni l'un ni l'autre ne retint tout d'abord son regard. Sa première impression, extrêmement violente, émana de l'épouvantable difformité de ce corps. Ses membres n'avaient que la peau sur les os. L'ensemble était contracté comme par un spasme, même les doigts. Il se rappela une momie vue au musée quand il était enfant. Mis à part le fait que la peau n'avait pas l'aspect sombre du cuir, on aurait dit ce corps mort depuis trois mille ans.

Il fallut une minute entière pour que l'horreur s'atténue. Petri se surprit à se demander si le meurtrier avait accompli ce geste dans le but d'abréger ses souffrances. Puis il s'obligea à rejeter cette pensée. « Fuis les hypothèses comme la peste », disait toujours son mentor. La question du mobile pouvait attendre. À l'école, on avait bien mis l'accent sur le fait que ce n'était pas le mobile mais les petits détails, les faits infimes, qui menaient généralement à la solution d'un crime.

Petri se vida donc la tête et contempla le visage de Stephen. Il ne révélait absolument rien de l'esprit qui avait habité ce corps infirme. Voilà qui est remarquable en soi, songea-t-il. Le visage des morts révèle habituellement une partie de leur personnalité. Il enfouit cette réflexion dans un coin de sa mémoire.

Ensuite, il examina les ciseaux. La lame qui reposait à plat sur le sternum était celle dont le bout était arrondi. L'autre, celle au bout pointu, perforait le torse environ quatre centimètres à gauche de l'extrémité du sternum. Très peu de sang autour de la blessure. Pas traces d'autres perforations. Celui – ou celle – qui a fait ça savait exactement ce qu'il faisait, pensa-t-il. L'agresseur avait visé droit au cœur. Une main sûre et précise. L'idée d'euthanasie effleura à nouveau son esprit ; une fois encore il la repoussa.

Il demanda à Mitchell de soulever le drap. Pas de taches. Les reins étaient ceints d'une couche. Il observa le tube qui en sortait et descendait jusqu'au sac à urine accroché au pied du chariot.

— Rabattez le drap sur les pieds. Vous croyez que vous pouvez défaire la couche sans rien déranger ? (Mitchell acquiesça et s'exécuta. Les organes génitaux étaient apparemment la seule partie normale du corps, mais ne révélèrent rien d'autre que le collecteur d'urine.) Remettez le drap en place pour l'instant, reprit-il. Plus tard, il faudra l'envoyer au labo pour analyse.

Observant le corps, Petri nota qu'il était à moitié soulevé sur le côté qui lui faisait face.

— Il doit y avoir quelque chose qui le maintient dans cette position, dit-il à Mitchell. Bill, pouvez-vous vous baisser et attraper le chariot par les pieds ? Maintenant, éloignez-le du mur d'une cinquantaine de centimètres. (Mitchell obéit.) Bon, sans plus toucher au chariot et si possible sans toucher le mur, pouvez-vous vous glisser derrière la victime et me dire ce que vous voyez ?

Le sergent se faufila derrière le lit.

— Il est calé par un oreiller attaché au bas du dos, annonça-t-il.

— Soulevez à nouveau le drap. Examinez les fesses, puis le dos, la nuque et le cuir chevelu. Vous voyez des blessures ?

— Non, rien d'anormal. Mais bon sang, qu'est-ce qu'il est maigre !

— Bon, revenez.

Petri resta silencieux deux minutes. Puis il déclara :

— Parfait. On peut appeler le médecin légiste. Qu'il se ramène en vitesse. Plus vite il sera là, plus on pourra déterminer l'heure de la mort avec précision. Une fois que vous aurez téléphoné, relevez les empreintes digitales. Les deux côtés du chariot, le mur derrière lui et les ciseaux. Rappelez au légiste qu'il doit faire très attention en les enlevant. Qu'il se serve d'une pince. Que rien ne vienne gâcher les empreintes.

Mitchell gribouillait furieusement sur son carnet. Lorsqu'il eut fini, Petri demanda :

— Mon quart d'heure est écoulé ?

— Ça fait vingt minutes en tout, répondit l'autre en regardant sa montre.

— Très bien. Allez téléphoner. Je reste près du corps jusqu'à votre retour. Après cela, n'oubliez pas : personne d'autre que vous ne doit toucher à *quoi que ce soit* avant l'arrivée du légiste.

Tandis qu'il attendait, il lui vint à l'esprit que la victime avait le même âge que lui. Cela ne lui plut guère. Rien qu'à l'idée d'avoir un point commun avec un individu à ce point difforme, il se sentait mal à l'aise. Comment pouvait-on vivre dans ce corps entièrement contracté ?

— Pauvre diable, souffla-t-il.

Au retour de Mitchell, Petri décida de conduire ses interrogatoires dans la salle de séjour des malades. Il commença par Mrs.

Simonton. Le choc se lisait encore sur son visage, et en s'asseyant sur le canapé elle poussa un profond soupir. Lui-même s'installa dans le fauteuil qui lui faisait face.

— Il était lourdement handicapé, n'est-ce pas ? commença-t-il.

— En effet, oui.

— Y avait-il des choses qu'il pouvait faire tout seul ?

— Non. On devait le laver, le retourner, le nourrir.

— Il pouvait parler, tout de même ?

— Non, même pas.

Un légume, songea Petri. Mais comment un légume pouvait-il être apprécié par son entourage ? Et cet esprit brillant dont elle lui avait parlé ?

— Je croyais qu'il était très intelligent ? Et que tout le monde l'aimait ?

— C'est vrai. Il ne parlait pas, mais il pouvait communiquer. Tout est décrit dans l'ouvrage dont je vous ai touché un mot. Il y a une planche alphabétique accrochée à la tête du lit. Quand on la lui présentait d'une certaine façon, il savait épeler des mots et des phrases avec les jointures de ses doigts.

Petri se traita d'imbécile. Il n'avait rien vu.

— J'aurais dû la remarquer, dit-il. Excusez-moi un moment.

Il alla inspecter la planchette et demanda à Mitchell d'y relever également d'éventuelles empreintes digitales. Mrs. Simonton constata avec soulagement que ce jeune homme ne prétendait pas être infaillible.

— On avait réussi à lui obtenir un ordinateur, lui dit-elle tristement lorsqu'il vint la rejoindre. Il aurait dû arriver à Pâques. Il n'aurait pas tapé plus vite pour autant, mais au moins le résultat se serait affiché à l'écran ; on aurait eu moins de mal à le comprendre et à communiquer avec lui. Et puis, il aurait pu écrire pour lui-même. D'ailleurs, il avait l'intention d'écrire un livre.

— Un *livre* ? Mais sur quoi ?

— Cela devait s'intituler *Le Pouvoir de l'impuissance*.

Brusquement, Petri sentit la tête lui tourner. Pour la deuxième fois, il avait l'impression (en plus intense) d'avoir mis les pieds dans un milieu étrange et dérangeant. Deux minutes plus tôt, ils parlaient d'un légume, et voilà qu'à présent c'était un homme qui s'apprêtait à écrire un livre sur le pouvoir. Tout ça n'avait aucun sens.

— Écrire un livre, c'est un projet ambitieux, commenta-t-il prudemment.

— Pas pour Stephen. Je crois que vous confondez handicap physique et facultés mentales. Chez lui, ces dernières n'étaient pas le moins du monde atteintes. Vous ne pouvez pas savoir à quel point il était brillant, inspecteur. C'est pourquoi je pense que vous devriez lire ce livre sur lui. Avant son départ de l'institution d'État, on lui a fait passer un test de Q.I. ; on a trouvé 135, ce qui le place dans la tranche supérieure. Mais les psychologues ont déclaré que ce résultat était défavorablement influencé par le handicap physique, et affirmé sans équivoque que son Q.I. était certainement beaucoup plus élevé. À certains égards, c'était indubitablement un génie. J'ai des raisons de croire qu'il était considérablement plus intelligent que vous et moi.

Ça ne collait toujours pas. Voilà un individu qui voulait écrire un livre sur le pouvoir et qui ne pouvait ni parler ni bouger, qu'on avait poignardé à mort aussi facilement qu'on perce un ballot de paille. Où était le pouvoir là-dedans ? Petri éprouva soudain le besoin urgent de se raccrocher à la procédure, la routine quotidienne, les détails pratiques.

— Pouvez-vous me montrer son dossier médical ? demanda-t-il.

Il suivit Mrs. Simonton jusqu'au bureau des infirmières ; il voulait empêcher quiconque de toucher au dossier. Il allait falloir prendre en compte la possibilité qu'il ait déjà été modifié. L'infirmière le remit à Mrs. Simonton, qui le lui passa. Il était épais. Petri l'ouvrit et parcourut la première page. La note la plus récente était : « 4 h 00 du matin. Stationnaire. » et était signée H. Barsten.

— Je vais devoir confisquer ceci, déclara Petri en regagnant le séjour. Ainsi que toutes les archives concernant le sujet. Pourrez-vous me les remettre avant que je parte ?

— Pas de problème, répondit Mrs. Simonton.

Le *sujet !* répéta-t-elle en son for intérieur. Cette façon de parler des gens la faisait grincer des dents, même si elle sentait bien que c'était un défaut de jeunesse.

— Avait-il des visiteurs ? demanda le policier.

— Un seul : l'homme qui a découvert que Stephen n'était pas arriéré, et qui en a fait un livre. Il a continué à s'intéresser beaucoup à lui et vient lui rendre visite quatre à cinq fois par an.

— Pas de famille ?

— Ses parents l'ont placé en institution quand il avait deux ans. Je crois que cela a dû être très douloureux pour eux. Avoir un enfant aussi gravement handicapé, c'est une véritable tragédie. Quoi qu'il en soit, lorsqu'on a découvert qu'il n'était pas mentalement atteint, trois

144

ou quatre ans plus tard, l'institution a repris contact avec eux. Mais ils ont déclaré qu'ils l'avaient abandonné, et ne voulaient plus revenir en arrière.

– Ça me paraît un peu dur.

– Certes, mais néanmoins compréhensible. Ayant déjà dû prendre une fois la terrible décision de l'abandonner, on voit bien pourquoi ils n'ont pas voulu remuer d'anciens chagrins – et d'anciens sentiments de culpabilité aussi. Nous avons ordre de ne les contacter qu'au jour de sa mort. Chose que je n'ai pas encore faite. Mais de toute façon, pour autant que je sache, ils ne l'ont pas vu depuis vingt-sept ans.

– Personne d'autre ?

– Non, personne.

– Qui paie les frais de son hospitalisation ?

– L'État. C'est peut-être aussi la raison pour laquelle ses parents ont décidé de couper les ponts. On leur aurait sans doute demandé de le prendre en charge financièrement.

Pendant plusieurs minutes, Petri écrivit sur son carnet. Mrs. Simonton l'observait en se posant des questions. De toute évidence, pour un jeune homme, il était loin d'être incompétent. Mais saurait-il *comprendre* ? Elle n'en était pas du tout sûre.

Petri cessa d'écrire.

– Je vous verrai de toute manière avant de partir, et j'aurai peut-être besoin de vous avant, déclara-t-il. Pour l'instant, il faut que j'interroge le personnel. Voulez-vous m'amener l'aide soignante qui a découvert le corps ?

Pâle comme un linge, Peggy Valeno tremblait encore.

– Je vois bien que cette histoire vous a bouleversée, fit-il d'un ton rassurant. Si je comprends bien, c'est vous qui avez découvert le corps. (Peggy hocha la tête en silence.) Pouvez-vous me raconter comment ça s'est passé ?

– J'allais pour lui faire sa toilette, comme tous les matins, commença-t-elle d'une voix chevrotante. Le drap était rabattu sur son visage. Dès que je l'ai soulevé, j'ai compris que quelque chose n'allait pas – son teint. Puis j'ai vu les ciseaux. Et je me suis mise à crier.

Petri compatit. Ce n'était qu'une gamine, sans doute tout juste sortie du lycée, et peu préparée à ce genre d'expérience. D'ailleurs, personne n'y était jamais préparé.

– Vous souvenez-vous d'avoir touché le corps d'une manière ou d'une autre ?

— Je ne sais pas. Je ne m'en souviens pas.

— Avez-vous touché aux ciseaux ?

— Peut-être avec le drap. Je ne sais pas. Je n'arrive pas à me souvenir. Non, je ne crois pas.

— Avez-vous autre chose à me dire ?

Peggy secoua la tête.

— Voyez-vous une raison, quelle qu'elle soit, pour que quelqu'un, y compris vous-même, ait voulu l'assassiner ?

Nouveau signe de dénégation.

— Vous n'avez rien à me dire sur lui ?

— Je l'aimais bien, répondit Peggy d'une voix mal assurée. Il était drôlement intelligent. Je ne sais pas pourquoi, mais j'avais l'impression qu'il me comprenait.

Petri crut qu'elle allait éclater en pleurs. Elle ne lui paraissait pas très futée, mais il sentait nettement en elle quelque chose d'authentique. Il la remercia et l'informa qu'il reviendrait la voir s'il avait d'autres questions à lui poser.

Le reste du personnel de jour de l'Aile C ne lui apprit rien d'autre que ce qu'il tenait déjà de Peggy Valeno et de Mrs. Simonton. Puis vint le tour de Bertha Grimes.

— C'est épouvantable, n'est-ce pas ? fit-elle en guise de présentations.

Mais Petri nota qu'au-delà des mots, cette femme robuste, presque vieille, semblait peu affectée. On était bien loin de Peggy et des réels sentiments qu'elle avait éprouvés pour Stephen.

— Vous étiez de service hier soir ? s'enquit Petri.

— Oui.

— Qui était de service avec vous ?

— Heather.

— C'est-à-dire Ms. Barsten ?

— C'est ça.

— Quand avez-vous vu le défunt pour la dernière fois ?

— Vers minuit, répondit Bertha, laconique. Quand je suis allée le retourner. Il fallait le faire toutes les quatre heures. À cause des escarres, vous savez. On n'a pas parlé, mais il était comme d'habitude. Pas mort. J'aurais remarqué, s'il avait été mort.

Manifestement, cette femme était d'un naturel placide.

— Donc, à votre connaissance il a pu être tué n'importe quand à partir de minuit ?

— Eh bien, non, on ne peut pas dire ça. Vers trois heures du matin, Heather l'emmène toujours dans le vestibule de la pharmacie pendant qu'elle prépare les médicaments. Alors, je n'ai pas besoin d'aller le retourner. Ils discutent, tous les deux. Ils sont très proches. La nuit dernière, elle l'a emmené comme d'habitude. Donc, il devait être encore en vie.

— À quelle heure l'a-t-elle ramené ?

— Je ne sais pas. Je n'ai quand même pas l'œil rivé à ma montre. Probablement aux environs de quatre heures.

— Donc, pour vous il a dû être tué après cette heure ?

— Je ne sais pas. Je suppose, oui.

— Qu'avez-vous fait après quatre heures ?

— Rien jusqu'à six heures du matin. L'heure à laquelle je fais ma tournée.

— C'est-à-dire ?

— Eh bien, je prends la température, le pouls, parfois la tension.

— Et alors, est-ce que la victime était encore vivante à ce moment-là ?

— Je ne sais pas. Je ne m'occupe pas de tout le monde. Seulement de ceux pour qui j'ai des ordres du médecin. Il n'y avait aucune raison pour que je prenne son pouls et sa température. On ne me l'avait pas demandé.

— Qu'avez-vous fait entre quatre et six heures ?

— Rien.

— Rien ?

— Enfin, j'ai lu. C'est pour ça que j'aime ce boulot. Il ne se passe pas grand-chose, la nuit. Ça me permet de lire beaucoup.

— Et Ms. Barsten, que faisait-elle pendant ce temps ?

— Je ne sais pas. Quand je pars faire ma tournée de six heures, elle fait les médicaments.

— Expliquez-vous.

— Vous savez bien, la distribution des médicaments. Avant ça, elle a probablement rédigé les notes de la nuit. Non, attendez. Je me souviens maintenant. Elle m'a dit qu'elle allait faire un tour dehors.

— Faire un tour dehors ?

En plein milieu d'une nuit glaciale, ça paraissait bizarre pour une infirmière de garde.

— C'est ça.

— Quelle heure était-il ?

— Je ne sais pas. Peut-être quatre heures et demie.

— À quelle heure est-elle revenue ?

— Aucune idée. Peut-être cinq heures.

— Elle a l'habitude d'aller se promener comme ça ?

— Non. Je ne me rappelle pas l'avoir jamais vue sortir.

— Savez-vous pourquoi elle est partie se promener hier soir ?

— Pas du tout.

Petri était frappé par l'extrême taciturnité de Bertha. Et quelle passivité ! Apparemment, elle n'était en rien affectée par les événements. Elle lui fournissait les faits, mais rien d'autre. Par ailleurs, elle ne paraissait pas d'une grande vivacité d'esprit.

— Donc, à votre connaissance, Ms. Barsten a ramené le défunt sur son chariot et l'a laissé contre le mur adjacent au bureau des infirmières aux alentours de quatre heures. Vers quatre heures et demie, elle est allée faire un tour et est rentrée vers cinq heures. Aux environs de six heures, vous avez toutes les deux quitté le bureau, vous pour faire votre tournée et elle pour distribuer les médicaments. Avez-vous quitté le bureau pendant que Ms. Barsten se promenait ou à n'importe quel moment entre quatre et six heures ?

— Pas que je m'en souvienne.

— Vous êtes sûre ?

— J'ai dit : pas que je m'en souvienne.

Petri abandonna.

— Voyez-vous une raison pour qu'on ait voulu assassiner la victime ? demanda-t-il.

— Non. Pour moi, c'était un gentil garçon. Je ne peux pas vous en dire plus que ce que je vous ai déjà dit.

Petri craignit qu'elle ne dise vrai et la laissa partir. Il mettait le tout par écrit lorsqu'il entendit des cris dans le couloir.

— Je veux le voir ! Oh, mon Dieu ! Laissez-moi le voir ! Laissez-moi passer ! Stephen ! Stephen !

Petri se rua vers la salle des infirmières et vit Mitchell essayer d'arrêter une jeune femme aux cheveux sombres revêtue d'un uniforme blanc. Petri la ceintura par-derrière. Elle se débattit de toutes ses forces.

— Je vous en prie, laissez-moi le voir, gémit-elle. Oh, Stephen ! Qu'est-ce qu'on t'a fait ?

Petri l'enserra dans l'étau de ses bras.

— Arrêtez ! cria-t-il. (Puis il reprit un ton normal afin de se présenter.) Je suis l'inspecteur de police Petri. C'est moi qui commande, ici. On ne fait rien sans ma permission, ni vous ni personne. Et maintenant, calmez-vous.

148

Entendant son ton autoritaire, Heather cessa de se débattre. Néanmoins, elle semblait incapable de comprendre quoi que ce soit en dehors de ses propres supplications.

— Il faut que je le voie, geignit-elle.

— Mais vous le voyez, répliqua Petri. Il est là, sous vos yeux.

Et en effet, derrière le sergent Mitchell, le corps gisait en l'état sur son chariot, les ciseaux toujours enfoncés dans la poitrine, le drap toujours rabattu sur les reins. Les côtés du lit et la planche à lettres étaient couverts de poudre à empreintes. Par terre, l'appareil photo de Mitchell entouré d'ampoules de flashes usagées. Le médecin légiste n'était pas encore arrivé.

— Je veux le toucher. Je veux le prendre dans mes bras, gémit Heather.

— Impossible, fit le policier avec force. Personne ne doit le toucher jusqu'à l'arrivée du médecin légiste. Si vous voulez le toucher, vous pourrez le faire à la morgue. (Il la fit pivoter vers lui et la regarda dans les yeux.) Qui êtes-vous ?

— Heather Barsten.

— C'est vous qui étiez de service la nuit dernière ?

Heather hocha la tête.

— Je vous prie de me suivre dans le séjour, Ms. Barsten, fit Petri en l'agrippant par le bras droit et en la forçant à le suivre.

Pour la première fois elle sembla prendre conscience de sa présence, et se laissa conduire.

— Je vois que vous êtes bouleversée, dit-il une fois qu'elle fut assise en se rendant compte qu'il était bien en deçà de la vérité.

En réalité, songea-t-il, elle est en pleine crise d'hystérie. Il se dit aussi qu'elle aurait été jolie sans l'égarement qui déformait ses traits.

— Avez-vous quelque chose à me dire à propos de ce qui s'est passé ? lui demanda-t-il.

Heather posa sur lui un regard vide d'expression.

— Qu'avez-vous à me dire ? répéta-t-il.

Elle éclata en sanglots. Petri se sentit pris entre deux feux. D'un côté il aurait voulu la consoler, réagir à ce qui lui paraissait être un authentique chagrin aggravé d'un état de choc. Mais de l'autre, il n'arrivait pas à comprendre pourquoi une infirmière travaillant en centre de soins pouvait éprouver une telle peine devant la mort — même violente — d'un cas manifestement désespéré. Il la laissa pleurer et attendit.

Au bout de quelques minutes, ses sanglots s'atténuèrent sensiblement. Il se dit qu'il l'aiderait peut-être en en restant pour l'instant aux détails matériels.

— Vous êtes bien Ms. Barsten, de garde la nuit dernière dans cette aile ?

Heather hocha la tête.

— À quelle heure avez-vous pris votre service, et à quelle heure êtes-vous partie ce matin ?

— Sept heures hier soir. Je suis partie à sept heures du matin — non, un peu plus tard, peut-être sept heures et quart. Je suis restée faire mon rapport à l'infirmière de jour.

Elle avait l'air paralysée par la douleur, mais au moins était-elle en mesure de répondre clairement.

— À quelle heure avez-vous vu pour la dernière fois la victime vivante ?

— Je crois qu'il devait être à peu près quatre heures du matin.

— Comment savez-vous l'heure qu'il était ?

— Parce que c'est l'heure à laquelle je finis mes médicaments. J'emmène Stephen avec moi quand je vais les préparer. On parle. Quand j'ai terminé, je le ramène.

— Où ça ?

— Je pousse son chariot contre le mur, près du bureau. (Heather s'étrangla.) Là où il se trouve en ce moment.

— Donc, lorsque vous l'avez quitté à quatre heures, il allait tout à fait bien ?

Il y eut un silence bizarre, à la suite duquel elle répondit :

— Oui.

— Vous n'en avez pas l'air certaine, remarqua Petri.

— Je veux dire qu'il se portait très bien physiquement. Enfin, toutes proportions gardées. Mais moralement, il était déprimé.

— Pourquoi ?

Encore une fois, elle eut une curieuse hésitation.

— À cause de son infirmité, fit-elle enfin. Il sentait qu'il n'avait pas d'avenir. C'est dur, de vivre dans un corps de handicapé.

Petri voulait bien le croire.

— Qu'avez-vous fait après l'avoir quitté ? reprit-il.

— J'ai commencé à rédiger mon rapport. Mais au bout d'un moment, je suis allée faire un tour. Je l'ai terminé en rentrant. Puis je suis restée plongée dans mes pensées jusqu'à six heures, heure à laquelle je dois distribuer les médicaments.

150

— De quelle heure à quelle heure êtes-vous sortie ?

— De quatre heures et demie à cinq heures environ, je crois.

— Vous ne savez donc pas ce qui a pu se produire pendant cette demi-heure où vous étiez absente ?

— Non. Mais Bertha était là, elle.

— Où ça, « là » ?

— Au bureau des infirmières.

— Enfin, c'est ce que vous croyez. (Petri lui fit ainsi remarquer la faille de son raisonnement, puis poursuivit.) Allez-vous régulièrement vous promener dehors à cette heure de la nuit, Ms. Barsten ?

— Non.

— Pourquoi êtes-vous sortie cette nuit-là, alors ?

— Parce que je me faisais du souci.

— À quel sujet ?

— Je me faisais du souci parce que Stephen se faisait du souci. Et aussi à cause de mes problèmes sentimentaux. J'ai une vie amoureuse qui va tout de travers.

Ça au moins, c'était une réponse franche. Petri éprouva de la curiosité. La plupart des détectives sont un peu des voyeurs, supputa-t-il. Ils trouvent un certain plaisir à mettre leur nez dans les affaires personnelles des gens, à explorer leur face cachée. Mais il savait aussi que cette pulsion devait être compensée par une certaine dose de tact, et pour l'instant, il s'intéressait davantage à ce qui se passait à l'intérieur de Willow Glen qu'à l'extérieur.

— Vous paraissiez très attachée à la victime, commenta-t-il.

— Évidemment que j'y suis attachée. Je l'aime.

Comme pendant son entretien avec Mrs. Simonton, Petri nota l'emploi du présent, signe d'authentique commotion. Mais l'intensité dépouillée de cette affirmation le stupéfia.

— Vous l'aimez *d'amour* ? Et pourquoi cela ?

— Parce qu'il est beau.

Pour la troisième fois de la matinée, il eut la sensation déroutante de se trouver dans un monde nouveau et tellement dingue que, entre autres choses, il n'en comprenait même pas la langue. Alors que le corps qui gisait là-bas dans le couloir était l'être humain le plus hideusement difforme qu'il eût jamais vu, cette jeune femme passionnée le qualifiait de « beau ». Il ne savait plus quelle démarche adopter. Il se sentait perdu. Si vous vous sentez perdu, prenez des notes, lui avait-on appris pendant ses stages. Il suivit donc le conseil. Pendant cinq bonnes minutes, avec cette étrange jeune femme assise en silence devant lui, il écrivit sur son carnet. Sa version des faits et celle de Bertha Grimes coïncidaient parfaitement.

Mais il n'était pas tout à fait tranquille. Même en tenant compte du choc que pouvait causer ce genre d'assassinat brutal, la réaction de Ms. Barsten lui paraissait disproportionnée. Après tout, pour une infirmière la mort était monnaie courante, et dans un centre de soins peuplé en majorité de gens âgés et d'infirmes, on devait s'y trouver confronté plus souvent encore qu'à l'hôpital. D'autre part, elle semblait personnellement affectée.

Il la dévisagea. Ses traits s'étaient affaissés, vidés de toute expression ; on aurait dit un automate. Manifestement, il n'en tirerait plus rien. Il avait encore des questions à lui poser, mais décréta que ce n'était pas le moment.

— C'est tout ce que je voulais savoir pour l'instant, conclut-il. J'aurai d'autres choses à vous demander, mais vous pouvez y aller, maintenant. Vous êtes encore sous le choc. Je vous interdis d'essayer de toucher le corps. Voulez-vous que je vous raccompagne jusqu'à votre voiture ?

— Non, ça va aller, répondit-elle en se levant.

— Euh... autre chose, Ms. Barsten. Avez-vous une idée de l'identité du meurtrier ? Ou de son mobile ?

— Non, fit Heather en secouant la tête. (Elle fit mine de se détourner, puis s'immobilisa et fixa sur lui un regard de braise.) Mais si je le découvre, soyez sûr que je vous le dirai.

Là-dessus ses yeux redevinrent ternes, et elle s'en alla.

En regagnant le bureau des infirmières, Petri vit que le légiste était arrivé. Il se présenta, et tous deux s'entretinrent brièvement des circonstances du meurtre. Mitchell avait fini son travail et attendait les ordres. Pour le moment, ils n'avaient plus rien à faire sur place.

— On s'en va, Bill, dit Petri. Il faut faire notre rapport au commissaire.

En sortant, ils s'arrêtèrent chez Mrs. Simonton ; le jeune policier eut la surprise de constater qu'elle avait pleuré. Ses yeux rougis paraissaient incongrus dans ce visage intense et impressionnant.

— Je suis navré pour tout ce qui est arrivé, commença-t-il. Nous en avons terminé pour l'instant. Le médecin légiste est là ; il va s'occuper du corps. En ce qui me concerne, je ne vois pas d'inconvénient à ce que vous laissiez sortir les malades de leurs chambres dès qu'il l'aura emporté. Je reviendrai demain matin pour poursuivre l'interrogatoire.

— Je suis contente que nous puissions relâcher les pension-naires ; seulement, ils vont s'effrayer. Vous n'auriez pas une idée de ce que je pourrais leur dire pour les rassurer ?

— Pourquoi ont-ils besoin d'être rassurés ?

Mrs. Simonton lui jeta un regard agacé. Faisait-il semblant de ne pas comprendre ?

— Parce qu'il vont craindre un autre meurtre, ils vont se sentir en danger.

— Je vois. Eh bien, dites-leur que les assassinats en chaîne sont en réalité peu fréquents.

Ce fut le tour de la directrice de ne pas comprendre.

— Comment ça, « en chêne » ?

— Je veux dire : en série. En général, les meurtriers ne frappent qu'une fois dans leur vie, au maximum deux. Le public se fait tout un cinéma sur les tueurs fous errant en liberté et qui traquent leurs vic-times l'une après l'autre ; mais en fait, on ne se rend pas compte à quel point c'est un phénomène rare. Statistiquement improbable.

Mrs. Simonton, elle, ne trouvait pas les statistiques particulière-ment rassurantes. Elle préféra changer de sujet.

— J'ai averti les parents. Ils connaissent un établissement funé-raire et s'acquittent des démarches nécessaires. Je tiendrai le médecin légiste au courant.

S'il n'y avait pas eu ses yeux rougis, Petri n'aurait jamais deviné qu'à un moment, elle avait perdu son sang-froid.

— En effet, cela nous rendrait service. À propos, j'ai une ques-tion à laquelle vous pourrez peut-être répondre. D'habitude, on peut lire beaucoup de choses sur le visage d'un mort, quelle que soit la cause du décès. Mais la victime a un visage peu ordinaire. Je n'ai rien pu en tirer.

— Ses muscles faciaux étaient paralysés au même titre que le reste de son corps. Incapables d'exprimer ses émotions.

— D'après que ce vous et les autres m'avez dit, c'était un jeune homme remarquable. Ms. Barsten, en particulier, semblait très atta-chée à lui.

Mrs. Simonton le regarda en face.

— Si vous parvenez à connaître suffisamment bien Willow Glen, inspecteur, vous découvrirez que nous avons ici beaucoup de gens remarquables. On a tendance à considérer la maison de retraite comme une espèce de décharge, mais c'est tout autre chose. Mais oui, c'est vrai, Stephen était quelqu'un de tout à fait remarquable.

— Il faut que j'aille faire mon rapport au commissaire maintenant, fit Petri en se levant. Il doit pouvoir répondre aux médias.

— Aux médias ?

— Mais oui, les journaux, les stations de radio locales... ou du
reste de l'État d'ailleurs. Ils vont se précipiter. Ce n'est pas comme à
New York, ici. Ils vont le harceler jusqu'à ce soir. Ou plutôt, jusqu'à la
conclusion de l'affaire. Appelez-moi s'il arrive quoi que ce soit, ou si
vous avez des questions à me poser. De toute façon, je serai là vers
huit heures trente, demain matin. Je commencerai probablement par
interroger les malades du service.

— Comme vous voudrez, lieutenant. (Pour lui, cela allait de soi ;
mais la perspective de toute cette publicité l'avait douchée.) Voici les
archives concernant Stephen, comme vous me l'avez demandé. Ainsi
que le livre dont je vous ai parlé.

Petri en eut plein les bras. Il se dirigea vers la voiture de police en
compagnie de Mitchell. Tandis qu'ils démarraient, il songea distraitement à la différence colossale qu'il avait constatée entre l'infirmière
de nuit et son aide soignante. Bertha Grime se comportait comme s'il
ne s'était rien passé de notable, et Heather Barsten comme si le
monde venait de s'effondrer. Puis il baissa les yeux sur la tranche du
livre reposant au-dessus des autres documents entassés sur ses
genoux. Le titre en était *Résurrection* et l'auteur un certain Stasz Kolnietz.

Depuis son entrevue avec l'inspecteur, Peggy avait passé son
temps à nourrir les malades ; puisqu'ils étaient encore tous consignés
dans leurs chambres, il fallait leur apporter leur déjeuner. Elle ramena
ensuite son énorme pile de plateaux à la cuisine. En revenant, elle vit
le médecin légiste pousser le chariot de Stephen vers la sortie. Elle alla
trouver l'infirmière et demanda la permission de quitter son service
deux heures plus tôt que d'habitude.

Susan la dévisagea froidement, sachant non seulement que la
petite était à l'essai, mais aussi qu'elle était arrivée en retard le matin.

— Ce n'est pas à moi qu'il faut demander la permission, déclara-
t-elle. Il faut voir ça avec la sous-directrice.

Ms. McAdams écouta la requête de Peggy et était sur le point de
refuser lorsque Mrs. Simonton entra dans son bureau.

— Je m'en occupe, intervint cette dernière. Suivez-moi, Peggy.

La directrice ferma la porte et s'assit à son bureau. Elle vit les
larmes qui emplissaient les yeux de Peggy.

154

— Vous souhaitez partir plus tôt ce soir, c'est ça ?

— Je suis toute bouleversée, répondit Peggy.

— C'est bien naturel, répondit Mrs. Simonton d'un ton neutre.

— C'est que... je ne comprends pas.

— Vous avez l'air très affectée.

— Je ne comprends pas !

— Bien sûr. Il est normal que vous ne compreniez pas ce genre de choses. Oui, vous pouvez vous en aller, Peggy. Mais revenez demain, d'accord ? Rentrez chez vous et laissez libre cours à vos émotions, vos pensées.

Peggy prit congé. Mrs. Simonton la suivit du regard. Déjà elle sentait que parmi le personnel, y compris elle-même, la routine reprenait ses droits. On avait à faire. La vie continuait. Mais il était normal, souhaitable même, que quelqu'un (Dieu merci !) se révèle incapable de continuer, de faire face en souplesse.

Puis elle se laissa aller en arrière et se plongea dans ses réflexions. Toute la matinée, elle avait songé avec inquiétude aux malades et à ce qu'il allait falloir leur dire pour les rassurer. Mais jusqu'à ce que le lieutenant mentionne le fait en passant, elle n'avait pas du tout pensé aux médias. Il ne leur faudrait pas longtemps pour se mettre en rapport avec elle aussi. Comment devait-elle s'y prendre ? Elle connaissait le commissaire. Il devait être expert en la matière. Et elle le savait sensible, ce qui était encore plus utile. La meilleure solution était sans doute de ne rien dire à la presse et de répercuter toutes les questions sur la police. Malgré tout, une fois que les médias auraient couvert l'affaire, il faudrait rassurer les familles, qui feraient des reproches et peut-être même voudraient retirer leur malade de Willow Glen. Devait-elle essayer de les coiffer au poteau, leur téléphoner à tous pour leur dire que tout était rentré dans l'ordre ? Il y en avait plus d'une centaine. Non, c'était au-dessus de ses forces. Par ailleurs, comment pouvait-on affirmer que tout allait bien alors que l'assassin courait toujours ? Non, décidément, mieux valait demander à McAdams d'embaucher des vigiles pour monter la garde vingt-quatre heures sur vingt-quatre. À part cela, il n'y avait pas grand-chose à faire. Bizarrement, le titre du livre que Stephen n'écrirait jamais lui revint en mémoire : *Le Pouvoir de l'impuissance*. Elle ne pouvait qu'attendre la conclusion du drame.

Elle avait la tête pleine de pensées, d'émotions. La culpabilité, d'abord : avait-elle négligé quelque chose ? Aurait-elle pu mieux protéger Stephen ? Elle se rendait compte en même temps que ces autoaccusations étaient irrationnelles, qu'elles faisaient instinctivement partie du premier stade du processus de deuil. Tout le monde en passait par là. Qu'aurait-elle bien pu faire pour empêcher le meurtre totalement imprévisible d'un individu incapable de se défendre, par un assassin dont l'identité (et le mobile) lui échappait complètement ?

Parallèlement aux questions qu'elle se posait se profilait l'impression de ne rien savoir sur rien. Comment savoir s'il n'y avait pas un soupçon de justice dans la mort de Stephen ? N'avait-il pas assez souffert comme cela dans sa vie ? Les bienfaits déguisés étaient autant l'exception que la règle. Pour autant qu'elle sache, la vie elle-même était un bienfait déguisé.

Mais ce n'était pas son sentiment. Parce que, par-dessus tout (au-dessus et au-delà de ces spéculations), il y avait la sensation d'avoir personnellement perdu quelque chose. Son premier pensionnaire à Willow Glen. Bien plus, un ami, un pair, un être d'une lucidité stupéfiante. Plus jamais elle ne profiterait de ses sermons laconiques. POURQUOI / UN / TEL / BESOIN / DE / VOUS / ATTACHER ? avait-il épelé sur sa planche un jour où elle lui faisait le récit de ses malheurs. Pourquoi, en effet ? Mais c'était vrai, elle s'attachait. Elle s'était attachée à lui. Non pas à ses sermons, ni à son amitié, mais à lui. C'était de *lui* qu'elle pleurait la perte. Une chose indéfinissable et unique dans l'univers venait de disparaître. Elle réprima un sanglot.

À travers ses larmes, Mrs. Simonton jeta un regard à la porte du bureau pour s'assurer qu'elle était bien fermée. Sans se préoccuper du reste, consciente que les employés pouvaient entendre quelque chose de bizarre, elle contempla le canapé comme si Dieu Lui-même était assis là, l'air narquois, et abattit son poing sur son bureau.

— Je n'ai pas confiance en Toi ! s'exclama-t-elle en criant à demi. Je n'ai jamais eu confiance en Toi. Tu n'as jamais mérité ma confiance, je ne vais pas commencer à Te l'accorder maintenant !

La crise passa. Elle se remit sur pied avec lassitude. Une fois qu'elle aurait parlé des vigiles à McAdams, elle irait jusqu'à l'Aile C pour discuter avec Susan de l'attitude à adopter vis-à-vis des patients, et voir en quoi elle-même pouvait se rendre utile en l'absence de Peggy.

CHAPITRE SEPT

Mardi 22 mars

Georgia avait passé une bonne nuit, après la journée bien remplie de la veille. Il s'était passé tant de choses ! Chez les pensionnaires, elle avait été au centre de l'attention. Non seulement elle était l'une des rares personnes à avoir effectivement *vu* les ciseaux pointer hors de la poitrine de Stephen, mais elle était aussi à peu près la seule à avoir jamais communiqué avec lui. Ce qui l'avait d'ailleurs mise un tant soit peu mal à l'aise. Cela lui paraissait injuste. On aurait tout de même pu assassiner un individu qui lui soit indifférent. Ou bien quelqu'un de méchant. Ceux qui voulaient parler du meurtre avaient absolument tenu à ce qu'elle leur raconte tout ce qu'elle savait, même si en réalité, elle ne savait pas grand-chose. Rassemblés autour d'elle à table ce soir-là, les malades s'étaient montrés agités, craintifs, curieux. L'aspect négatif de la journée était qu'ils avaient dû rester dans leur chambre toute la matinée sans savoir ce qui se passait ; en outre, Lucy refusait d'évoquer le sujet.

Mais on avait fini par emporter le corps et les laisser sortir, juste après le déjeuner. Et le matin, tandis qu'ils prenaient tous ensemble le petit déjeuner dans la salle à manger, à défaut d'être gaie Lucy se montra un peu plus communicative.

— Je savais bien que j'avais tort de venir ici, dit-elle. Il faut que je m'en aille. En rééducation, hier, on m'a dit que je devais rester encore dix jours, mais aujourd'hui je vais demander à sortir tout de suite. Après tout, un des kinésithérapeutes peut venir me voir chez moi. Je veux partir aujourd'hui même.

— Pourquoi êtes-vous si pressée ? s'enquit Georgia.

— Parce que j'ai peur, évidemment.

— Peur de quoi ?

— De quoi ? répéta Lucy d'un ton surpris. Mais de me faire assassiner, voyons ! Je suis terrorisée. Ça ne vous fait pas peur, vous, qu'un assassin se promène en liberté dans nos murs ?

— Ma foi, je n'avais pas vu les choses sous cet angle, répondit Georgia. En fait, je trouve ça plutôt excitant.

Lucy la regarda d'un air abasourdi. Puis, brusquement, elle eut un éclair de lucidité. Elle comprit que non seulement Georgia était bizarrement infantile, mais qu'en plus, d'une certaine manière, il lui manquait l'envie de vivre que ressent tout adulte normalement consti- tué. Ou peut-être était-elle si souvent perdue dans ses rêveries qu'elle ne connaissait tout simplement pas la peur. Simultanément, elle se rendit compte qu'elle-même, Lutzina Stolarz, n'était pas disposée à mourir.

Comme promis, le lieutenant Petri était dans le bureau de Mrs. Simonton à huit heures et demie. Elle prépara du café pour eux deux. Le policier avait hâte de savoir ce que révélerait cette nouvelle journée, mais prit bien soin de s'exprimer posément en lui deman- dant s'il y avait du nouveau.

— J'ai embauché trois vigiles, un pour chaque équipe, répondit- elle. J'ai parfois l'égoïsme de regretter que nous ayons une telle pénu- rie de main-d'œuvre dans la région. Ms. McAdams a dû faire plus de cent cinquante kilomètres pour trouver le troisième. Ils ont ordre de consacrer la moitié de leur temps à surveiller l'Aile C et le reste à patrouiller dans l'établissement. Dans chaque service se trouve une porte coupe-feu verrouillée de l'extérieur afin que personne ne puisse entrer par là, et une sonnerie d'alarme retentit quand on essaie de sortir par l'une d'elles. J'ai bien pensé les verrouiller de l'intérieur aussi, mais les pompiers ont refusé de m'accorder une dispense à cet effet. Même dans ces circonstances exceptionnelles. Incroyable, non ? Bref, une secrétaire garde un œil sur la porte d'entrée principale pen- dant la journée, et une de mes aides soignantes s'en chargera de cinq heures à onze heures. Ensuite, cette porte-là aussi sera fermée à clef, jusqu'à sept heures du matin. Nous consignons par écrit toutes les entrées et sorties. Est-ce que cela vous convient ?

— Ça me semble sérieux. Quoi d'autre ?

— Eh bien, l'ensemble du personnel est en émoi, bien sûr. Un peu nerveux, aussi. Les malades les plus alertes ont peur. Pour essayer de les tranquilliser, les infirmières leur parlent des vigiles. Mais certains ne se laissent pas si facilement apaiser, et je dois dire qu'on ne peut guère le leur reprocher.

— Et puis ?

— Les journalistes ont commencé à m'appeler dès que je suis rentrée chez moi hier soir. Heureusement, ça s'est calmé vers minuit. Je me suis contentée de vous les renvoyer. Je ne leur ai rien dit que la police ne sache déjà. Je n'ai pas encore lu les journaux, mais les familles ne vont certainement pas tarder à me tomber dessus. Quelques-unes m'ont déjà appelée hier soir.

— Voyez-vous autre chose ?

— Non. Je n'ai pas dormi autant que j'aurais voulu, mais étant donné les circonstances, je ne m'en tire pas trop mal.

Petri la dévisagea attentivement. Elle avait l'air plutôt reposée. Il s'était entretenu d'elle avec le commissaire, qui avait fait écho aux propos élogieux de Mitchell et des Kubrick sur Willow Glen ; en outre, d'après lui, Mrs. Simonton était une femme de confiance. Malgré tout, Petri n'était pas encore décidé à se fier complètement à elle. Il ne lui dirait pas tout ce qu'il savait. Mais il pouvait sans risque l'informer de trois faits majeurs.

Lentement, il but une gorgée de café en la regardant tirer avec force sur sa cigarette.

— Je crains qu'en l'état actuel des choses et au vu des circonstances du meurtre, de lourds soupçons ne pèsent sur vos employées — soit Ms. Barsten, soit Mrs. Grimes, soit les deux. Qu'en pensez-vous ?

— Je pense, inspecteur, que vous vous trompez de direction. Si vous cherchez à vous renseigner sur leur personnalité — que je suis bien placée pour connaître —, je me sens obligée de vous dire que ni l'une ni l'autre n'est capable de meurtre. Mais vous détenez certainement des informations qui me sont inconnues.

Petri lui jeta un regard admiratif, songeant que s'ils jouaient un jour aux échecs ensemble, il perdrait sans doute la face.

— Le médecin légiste a formulé les déductions habituelles en partant du degré de lividité, du manque de fiabilité de la température rectale et du problème supplémentaire que pose la paralysie de la victime, qui rend la rigidité cadavérique difficile à estimer, annonça-t-il en se félicitant de ses allures compétentes. Mais je l'ai enfin contraint à se prononcer, et il situe le décès autour de cinq heures du matin, à une demi-heure près. Ce qui revient à dire que la victime a été assassinée entre quatre heures et demie et cinq heures et demie du matin. Si l'on en croit Ms. Barsten et Mrs. Grimes, le défunt était alors tout près du bureau des infirmières, où l'une des deux se trouvait lorsqu'il a été poignardé. Comme il est difficile d'imaginer qu'on puisse assassiner quelqu'un sous les yeux d'une infirmière de garde assise à trois mètres de là, il faut en conclure que l'une d'entre elles ment, ou que l'une d'entre elles a tué, ou les deux.

— En effet, c'est logique. Mais si j'en crois mon expérience, le monde dans lequel nous vivons manque parfois de logique.

— Deuxième fait remarquable, poursuivit Petri : il n'y a absolument aucune empreinte digitale sur les ciseaux. Savez-vous ce que cela signifie ? Il est impossible de tenir des ciseaux sans y laisser des empreintes sous une forme ou une autre. Conclusion : l'assassin portait des gants. C'est l'œuvre d'un professionnel. La lame a plongé tout droit dans le cœur. Aucun tâtonnement. La personne qui a tué Mr. Solaris s'est servi de gants et savait exactement comment s'y prendre.

— Comme le ferait une infirmière, si je vous comprends bien ?

— Je n'affirme rien, fit Petri avec un sourire. Croyez-moi si vous voulez, mais on nous apprend à ne pas tirer de conclusions hâtives, que nous ayons ou non la logique pour nous. (Il tira de la poche de son manteau un sac en plastique transparent contenant une paire de ciseaux et le posa sur le bureau de Mrs. Simonton.) Ceci est l'arme du crime. Que pouvez-vous m'en dire ?

Mrs. Simonton examina les ciseaux à travers le plastique.

— C'est le genre d'instruments dont nous nous servons à l'occasion. Apparemment, ils sont du même modèle que nos ciseaux chirurgicaux. Mais on en trouve un peu partout. Surtout dans les hôpitaux et les centres de soins comme le nôtre. Pour autant que je sache, il est même possible qu'on les vende en quincaillerie.

— Vous voulez dire que n'importe qui peut en détenir une paire ? Les malades, par exemple ?

— Je n'en ai pas la moindre idée. Il y a des pensionnaires à qui nous ne permettrions pas de conserver des ciseaux ; ils pourraient se blesser. Mais d'autres s'en servent pour leurs travaux de tapisserie ou de couture.

— À quel endroit de l'établissement puis-je le plus facilement trouver une de ces paires de ciseaux ?

— Dans la pharmacie de chaque service.

— Y en a-t-il dans la pharmacie de l'Aile C ?

— Probablement, oui.

— Allons nous en rendre compte par nous-mêmes, proposa Petri.

Ils longèrent les couloirs menant à l'Aile C. Mrs. Simonton ressentit un vif chagrin en constatant l'absence du chariot de Stephen lorsqu'ils dépassèrent la salle des infirmières en se dirigeant vers la pharmacie. En arrivant, elle ouvrit le placard situé en bas à gauche, en tira un paquet enveloppé dans un linge marron et le lui tendit.

— Il y en a deux autres paires là-dedans, dit-elle.

Petri déplia le tissu maintenu par un morceau de ruban adhésif et compara les ciseaux avec ceux qu'il tira de sa poche. Ils étaient identiques.

— Pourquoi sont-ils emballés ? demanda-t-il.

— Pour garantir leur stérilité. On les stérilise comme ça.

— Supposons qu'une infirmière vienne chercher une paire de ciseaux ici et ouvre le paquet. Que ferait-elle de l'emballage ?

— Elle le déposerait dans le panier à linge.

— Si quelqu'un avait jeté l'emballage dans le panier à linge la nuit du meurtre, est-ce qu'il s'y trouverait toujours à l'heure actuelle ?

— Non. Ils sont ramassés chaque jour et expédiés chez un blanchisseur, en ville. Il n'y serait donc plus.

— Flûte ! fit Petri. J'aurais dû y jeter un coup d'œil hier matin.

Une fois de plus, Mrs. Simonton nota la facilité avec laquelle il se faisait des reproches. C'était un jeune homme consciencieux.

— On ne peut pas penser à tout, dit-elle pour le consoler. Vous ne pouviez pas savoir que nos ciseaux se présentaient sous emballage stérile.

— Dois-je en conclure que je ne peux absolument pas retrouver la trace de cet emballage si quelqu'un l'a jeté la nuit du meurtre ?

— À mon avis, c'est impossible.

— Ces ciseaux figurent-ils sur un inventaire quelconque ? Quand les infirmières en déballent une nouvelle paire, doivent-elles le signaler par écrit ?

— Non. Il y a déjà bien assez de paperasse à faire ici, inspecteur.

— Les gants sont-ils également entreposés ici ?

— Oui, je vais vous montrer. Nous en avons de deux sortes. (Mrs. Simonton sortit du même placard un deuxième paquet de tissu brun.) Ce sont des gants de caoutchouc stériles, l'informa-t-elle. (Puis elle prit une boîte sur la paillasse, l'ouvrit et lui en montra le contenu : une pile de gants en plastique blanc, talqués.) Ceux-là ne sont pas stériles. On s'en sert pour les touchers rectaux, ce genre de choses.

— Vous allez sans doute me dire qu'on n'en tient pas le compte non plus, et que si quelqu'un en a jeté une paire la nuit du meurtre, il me serait absolument impossible de la retrouver ?

— En effet.

— Flûte et re-flûte ! se fustigea à nouveau Petri. J'aurais vraiment dû fouiller hier. Seules les infirmières pénètrent dans cette pièce ?

— Et les aides soignantes, oui. En général. Peut-être un de nos médecins, ou un médecin de l'extérieur. Mais en réalité, n'importe qui *pourrait* y venir.

— Ce n'est pas fermé à clef ?

— Pas la pharmacie. Seulement l'armoire à médicaments. Le reste est ouvert.

— Si je comprends bien, en théorie, n'importe qui aurait pu s'introduire ici à n'importe quelle heure du jour ou de la nuit et s'emparer d'une paire de ciseaux et de gants ?

— En théorie, oui.

— Retournons dans votre bureau, acheva Petri.

Mrs. Simonton lui resservit du café et attendit plusieurs minutes en silence.

— Et maintenant, lieutenant ? s'enquit-elle en songeant qu'elle aussi avait du travail.

— J'aimerais maintenant interroger tous les patients de l'Aile C et leur demander s'ils ont quelque chose à dire sur le meurtre. Je voudrais aussi consulter tous leurs dossiers, si ça ne pose pas de problème.

Mrs. Simonton réfléchit une seconde. Théoriquement, les dossiers médicaux étaient confidentiels. Néanmoins, elle se rendait bien compte qu'on avait à résoudre un meurtre ; en cas de refus, Petri obtiendrait leur confiscation pure et simple.

— Entendu, répondit-elle. Je vais avertir les infirmières, mais je vous serais reconnaissante de ne pas les consulter ailleurs qu'au bureau. Même ainsi, j'espère que vous le comprenez, je commets une infraction au règlement. Je ne peux pas vous autoriser à les trimbaler n'importe où. D'autre part, pour l'instant, je dois vous demander de ne pas en faire de copies. Quant à interroger les patients, je me rends bien compte que c'est indispensable, mais s'il vous plaît, allez-y doucement. Ne les bousculez pas. La plupart sont fragiles, et le meurtre les a fortement secoués.

— Naturellement, acquiesça Petri. Je serai aussi délicat que possible.

Il prit congé et repartit à grands pas vers l'Aile C en songeant qu'il avait omis de lui révéler certain détail. Cela n'avait sans doute pas grande importance, mais le légiste avait noté la présence de sperme frais à l'extrémité du pénis de la victime. Manifestement, Stephen Solaris avait éjaculé peu de temps avant sa mort. Il lui avait dit que dans certains cas de décès, comme la mort par pendaison, par exemple, il était fréquent que les hommes éjaculent ; mais à sa connaissance, cela ne se produisait pas en cas de blessure au cœur. Or, Solaris n'avait certainement pas pu se masturber. Sans doute avait-il fait un rêve érotique.

Petri repensa également aux empreintes trouvées sur le chariot. Une perte de temps et de poudre. Il pouvait toujours prendre les empreintes de Heather Barsten et de Bertha Grimes, les deux suspects les plus évidents, mais à quoi bon ? Puisqu'elles manipulaient toutes les deux le chariot pendant leur service, on y relèverait certainement leurs empreintes. Et si l'assassin était quelqu'un d'autre, étant donné qu'il ou elle avait utilisé des gants, il était pour le moins improbable qu'on trouve ses empreintes sur le chariot. Non, c'était une impasse ; à ce stade, la seule chose à faire était d'interroger les malades du service.

Ce fut une matinée hautement improductive. Certains pensionnaires, tels que Mrs. Kubrick ou Mrs. Stimson, semblaient parfaitement incapables de répondre à ses questions ; elles restaient assises devant lui en silence. Quelques-uns, comme Hank Martin, n'affichaient qu'indifférence. La plupart, notamment Mrs. Stolarz ou Mrs. Grochowski, ne cachaient pas leur effroi. Mais personne n'avait de renseignements à lui fournir. La séance s'était également révélée déconcertante, car il avait beau feuilleter les dossiers, il ne savait jamais dans quel état il allait trouver le malade suivant : il pouvait être atrocement atteint et infirme, ou étonnamment bien portant. Petri avait faim, il se sentait nerveux et commençait à perdre courage. L'heure du déjeuner était passée depuis longtemps quand vint le tour de Georgia Bates, la dernière de sa liste. Lorsqu'il frappa à la porte de sa chambre, Lucy était en rééducation ; il la trouva donc seule. Il se présenta.

— Je suis le lieutenant Petri, inspecteur de police chargé de l'enquête sur la mort de Mr. Solaris. Permettez-vous que je m'assoie et que je vous pose quelques questions ?

Georgia l'examina attentivement. Un peu jeune, pour un inspecteur, songea-t-elle, mais plutôt bien de sa personne ; et puis, ce serait sans doute intéressant. Elle n'avait encore jamais parlé avec un inspecteur.

— Je vous en prie, répondit-elle.

— Vous avez connaissance des événements qui se sont déroulés ici même dans la nuit de dimanche à lundi ?

— Vous voulez parler du meurtre ? Mais oui, naturellement. Comment ne pas être au courant ? C'est horrible, n'est-ce pas ? Certains d'entre nous craignent pour leur propre sécurité.

— Vous comprenez donc à quel point l'affaire est capitale. Et vous pouvez peut-être jouer un rôle important dans sa solution.

Cette idée plut beaucoup à Georgia. Décidément, ce jeune homme était fort sympathique. Elle avait envie de coopérer.

— Je ferai de mon mieux, déclara-t-elle.

— Avez-vous une idée du mobile du crime ou de la manière dont les choses se sont passées ?

Georgia se creusa la cervelle.

— Non, dit-elle enfin. Je regrette.

— Voyez-vous quelqu'un qui ait pu avoir une raison quelconque de tuer Stephen Solaris ?

— Je crains que non, fit-elle encore en regrettant de ne pas se montrer plus utile.

— Quelqu'un avait-il une relation privilégiée, quelle qu'elle soit, avec le défunt ?

Ah ! enfin elle allait pouvoir l'aider.

— Oui, répondit-elle. Heather.

— C'est-à-dire ? Ms. Barsten, l'infirmière ?

— Oui, ils étaient très proches.

— D'après ce que j'ai compris, Ms. Barsten avait beaucoup d'affection pour la victime.

— De l'affection, et aussi autre chose, commenta Georgia.

— Que voulez-vous dire ?

— Eh bien, ils avaient des rapports sexuels.

Brusquement, tous les sens de Petri entrèrent en éveil.

— Comment le savez-vous ? s'enquit-il en s'efforçant de conserver une voix neutre.

— Je les ai vus.

— Vous les avez *vus* ?

— Ma foi, il est assez difficile pour une personne comme moi de parler de ces choses, fit-elle d'un ton guindé, mais en effet, oui, je les ai vus faire.

– Pouvez-vous me dire quand ?

– Justement, c'était la nuit du meurtre.

– Quelle heure était-il ?

– Oh, ça... je suis désolée, mais je ne saurais vous le dire. Une malade criait, expliqua-t-elle, et ça m'a réveillée. J'ai essayé de me rendormir. Je ne sais pas combien de temps ça a duré, mais je n'y suis pas arrivée. Au bout du compte je me suis levée et je suis allée faire quelques pas. Je les ai vus faire, dans l'entrée de la pharmacie.

– La victime était gravement handicapée, remarqua Petri. Je ne comprends pas très bien comment Mr. Solaris pouvait avoir des rapports sexuels.

– Vraiment, inspecteur... C'est très embarrassant ce que vous me faites dire là ! Ils n'étaient pas en train de s'accoupler. Ils... enfin, elle... Comment dit-on, déjà ? Elle se servait de sa bouche.

Petri réussit à refouler ses sentiments au prix d'un réel effort.

– Que s'est-il passé ?

– Ma foi, je ne voulais ni les déranger ni les regarder. Ça n'aurait pas été bien de ma part. J'ai donc fait demi-tour et je suis allée dans le séjour. J'ai essayé de lire pendant un moment, mais je m'ennuyais, alors je suis retournée me coucher. Et là, j'ai pu me rendormir.

Tout d'abord, Petri avait ressenti un choc ; mais à présent, il était révulsé. Quelle femme (ou plutôt, quel *animal*) fallait-il être pour avoir des rapports sexuels oraux avec un individu aussi hideusement difforme ? Néanmoins, une pièce du puzzle venait de se mettre en place. Cela expliquait le sperme découvert par le légiste.

– Avez-vous autre chose à me dire sur la victime, ou Ms. Barsten, ou les relations qu'ils entretenaient ?

Georgia réfléchit.

– Non, je ne crois pas. Je ne connaissais pas très bien ce jeune homme, bien que je sois à peu près la seule à prendre la peine de parler avec lui. Il était drôlement intelligent. Il disait qu'il s'apprêtait à écrire un livre. Quant à Heather, elle est *adorable*. C'est la plus gentille de toutes les infirmières de Willow Glen.

– Oui, j'ai cru comprendre que tout le monde l'aimait bien, proféra Petri en dissimulant à grand-peine son dégoût. Vous n'avez rien d'autre à me dire sur elle ?

– Ah, si ! se souvint Georgia. Elle voit un psychiatre.

– Comment le savez-vous ?

– C'est elle qui me l'a dit. Il y a quelque temps de cela. On parlait de quelque chose, je ne me rappelle pas quoi.

Pas étonnant que cette Ms. Barsten voie un psychiatre, songea Petri.

— Quoi d'autre ? s'enquit-il.

— Ma foi, je crois que c'est tout.

— Eh bien, c'est déjà beaucoup. Je tiens à vous remercier. Vous m'avez été d'une aide précieuse, Mrs. Bates.

Georgia était ravie.

En la quittant, Petri se dirigea vers le bureau des infirmières et demanda à consulter le dossier de Mrs. Bates. Il sentit son excitation retomber en lisant son diagnostic : Sénilité. Flûte, voilà qu'il avait tiré des conclusions hâtives. Pourtant, Mrs. Bates lui avait paru avoir toute sa tête. Physiquement en tout cas, elle était très bien conservée. Mais si elle résidait dans ce genre d'établissement, il devait bien y avoir une raison. Et dire qu'il avait gobé son récit ! Si ça se trouvait, elle avait tout inventé. Peut-être même était-elle complètement folle.

Il retourna la voir.

— Est-ce que je peux vous poser encore deux ou trois questions, Mrs. Bates ?

— Mais bien entendu, inspecteur, bien entendu.

— Quel jour sommes-nous ?

— Oh, pour l'amour du ciel, je ne fais pas attention à ces choses-là ! Ils essaient toujours de nous le dire, mais quelle importance quand on est prisonnier d'un camp de concentration, je vous le demande ?

Petri fit la grimace.

— Bon, quel mois sommes-nous, alors ?

— Oh, dieu du ciel, mais je n'en sais rien du tout !

— Essayez de deviner.

— Juillet ?

Je vois, songea-t-il.

— Allez regarder par la fenêtre, Mrs. Bates, ordonna-t-il, et dites-moi ce que vous en pensez.

Georgia se leva avec agilité et alla se poster devant la fenêtre.

— Ah, comme vous êtes malin, inspecteur ! L'arbre n'a pas de feuilles et il y a de la neige par terre. Donc, on ne peut pas être en juillet !

— En quelle année êtes-vous née ? interrogea-t-il.

— En 1912.

— Et cela vous fait quel âge ?

— Trente-sept ans.

— Trente-sept, vraiment ?

– Parfaitement, j'ai trente-sept ans.

Petri s'excusa. Il avait l'impression d'être Alice parlant au Chat du Cheshire. Il aurait peut-être dû s'arrêter pour déjeuner. Lorsqu'il atteignit le bureau de Mrs. Simonton, il était à la fois affamé et harassé. Mais il avait encore du travail.

– Comment ça se passe ? demanda-t-il à la directrice, qui avait perdu son air reposé.

– Les journaux sont sortis des rotatives et les familles de leur réserve – en masse, comme je le redoutais.

– Ce doit être éprouvant, commenta-t-il, mais il fallait s'y attendre. Pouvez-vous me parler un peu d'une des malades de l'Aile C, une certaine Georgia Bates ?

– Je ne sais pas grand-chose d'elle. Il n'y a pas très longtemps qu'elle est là. Elle est restée quelques jours en janvier avant de rentrer dans sa famille. Elle est veuve, elle a environ soixante-quinze ans et le motif de son admission est sa sénilité. Nous l'avons reprise parce qu'elle était incontinente chez elle, mais chez nous, pas de problème de ce côté-là.

– À certains moments je l'ai trouvée tout à fait normale, mais à d'autres elle m'a paru complètement à côté de la plaque.

– C'est très caractéristique de la sénilité dans sa forme atténuée, vous savez. Les malades peuvent passer d'une minute à l'autre de la lucidité totale au brouillard le plus complet. On est parfois surpris de constater à quel point ils peuvent reprendre leurs esprits quand ils le veulent bien.

– Que voulez-vous dire par là ? À vous entendre, on croirait que la sénilité est un phénomène volontaire.

– C'est parfois le cas, en effet.

– Alors, comment sait-on que quelqu'un est sénile ?

– C'est parfois impossible à déterminer.

Cette ambiguïté remplit Petri de contrariété.

– Comment puis-je me renseigner davantage sur elle ? s'enquit-il. Le dossier est plutôt maigre.

– Peut-être en vous adressant à son fils Kenneth. Il a procuration pour elle, ajouta-t-elle en réfrénant à grand-peine sa curiosité.

De toute évidence, quelque chose (mais quoi ? Elle ne pouvait l'imaginer) avait retenu l'intérêt du policier du côté de Georgia. Mais si c'était important, elle l'apprendrait bien assez tôt. Elle attendit donc en silence.

– Que pouvez-vous me dire sur Ms. Barsten ? reprit Petri.

— Heather est ma meilleure infirmière, répondit Mrs. Simonton. Les malades l'adorent. Il y en a même qui lui donnent le nom d'« Ange de Willow Glen ». Si tout mon personnel était composé de filles comme elle, je ne serais pas en train de vous parler. Je me dorerais aux Bahamas.

Tu parles d'un ange ! réagit Petri en son for intérieur. Que penserait Mrs. Simonton de son modèle de vertu si elle avait entendu comme lui ce qu'en disait Mrs. Bates ? La vieille dame était peut-être sénile, mais il se pouvait très bien qu'il y ait un fond de vérité là-dedans. Un ange dans une maison de retraite ? Était-ce l'ange de la vie... ou celui de la mort ? Il crut se rappeler un autre ange, dans un hôpital ou autre établissement de ce genre, dont on avait finalement découvert qu'elle assassinait ses malades les uns après les autres. Peut-être une infirmière dans un service de pédiatrie du Texas, il ne se souvenait plus très bien ; mais son esprit se mit à fonctionner à plein régime.

— Vous êtes bien informatisés, ici ? demanda-t-il ?

— Oui, mais pour cela il faut voir Ms. McAdams. C'est elle qui s'y connaît. Moi, je suis trop vieille pour m'adapter aux ordinateurs. Vous voulez que je la fasse appeler ?

— S'il vous plaît, oui.

Mrs. Simonton actionna l'interphone. Elle entendait presque grincer les rouages dans la tête du policier. Ma foi, laissons-les tourner, songea-t-elle. Du moment qu'ils vont dans la bonne direction, ajouta-t-elle en guise de prière pour le moins approximative.

En quelques secondes, Ms. McAdams était là. Une fois de plus, Petri fut frappé par l'impression de prompte efficacité qui se dégageait de sa personne.

— On me dit que c'est vous qui vous occupez du traitement informatique, commença-t-il. Est-ce que par hasard vous entrez systématiquement l'heure du décès de vos patients ?

— Naturellement.

— L'ordinateur contient-il également des informations sur les équipes de garde ? Par exemple, le nom de l'aide soignante ou de l'infirmière présentes tel ou tel jour ou telle ou telle nuit ?

— Certainement.

Petri lui jeta un regard admiratif. Il ne put s'empêcher de comparer les deux femmes. Le moins qu'on puisse dire, c'était que Mrs. Simonton faisait plus que son âge ; Ms. McAdams, elle, paraissait à peine trente ans. Le visage de la directrice était creusé de rides, presque farouche. Celui de son assistante, avec ses cheveux auburn bien emprisonnés dans un petit chignon et sa blouse blanche à col montant, était indubitablement séduisant. Mrs. Simonton était souvent imprévisible ; Ms. McAdams irradiait l'organisation, la concentration. Pas étonnant qu'elle s'occupe des ordinateurs.

— Y a-t-il moyen de comparer ces deux types de données pour toute l'année écoulée ? demanda-t-il.

— Oui, répondit-elle sans la moindre hésitation.

— C'est-à-dire que vous pourriez m'imprimer un listing où figureraient d'un côté l'heure de chaque décès survenu au cours des douze derniers mois, et de l'autre le nom des membres du personnel de garde à ce moment-là ?

— Aucun problème.

Petri regretta de ne plus rien avoir à lui demander ; il espérait bien la revoir. Une fois qu'elle eut disparu, Mrs. Simonton reprit la parole :

— J'ai l'impression que vous ne me dites pas tout, inspecteur.

— C'est vrai, reconnut-il. J'ai appris un certain nombre de choses. Ce n'est pas que j'essaie de vous les cacher ; simplement, je ne sais pas très bien qu'en faire. C'est un peu embrouillé. Je suis dépaysé ici, vous savez.

— Comment cela ?

— Par certains côtés, je me sens dans un autre univers, un univers dont je ne connais pas encore les lois. Les apparences y sont trompeuses.

— Par exemple ?

— Par exemple, une personne apparemment saine d'esprit est en réalité folle ; ou bien le contraire. Voire à la fois angélique et diabolique.

Mrs. Simonton constata avec plaisir qu'au moins, la notion de paradoxe ne lui était pas tout à fait étrangère.

— Qu'est-ce qu'il y a de si bizarre là-dedans ? Vous ne croyez pas que ce que vous dites est valable pour tout le monde ?

— Voilà que vous parlez comme eux, maintenant ! (Petri sourit. Presque malgré lui, il appréciait cette incursion momentanée dans le domaine de la philosophie.) À mon avis, vous non plus, vous n'êtes pas toujours ce que vous semblez être. Je sais bien que vous êtes directrice de maison de retraite, mais j'ai parfois la sensation que vous êtes plus que cela.

— Ma foi, je l'espère bien. Mais je me réjouis de voir que vous apprenez à connaître notre petit monde étrange. Il va falloir l'explorer si vous voulez y pêcher la vérité, vous ne croyez pas ? D'ailleurs, une fois que vous le connaîtrez, vous ne le trouverez plus si bizarre, j'en suis sûre. Vous découvrirez seulement qu'il est un peu plus concentré sur l'essentiel que le monde prétendument « ordinaire ».

— Plus concentré ? Je ne comprends pas.

— Le petit peuple de Willow Glen voit la mort de plus près que les gens du monde extérieur. Du moins, on y est davantage conscient de la proximité de la mort. Quand on la côtoie quotidiennement, on a tendance à se concentrer un peu plus sur l'essentiel.

Petri en avait assez de la mort, de la maladie et de la vieillesse. Assez pour la journée. Il sentit croître son angoisse.

— Mieux vaut que je sorte d'ici tant que j'en suis encore capable, répondit-il sur le ton de la plaisanterie. (Il pressentait maintenant que cette femme connaissait réellement sa partie, mais il n'avait pas très envie d'y mettre les pieds.) Je serai sans doute de retour demain matin à huit heures et demie, d'accord ?

— À très bientôt, donc, acquiesça Mrs. Simonton.

Dès qu'il eut regagné le commissariat, Petri appela Kenneth Bates afin de prendre rendez-vous en fin d'après-midi. Puis il passa voir Mitchell dans son bureau.

— Bill, annonça-t-il, la jeune infirmière qui était de service au moment du meurtre, cette Heather Barsten... Il se passe des choses bizarres de son côté. Avant de partir, vous voulez bien vérifier ses antécédents, s'il vous plaît ?

Mitchell savait d'avance ce que donnerait l'enquête.

— Entendu, chef. Mais vous ne voudriez pas vous asseoir cinq minutes, qu'on en parle un peu tous les deux ?

— Pas maintenant, répondit Petri. Je meurs de faim. Il est trois heures et je n'ai pas encore déjeuné. De plus, j'ai un rendez-vous dans un peu plus d'une heure.

— D'accord, chef.

— Ne vous en faites pas, Bill, jeta Petri par-dessus son épaule. On se voit demain matin, de toute façon.

En le regardant partir, Mitchell se félicita de n'être que ce qu'il était, c'est-à-dire sergent, et non inspecteur. Petri était le quatrième détective sous les ordres de qui il ait travaillé durant ses vingt ans de carrière à New Warsaw. D'une certaine manière, ils étaient tous les mêmes, toujours pressés, toujours anxieux d'arriver quelque part. L'un d'entre eux s'était rapidement épuisé et avait brutalement fait une espèce de dépression nerveuse. Les deux autres avaient été promus commissaires. Et celui-là, que va-t-il lui arriver ? se demanda-t-il.

C'était une drôle de chose, l'ambition — le fait que certains en aient et d'autres non. Pourquoi ? Pour Mitchell, la réponse à cette question n'était certainement pas à chercher du côté des psychologues. Pour commencer, il fallait de l'ambition pour devenir inspecteur. Quant à lui, l'idée ne l'en avait jamais effleuré. Il doutait de comprendre un jour ce qui motivait les gens comme Petri, et soupçonnait par ailleurs que celui-ci ne comprendrait jamais pourquoi on pouvait très bien se contenter de rester sergent.

Et pourtant, il s'en contentait. L'ambition pouvait vous élever, mais le plus souvent elle vous brisait. Ça en devenait presque risible. Enfin, quoi ! La veille encore, Petri lui faisait tout un grand discours sur la nécessité de prendre son temps, et voilà qu'aujourd'hui ce gamin courait dans tous les sens comme un poulet décapité. Ce devait être une espèce de malédiction que de se croire important au point de redouter que la terre ne cesse de tourner si on prend une heure pour déjeuner. Ou si on s'assied calmement pour recueillir des renseignements immédiatement disponibles. Oui, avec l'ambition ça passe ou ça casse, et Mitchell ignorait comment les choses tourneraient pour Petri. Mais ce qu'il savait en revanche (ça se voyait comme le nez au milieu de la figure), c'était que son nouveau chef était déjà allé trop loin, et qu'il approchait dangereusement du point de rupture.

Sans se presser, le sergent Mitchell se leva et partit chercher les renseignements demandés.

Lorsque sa secrétaire lui signala l'arrivée de l'inspecteur Petri, Kenneth Bates lui dit qu'il était occupé et lui demanda de le faire patienter dix minutes. Or, il n'était pas vraiment occupé. À la vérité, il avait besoin d'un peu de temps pour réfléchir.

Ce matin-là, il venait tout juste d'arriver au bureau lorsque Marlène l'avait appelé pour lui dire qu'elle avait lu dans les journaux l'annonce du meurtre de Willow Glen. Elle se demandait s'il fallait retirer sa mère de l'établissement. Mais il l'avait rassurée en lui demandant de garder son calme ; ils en discuteraient le soir. Il avait tout de même pris le temps d'emprunter le journal à sa secrétaire et de lire lui-même l'article. Apparemment, la victime était ce jeune homme terriblement handicapé dont les yeux étranges avaient croisé les siens le jour où ils avaient ramené sa mère à Willow Glen. Par la suite, les affaires s'étaient mises à marcher très fort, il s'était immédiatement absorbé dans son travail et n'avait plus eu l'occasion de repenser à lui.

Son associé, Gus Brychowski, et les deux jeunes stagiaires experts-comptables correspondaient bien au cliché qui veut que, dans la profession, on soit peu perceptif et on s'intéresse uniquement aux chiffres. Mais lui, Kenneth, ne s'était jamais coulé dans le moule. Aussi loin que remontent ses souvenirs, il avait toujours été du genre réfléchi ; et ses six mois de psychothérapie, entrepris quelque dix ans plus tôt pour essayer d'assumer sa colère contre son père n'avaient fait qu'accentuer son penchant pour la contemplation. Il lui fallait toujours un certain temps pour faire la part des choses.

Et maintenant, cet inspecteur de police (un certain lieutenant Petri) désirait s'entretenir avec lui. Kenneth pensait bien qu'il y avait un rapport avec le meurtre, et aussi avec sa mère, mais ne voyait pas du tout de quoi il pouvait s'agir. Avant tout, il fallait qu'il réfléchisse. S'il s'était tellement hâté de rassurer Marlène, c'était parce qu'il n'avait aucune envie de tout recommencer, et de faire encore une fois sortir sa mère de Willow Glen. Cependant, se pouvait-il qu'elle soit en danger ? Et (quelle idée déplaisante !), jusqu'à quel point s'en souciait-il ? Ces derniers temps, elle l'exaspérait. Ils s'étaient efforcés de faire de leur mieux, et en guise de remerciements, elle leur avait pratiquement craché au visage. S'il avait pu oublier si facilement cette histoire, songea-t-il, c'était à cause de ce ressentiment ; mais maintenant, il fallait regarder les choses en face. Si elle courait un risque, il devait la prendre sous sa responsabilité, que cela lui plaise ou non. Il appela sa secrétaire par l'interphone et lui demanda de faire entrer le policier.

Il fut surpris par sa jeunesse.

— Bonjour, lieutenant. Désolé de vous avoir fait attendre.

À son tour, Petri fut frappé par ce vaste bureau calme et net, si différent des pièces exiguës et des boxes bourdonnants d'activité qu'il venait de traverser. Manifestement, Kenneth Bates occupait une position élevée dans un cabinet comptable de tout premier plan.

— Vous avez entendu parler du meurtre de Willow Glen ? s'enquit Petri.

— Oui, ma femme a lu les journaux ce matin et m'a téléphoné. Je crois même avoir remarqué la victime en allant rendre visite à ma mère. Tout ça me paraît très bizarre.

— En effet, admit Petri. Si j'ai demandé à vous voir, c'est parce que votre mère a pu être témoin indirect, non pas du meurtre proprement dit, mais sans doute de quelques incidents qui lui sont liés. Mais je voudrais savoir jusqu'à quel point on peut se fier à son témoignage. Pouvez-vous me parler un peu d'elle ?

Kenneth lui décrivit l'incontinence de plus en plus prononcée de sa mère, qui avait fini par les obliger à la faire admettre une première fois, puis une deuxième à Willow Glen.

— Mais sur le plan mental ? A-t-elle les idées claires ? interrogea Petri.

— Disons... tout dépend de ce que vous entendez par là. Elle ne semble pas saisir pleinement sa situation, ni les conséquences de certains de ses actes. Elle croit sincèrement que ma femme et moi l'avons enfermée de force à Willow Glen, et sans raison particulière. Si on considère les choses sous cet angle, non, elle n'a pas les idées claires. Elle fait maintenant preuve d'une grande hostilité envers nous. Je ne prétends pas que nous soyons des saints, mais tout de même, nous n'avons pas mérité ça.

— Et au niveau de la mémoire ?

— De ce côté-là ça a l'air d'aller, du moins quand elle le veut bien. Il y a un certain nombre de choses qu'elle oublie alors que la plupart des gens s'en souviendraient, mais dans l'ensemble ce sont des détails, des aspects secondaires. À mon avis, c'est tout simplement qu'elle s'en moque. En revanche, quand quelque chose l'intéresse sa mémoire paraît fonctionner bien mieux que la mienne.

— Elle m'a déclaré être née en 1912, puis a ajouté avec emphase qu'elle n'avait que trente-sept ans.

— Oui, c'est aussi un sujet sur lequel elle n'a pas les idées claires. Il y a des années qu'elle se donne cet âge-là. Ça a commencé juste après la mort de mon père.

— Et c'est toujours trente-sept ?

— Oui, elle s'y tient.

— Pourquoi ce chiffre, à votre avis ?

— Ma foi, c'est une bonne question, avoua Kenneth. Je ne me l'étais jamais posée. Voyons, pourquoi trente-sept ? Non, vraiment, je ne vois pas.

— Dites-moi, est-ce que votre mère fabule ? À part sur la question de son âge et de son prétendu enfermement forcé ?

— Non, pas que je sache.

— Elle n'a jamais raconté des histoires où il est question de sexe ? Vous savez, comme certaines personnes séniles disent qu'on a voulu les violer, portent des accusations d'adultère sans fondement sur les membres de leur entourage, ou encore s'inventent des amants.

— Certainement pas. Maman ne s'est jamais intéressée à ces choses. À vrai dire, j'en serais même surpris. Le sexe n'a jamais paru la préoccuper beaucoup. Ce n'est pas tellement qu'elle soit prude, non. Disons qu'elle n'est pas très portée là-dessus. Non, ce n'est guère probable.

— Généralement parlant, et si l'on excepte cette histoire d'âge et son attitude envers vous, pensez-vous qu'en tant que témoin on puisse lui faire confiance ?

— Oui, il me semble que oui.

— Je vous remercie de votre aide, Mr. Bates. Et du temps que vous avez bien voulu me consacrer.

— Si vous aviez une minute, inspecteur, j'aimerais vous poser une question.

— Je vous écoute.

— Ma mère court-elle un danger quelconque ? Pensez-vous qu'il faille la reprendre avec nous ?

— C'est une question à laquelle je ne peux répondre. Tout ce que je peux vous dire, c'est que Mrs. Simonton a embauché des vigiles qui montent la garde en permanence. À ma connaissance, il n'y a jamais eu de meurtre à Willow Glen avant celui qui nous occupe aujourd'hui. À l'heure actuelle, rien ne permet de conclure que le phénomène puisse se reproduire.

— Merci. C'est ce que j'espérais entendre.

Tandis qu'il prenait congé, Petri songea qu'au contraire, c'était tout à fait le genre de conclusion à laquelle il se pouvait qu'il parvienne au vu des documents fournis par Ms. McAdams, le lendemain matin. Mais il n'avait aucunement l'intention d'en parler à Mr. Bates.

Kenneth alluma sa pipe et, pensif, se carra dans son fauteuil. Il se sentait raisonnablement convaincu que sa mère ne courait pas de danger. Mais les questions de Petri lui trottaient dans la tête. Pourquoi trente-sept ans, en effet ? Il en avait lui-même quarante-neuf. Quel âge avait-il à l'époque, voyons ? Il fit un rapide calcul : dix ans. Comment s'était déroulée l'année de ses dix ans ?

Brusquement, il se souvint. Il se terrait dans son lit, apeuré, au son des disputes continuelles. Ses parents vociféraient. Il se souvint même d'avoir entendu un soir sa mère hurler qu'elle voulait divorcer.

Et puis les querelles avaient cessé. Juste au moment de son dixième anniversaire. Pourquoi ? Il se demanda ce que cela avait dû être, pour une femme, de demander le divorce en 1949. Une mère de trois enfants dont il était l'aîné. L'épouse d'un homme autoritaire et aisé qui n'était jamais disposé à céder, ni à changer ses habitudes. Un homme dominateur au point que son frère, sa sœur et lui avaient eu grand mal à devenir adultes.

Tout s'était passé comme si elle s'était subitement effondrée à cette époque-là, songea-t-il encore. Comme si elle avait capitulé. À partir de là, elle s'était laissé malmener par son époux. Il se souvint : on aurait dit que la vie s'était retirée d'elle. Elle s'était très bien occupée de ses enfants, mais Kenneth avait toujours eu l'impression qu'elle accomplissait une tâche après l'autre — qu'elle faisait son devoir, ce qu'on attendait d'elle — sans que le cœur y soit. Comme s'il y avait désormais quelque chose de mort en elle. C'était peut-être pour cela qu'elle se donnait maintenant trente-sept ans. C'était peut-être à cet âge-là qu'elle avait cessé de vivre.

Il se demanda comment elle avait fait pour survivre aux trente-six années suivantes sous la coupe de son père. Quel prix avait-elle dû payer ? C'était comme si elle avait renoncé à penser par elle-même. C'était peut-être la raison pour laquelle elle avait prématurément versé dans la sénilité. Peut-être avait-elle perdu l'habitude de penser.

Pour la première fois depuis une éternité, Kenneth se sentit sincèrement triste pour sa mère. Peut-être devaient-ils la reprendre, en fin de compte. Mais cette bouffée de bienveillance ne put venir à bout de son ressentiment ; au contraire, le déchirement n'en était que plus vif. Il allait en discuter avec Marlène. Inutile d'afficher une réaction disproportionnée. Le meurtre serait sans doute élucidé dans les prochains jours. On n'avait absolument aucune raison de croire qu'elle fût en danger. Le policier n'avait pas eu l'air inquiet. La meilleure chose à faire était sans doute d'attendre encore un peu. Et puis, il y avait ce vigile. Malgré tout, Kenneth ne savait pas très bien ce qu'il devait faire.

Avant le dîner, Mrs. Simonton alla rendre visite à Carol la Folle, dans le couloir, puis à Rachel Stimson dans la chambre qu'elles partageaient, afin de leur prodiguer des paroles rassurantes. Celles-ci auraient tout aussi bien pu tomber dans l'oreille d'un sourd. Il n'y eut aucune réaction, pas la moindre amorce de dialogue.

Bien entendu, il en alla tout autrement lorsque vint le tour de Mrs. Grochowski.

— Edie, comme vous avez l'air fatiguée ! s'exclama-t-elle tout de suite, depuis son lit, d'une voix vive et soucieuse. Ma pauvre amie, vous devez être à bout de forces. C'est épouvantable, n'est-ce pas ? Et comme ce doit être éprouvant pour vous !

Mrs. Simonton posa sur son amie un regard pénétrant.

— Marion, c'est *vous* que je suis venue réconforter.

Marion Grochowski fit semblant de ne pas entendre cette flèche moqueuse et poursuivit.

— Vous ne savez peut-être pas à quel point Stephen m'était précieux, Edie. Tous les six mois à peu près, sur sa demande ou sur la mienne, une aide soignante me l'amenait sur son chariot. Nous nous contentions de nous regarder. C'est tout. Puis, au bout de vingt minutes, on venait le chercher. Mais c'était suffisant. Nous n'avions pas besoin de mots pour communiquer. Entre lui et moi, il y avait quelque chose que seuls peuvent comprendre les gens paralysés. Mais c'était sans commune mesure avec les liens qui vous unissaient. Quelle perte ce doit être pour vous !

— Oui, c'est vrai. Une perte énorme. Mais comme je vous l'ai dit, c'est vous que je suis venue consoler. Et vous rassurer, aussi... Vous n'avez pas peur ?

— Si, un peu. Mais naturellement, c'est en grande partie irrationnel. Ce n'est pas parce qu'il y a eu un meurtre qu'un autre doit suivre, n'est-ce pas ? Non, je crois que nous avons moins de raison d'avoir peur qu'il n'y paraît, Edie.

Sur ces mots Edith Simonton explosa. Mais ce fut une explosion mineure.

— Nom d'un chien, Marion ! Vous êtes clouée au lit, vous éprouvez des sentiments profonds et vous essayez constamment de paraître forte !

— Ah, je suis prise en défaut, gloussa Mrs. Grochowski. C'est ma névrose à moi, n'est-ce pas ? C'est vrai, il faut toujours que je sois la plus forte.

— Eh bien, si c'est ça votre névrose, elle ne semble pas vous déranger outre mesure. Seulement moi, elle me dérange. (Mrs. Simonton s'obstinait à tarabuster son amie, peut-être à cause de sa propre tension.) Savez-vous ce qui me rendrait le plus service ? Que vous me disiez comment *moi,* je peux vous aider. Seulement, vous n'avez jamais besoin d'aide, vous, n'est-ce pas ?

Mrs. Grochowski se rembrunit. Elle s'était dit exactement la même chose à propos de la névrose de Heather : la jeune fille avait beau se rendre compte de son problème, elle restait plongée dedans jusqu'au cou. Elle qui se croyait si maligne !

— Je m'excuse, Edie, répondit-elle l'air penaud. Vous avez mis en plein dans le mille. Tout ce que je peux dire pour ma défense, c'est que la névrose n'est pas un petit caillou qu'on écarte d'un coup de pied ; c'est plutôt un énorme rocher qu'il faut entailler pendant des années — parfois une vie entière. Et c'est pour ce genre de travail que j'ai besoin d'aide. Oui, j'ai peur qu'il n'y ait un autre meurtre, peur d'être la prochaine victime. Mais vous ne seriez pas là, avec moi, si vous n'aviez pas fait tout ce qui est en votre pouvoir. Je vous connais. Donc, vous n'êtes pas réellement en mesure de me rassurer, n'est-ce pas ? Néanmoins, vous m'avez bel et bien aidée. Vous m'avez aiguillonnée juste au bon moment ; je suis sûre que j'aurai encore besoin de vous pour cela, et je compte sur vous. C'est vrai, j'ai besoin de vous, Edie.

La cloche du dîner retentit.

— Moi aussi, Marion, répliqua Mrs. Simonton. Ce n'est pas par hasard si j'arrive au bon moment. Je me suis déjà entretenue individuellement avec plusieurs pensionnaires de l'Aile C, mais j'ai pensé qu'il serait peut-être bon que je m'adresse à tout le monde ce soir, dans la salle à manger. Ils ne sont pas comme vous, Marion. Ils ne comprennent pas aussi bien les choses. Peut-être ont-ils besoin de s'entendre rassurer au maximum. Mais je ne sais pas si je dois. Je m'inquiète. J'ai peur qu'en essayant de les calmer je n'arrive qu'à les perturber davantage. Qu'en pensez-vous ?

— Que cela fait partie des impondérables. Je crois aussi que le problème n'est pas là. À mon avis, ils ont besoin de savoir que vous vous occupez bien d'eux, Edie. Et quand ils en seront persuadés, ils se sentiront bien plus rassurés que si vous leur aviez tenu de grands discours — c'est votre présence qui compte ; le fait que vous soyez là pour eux comme vous l'avez été pour moi.

Mrs. Simonton avait ce qu'elle était venue chercher. Elle n'aimait guère parler en public. Elle détestait le moment d'angoisse, de panique, où l'on sait qu'on a encore la possibilité de tourner les talons et de faire une sortie pleine de dignité — le moment où l'on s'éclaircit la gorge parce qu'on n'a plus le choix : il faut se lancer. Mais l'important n'était pas son angoisse. L'important, c'était de faire le nécessaire. Prête à passer à l'action, elle quitta Marion Grochowski et partit à grandes enjambées pour le réfectoire.

Une fois sur place, elle ne perdit pas de temps. Elle s'avança jusqu'au côté de la salle où s'ouvrait la porte de la cuisine et se dirigea tout droit vers la place de Hank Martin. Les malades n'en étaient pas encore au dessert.

— Excusez-moi, Hank, fit-elle en lui empruntant sa cuiller avant de la faire bruyamment tinter contre son verre à eau à moitié plein.

Vint le moment de s'éclaircir la gorge. Elle contempla l'assistance ; quarante paires d'yeux se tournèrent vers elle.

— Comme vous le savez, commença-t-elle, hier matin un meurtre a été commis dans l'Aile C. Nous ne savons pas encore par qui ni pourquoi. Pas de mobile. La victime — Stephen Solaris — était quelqu'un de bien. Quelqu'un de très bien.

À ce moment-là la voix lui manqua. Ah ! pourquoi fallait-il que le chagrin fût si... si inopinément *physique* ? Elle s'obligea à poursuivre.

— Certaines mesures ont été prises pour assurer votre protection. J'ai fait venir des vigiles pour monter la garde nuit et jour. L'un d'entre eux est en permanence à pied d'œuvre. On peut sortir par les portes coupe-feu mais, comme toujours, elles sont verrouillées de l'extérieur de manière que personne ne puisse entrer. La porte d'entrée principale est fermée à clef la nuit et surveillée pendant la journée. Le détective chargé de l'enquête — l'inspecteur Petri, plusieurs d'entre vous l'ont déjà rencontré — peut vous paraître un peu jeune, mais j'ai passé pas mal de temps en sa compagnie et je peux vous assurer qu'il est brillant, très minutieux et très consciencieux.

Mrs. Simonton marqua une pause et balaya du regard cette petite mer de visages. Certains écoutaient avec attention, d'autres non. Tous étaient vieux et usés. Beaucoup donnaient une impression de fragilité. Comme ils étaient vulnérables ! *Mon troupeau.* Ces mots lui vinrent brusquement à l'esprit. Elle les chassa immédiatement.

— Je sais que vous devez vous faire du souci, poursuivit-elle, mais nous n'avons aucune raison de vous croire en danger. Quoi qu'il en soit, il est normal d'éprouver ce genre de sentiments. Il faut les accepter. Parlez-en librement entre vous. Je vous y encourage. Parlez-en avec les aides soignantes, les infirmières. Avec moi, si vous le désirez.

Mrs. Simonton n'alla pas plus loin. Avait-elle réussi à les rassurer ?

— Y a-t-il des questions ? demanda-t-elle après un silence.

Ce fut Lutzina Stolarz qui éleva la voix.

— Comment pouvez-vous affirmer que nous ne courons aucun danger ?

Il fallait s'y attendre, songea la directrice. La question devait forcément venir d'une malade sur le point de sortir, une malade que la vie attendait au-dehors et qui n'était pas le moins du monde résignée.

— Comme je vous l'ai dit, nous n'avons aucune raison de vous croire en danger, expliqua-t-elle. Ce n'est pas parce qu'il y a eu meurtre que cela va se reproduire.

— Le meurtrier rôde tout de même en liberté, non ? demanda Lucy.

— C'est exact, reconnut Mrs. Simonton. Et vous craignez que cet individu ne frappe à nouveau. Encore une fois, cette appréhension est parfaitement normale. Mais il est également vrai qu'un deuxième meurtre est hautement improbable. Les assassinats répétés — les meurtres en série, comme dit la police — sont statistiquement rares, me dit-on.

À sa grande surprise, elle se réjouit de disposer, grâce à Petri, du vocabulaire professionnel approprié.

Mais Lucy n'était pas prête à lâcher le morceau.

— Ce n'est pas parce que le phénomène est rare qu'il faut l'exclure complètement.

— C'est vrai. Vous avez raison. Je ne peux pas vous garantir que cela ne se reproduira pas, répondit Mrs. Simonton. (Pour le meilleur ou pour le pire, la question était maintenant sur le tapis.) Je vous remercie, Lucy. D'autres questions ?

Le silence régna une minute entière. Étaient-ils apathiques, ou bien fallait-il en déduire que la seule question digne d'intérêt avait été posée ? Subitement, Mrs. Simonton se rendit compte qu'elle ne savait pas du tout comment conclure. Ce qu'elle voulait dire, c'était : « Je vous aime tous. » Mais ce serait sans doute un peu trop sentimental. Bizarrement, elle eut envie de les quitter sur une bénédiction : « Que le Seigneur soit avec vous. Qu'Il vous accorde Son courage. Qu'il... » Elle se reprit. C'était ridicule !

— Je vous remercie de votre attention, préféra-t-elle déclarer. Nous vous tiendrons informés. Et je le répète, en cas de besoin, n'hésitez pas à venir trouver n'importe lequel d'entre nous.

Elle quitta le réfectoire ébranlée par un profond sentiment d'absurdité. Oh, et puis zut ! se dit-elle. D'après Marion, tout ce dont ils ont besoin c'est de savoir que je me préoccupe de leur sort. En tout cas, moi, à leur place je ne me sentirais pas rassurée. Elle pénétra dans son bureau, claqua la porte derrière elle et alluma une cigarette d'une main tremblante.

Toutes les trois minutes, Tom Petri se levait et se mettait à tourner en rond dans son appartement. Lorsqu'il était rentré au poste, le commissaire était déjà parti. Il songea à l'appeler chez lui pour lui dire qu'il tenait peut-être un suspect, mais y renonça très vite. C'était vraiment prématuré.

Pourtant, même une fois qu'il eut dîné, Petri continua à se sentir tendu. Et scandalisé, aussi. Tout l'après-midi il avait refoulé, dissimulé ses sentiments et agi comme si de rien n'était. Mais à la vérité, il était écœuré. Après avoir côtoyé la lie de la société dans les bas-fonds de New York, il croyait avoir tout vu, tout entendu. Et voilà que c'était là, dans cette petite ville proprette du Midwest, qu'il se retrouvait face à l'ultime dégradation. Heather Barsten, si féminine et si douce dans sa blouse blanche... l'image d'une araignée, une veuve noire, lui vint à l'esprit. Ou peut-être un scorpion, une mante religieuse ? Un quelconque insecte femelle qui tuait son partenaire après l'accouplement.

Il avait parfaitement conscience de ne disposer à ce stade que des déclarations de Georgia Bates. Mais après s'être entretenu avec son fils, il avait acquis la sensation viscérale qu'elle disait vrai. Il ne fallait pas sous-estimer les difficultés à venir. Il serait certainement ardu de convaincre un juge qu'une vieille dame présentant toutes les apparences de la sénilité pouvait également être un témoin fiable. Mais il trouverait bien un moyen ; car en ce qui le concernait, il tenait un éventuel suspect. Un vrai. Une femme capable de rapports sexuels oraux avec un handicapé monstrueusement difforme était de toute évidence une femme capable de tout.

CHAPITRE HUIT

Mercredi 23 mars

La journée commença bien pour le lieutenant Petri. Il retrouva Mitchell à huit heures au poste de police, et le sergent lui apprit qu'on n'avait pas de dossier sur Heather Barsten elle-même. Néanmoins, chose curieuse, elle avait été impliquée dans deux arrestations, et dans un cas comme dans l'autre il y avait eu voies de fait. Quatre ans plus tôt, la police était intervenue lors d'une bagarre dans un bar. Ms. Barsten avait reçu des coups et avait été entendue comme témoin. Deux ans après, ses voisins avaient appelé la police. Là encore, elle avait été tabassée. Elle avait fait des difficultés pour porter plainte. Le coupable s'était vu infliger une peine de prison avec sursis et, six mois plus tard, avait commis un meurtre dans un autre état.

Un ange, mon œil ! se dit Petri. Mrs. Simonton est peut-être intelligente par certains aspects, mais elle s'est drôlement laissé avoir par cette gentille petite infirmière modèle. On n'attire pas la violence sans raison. Pas besoin d'être fin psychologue pour savoir que les rôles de victime et de bourreau sont intimement liés — assez pour s'inverser quand les circonstances s'y prêtent.

— Merci, Bill, c'est du bon travail, fit Petri. Il y a quelque chose de louche là-dedans. Apparemment, elle voit un psychiatre. Vous connaissez les psy de la région ?

— Il y en a quatre dans le comté. Trois qui travaillent principalement à l'hôpital, et un qui consulte à l'extérieur et possède son propre cabinet : le docteur Kolnietz. On a également un certain nombre de travailleurs sociaux qui font de la psychothérapie à la clinique psychiatrique, mais si c'est un psychiatre qu'elle voit, c'est probablement Kolnietz.

Petri se rappela le livre qu'il avait lu sur la victime.

— Est-ce que par hasard ce docteur Kolnietz porte un prénom qui s'écrit s-t-a-s-z ?

— C'est ça.

— Au fait, comment ça se prononce ?

— *Stash,* répondit Mitchell en gloussant*. Quand vous aurez passé un an dans le coin, vous serez capable de prononcer ces noms polonais comme si vous l'étiez vous-même.

Tout colle parfaitement, songea Petri en se dirigeant vers Willow Glen, seul au volant de sa voiture. Donc, ce Kolnietz était l'auteur du livre. Mrs. Simonton lui avait dit que le médecin était l'unique visiteur de la victime. Il était naturel que Ms. Barsten fasse appel à cet homme, en rapport à la fois avec Willow Glen et avec la victime, avec qui elle avait eu une liaison de nature sexuelle. À la seule idée de cette liaison, une grimace lui échappa.

Comme promis, Ms. McAdams l'attendait avec son listing. Elle lui trouva une table et une chaise dans un coin du Service administratif et lui fournit crayons et feuilles de papier. Tandis qu'il se mettait au travail, Petri se fit deux réflexions : l'une concernait la différence entre ce bureau et les services hospitaliers de l'établissement. Hormis les gémissements intermittents ponctuant l'atmosphère des ailes A et B, il régnait dans les couloirs où s'ouvraient les chambres une atmosphère curieusement assourdie, étouffée. Ici, en revanche, les claviers d'ordinateur et les imprimantes crépitaient sans cesse, et les employés s'affairaient en tous sens sous une vive lumière. Manifestement, c'était le système nerveux de Willow Glen. Sa seconde pensée fut pour Ms. McAdams. Était-elle mariée ? Fiancée ? Il fallait qu'il se renseigne ; elle lui plaisait beaucoup.

La liasse était impressionnante, mais la tâche fut plus aisée qu'il n'aurait cru. En une heure il avait les chiffres en main : la population de l'établissement tournait en moyenne autour de cent vingt ; dans les douze mois précédant la mort de Stephen, il y avait eu soixante-deux décès, presque tous survenus dans les Ailes A et C ; dans trente-quatre cas, Heather Barsten était de garde.

C'est-à-dire que 54,8 % des décès étaient intervenus pendant ses heures de présence dans l'établissement. Si l'on incluait la dernière victime, le chiffre montait jusqu'aux alentours de 60 %. Or, en travaillant par périodes de douze heures, quatre jours consécutifs suivis de trois jours de congé, avec un minimum de quinze jours de vacances

---

* « Stash » signifie en anglais « planquer », « mettre en lieu sûr. » *(N.d.T.)*

182

par an et une à deux semaines de congés de maladie, en tout elle ne devait être de garde qu'environ un quart du temps, estima-t-il. Il se sentit à la fois très satisfait et légèrement horrifié. Avec 25 % du temps total, elle s'était trouvée sur les lieux lors de 50 % des décès. Les pièces du puzzle continuaient de se mettre en place.

Que faire ensuite ? S'il allait lui mettre ces statistiques sous le nez, le commissaire serait-il impressionné ? Pas sûr. La directrice et lui étaient manifestement copains. Selon toute probabilité, il demanderait d'abord ce qu'elle en pensait, elle. Même chose pour les appétits sexuels bizarres de la belle petite infirmière Barsten. Après tout, c'était elle la mieux placée pour parler des statistiques de décès et du comportement des infirmières. Petri désirait impressionner le commissaire, et le commissaire se tournerait naturellement vers Simonton. Willow Glen était son fief.

Là était bien le problème, d'ailleurs. Le chef faisait peut-être confiance à Simonton, mais lui ? Il revit ses yeux rougis, l'avant-veille, son chagrin aigu, muet mais visiblement authentique, si loin de la réaction théâtrale de Barsten. De plus, si quelqu'un avait quelque chose à perdre dans cette histoire de meurtre, c'était bien elle. Son premier pensionnaire. Sa réputation. Le standing de son établissement. Oui, on pouvait sans doute lui faire confiance. Puisqu'elle connaissait Willow Glen par cœur, c'était évidemment sur elle qu'il devait tester ses découvertes. D'un autre côté, il pressentait que ça n'irait pas tout seul. Elle avait déjà exprimé la conviction que Barsten n'avait rien d'une meurtrière, et que par ailleurs, elle était sa meilleure infirmière. Non, ça ne se passerait certainement pas dans le calme ; néanmoins, si ses découvertes devaient être mises à l'épreuve, que dire de la confiance que Simonton plaçait en une infirmière démente ?

— Il est temps que je vous mette au courant, commença Petri, apparemment calme, une fois qu'elle l'eut fait entrer dans son bureau. J'ai besoin de votre aide sur certains points. Toutefois, il faut me donner l'assurance que cette discussion restera totalement confidentielle.

— Vous avez ma parole, promit Mrs. Simonton.

— Eh bien, pour commencer, je crains de vous apporter de mauvaises nouvelles en ce qui concerne votre « Ange de Willow Glen », annonça-t-il.

— Allez-y.

— Nous avons déjà établi que la victime a été assassinée à une heure où soit Ms. Barsten, soit Mrs. Grimes se trouvaient à proximité immédiate. Nous savons également que l'assassin dispose des connaissances que possède généralement le personnel médical et paramédical ; en outre, pour ce qui est de l'arme du crime, il a eu accès à un instrument que les professionnels de Willow Glen n'auraient eu aucun mal à se procurer.

— Continuez.

— Nous disposons maintenant d'une somme considérable d'informations supplémentaires. En particulier, il est hautement probable que Ms. Barsten ait eu une relation de type sexuel avec la victime.

Il dévisagea attentivement Mrs. Simonton afin d'observer sa réaction, mais fut tout de même pris au dépourvu.

— Masturbation ou fellation ?

Petri faillit bondir sur ses pieds.

— Ça ne vous étonne donc pas ?

— Ce sont les deux seules possibilités étant donné le handicap de Stephen, répliqua-t-elle posément. Et maintenant, laissez-moi vous dire trois choses. Premièrement : vous ne devez pas interpréter mon absence de réaction comme une approbation tacite du comportement de Heather. Le problème des infirmières ayant des relations sexuelles avec leurs malades a des implications très profondes. Deuxièmement : vous pouvez prendre cette absence de surprise comme une preuve de respect envers vos capacités. Je vous connais mal, mais suffisamment pour savoir que vous n'emploieriez pas sans raison l'expression « hautement probable ». Si vous me dites : il est hautement probable que Heather ait eu des rapports sexuels avec Stephen, alors je suis d'accord avec vous. C'est en effet très probable. Pour finir, vous pouvez attribuer mon absence de surprise à l'âge et l'expérience. Dans ce métier, on travaille avec des êtres humains, et je l'exerce depuis très longtemps. Il n'y a plus grand-chose qui me surprenne.

La bataille s'annonçait encore plus rude qu'il ne l'avait cru. Il se réjouit sincèrement de ne pas jouer aux échecs avec Mrs. Simonton.

— Ce n'est pas tout, reprit-il. Durant les douze mois qui ont précédé la mort de la victime, il s'est produit soixante-deux décès dans l'établissement. Ms. Barsten était de garde au moment de trente-quatre de ces décès, c'est-à-dire dans 55 % des cas. Pourtant, j'ai calculé que chaque infirmière n'était de garde que pendant 25 % du temps global. En d'autres termes, le taux de décès en présence de Ms. Barsten est plus de deux fois supérieur à celui que laisseraient normalement prévoir les statistiques.

Pour la première fois, Petri se félicita d'avoir dû suivre en cours du soir un cycle inconcevablement assommant sur les statistiques.

— Et alors ?

De nouveau, ce sentiment de s'être aventuré sur une autre planète. Petri regarda dans les yeux cette femme pourtant indubitablement intelligente.

— *Et alors ?* Et alors, on dirait que vous avez sur les bras une meurtrière à grande échelle. J'ai cru comprendre que Mrs. Barsten travaillait ici depuis trois ans. J'ai bien l'intention de demander à Ms. McAdams de me procurer les chiffres portant sur les deux années précédentes. Mais même si l'on s'en tient à ceux dont nous disposons, vous rendez-vous compte à quel point ils sont statistiquement improbables ? Je crains qu'avec un complément d'enquête, cette improbabilité ne se révèle encore plus sensible. Il semble bien qu'il y ait un rapport étroit entre Ms. Barsten et le taux de décès dans cet établissement.

— Certainement. Et si vous compiliez les données complémentaires, le rapport vous sauterait encore plus au yeux.

— Mon Dieu, mais ça ne vous fait donc ni chaud ni froid ?

Sans s'en rendre compte, Petri était en train de perdre son calme.

— Hier, nous avons parlé de la logique, poursuivit imperturbablement Mrs. Simonton. Et nous sommes tombés d'accord pour dire qu'elle avait ses limites. La logique établit des rapports entre les faits sur la base de certaines données. Vous avez en votre possession des données que moi je n'ai pas. Mais l'inverse est également vrai. Par conséquent, vous formulez l'hypothèse que Heather est une meurtrière récidiviste. Disposant d'une autre connaissance de base, je me contente d'interpréter les données pour en conclure que Heather est une infirmière exceptionnellement compétente.

Petri la regarda bouche bée.

— Et comment vous y prenez-vous pour interpréter différemment les données ? s'enquit-il avec prudence.

— C'est tout simple, inspecteur. Nombreux sont les pensionnaires de Willow Glen qui souhaitent mourir pendant que Heather est de garde, afin qu'elle soit auprès d'eux à ce moment-là.

— Redites-moi ça autrement.

— La plupart des malades ne se contentent pas d'aimer Heather : ils l'adorent. Ils savent aussi qu'elle comprend l'agonie et la mort comme très peu de gens les comprennent.

— Comprendre la mort ? coupa Petri. Qu'est-ce qu'il y a à comprendre ?

— La mort n'effraie pas Heather comme elle effraie la plupart des gens, expliqua patiemment Mrs. Simonton. Elle se sent à l'aise devant la mort, et parce qu'elle les aime, un grand nombre de mourants veulent qu'elle soit là. Alors ils attendent qu'elle soit de garde, et ils la font appeler. Là, elle les aide à mourir.

— Ça ! Je ne vous le fais pas dire. Et je ne doute pas qu'elle soit à l'aise dans ces circonstances.

— Je ne suis pas sûre que vous m'ayez bien entendue, inspecteur.

— Je vous ai très bien entendue, au contraire. Vous venez de dire que ces malades programmaient l'heure de leur mort. Vous êtes aussi farfelue que tout le monde ici. On ne décide pas de l'heure de sa mort.

— C'est là que vous vous trompez, inspecteur. Vous auriez absolument raison de dire que tout le monde ne programme pas sa mort. Ce n'est certainement pas le cas de Stephen, et c'est une des raisons pour lesquelles nous considérons que dans son cas, il s'agit d'un meurtre. Il y a aussi des morts naturelles dont l'heure n'a pas été prévue. Mais cela arrive. Souvent.

Petri posa sur Mrs. Simonton un regard où se lisaient le scepticisme, la rancune et la perplexité, ainsi qu'un profond malaise.

— Prouvez-le-moi, fit-il.

— Je crains que ce ne soit impossible, du moins en si peu de temps. Tout ce que je puis faire dans l'immédiat, c'est mettre en cause votre conception personnelle de la notion de preuve. Vous partez du principe que les statistiques rassemblées par vos soins prouvent que Heather est une meurtrière. Je vous ai fait remarquer qu'elles ne prouvaient rien du tout, parce qu'il existe une autre hypothèse, tout à fait raisonnable. Le problème, c'est que vous, vous ne la trouvez pas raisonnable. C'est parce que vous détenez des faits différents, des séries d'expériences différentes.

» Hier, je vous ai dit qu'ici, on était plus proche de la mort qu'ailleurs. Je travaille dans ce milieu depuis vingt-cinq ans. Il est bien naturel que j'en sache plus que vous sur les mourants. Mais si vous passez suffisamment de temps dans ce monde étrange, comme vous dites, vous ferez la même expérience. Vous apprendrez qu'en effet, beaucoup de gens programment bel et bien leur mort. Vous détiendrez votre preuve. Mais pour cela, il faut apprendre à le connaître un peu mieux, ce monde.

» Encore une chose. Puisque nous parlons chiffres : il est exact que, quelle qu'en soit la cause, le taux de décès survenant pendant le service de Heather soit une aberration statistique. Néanmoins, il vous sera peut-être utile de savoir que le taux de mortalité pour l'ensemble de l'établissement est plus ou moins dans la norme. Encore qu'il soit difficile d'établir une norme, car dans ce domaine, chaque établissement a son propre profil. Certains servent plutôt de centres de postcure, ou n'acceptent que des malades ambulatoires tels que nos pensionnaires de l'Aile C. D'autres ne prennent aucun malade ambulatoire. D'autres encore sont en quelque sorte des hospices. Mais pour autant que je puisse l'affirmer, Willow Glen ne connaît pas plus de décès que la moyenne.

Petri s'irrita de la manière qu'avait cette femme de lui couper l'herbe sous les pieds. Mais il avait encore quelques cartes dans sa manche.

— J'ai en ma possession certaines autres informations, déclara-t-il en se trouvant un peu pompeux. J'ai fait rechercher les antécédents de Ms. Barsten. Elle n'a jamais été interpellée, mais deux hommes qui l'avaient frappée ont été arrêtés. L'un s'est ultérieurement rendu coupable de meurtre. Votre Ms. Barsten paraît avoir un certain penchant pour la violence, en plus des morts naturelles.

— Sur ce plan, nos banques de données concordent. Malheureusement, vous êtes dans le vrai. Heather a une forte tendance à fréquenter des hommes peu recommandables.

— À votre connaissance, Ms. Barsten voit-elle un psychiatre ?

Mrs. Simonton hésita. Elle ne voyait aucun moyen de se sortir de ce piège. Si elle répondait non, elle mentait. Si elle disait oui, ce serait répéter une confidence. Et si elle refusait de répondre, Petri saurait ce qu'il en était.

— Je crains de ne pouvoir répondre à cette question, inspecteur. Ce genre de renseignement est généralement tenu confidentiel.

— S'agit-il du docteur Kolnietz ?

— Là encore, je ne peux pas répondre, et pour les mêmes raisons.

Petri se carra dans son siège.

— Je suis obligé de vous demander de relever temporairement Heather Barsten de ses fonctions, déclara-t-il.

— Est-ce un ordre ?

Petri se rendit compte qu'il avait quelque peu outrepassé ses droits ; pour formuler une telle directive, il fallait qu'il en réfère d'abord au commissaire.

— Non, jeta-t-il. Simplement une requête qui me paraît raisonnable.

— Je regrette, mais je ne peux pas y accéder.

— Je me demande bien pourquoi ! Puisque je vous dis que vous avez une tueuse à domicile !

— Il y a deux raisons à cela. D'abord, je ne peux pas me passer de ses services. Ensuite, je viens de vous le dire, je n'ai aucune raison de soupçonner Heather.

— Et le risque que vous faites courir à vos malades ? J'ai pu constater que certains d'entre eux s'en préoccupent, *eux*.

— Mais moi aussi, inspecteur, moi aussi. Plus que vous ne pourriez le croire. Seulement, ça n'a aucun rapport avec Heather.

— Bon, mais pouvez-vous au moins la faire passer en service de jour, où on surveillera plus facilement ses allées et venues ?

La directrice réfléchit un instant.

— Oui, si vous voulez, concéda-t-elle. De toute manière, elle devait reprendre le service de jour dans une semaine. Je n'ai qu'à l'avancer un peu.

Petri se leva. La veille encore, ce vieux dragon lui était plutôt sympathique. Mais aujourd'hui, il la trouvait vraiment contrariante. Il voulait rentrer au poste de police, quitter ce monde de fous et trouver un endroit où il puisse réfléchir. Elle ne s'inquiétait peut-être pas d'avoir une infirmière atteinte de folie meurtrière en liberté dans son établissement, mais lui si. Il devait faire en sorte que cette affaire soit réglée le plus rapidement possible.

— Je vous appellerai quand j'aurai à nouveau besoin de vous, dit-il avec froideur.

— Encore une chose, s'il vous plaît, l'arrêta Mrs. Simonton. Je suis certaine que d'ordinaire vous ne commettez pas d'erreur grave. Vous êtes quelqu'un d'intelligent et de consciencieux. Je reste donc perplexe. Je comprends parfaitement que vous ayez un sentiment d'urgence. Mais j'ai l'impression qu'il y a autre chose. On dirait que Heather est devenue pour vous une cause à combattre. Qu'est-ce qui vous tracasse à ce point ?

Petri fit volte-face et sortit. Il ne prit même pas la peine de lui répondre.

Aussitôt arrivé au poste de police, il appela le docteur Kolnietz. Nouvelle contrariété : quand il eut expliqué pourquoi il désirait s'entretenir avec lui d'une de ses clientes, le psychiatre répondit :

— Vos motifs sont tout à fait légitimes, inspecteur. Mais veuillez comprendre que mon incapacité à y répondre ne l'est pas moins. Le terme légitime signifie « en accord avec la loi ». Or, selon la loi en vigueur dans cet État, je ne peux vous communiquer aucune information sur l'un de mes patients sans son autorisation écrite. Je ne peux même pas vous dire si la personne en question fait ou non partie de ma clientèle. Le cas échéant, et seulement si cette personne me donnait effectivement son autorisation, je serais en mesure de faciliter votre enquête. Je vous souhaite une bonne journée.

Lorsqu'il était sergent, Petri avait souvent vu des inspecteurs se heurter au même refus avec les psy. Tous jusqu'au dernier avaient l'obsession du secret professionnel. D'un côté, il s'y était un peu attendu. D'un autre, il était furieux. Il oubliait que deux heures plus tôt, il avait lui-même demandé le secret à Mrs. Simonton. En cet instant, tout ce qui lui venait à l'esprit c'était que ces deux professionnels de la santé (Kolnietz et Simonton) avaient tendance à entraver la bonne marche de la justice. Il était temps de s'entretenir avec son supérieur.

Le commissaire était parti déjeuner. Petri sortit à grands pas du poste de police et alla jusqu'à la rue principale, où il entra dans une cafétéria. Là il commanda un sandwich œuf-salade (la nervosité lui coupait l'appétit) et, tout en mangeant, se prépara pour l'entretien en tirant son carnet de sa poche pour dresser la liste des sept facteurs qui faisaient peser ses soupçons sur Heather Barsten :

1. Pas d'alibi – présente à l'heure et sur les lieux du crime.
2. Accès à l'arme du crime et aux accessoires.
3. Connaissance de l'anatomie – expertise.
4. Rapports étranges avec la victime.
5. Liens statistiques avec d'autres décès.
6. Suivie par un psychiatre.

Il revint au premier article de sa liste : pas d'alibi. Si Barsten disait vrai (si elle était réellement allée faire un tour dehors à quatre heures et demie du matin), alors c'était Bertha Grimes qui était restée seule avec la victime pendant la demi-heure qui avait suivi son départ, elle qui aurait l'alibi le plus fragile. Mais depuis deux jours, cette histoire de promenade lui trottait dans la tête. Barsten était-elle réellement allée se promener ? Drôle d'heure pour quitter son poste ! Pourquoi était-elle sortie, juste avant l'aube, dans ce froid hivernal, et justement cette nuit-là ? Décidément, le moment était venu de se pencher sérieusement sur cette nouvelle anomalie dans le comportement de l'infirmière.

Lorsqu'il rentra, le commissaire était déjà de retour. Petri alla s'installer dans son vieux bureau tout encombré et énuméra les sept points de sa liste. Il s'exprimait d'une voix neutre, dissimulant la répulsion que lui inspiraient les pratiques sexuelles de celle qu'il soupçonnait, ainsi que sa perplexité devant l'impassibilité de Mrs. Simonton. Le commissaire n'aurait qu'à tirer ses propres conclusions. Mais il prit bien soin d'exposer en détail la contre-interprétation qu'avait donnée la directrice sur la question des statistiques.

— Je pense donc qu'il faut interroger plus amplement cette Barsten, monsieur, acheva-t-il. Je ne peux toujours pas affirmer qu'elle ait réellement eu des rapports sexuels avec la victime. Je ne dispose que des déclarations de la vieille dame, et il faut attendre d'avoir confirmation. Et qu'elle me donne la permission de m'entretenir avec son psychiatre. Par ailleurs, je veux voir sa réaction quand je la confronterai à tous ces faits. Mais je ne peux le faire que sous forme d'interrogatoire en bonne et due forme, ce qui implique de l'arrêter.

Le commissaire se carra dans son fauteuil pivotant et ferma les yeux. Il appréciait son nouvel inspecteur et tenait à faire le maximum pour le soutenir. Des gens aussi intelligents et énergiques que Petri, on n'en rencontrait pas tous les jours, à New Warsaw. Mais si on commettait des erreurs, surtout sur le plan politique, on ne restait pas commissaire de police dans la même ville pendant quinze ans. Il connaissait pratiquement tout le monde. Par exemple, les parents de cette Heather Barsten. Ils ne poseraient pas de problème. Il passa en revue tous ceux qui pourraient présenter une objection. Non, apparemment, rien ne s'y opposait. Mais une arrestation, tout de même, c'était tout autre chose.

Il se redressa et rouvrit les paupières.

— En effet, Tom, je crois que vous avez matière à procéder à un interrogatoire en règle, énonça-t-il enfin. Néanmoins, sachez que cela ne suffit pas à la placer en détention. Certaines des choses qui l'accusent pourraient aussi bien accuser Bertha Grimes. Quant au reste, c'est intéressant, mais ça n'a pas de rapport direct avec l'affaire. Si on additionne les faits, on obtient en apparence de lourdes charges, c'est vrai ; mais dans une salle d'audience, ça ne vaut pas un pet de lapin. Et vous le savez pertinemment. Qu'un avocat jette le doute sur l'un ou l'autre de ces arguments et c'est l'ensemble qui est remis en cause. Ne nous mettons surtout pas une arrestation abusive sur le dos — ni même une arrestation qui ne débouche pas sur une inculpation. Bon, allez-y, conduisez votre interrogatoire. Mais pour l'amour du ciel, si vous tombez sur quelque chose de vraiment concluant, dites-le-moi. Où que vous soyez, de jour comme de nuit. Je veux être tenu au courant en permanence. Nous sommes dans une petite ville, ici ; tout le monde s'intéresse à l'affaire.

Petri n'ignorait pas qu'il venait d'entendre la voix de la raison, mais sans savoir pourquoi, il avait tout de même l'impression de s'être fait attraper comme un petit garçon. Ma foi, tôt ou tard, il s'attirerait le respect de son chef. Et peut-être plus tôt que prévu. Peut-être l'après-midi même. Il alla tout droit trouver le sergent Mitchell.

— Bill, fit-il. Tout semble accuser cette infirmière, Ms. Barsten. Le moment est venu de la convoquer pour interrogatoire. Il doit avoir lieu ici. J'aimerais que vous l'appeliez et que vous lui demandiez de se rendre au poste de police le plus tôt possible. Si vous n'arrivez pas à la joindre, dites-le-moi. Je veux que vous assistiez à l'interrogatoire en tant que témoin. Et que le magnétophone tourne dès qu'elle franchira la porte.

— Euh... chef ? hasarda Mitchell.

— Oui ?

— Vous ne croyez pas que vous allez un peu trop loin ?

— Comment ça ? Dites-moi ce qui vous gêne, Bill.

— Eh bien, c'est dur à exprimer... (Visiblement, Mitchell était en difficulté.) Je ne dis pas qu'il ne faut pas l'interroger, ça ne me regarde pas. Je ne veux pas faire de critiques, mais c'est que... Eh bien, vous m'avez l'air un peu sous pression.

— J'ai déjà vu ça avec le commissaire, Bill, répliqua Petri avec impatience. Il a beaucoup réfléchi avant de me donner le feu vert.

Mitchell laissa tomber. J'ai fait ce que j'ai pu, se dit-il. Mais il sentait jusque dans la moelle de ses os que quelque chose n'allait pas dans cette affaire.

Petri ne se laissa pas démonter par la tentative d'intervention de son assistant ; au contraire, il n'en tint aucun compte. Pour lui, seul restait à déterminer le style à adopter pour l'interrogatoire. Fallait-il se montrer brutal ? Doux ? Tantôt l'un tantôt l'autre ? Il ne le savait pas encore. Mais ce dont il était sûr, c'était qu'il allait obtenir des réponses. Elle ne repasserait pas la porte avant de s'être expliquée.

Tim O'Hara rentra du réfectoire en traînant la jambe et alla rendre une petite visite à Marion. Le soleil de l'après-midi, qui commençait à se montrer moins timide, inondait de lumière la femme immobile dans son lit près de la fenêtre.

— Comment te sens-tu, ma chérie ?

Mrs. Grochowski posa sur lui un regard plein de gratitude.

— Physiquement ça va, répondit-elle. Mais j'ai peur, Tim.

— À cause du meurtre ?

— Oui. Pour la première fois, je regrette d'être seule dans ma chambre. Je me sens tellement vulnérable ! Je ne peux pas m'empêcher de penser que Stephen était le seul autre paralysé du service. Est-ce une coïncidence... ? Je me demande. Je ne cesse de me dire que la prochaine fois, ce sera peut-être mon tour.

— Ma chérie, comme c'est horrible. Même moi j'ai peur, et pourtant, je pourrais frapper avec ma canne. Mais pour toi, ce doit être affreux !

— Qui a fait ça, Tim ? Pourquoi assassiner un homme sans défense comme Stephen ? Qui a bien pu faire une chose pareille ?

— Je ne sais pas, ma chérie. Si seulement je le savais !

— Tout ce que je peux faire, c'est rester couchée dans mon coin à me demander : est-ce celui-ci, celui-là ? Alors il me vient des soupçons, et c'est encore pis, parce que je me mets à attendre le tueur. Ou la tueuse.

— Sur qui se portent tes soupçons ?

Mrs. Grochowski eut un petit rire sans joie.

— Les soupçons ne sont que des soupçons. J'ai bien quelques idées, mais je ne veux accuser personne — même pas devant toi. Je ne peux rien faire, Tim !

— Et moi je ne peux rien faire pour t'aider. J'essaie, mais je ne vois pas. Laisse-moi parler à Mrs. Simonton et lui demander si je peux m'installer ici avec toi.

— Tu n'en feras rien, Tim O'Hara. Elle a assez de soucis comme ça en ce moment pour que tu ailles l'embêter avec ce genre de détail. D'ailleurs, elle a déjà fait tout ce qu'elle pouvait pour nous. Tu t'imagines sa situation si on apprenait que non seulement il y a eu un meurtre dans son établissement, mais qu'en plus les hommes et les femmes logent ensemble ?

— Tu as sans doute raison. Mais je voudrais pouvoir faire quelque chose pour que tu te sentes un peu plus tranquille.

— Il y a bien une solution, mon amour, répondit Mrs. Grochowski. Nous pourrions célébrer l'Eucharistie.

— Ah ! fit Tim. Ça, ce n'est pas de mon ressort, mais du Sien. Cela dit... quelle coïncidence ! Justement, j'avais pris un morceau de pain au réfectoire.

— Oh, Tim ! C'est merveilleux, s'exclama Mrs. Grochowski.

Puisque son bras gauche était paralysé et qu'il avait besoin de l'autre pour s'appuyer sur sa canne, Tim dut faire deux voyages pour rapporter de sa chambre la demi-tranche de pain et sa bouteille de vin. Il posa l'un sur le dessus-de-lit et l'autre sur la table de chevet. Puis il alla chercher un verre dans la salle de bains. Il s'empara de la bouteille, s'installa dans le fauteuil et la plaça entre ses jambes afin de la déboucher de sa main valide. Cela fait, il se releva et versa deux doigts de vin dans le verre. Puis il se rassit. Ces préparatifs tout simples lui prirent dix minutes. Mrs. Grochowski le suivait du regard avec impatience.

Ce fut elle qui rompit le long silence qui suivit.

— Nous disons toujours la messe en l'honneur de Jésus, fit-elle. On ne pourrait pas, cette fois, la consacrer à Stephen ?

— Bien sûr que si, acquiesça Tim. Jésus, poursuivit-il comme s'il s'adressait à un troisième homme présent dans la pièce. Toi qui T'es sacrifié pour nous, aujourd'hui Marion et moi T'offrons nos vies en sacrifice. Nous faisons cela cet après-midi non seulement en Ton honneur, mais aussi en celui de Stephen. Nous Te demandons de le compter au nombre de Tes martyrs bien-aimés.

— Amen, fit Mrs. Grochowski. (Une minute s'écoula, puis elle reprit la parole.) Jésus, je t'en prie, veille sur moi. Et sur Tim. Et sur tous ceux sur qui pèse la menace, ceux qui sont en danger.

Sans qu'elle pût dire pourquoi, l'image de Heather se présenta à son esprit — mais ce fut si bref qu'elle n'y prêta guère attention.

— Amen. Que Ton esprit soit avec les meurtriers, pour ce qu'ils sont et pour qu'ils ne commettent plus de crimes, pria Tim.

— Amen.

Il y eut un silence encore plus long. Puis ils furent enfin prêts. Tim se leva et se tint auprès du lit.

— La veille du jour où Il connut la souffrance et la mort, notre Seigneur prit le pain, entonna-t-il.

Une oreille indiscrète collée à la porte close n'aurait perçu qu'un murmure ; mais à l'intérieur de la chambre, la voix de Tim résonnait comme dans une cathédrale.

Il saisit le morceau de toast entre les doigts de sa main droite et le tint bien haut au-dessus de la poitrine de Mrs. Grochowski.

— Après T'avoir rendu grâce, il le bénit, le rompit. (Les doigts de Tim remuèrent légèrement. Le morceau de toast se cassa en deux en produisant un craquement qui envahit toute la pièce.) Puis il Se tourna vers Ses disciples en disant : Prenez et mangez-en tous. Ceci est mon corps livré pour vous. Vous ferez cela en mémoire de moi.

Tim porta une des deux moitiés à sa bouche et entreprit de mâcher lentement. Au bout d'un moment, il l'avala. Puis il posa l'autre contre les lèvres de Mrs. Grochowski.

— Marion, fit-il. Ceci est le Corps du Christ livré pour toi.

Elle referma avidement la bouche sur le morceau de pain.

Tim se dirigea en boitillant vers le pied du lit et actionna la manivelle afin que Marion se redresse en position assise. Béate, elle le regarda revenir vers la table de chevet, y prendre le verre et déclarer :

— À la fin du repas Il prit le vin... (Là encore, il éleva le verre au-dessus de sa poitrine.) ... et, après T'avoir rendu grâce, Il le donna à ses disciples en disant : Prenez et buvez-en tous. Ceci est mon sang versé pour vous et pour la multitude en rémission des péchés. Vous ferez cela en mémoire de moi.

Tim abaissa le verre et en prit une petite gorgée. Puis il le porta aux lèvres de Marion.

— Marion, reprit-il, voici le Sang du Christ, la Coupe du Salut.

Il inclina le verre, dont elle but avidement deux gorgées. Ensuite, il le reposa sur la tablette. Une par une, il ramassa soigneusement les miettes de toast tombées sur le dessus-de-lit et les laissa tomber dans le verre, où il restait encore un peu de vin. Puis il fit tourner le tout dans sa main et vida le verre d'un coup avant de le reposer.

Cela fait, il s'assit et lui prit la main.

— Je t'aime, Marion, fit-il tout doucement.

— Je t'aime aussi, Tim, répondit-elle.

Ils restèrent un long moment silencieux ; la paix régnait entre eux ; elle était avec eux et en eux.

Cet après-midi-là, un peu avant quatre heures, le sergent Mitchell introduisit Heather dans le bureau de Petri. Elle portait des jeans et une tunique. En la voyant, Petri constata deux choses. D'abord, elle avait l'air épuisée. Ça peut être utile pour la faire craquer, se dit-il. Ensuite, en dépit de la fatigue, elle était ravissante. Cela le frappa beaucoup plus nettement que la première fois. Il n'en revenait pas. Était-ce dommage, ou simplement naturel, que l'ange de la mort soit d'une telle beauté ?

— Je vous remercie d'être venue si rapidement, Ms. Barsten, commença-t-il avec formalisme. Je regrette que ce soit dans de pareilles circonstances, mais le fait est que la situation est grave. En effet, avant que vous ne disiez quoi que ce soit, je dois vous prévenir que toute notre conversation est enregistrée. De plus, je vous avertis que tout ce que vous direz pourra être retenu contre vous. Vous avez donc le droit de garder le silence, puisque vous avez celui de ne rien dire qui puisse jouer en votre défaveur. Vous avez également le droit de demander un avocat et de ne pas poursuivre l'entretien sans son assistance.

Heather lui lança un regard morne.

— On dirait que vous m'accusez du meurtre de Stephen.

— Je ne vous accuse de rien pour l'instant, Ms. Barsten. Mais en effet, des soupçons pèsent sur vous. C'est pourquoi je voulais m'assurer que vous connaissiez vos droits. Désirez-vous un avocat ?

— Non, c'est inutile, merci, répliqua Heather.

— Qu'est-ce qui vous permet d'en être si sûre ?

— Je ne suis pas coupable.

— Je ne sais pas si vous vous rendez compte à quel point l'affaire est grave, Ms. Barsten.

— Écoutez, inspecteur, s'irrita Heather. Je vous dis que je ne suis pas coupable. Mais même si vous commettez une erreur et que vous concluez à ma culpabilité, à l'heure qu'il est je m'en fiche complètement. Je suis tellement fatiguée et j'ai tellement de peine pour Stephen qu'en ce qui me concerne, vous pouvez bien m'enfermer et jeter la clef. Mais pourquoi me soupçonne-t-on ?

Petri s'étonna. Il avait espéré qu'elle prendrait peur à se voir ainsi convoquée au poste de police, et à s'entendre réciter ses droits. Or, au contraire elle ne paraissait consciente ni de ce qui l'entourait, ni de ce qu'il venait de lui dire. Était-ce à mettre sur le compte du chagrin ? Elle n'était tout de même pas amoureuse de la victime, quand même ? Non, il avait vu le cadavre. De la pitié, peut-être ; mais de l'amour, non. Peut-être dissimulait-elle sa peur. Ma foi, puisqu'elle voulait savoir, il allait le lui dire. Il allait commencer à resserrer l'étau, et on verrait bien si elle manifestait un peu d'effroi.

— Apparemment, rapporta Petri, Mr. Solaris a été assassiné à trois mètres du bureau des infirmières, à un moment où soit vous, soit Mrs. Grimes, soit les deux, vous étiez présentes. Le coupable s'est servi de ciseaux et de gants chirurgicaux auxquels vous pouviez avoir accès. Il avait vraisemblablement les connaissances médicales que possèdent les infirmières ou les médecins. Vous aviez accès à la victime, à l'arme du crime, et vous aviez les compétences requises.

— Mais c'est également valable pour Bertha ! protesta Heather.

Ah ! On se réveille, nota Petri avec satisfaction. Oui, il sentait bien de la peur. Il fallait laisser cette peur se préciser un peu. Il resta silencieux.

Ce fut Heather qui rompit le silence.

— Je regrette ce que je viens de dire. Je n'ai aucune raison d'accuser Bertha. N'en tenez pas compte, s'il vous plaît. Si j'ai dit ça, c'est seulement parce que vous devez avoir une autre raison de me soupçonner.

— Absolument. J'en ai même plusieurs. (Il la dévisagea froidement.) La différence entre votre situation et celle de Mrs. Grimes, entre autres, est qu'elle, elle est restée à son poste alors que vous, vous avez déclaré être sortie vous promener. Où êtes-vous allée, Ms. Barsten ?

— Nulle part, en fait. Je suis sortie par la porte de devant et j'ai fait cinq ou six fois le tour du parking avant de rentrer.

— Le tour du parking, vraiment ? (La voix de Petri exprimait nettement son incrédulité.) Vous aimez vous promener dans les parkings, Ms. Barsten ? C'est dans vos habitudes ?

— Mais non, je vous l'ai déjà dit.

— Et ça vous arrive souvent de partir vous promener quand vous êtes de garde ?

Il y eut un bref silence durant lequel Heather rassembla ses souvenirs, puis elle répondit :

— Je ne crois pas que cela me soit jamais arrivé.

— Ah bon ? Et pourquoi ?

— Eh bien, d'habitude je ne sors pas du service quand je suis de garde, et je n'ai jamais eu de raison de le faire, sauf quand on m'appelle dans un autre service.

— Il devait faire un peu froid dans ce parking, non ?

— Je ne sais pas. J'ai pris mon manteau. À part ça, je ne m'en souviens pas.

— Si mes renseignements sont exacts, reprit Petri d'un ton glacial, vous travaillez à Willow Glen depuis trois ans. Vous ne trouvez pas un peu bizarre qu'un meurtre survienne justement la première fois que vous quittez votre poste, prétendument pour faire le tour d'un parking, à quatre heures et demie du matin, par une froide nuit d'hiver et sans motif apparent ?

196

— Je vous l'ai dit, j'étais bouleversée.

Petri remua délibérément des papiers sur son bureau histoire de la faire mariner encore un peu. Puis, avec une brusquerie préméditée, il fixa sur elle un regard perçant.

— Ms. Barsten, aviez-vous des rapports sexuels avec la victime ?

— Oui.

Petri se sentit perdre quelque peu l'avantage. Il était certain d'avoir perçu de la peur dans ses yeux quand il lui avait décoché cette question, mais il ne s'était pas attendu à ce qu'elle y réponde du tac au tac. Soit elle était honnête à sa manière, soit elle n'avait aucune conscience. Voyons comment elle se tire des détails, songea-t-il. Je vais la bombarder sans lui laisser le temps de respirer. Il se jeta à l'eau.

— Depuis combien de temps cela durait-il ?

— Environ trois semaines

— En quoi consistaient ces rapports ?

— C'étaient des rapports oraux. Du moins, moi je me servais de ma bouche.

— Avez-vous eu des rapports sexuels oraux la nuit du meurtre ?

— Oui.

— Où et quand ?

— Dans la petite pièce qui sert d'entrée à la pharmacie, quand j'ai eu fini de préparer mes médicaments. Il devait être à peu près quatre heures du matin.

Petri s'irrita à nouveau. Il n'y avait absolument rien de défensif dans sa manière de s'exprimer, neutre, l'air de rien. Pas la moindre honte.

— Y a-t-il un lien entre vos rapports sexuels avec la victime et son assassinat ? demanda-t-il.

— Pas que je sache.

— Que voulez-vous dire par là ?

— Exactement ce que j'ai dit. Pas que je sache. Mais je me doute que quelqu'un devait être au courant et vous a tout raconté. Le lien est peut-être à chercher du côté de cette personne, pour ce que j'en sais. Ou de *ces* personnes. J'ignorais que quelqu'un savait. Qui est-ce ?

Petri s'occupait uniquement de lui balancer au visage question après question. Il fonça tête baissée, et ne remarqua pas la grimace de Mitchell.

— Mrs. Bates, fit-il sèchement. N'est-il pas vrai, Ms. Barsten, que ces relations intimes avec la victime vous aient donné un mobile pour la tuer ?

— Non, c'est faux.

— Vous m'avez dit que la victime était désespérée d'être enfermée dans un corps d'infirme. N'est-il pas vrai, Ms. Barsten, que vous l'avez tuée pour abréger ses souffrances ?

— Non, c'est faux.

— N'est-il pas vrai, Ms. Barsten, que vous avez aidé à Willow Glen de nombreux malades à mourir ?

— Si, c'est exact.

— Comment vous y prenez-vous ? Que leur donnez-vous ?

— Mon temps.

— Non, je veux dire : quel médicament leur donnez-vous pour les aider à mourir ?

— Aucun.

— Vous êtes une infirmière très aimée, Ms. Barsten. Vous paraissez être quelqu'un de très humain. Quand on travaille avec tant de grands malades, de personnes âgées, de handicapés, d'êtres qui souffrent et dont la vie ne sert plus à rien... il doit être très tentant de les sortir de leur misère ?

— Non, pas du tout.

— Pourquoi pas ?

— Parce que ce n'est pas mon boulot. Ce n'est pas mon boulot de me prendre pour Dieu.

— Et faire l'amour avec vos malades, Ms. Barsten ? Ça fait partie de vos attributions ?

Petri attaquait d'abord du gauche, puis du droit.

— Non.

— Alors pourquoi le faites-vous ?

— Je... Je ne fais pas l'amour avec mes patients. Seulement avec Stephen. C'était le seul.

Elle commençait à bégayer. Parfait. Il arrivait enfin à quelque chose. Il enfonça le clou.

— C'est parce qu'il ne pouvait pas vous repousser ?

— Mais non. Il aimait ça, répondit Heather.

Manifestement, elle était pourtant mal à l'aise.

— Comment le savez-vous ?

— Il me l'a dit.

— Je croyais qu'il ne pouvait pas parler.

— Il me l'a épelé sur sa planche alphabétique.

— Y a-t-il d'autres malades qui souhaitent faire l'amour avec vous, Ms. Barsten ?

— Oui, répondit-elle en songeant à Hank.

— Et vous leur rendez ce service ?

— Non.

— Vraiment ? fit Petri en haussant les sourcils d'un air perplexe. Et pourquoi donc ?

— Parce qu'ils ne m'attirent pas.

— Mais la victime, elle, vous attirait ?

— Oui.

Petri ne doutait pas une seconde qu'elle fût en train de mentir.

— Voyons, Ms. Barsten. Mr. Solaris était plus de votre âge que les autres malades, mais on ne peut pas dire qu'il ait été quelqu'un de très séduisant.

— Mais... Mais il était bon, balbutia Heather. Il avait une espèce de lumière.

— Expliquez-vous.

Heather sut que jamais elle ne réussirait à lui faire comprendre cela. Quelle réponse lui faire ? La vérité rendrait un son si bizarre... Même dans sa tête à elle ce n'était pas très clair. Pourtant, elle le lui dit :

— Je l'aimais.

Petri la dévisagea. Il n'en croyait pas un mot. Néanmoins, il vit qu'il ne pouvait pas pousser plus loin. Il fallait changer d'angle d'attaque.

— Éprouvez-vous de l'amour pour d'autres patients, Ms. Barsten ?

— Oui.

— Et c'est pour cela que vous les tuez eux aussi ? Parce que vous les aimez ?

— Je ne tue personne, inspecteur, fit Heather sans se laisser démonter.

— Avez-vous conscience du fait que le taux de mortalité de Willow Glen double quand vous êtes de garde ?

— Ce n'est pas comme cela qu'il faut voir les choses. Je sais que les patients meurent plus souvent pendant mon service qu'à d'autres moments.

— Et comment expliquez-vous cela ?

— Certains malades veulent que je sois là au moment de leur mort.

— Et alors ?

— Alors ils attendent que vienne mon tour de garde.

Petri avait envie d'exploser, mais elle ne lui en laissait pas le loisir. Elle allait lui donner le même argument démentiel que cette maudite Simonton.

— Vous savez, Ms. Barsten, vous êtes une drôle de jeune femme. Vous faites l'amour avec un — au moins — de vos malades. Vous prétendez que vos malades *veulent* mourir quand vous êtes dans les parages... Oui, c'est curieux. Certains diraient même *malsain*. Ce n'est pas la première fois que vous venez au poste de police, n'est-ce pas ?

— Non.

— En fait, vous y êtes déjà venue deux fois. Et comme par hasard, chaque fois il y avait eu violence, non ?

Heather ne répondit pas. Elle savait que cette question était purement rhétorique.

— J'aimerais revenir sur votre prétendue promenade la nuit du crime, reprit Petri. Vous dites que vous êtes sortie parce que vous étiez bouleversée. Ce qui vous perturbait à ce point, c'était vos relations avec la victime, n'est-ce pas ?

— Oui.

Ah ! Enfin il tenait quelque chose.

— Vous vous étiez disputés ?

— Mais non. Ce n'est pas ça. Il était amer, furieux parce qu'il ne voyait pas d'avenir à nos relations. Il pensait que j'allais le quitter.

— C'était le cas ?

— Non. Du moins, je n'en avais pas l'intention. Mais il ressentait un tel désespoir que ça m'a fait réfléchir à l'avenir, moi aussi. Je n'y avais jamais pensé. Je me sentais coupable. Voilà pourquoi j'étais bouleversée.

Petri sauta sur l'occasion.

— Donc, Mr. Solaris était amer et furieux. A-t-il menacé de tout révéler ?

La réaction de Heather fut immédiate.

— Mais bien sûr que non ! Ça ne l'aurait même pas effleuré. Ce n'était pas du tout le genre de Stephen. Et puis de toute façon, je vous ai dit que nous ne nous étions pas disputés. Il voulait qu'on continue.

Petri n'allait pas abandonner comme ça.

— Pourtant, vous m'avez dit qu'il était amer et furieux.

— Oui.

— Et plein de désespoir.

— Oui.

— Vous avez dit à Mrs. Grimes que vous alliez faire un tour. Mais cela ne veut pas dire pour autant que vous l'ayez fait, n'est-ce pas ?

(Tout à coup, tout devenait clair pour lui.) En réalité, rien ne vous empêchait de pousser le chariot de Mr. Solaris un peu plus loin dans le couloir – peut-être jusqu'à la pharmacie –, où personne ne vous verrait. C'était une solution simple, non ? Pas de risque que quiconque apprenne la nature de vos relations. Et vous n'auriez plus eu à vous inquiéter de le quitter. En plus, vous mettiez fin à son désespoir. Vite fait. Comme ça, il ne se sentirait plus jamais désespéré, hein ? Sur quoi il vous suffisait de le ramener à sa place habituelle et d'annoncer à Mrs. Grimes que vous étiez rentrée de votre promenade.

– Je n'ai pas tué Stephen, fit simplement Heather. Je l'aimais.

Petri fit la grimace. L'amour n'avait pas sa place dans son raisonnement.

– Quelqu'un vous a-t-il effectivement vue vous promener dans le parking cette nuit-là ?

– Pas à ma connaissance.

– Ce n'est donc pas un alibi, vous êtes d'accord ? Au mieux, de mon point de vue c'est une conjecture, et pas très solide en plus.

Jusqu'à présent, Heather s'était sentie en position de faiblesse ; elle essayait seulement de se montrer honnête et docile. Brusquement, l'espace d'une seconde, ce besoin de docilité céda la place à la lucidité, le spectacle de Petri, Mitchell et elle-même assis tous trois dans ce bureau en un instant de sérénité totale et de clarté limpide.

– Mais c'est tout ce que vous avez contre moi, inspecteur, des *conjectures*.

Sa réponse affecta Petri de diverses manières. D'abord, il reconnut que c'était vrai. Le tableau qu'il avait construit n'était fait que de suppositions. Ensuite, il sentit se renforcer sa conviction. Le tableau était juste ; les détails relevaient de la conjecture, certes, mais il *savait* qu'elle était coupable. Son impudence même le prouvait. Toutefois, il se rendit compte aussi que l'entretien touchait à sa fin. Il ne lui restait plus, pour l'instant, qu'à réfréner sa fureur et jouer sa dernière carte de la journée. Il en aurait d'autres les jours suivants.

– Voyez-vous un psychiatre, Ms. Barsten ?

– Oui. C'est Mrs. Simonton qui vous l'a dit ?

– Non. Et c'est moi qui pose les questions, ici, la rabroua Petri en poussant son pion. De qui s'agit-il ?

– Du docteur Kolnietz.

– Depuis combien de temps allez-vous le voir ?

– À peu près un an.

– Pourquoi le consultez-vous ?

— Parce que je sors toujours avec des hommes qui ne valent rien.

— Verriez-vous une objection à ce que je m'entretienne avec le docteur Kolnietz à votre sujet ?

— Non.

— Me donneriez-vous une autorisation écrite à cet effet ?

— Oui.

Petri était tout déconfit. L'interrogatoire ne s'était pas du tout déroulé comme il l'avait escompté. Ms. Barsten s'était montrée très coopérative. Elle n'avait fait que confirmer ce qu'il savait déjà. Il avait réussi à la mettre mal à l'aise, mais elle ne lui avait absolument rien donné à se mettre sous la dent.

— Bill, dit-il au sergent Mitchell, voulez-vous rédiger une lettre au nom de Ms. Barsten, déclarant qu'elle me donne l'entière permission de m'entretenir avec le docteur Kolnietz à son propos ? Ensuite vous la lui ferez signer, et vous-même la contresignerez.

Tandis que son assistant s'exécutait et que la jeune femme restait assise là (bien tranquille, nom de nom !), Petri récapitula mentalement l'interrogatoire. Il voulait tellement lui soutirer quelque chose qui impressionnerait le chef ! Mais il n'y avait rien. Il se repasserait la bande le soir, mais ce n'était même pas la peine de la faire écouter au patron. À ce moment-là, en se demandant quel effet elle aurait eu sur lui, Petri se figea sur place. Il avait commis une grave erreur. Il avait dit à Barsten que c'était Georgia Bates qui lui avait révélé ses relations avec la victime.

Bon sang ! Comment avait-il pu se montrer si bête ? Son premier interrogatoire en règle, et il avait tout gâché ! Même le crétin qui s'était efforcé de devenir détective en même temps que lui savait qu'on ne donnait jamais au suspect l'identité de son informateur. Comment avait-il pu faire une gaffe pareille ? Il était allé trop vite. Mitchell avait raison. Il aurait dû prendre son temps, se montrer plus froid, plus neutre. Seulement, il n'était pas indifférent. Comment le rester face à un monstre ? Il se serait méprisé de rester neutre devant une femme qui molestait et assassinait des infirmes. Non, décidément, il ne se sentait pas neutre vis-à-vis de Ms. Barsten, et il ne changerait pas d'avis sur ce point. Néanmoins, il avait indéniablement enfreint une loi fondamentale de la pratique policière. Et peut-être mis les jours de la vieille Mrs. Bates en danger. Si ça se trouvait, c'était contre elle que se retournerait l'infirmière. Il devait faire en sorte que rien de tel n'arrive.

— Ms. Barsten, vous avez été très coopérative, déclara-t-il. Néanmoins, je dois vous avertir. Vous êtes actuellement le principal suspect dans cette affaire. Vous êtes libre de vous en aller, mais ne soyez pas trop contente de vous. Je suis responsable devant la population. Je ne veux pas d'autre meurtre à Willow Glen. Je préfère donc vous dire que vous êtes sous surveillance. Je vous surveille de très près, Ms. Barsten, et je continuerai. Pour le moment, vous pouvez partir.

La journée qui avait si bien commencé s'achevait sur une tout autre note. Non seulement Petri se sentait contrarié, mais en plus il se trouvait stupide. Elle en avait autant appris de lui que lui d'elle. Mais tout de même, il y avait cette autorisation d'aller parler à Kolnietz. Là peut-être, il apprendrait quelque chose. Un psychiatre suivant une femme aussi bizarre avait sûrement des renseignements intéressants à fournir. Il ne se découragerait pas. Mais s'il n'était pas disposé à approfondir sa bévue, Petri se sentit honteux d'avoir, pour une raison qu'il ne percevait pas clairement, conduit l'interrogatoire avec une telle maladresse, voire une telle immaturité.

CHAPITRE NEUF

Jeudi 24 mars

Stasz Kolnietz ouvrit un tiroir et en sortit un sac en papier brun dont il versa le contenu sur son bureau : une pomme et, sous plastique, un sandwich de pain complet au thon. Préparé avec amour, c'est-à-dire par lui-même. Marcia, son épouse, ne lui avait pas confectionné son déjeuner depuis un an. Ils étaient en train de divorcer, sur sa demande à elle. Ils habitaient toujours ensemble, parce que cela arrangeait Marcia. Lui qui était payé pour aider les gens à avoir de meilleures relations avec autrui, il n'était même pas capable de faire fonctionner son propre mariage. Alors qu'on le payait pour avoir une meilleure opinion de soi-même, lui-même avait la sensation d'avoir tout raté.

Néanmoins, et à sa grande surprise, il ne se sentait pas déprimé. Fatigué, oui, mais pas déprimé. Las de se bagarrer avec Marcia, las de la frustration, de sa propre culpabilité, las de s'efforcer de recoller les morceaux. Désormais, il était prêt à abandonner. Il ignorait s'il saurait se débrouiller tout seul avec deux adolescents, mais il allait essayer. De tout son cœur. Mais, comme pour son mariage, il en avait assez de faire des efforts.

Même la mort de Stephen n'avait pas réussi à le déprimer. Dès qu'il avait appris la nouvelle, il avait entamé le processus d'auto-accusation classique qui accompagne le deuil. Il revoyait encore le gamin épeler : « JE / POURRAIS / PARTIR / AVEC / TOI ! » Cette fin de traitement-là avait été déchirante − pour l'enfant comme pour lui. En seize ans de pratique de la psychothérapie, jamais il n'avait vu une souffrance pareille. Il avait envisagé sérieusement de prendre Stephen avec lui, de sacrifier sa carrière, un éventuel mariage et une vie de famille normale pour s'occuper de lui. Oui, très sérieusement. C'était peut-être pour cela qu'après le coup de téléphone d'Edie Simonton, lundi après-midi, il n'avait pas battu sa coulpe (« J'aurais dû le prendre avec moi. Si je l'avais fait, il serait encore en vie aujourd'hui ») pendant très longtemps.

Mais il y avait autre chose. Quand Edie l'avait appelé, il avait reçu un choc. Et pourtant, quelque part la nouvelle ne l'avait pas vraiment surpris. Pourquoi ? En tant que médecin, Kolnietz avait toujours su que l'espérance de vie de Stephen était inférieure à la normale. Les êtres à ce point paralysés, infirmes et immobilisés, étaient davantage sujets à l'infection que les autres. Mais pas au meurtre, bien sûr. Alors, pourquoi cette absence de surprise ? Ce n'était pas sur le plan physique qu'il fallait chercher la réponse, mais sur le plan mental. Kolnietz se souvint du jour où il avait commencé à comprendre qu'à l'âge de huit ans, le petit Stephen en savait bien plus que lui, qui en avait vingt-deux ; qu'il était d'une certaine manière plus sage, plus mûr que lui. Au fil des ans, ce curieux décalage n'avait fait que s'accroître. On n'en parlait jamais à la faculté de médecine, ni pendant la spécialisation en psychiatrie, ni dans les journaux professionnels ; mais Kolnietz savait que cela portait un nom. Stephen lui-même avait employé le terme, dix ans auparavant. Durant l'une de ses visites à Willow Glen, le jeune homme avait répondu à l'une de ses questions en épelant : « MON / ÂME / EST / VIEILLE. » Kolnietz n'avait pas compris, mais depuis longtemps il avait l'impression que Stephen était presque prêt à partir.

Et il savait que c'était cette même impression qui expliquait sa relative absence de chagrin. Était-elle de T.S. Eliot, la phrase qui disait : « À la cinquantaine, on nous demande d'en faire toujours plus, et on n'est pas encore assez décrépit pour refuser » ? Avec ses fils (Dieu sait qu'il les aimait, mais quelle responsabilité !), les courses à faire, la maison, les impôts, les avocats, sa clientèle abondante... Kolnietz se sentait profondément concerné par cette citation, ces temps-ci. L'idée de meurtre lui faisait horreur (encore que la mort ait dû être pratiquement instantanée, lui avait dit Edie), mais il ne pouvait ressentir de réel chagrin pour un être qu'il enviait, et parce qu'il aimait Stephen, cette envie était presque de la joie. Car il y avait des moments, de plus en plus rapprochés, où il souhaitait être lui aussi presque prêt à partir.

Mais il n'en était pas encore là. Faut y aller, se dit-il intérieurement en repensant au policier assis dans la salle d'attente. Il était parti du principe que sa visite avait un rapport avec le meurtre de Stephen, mais il lui avait dit qu'il voulait parler de Heather. Quel rapport ? Enfin, il n'allait pas tarder à le savoir.

Petri ne s'en était pas encore rendu compte, mais les psychiatres sont encore mieux entraînés à observer que les détectives. Il aurait été stupéfié par la rapidité avec laquelle Kolnietz l'évalua : jeune, probablement nouveau dans le métier ; cheveux foncés, nez légèrement aquilin, sans doute originaire d'Italie du Nord, comme le laissait supposer son nom ; veste et cravate, très soigné, cheveux coupés court, visiblement conservateur, à moins que ce ne soit une façade ; sexualité inconnue, naturellement, mais Kolnietz penchait intuitivement pour une tendance hétérosexuelle, encore qu'il y eût un léger doute, quelque chose de bizarre chez cet homme ; regard franc, menton ferme, le tout suggérant l'intelligence et une détermination infaillible ; souple, athlétique, avec des mouvements rapides, peut-être trop rapides même.

— J'espère que vous ne m'en voudrez pas si je mange mon sandwich pendant que nous parlons, déclara Kolnietz. Vous vouliez me voir le plus tôt possible, ce qui voulait dire : pendant mon heure de déjeuner.

Malgré lui, Petri ressentit un pincement d'angoisse ; pourtant, cet homme d'âge moyen avait l'air inoffensif et plutôt doux. À l'époque où il était sergent, c'étaient toujours les inspecteurs qui s'entretenaient avec les psy — seul à seul. C'était la première fois qu'il mettait les pieds dans un cabinet de psychiatre. Lequel cabinet, à l'instar de son propriétaire, était plutôt de nature à le mettre en confiance. Néanmoins, toujours sous le coup de sa bévue (lorsqu'il avait laissé échapper le nom de Mrs. Bates), ce jour-là Petri n'était pas très sûr d'être un bon professionnel. En outre, il avait la désagréable impression qu'il allait découvrir quelque chose, bien qu'il ne sût pas quoi.

— Merci de me recevoir, dit-il avec le sentiment d'être un adolescent qui fait son premier plongeon. C'est à propos du meurtre de Willow Glen. J'ai lu une bonne partie de votre livre, et je sais à quel point vous étiez proche de la victime. Ce doit être une terrible épreuve pour vous.

— Mon plus grand regret, répondit Kolnietz, est de ne pas l'avoir suffisamment remercié.

Petri en resta bouche bée. Comment cet homme pouvait-il éprouver de la gratitude envers un infirme dont il avait été le garde-malade, le sauveur même ?

— Remercié ? répéta-t-il en le regardant sans comprendre.

Kolnietz eut un petit sourire.

— Si vous arrivez au bout de ce livre, lieutenant, vous vous rendrez compte que son titre — *Résurrection* — ne renvoie pas tant à la résurrection de Stephen, sorti de l'arrière-salle d'une institution d'État pour arriérés mentaux, qu'à la mienne. C'est en travaillant avec lui que je me suis pour la première fois intéressé à l'esprit — non seulement au sien, mais au mien. Grâce à lui, je me suis intéressé aux gens au lieu de leur prendre leur argent ou de les poursuivre en justice. Ma vie entière a pris une direction nouvelle. Sans Stephen, je serais devenu homme de loi. Je ne sais pas ce que je vaux en tant que psychiatre, mais ce qui est sûr, c'est que j'aurais fait un très mauvais avocat.

Petri repensa tout à coup au titre du livre que la victime projetait d'écrire : *Le Pouvoir de l'impuissance*. Il commençait à se rendre compte que le jeune paralytique avait beaucoup compté dans la vie d'un nombre croissant d'individus, qu'il avait eu sur eux une influence curieusement déterminante. Pour la première fois il se dit que Stephen n'avait peut-être pas été si impotent que cela, qu'il avait peut-être détenu une espèce de pouvoir étrange. Cette idée le mit mal à l'aise. Il y avait toujours un trop grand décalage avec le corps monstrueusement infirme qu'il avait eu sous les yeux.

— La victime devait vous être extrêmement reconnaissante aussi, fit-il.

— En effet. Mais je doute que vous soyez venu me parler de mes relations avec Stephen. Vous disiez que c'était à propos de Ms. Barsten, et que vous aviez son autorisation écrite.

Petri lui tendit une photocopie du document. Kolnietz y jeta un coup d'œil et la glissa dans un tiroir.

— De quelle manière puis-je vous être utile ?

— Votre cliente est notre principal suspect.

La première réaction de Kolnietz fut de rire, mais il se retint.

— Voilà qui est surprenant, déclara-t-il d'un ton neutre.

— Pourquoi est-ce si surprenant, pour vous ?

— Quand on a exercé un certain temps la psychiatrie, on ne se laisse plus facilement surprendre. La surprise est donc devenue pour moi une émotion rare. Mais Heather n'est tout simplement pas du genre à tuer.

Petri se lança.

— Saviez-vous que Ms. Barsten et la victime avaient des relations de nature sexuelle ?

— Non.

— Comment se fait-il que vous ne soyez pas au courant ?

— Elle ne m'en a pas parlé.

— Pourquoi ne vous a-t-elle rien dit ?

— Je l'ignore, répondit tranquillement Kolnietz Cela l'embarrassait, je présume. Théoriquement, les patients en psychothérapie sont censés tout dire à leur thérapeute. Mais dans la pratique, cela n'arrive jamais. Chez eux, il est courant de dissimuler des informations significatives, du moins jusqu'aux tout derniers temps de la cure. Et Heather est loin d'en avoir fini.

— Vous n'êtes donc pas surpris par mes révélations ?

— Non.

— Vous ne trouvez pas ça bizarre, pour une jeune et jolie infirmière, d'avoir des relations sexuelles orales avec un malade horriblement difforme ?

— Si.

— Mais cela ne vous surprend pas ?

— Non.

— Je suis un peu perplexe, docteur, insista Petri. Je vous informe d'un comportement bizarre de la part d'une de vos patientes, et vous me dites que cela ne vous étonne pas ; d'un autre côté, vous vous dites surpris qu'elle puisse tuer.

— Chez beaucoup de gens, l'intégration est loin d'être parfaite, expliqua Kolnietz. Il est fréquent que la main droite ne sache pas ce que fait la gauche. Par conséquent, je ne suis pas surpris d'apprendre qu'un être globalement normal a fait quelque chose de très bizarre. Mais le défaut d'intégration dont je vous parle est relativement superficiel. Au niveau le plus profond de la personnalité — ce qu'on peut peut-être appeler l'âme —, règnent généralement l'intégration et la cohérence. (Kolnietz resta quelques instants pensif.) Je vous prie de croire que les psychiatres ne parlent pas souvent de l'âme et que, scientifiquement parlant, je m'aventure en terrain fragile. Et même théologiquement parlant. La plupart des gens me paraissent dotés d'âmes bonnes. Mais quelques-uns sont malades, même à un tel niveau de profondeur. Comme s'ils étaient intégrés tout de travers. Heather, elle, a une bonne âme. Les âmes bonnes ne commettent pas de meurtre. Voilà pourquoi je ne m'étonne pas qu'elle fasse des choses bizarres, et pourquoi je m'étonne beaucoup qu'elle ait fait quelque chose de mal.

Petri se tortilla sur sa chaise. Le psychiatre venait d'admettre que ce terrain était fragile, mais pour lui c'était plus que cela : complètement dingue, oui ! Ce psy était peut-être encore plus farfelu que les autres.

— Pour vous, il est donc hautement improbable que Ms. Barsten ait assassiné un homme avec lequel elle entretenait des relations sexuelles bizarres, et cette improbabilité forme le fondement de votre surprise ? paraphrasa-t-il.

— C'est cela.

Petri fonça tête baissée.

— Ms. Barsten est de garde à Willow Glen environ un quart du temps. Durant l'année écoulée, il y a eu soixante-deux décès dans l'établissement, dont trente-quatre pendant son service. Ce qui nous donne une corrélation statistique extraordinaire. Les lois de la statistique indiquent clairement une relation entre les deux phénomènes. Il est extrêmement improbable que sur un an, l'élévation deux fois supérieure à la normale du taux de mortalité pendant le service de Ms. Barsten soit uniquement le fait du hasard. En tant que médecin et homme de science, est-ce que cette improbabilité vous surprend ?

— Non.

— Pourquoi cela ?

— Parce que les statistiques que vous me donnez ne sont pas le produit du hasard. Il existe, comme vous dites, une corrélation évidente. Statistiquement, il est hautement improbable que le soleil se lève tous les matins pendant un an ou un millénaire par le seul fait du hasard ; seulement le lever du soleil n'est pas une question de hasard. De la même manière, la mort n'est généralement pas due au hasard.

— Et pourquoi ?

— La mort de Stephen n'est pas le fait du hasard. Quelqu'un l'a assassiné. C'est la raison de votre présence ici. De la même manière, si vous meniez l'enquête sur un accident de voiture et que vous appreniez que le conducteur était ivre, vous n'incrimineriez pas le hasard, mais l'ivresse du chauffard. Quand un alcoolique meurt des suites d'une cirrhose du foie, on ne considère pas que sa cirrhose s'est produite par hasard. Les malades condamnés s'accrochent souvent jusqu'à ce qu'un certain membre de leur famille puisse venir leur rendre visite. Les mourants de Willow Glen tiennent le coup jusqu'à ce que Heather puisse être à leur chevet.

Dieu tout-puissant, songea Petri. Ils sont vraiment tous les mêmes, dans la profession. Et probablement de mèche, en plus.

— Avez-vous déjà parlé à Mrs. Simonton ? s'enquit-il avec irritation.

— Certainement, et plus d'une fois.

— Quand lui avez-vous parlé pour la dernière fois ?

— Oh, il y a environ deux mois, mis à part son coup de téléphone de lundi pour m'annoncer la mort de Stephen.

— Avez-vous jamais parlé de Ms. Barsten, elle et vous ?

— Non, jamais. Pourquoi cette question ?

— Parce que vous tenez exactement le même langage, tous les deux.

— Encore un phénomène apparemment très improbable si on l'attribue au seul hasard, sourit Kolnietz. Non, là encore, il y a une corrélation. Voyez-vous, même si nous n'avons jamais parlé de Heather ensemble, nous la connaissons tous les deux très bien, et nous savons quel genre d'infirmière elle est.

— À savoir ?

— Extraordinairement compétente.

— Pourquoi Ms. Barsten suit-elle une psychothérapie avec vous ? s'enquit Petri.

— Parce que ses relations avec les hommes sont très mauvaises.

— À votre avis, Ms. Barsten est-elle extrêmement incompétente en ce qui concerne les hommes ?

— Oui.

— Je dois dire, docteur, que je ne comprends pas très bien comment vous pouvez affirmer d'un côté que Ms. Barsten est extrêmement incompétente en matière d'hommes, et de l'autre m'assurer de son extrême compétence en tant qu'infirmière.

Kolnietz se rendit compte que l'instinct de Petri le poussait vers la logique, mais qu'il n'avait pas encore appris à reconnaître les limites de celle-ci.

— N'oubliez pas ce que je vous ai dit, inspecteur : il est très courant que les différentes parties de la personnalité soient mal intégrées, sauf au niveau le plus profond. Non seulement c'est très courant, mais il est également normal qu'on soit compétent dans certains aspects de sa vie et incompétent dans d'autres. (Parfois les adeptes de la logique réagissent particulièrement bien en présence d'une figure d'autorité savante, songea Kolnietz en s'efforçant de s'adapter tant bien que mal à la personnalité de Petri.) Mais je ne vous demande pas de me croire sur parole, ajouta-t-il. Je peux vous fournir les références de quelques articles traitant de ce sujet, parus dans les journaux professionnels ; si vous vous donniez la peine de pousser plus loin vos recherches, vous en trouveriez certainement plusieurs dizaines d'autres. En effet, le phénomène est si fréquent que la psychiatrie lui a donné un nom : les « zones de l'ego libres de tout conflit ».

— Et peut-on savoir ce que cela signifie pour le commun des mortels ? s'enquit Petri d'un ton involontairement sarcastique.

— Je regrette, mais il me serait difficile de vous l'expliquer sans en recourir au jargon, répliqua aimablement Kolnietz. Nous considérons l'ego comme le siège de la personnalité. Il est fréquent que cette instance directrice se trouve en conflit dans telle ou telle circonstance. Dans ces cas-là, elle se comporte de manière parfaitement stupide et inefficace. Mais il existe d'autres circonstances dans lesquelles il est très fréquent que cette instance directrice ne connaisse pas de conflits et soit donc capable de se comporter avec beaucoup de sagesse, d'efficacité et de puissance.

Petri sentait grandir son impatience ; il s'ennuyait presque. Des mots, des mots, toujours des mots ! La théorie, toujours la théorie ! On avait un cadavre bien réel, un assassin, tout un corpus de témoignages et de pièces à conviction accablant Barsten, et tout ce qu'il obtenait, c'était l'affirmation qu'elle ne pouvait être coupable en vertu d'un tas de théories et de mots. « Intégration du moi. » « Zones de l'ego libres de tout conflit. » Et de nouveau le terme « puissance ».

— Vous croyez donc que Ms. Barsten remplit puissamment son rôle d'infirmière ?

— Exactement.

Il arrive que les puissances en présence se heurtent, songea Petri. En admettant que Stephen Solaris ait détenu une espèce de pouvoir étrange, peut-être Ms. Barsten lui en voulait-elle. Peut-être se sentait-elle menacée dans son propre pouvoir, dans le contrôle qu'elle exerçait. Intéressant...

— Mais dans ses relations avec les hommes, elle ne démontre plus aucune puissance ? reprit-il. Dans ce domaine-là, apparemment, elle est incompétente, ou en conflit, comme vous dites. Pourquoi ?

— La mère de Heather est une femme pleine de colère, une femme dépressive. Son père est alcoolique et bat régulièrement sa mère — non sans une certaine dose de provocation de la part de cette dernière. Heather n'a pratiquement pas reçu d'amour de sa mère, qui lui a toujours répété qu'elle ne valait rien, et qui continue. Le peu d'amour qu'elle a reçu, c'est son père qui le lui a donné. Par conséquent, elle est attirée par les hommes qui sont, comme son père, passifs et potentiellement violents.

— Mais... qu'est-ce que ça a à voir avec vos histoires de conflit ?

— Heather sait que si elle se trompe constamment en choisissant un partenaire, c'est qu'il y a une raison. Par ailleurs, elle voudrait bien avoir une vie sentimentale plus satisfaisante. D'où le conflit. Voilà pourquoi elle vient me voir. Nous espérons qu'elle réussira un jour à le résoudre. Mais pour le moment, elle en est incapable, ne serait-ce que parce que sa mère lui serine sans cesse qu'elle ne vaut rien du tout. Une certaine facette d'elle-même imite sa mère, et en conclut qu'elle ne mérite pas un type bien.

— Continuez.

— Cependant, aucun de ces facteurs n'affecte sa vie professionnelle. Vous avez certainement connaissance de cas similaires, inspecteur : des hommes d'affaires extrêmement compétents qui font des pères catastrophiques, des hommes politiques impuissants en amour, des mères aimantes qui sont aussi frigides. Cela court les rues.

Malheureusement, Petri ne connaissait personne qui réponde à l'une ou l'autre de ces descriptions. Dans l'ensemble, ça se tenait ; mais il manquait encore un élément au tableau brossé par le psychiatre. Petri alla droit au but.

— Vous dites que Ms. Barsten est, en tant qu'infirmière, exceptionnellement compétente. À votre avis, une telle personne aurait-elle des rapports sexuels, dans un hôpital, avec un de ses malades, de surcroît incapable de se défendre ?

— Willow Glen n'est pas à proprement parler un hôpital, bien que cela ne change rien au problème, naturellement. (Kolnietz se cala sur son siège en songeant à l'attirance sexuelle fréquente — et parfois intense — qu'il ressentait vis-à-vis d'un certain nombre de patientes, parmi lesquelles Heather, surtout ces dernières années, depuis que son mariage avait tourné au vinaigre.) Il est tout à fait normal qu'une infirmière éprouve de temps à autre du désir pour l'un de ses malades, répondit-il, mais je reconnais qu'il n'est sans doute pas bon pour Heather de passer aux actes. Dans ce cas, je dirais que Heather a compromis sa compétence. Néanmoins, pour moi ce passage aux actes est à mettre au compte d'une incompétence sentimentale, et non professionnelle.

Cette fois-ci, Petri en avait entendu assez. Il se leva. Visiblement, le psychiatre lui avait appris tout ce qu'il était disposé à lui révéler — c'est-à-dire pas grand-chose.

Kolnietz le regarda dans les yeux.

— Encore une chose, avant que vous ne partiez. Comme je vous l'ai déjà dit, Heather ne m'a pas parlé de ses relations intimes avec

Stephen. Mais cela ne veut pas dire qu'elle ne m'ait jamais parlé de lui. En fait, elle parle beaucoup de ses malades, et en particulier de Stephen. Ne croyez pas que je veuille par là approuver sa conduite sexuelle, mais il peut vous être utile d'apprendre que, depuis quelque temps, je sais avec certitude qu'elle l'aimait profondément.

— Vous êtes très aimable, répondit Petri.

Mais il n'exprimait pas ses véritables sentiments. Sur le chemin du retour, il ressentait surtout une extrême insatisfaction. *Zones de l'ego libres de conflit !* ironisa-t-il en son for intérieur. Il n'avait pas avancé d'un pouce depuis la veille à la même heure.

Mais il n'était pas pour autant dans une impasse. Il y avait d'autres voies à explorer, d'autres pierres à retourner. Le terme préféré de son mentor lui revint en mémoire : la *minutie*. Or, la minutie prenait du temps. L'important, c'étaient les petits détails. Voilà ce qu'il allait faire : examiner minutieusement le certificat de décès de ces trente-quatre disparus. Par ailleurs, il lui restait des gens à interroger. Cette Bertha Grimes, par exemple. Le commissaire ne manquerait pas d'insister là-dessus, mais ça pouvait attendre qu'il ait plus de preuves contre Heather.

Il y avait aussi Ms. McAdams. Après le charabia dont l'avaient abreuvé Kolnietz et Simonton, leur entretien serait certainement plus productif. Elle avait l'air si compétente, si équilibrée, en plus d'être séduisante ! Elle aurait peut-être des informations fort utiles à lui fournir sur Willow Glen. En fait, pourquoi ne pas aller directement lui parler après déjeuner ? Impatient, Petri monta dans sa voiture en se disant que, finalement, la journée pouvait encore s'arranger. Si ça se trouvait, il parviendrait même à faire suffisamment connaissance pour l'inviter à dîner une fois que l'affaire serait bouclée. Mais pas avant, évidemment. Il n'était pas du genre à mélanger vie professionnelle et vie privée.

Je vais devenir folle, songea Heather. La veille, elle avait encore moins dormi que les nuits précédentes. C'était tout juste si elle avait réussi à s'acquitter de ses tâches matinales. Elle avait l'impression de ne pas avoir dormi depuis une éternité. Elle aurait bien voulu devenir folle. Ce serait un soulagement.

Elle se rendait bien compte qu'elle avait besoin de parler à quelqu'un, mais besoin et envie étaient deux choses bien différentes. Elle avait rendez-vous avec Kolnietz le lendemain, et se demandait encore si elle allait s'y rendre. Comment pourrait-elle le regarder en face ? À l'heure qu'il était, il était probablement au courant. Peut-être ce policier était-il en ce moment même en train de lui parler. Qu'allait dire Kolnietz ? Qu'elle résistait, certainement. Qu'elle était une obsédée sexuelle, probablement. Qu'elle était mauvaise ? Qu'elle était peut-être folle, après tout ?

Personne vers qui se tourner. Ni mère ni père qui en vaillent la peine. Mrs. Simonton ? Qui elle aussi devait être au courant, maintenant. Sinon, pourquoi l'aurait-elle fait passer de jour avec une semaine d'avance sans la moindre explication ? Mais elle ne devait pas encore être au courant pour ses relations spéciales avec Stephen. Sinon, elle l'aurait déjà renvoyée. Non, elle ne pouvait pas non plus affronter Mrs. Simonton.

Elle entendit un bruit de plats qui s'entrechoquaient et, levant la tête, vit dans le couloir Peggy pousser son chariot-repas en direction de la salle à manger. Cela signifiait que Mrs. Grochowski avait déjeuné. Heather se précipita. Mieux valait ne pas trop réfléchir.

— Il faut que je vous parle, Mrs. G., s'exclama-t-elle, hors d'haleine, en arrivant sur le seuil de sa porte. Je sais que parfois vous aimez bien faire une petite sieste après le repas, mais il le faut. Je peux ?

— Mais bien sûr. Le moment est on ne peut mieux choisi. (Mrs. Grochowski la dévisagea d'un air alarmé. Elle n'avait jamais vu Heather aussi hagarde.) Vous êtes malade ? Que se passe-t-il, mon petit ?

— J'ai de gros ennuis, Mrs. G.

— Encore votre petit ami ?

— Non, je veux parler de *vrais* ennuis. La police croit que c'est moi qui ai assassiné Stephen.

— *Quoi ?* Vous, une meurtrière ? Mais c'est ridicule ! Que voulez-vous dire par « la police » ? (Toujours en éveil, l'esprit de Mrs. Grochowski passa alors à la vitesse supérieure.) Pas ce jeune inspecteur, tout de même ?

— Si.

— Absurde ! Et moi qui l'ai trouvé charmant ! Jamais je n'aurais cru qu'il pouvait être aussi bête.

Mais Heather désirait autre chose que de l'incrédulité affectueuse. Elle avait besoin qu'on la prenne au sérieux.

— C'est bien ça le problème, Mrs. G. Il est loin d'être bête. Il a tout un tas de raisons de me croire coupable. Il m'a même fait venir au poste hier pour m'interroger. Il ne va pas tarder à m'arrêter.

— Oh, mon pauvre petit ! C'est effrayant ! Quel souci vous devez vous faire ! Mais je ne vois vraiment pas ce qui lui permet de vous soupçonner.

— Il pense que le crime a été commis par une personne ayant des connaissances en anatomie et qui avait accès à la pharmacie. Par exemple moi. Il sait que Stephen a été tué juste à côté de la salle des infirmières alors que j'étais de garde. Donc, ça colle encore. Puis il a découvert qu'un nombre inhabituel de malades mouraient pendant mon service ; là, tout m'accable.

— Mais c'est ce qu'on appelle des preuves indirectes, non ? protesta Mrs. Grochowski. Par ailleurs, le premier imbécile venu saurait pourquoi les malades ont tendance à mourir quand vous êtes de garde.

— Peut-être, mais il faut être au courant de ce qui se passe à Willow Glen. Pour un étranger, ça peut paraître bizarre. Et malheureusement, il y a autre chose, Mrs. G.

— Ah, bon ?

Heather se tut. Mrs. Grochowski scruta son visage. Il était rouge et presque déformé par la tension.

— Il faut me le dire, Heather, ordonna-t-elle.

— J'ai honte de vous en parler. Je ne l'ai même pas dit au docteur Kolnietz. Je sais bien que je n'aurais pas dû faire ça. Je me sens terriblement coupable.

À nouveau elle se tut. Si Mrs. Grochowski sentait la honte de la jeune femme, elle n'avait aucune idée de ce qui la motivait. Encore une fois, son instinct lui commanda de faire preuve d'autorité. Ainsi Heather n'aurait pas à prendre seule la responsabilité de lui dire ce qui, de toute évidence, devait être dit.

— Allons, Heather, fit-elle d'un ton impérieux. Je ne vous laisserai pas reculer maintenant.

— Plusieurs semaines avant le crime, Stephen et moi avons commencé à avoir des rapports sexuels, débita-t-elle à toute allure. Pas au sens courant du terme, évidemment. Il n'aurait pas pu. Mais... enfin, vous savez... avec la bouche. Oh, j'ai honte ! Vous êtes la seule à qui je puisse parler de ça, Mrs. G. Je me déteste, mais j'étais sûre que vous, vous ne me détesteriez pas.

Maintenant Mrs. Grochowski comprenait pourquoi elle éprouvait une telle honte. En effet, il y avait de quoi. Mais tout de même, Heather se montrait un peu trop dure avec elle-même. Ce n'était pas le moment de l'admonester, mais plutôt de la consoler.

— Pourquoi vous détestez-vous ?

— Parce que ce n'était pas bon pour lui. C'est pour moi que je l'ai fait, égoïste que je suis. Je n'y avais pas pensé. Il voulait qu'on le fasse, moi aussi. Il a aimé ça, moi aussi. Cela lui a donné de l'espoir, de la joie. C'est ce qu'il disait. Mais la nuit où il a été tué, il m'a dit qu'il se sentait très mal parce que lui et moi, on n'avait pas d'avenir. Je lui ai fait beaucoup de mal la nuit même où on l'a assassiné.

Heather se mit à sangloter d'épuisement.

Pour la première fois en un mois, Mrs. Grochowski regretta (plus violemment que jamais) d'être paralysée. Elle désirait de toutes ses forces tendre les bras et toucher cette enfant, la tenir tout contre elle. Mais elle ne pouvait pas bouger.

— D'un côté, je déplore avec vous que Stephen ait eu de la peine la nuit où il a été tué, mais d'un autre côté — bien plus important —, je m'en réjouis.

— Pardon ? fit Heather en levant des yeux baignés de larmes.

— Je me réjouis parce qu'il est mort en sachant ce que c'est que d'être pleinement humain. On n'a pas besoin de connaître le sexe pour être humain, mais d'une certaine manière, cela nous rend encore plus humains.

Mrs. Grochowski pensa à son regret déchirant de ne pas sentir Tim en elle quand ils faisaient l'amour, au supplice où la mettait l'absence de réaction de son corps paralysé et insensible. Elle pensa à l'angoisse permanente que lui causaient ces maudites artères bouchées dans la gorge de Tim.

— Ce n'est pas vous qui lui avez fait du mal, Heather, poursuivit-elle. Ce sont les souffrances inhérentes à l'amour. Si vous n'aviez pas été là, Stephen serait mort sans avoir jamais expérimenté les joies et les peines de l'amour.

Heather continua à pleurer ; mais maintenant, elle se sentait comprise. Entre ses sanglots, elle proféra tant bien que mal :

— Je n'avais pas vu les choses sous cet angle. Alors vous ne me détestez pas ?

— Comment pourrais-je vous détester ? Enfin, Heather, vous savez bien que non. (Mrs. Grochowski pensa à Stephen. Entre sa propre paralysie et celle du jeune homme, ils n'avaient jamais pu se parler. Et pourtant, à force de parler avec des gens comme Heather ou Edith Simonton, grâce à la sensibilité réciproque due à leurs maux et leur humeur communs, ils en avaient tellement appris l'un sur l'autre qu'on aurait cru leurs deux esprits confondus.) Stephen était d'une tout autre espèce que cet autre jeune homme, votre petit ami, reprit-elle. Je sais à quel point il était adorable. Mais je ne vois pas ce que tout cela a à voir avec la conviction de ce policier.

— Il a appris que nous avions des rapports sexuels, et il s'est dit que c'était cela qui m'avait donné un mobile.

— Mais comment a-t-il pu être au courant ?

— Apparemment, Georgia Bates s'est promenée une nuit et nous a vus. Je ne sais pas en quels termes, mais elle lui en a parlé.

— C'est épouvantable !

— Et ce n'est pas tout. Il sait aussi que je vois un psychiatre.

— Et cela, comment l'a-t-il appris ?

— Je l'ignore. Peut-être aussi par Georgia. Je le lui avais dit en passant, il y a quelques semaines.

— Une chose est sûre, Georgia ne sait pas tenir sa langue, s'exclama Mrs. Grochowski, furieuse.

Bizarrement, Heather eut envie de protéger Georgia.

— De toute manière, tôt ou tard il aurait découvert le pot aux roses. Je suis fichée. Deux fois, les voisins ont appelé la police parce que je me disputais avec un homme. Je ne donne pas cher de ma peau, Mrs. G.

— Voyons... Je peux peut-être faire quelque chose.

— Je ne suis pas venue pour ça, Mrs. G. J'avais seulement besoin de vous parler. Ça m'a fait un bien fou. Et puis, que pourriez-vous bien faire pour moi ? reprit Heather, dont les larmes s'étaient taries.

— Pas grand-chose, n'est-ce pas ? Je ne peux même pas vous serrer dans mes bras. Mais il y a toujours une chose que je peux faire : prier.

Dès qu'elle eut quitté la chambre de la malade, Heather se mit à bâiller. En quatre jours, elle n'avait pas dû dormir plus de cinq heures en tout, mais c'était la première fois qu'elle était prise de bâillements. Elle se souvint d'une vieille infirmière, à l'école, qui disait que bâiller était signe de bonne santé, que cela se produisait souvent chez les malades brusquement soulagés d'un grand poids. Ça, on pouvait dire qu'elle se sentait soulagée. Soulagée d'avoir parlé à Mrs. Grochowski et de ne pas avoir reçu de haine en retour. Et sans savoir pourquoi, soulagée de savoir que Mrs. G. priait pour elle.

Roberta McAdams ne parut pas surprise que Petri demande à lui parler.

— Certainement, inspecteur. Entrez donc.

— Mrs. Simonton vous a-t-elle communiqué les détails de l'enquête ?

— Non.

— Donc, vous ne savez rien ?

— Seulement que vous m'avez demandé de vous imprimer ce listing.

Bon, au moins le dragon femelle avait-elle tenu parole : leurs conversations étaient restées confidentielles.

— Que pensez-vous de Mrs. Simonton ?

Il crut détecter une légère pause avant que n'arrive la réponse.

— C'est une excellente directrice et une personne très dévouée.

— Et cette aide soignante, Mrs. Grimes ?

— Oh, Bertha est très compétente. Elle est ici depuis des années. Rien à dire sur elle.

— Votre opinion de Ms. Barsten ?

Cette fois-ci, il y eut une pause sensible.

— Dans l'ensemble, les malades apprécient beaucoup Heather, répondit Ms. McAdams.

— D'accord, mais vous ? Qu'est-ce que vous en pensez, *vous* ?

Nouvelle hésitation, très nette.

— Ma foi... Naturellement, je ne fais qu'exprimer une opinion personnelle mais... Heather est un peu trop proche des malades à mon goût — vous savez... un petit peu trop paternaliste.

Si elle savait à quel point elle est près de la vérité ! songea Petri. Cette femme était non seulement attirante, mais aussi perspicace.

— J'espère que ça ne vous ennuie pas si je vous pose quelques questions personnelles ? Sans raison particulière. Je souhaite simplement apprendre à connaître un peu mieux l'établissement et les gens qui le dirigent. Ainsi que les citoyens de New Warsaw, d'ailleurs : je suis nouveau ici. (Il sourit.) Et si je comprends bien, vous entrez dans les deux catégories.

Ms. McAdams ne lui rendit pas son sourire.

— Vous voulez savoir si j'habite New Warsaw ? La réponse est oui.

Elle était sur ses gardes. Toujours sur ses gardes. Que certains imbéciles soient parfois disposés à baisser la garde ne laissait pas de l'étonner. Ils ne voyaient donc pas à quel point le monde était dangereux, qu'au bout du compte, c'était toujours le plus fort qui survivait ? Que tout était une question de pouvoir ? Cet homme, bien entendu, représentait pour elle une menace particulière.

— Mariée ? Des enfants ? poursuivit Petri.

— Non, je suis célibataire.

— Moi aussi. Est-ce qu'il y a des clubs de célibataires, dans la région ?

— Je me suis laissé dire que plusieurs églises en avaient mis sur pied.

Bon, ce n'était certainement pas par l'intermédiaire d'un club de célibataires qu'ils allaient faire plus amplement connaissance, songea-t-il. Mais au moins n'était-elle pas mariée.

— Et vous avez toujours vécu ici ?

— Non. Je n'y suis que depuis quatre ans.

— C'est-à-dire, depuis que vous travaillez à Willow Glen ?

— Oui.

Petri se sentait quelque peu déconcerté par ses réponses laconiques. On était encore loin de la conversation plaisante qu'il avait anticipée.

— Où étiez-vous avant ? insista-t-il.

— Oklahoma City.

— Vous en êtes originaire ?

— Oui.

— Vous y êtes née ? Vous y avez de la famille ?

— Les deux.

— Vous n'avez pas l'accent.

— À quoi ressemble l'accent de l'Oklahoma ?

Décidément, elle ne faisait rien pour faciliter le dialogue.

— Ma foi, je n'en sais rien. Ce n'était pas une critique. Détendez-vous. Je ne suis pas en train d'enquêter sur vous. Vous pouvez me poser des questions sur moi aussi, si vous voulez. Tenez, je suis du New Jersey ; eh bien, je suis sûr que vous non plus, vous ne savez pas à quoi ressemble l'accent du New Jersey.

Ms. McAdams se rendit brusquement compte que cet abruti d'inspecteur ne la soupçonnait pas du tout, qu'au contraire, il était en train de la draguer. Elle réprima son envie de rire et resta muette.

— Vous êtes allée à l'université là-bas ? reprit-il dans l'espoir de rompre un silence par trop pesant.

— Oui.

— Quelles études avez-vous suivies ?

— Administration des entreprises, option informatique.

— Qu'avez-vous fait après votre diplôme ?

— J'ai travaillé comme audit dans un petit hôpital d'Oklahoma City.

— Comment se fait-il que vous ayez atterri ici ?

— Je voulais m'installer dans une ville plus petite.

— C'est exactement pour ça que je suis venu, moi aussi. J'ai vécu toute ma vie à New York et dans le nord du New Jersey ; et le nord du New Jersey n'est rien d'autre qu'une gigantesque banlieue. Je suis drôlement content d'en être sorti.

Pendant quelques instants, Roberta McAdams envisagea la possibilité d'entretenir des relations de nature sexuelle avec Petri. En un sens, ce n'était pas idiot. Il accuserait quelqu'un d'autre du meurtre, et elle-même ne serait jamais soupçonnée. Ou alors, le crime resterait sans solution et l'affaire finirait par se tasser. Oui, en ce sens, c'était une possibilité théorique. Mais elle l'avait d'ores et déjà écartée. Rien en lui ne laissait supposer qu'il aimerait la véritable discipline et l'humiliation. Ce petit con dégageait une espèce d'intégrité. Incroyable à quel point on repérait vite ceux qui avaient besoin d'être réellement soumis, rabaissés. Petri n'était pas le genre. Elle ne répondit pas.

— Et vous, vous vous plaisez à New Warsaw ?

— Oui.

Le silence s'installa à nouveau. Une dernière tentative, songea Petri.

— Quelles sont vos occupations préférées ?

— L'informatique.

— Vous avez un ordinateur chez vous ?

— Oui.

— Quelle marque ?

— Macintosh.

Elle n'était même pas disposée à lui donner plus de précisions.

— Pas d'autres passe-temps ?

— La lecture.

— Qu'est-ce que vous aimez comme livres ?

— L'histoire.

— C'est vaste. Quelle époque en particulier ?

— L'histoire écossaise médiévale.

— Alors ça, c'est tout le contraire : drôlement spécialisé ! Pourquoi vous intéressez-vous à cette période ?

— Je suis d'origine écossaise.

Petri abandonna. Jamais il n'avait eu tant de mal à amorcer la conversation. Peut-être avait-elle peur de lui, à cause de l'enquête ; beaucoup de gens se sentaient mal à l'aise devant un policier. Mais il pressentait autre chose. Elle semblait se glacer chaque fois qu'il abordait les questions personnelles. Peut-être n'aime-t-elle pas les hommes, se dit-il. Après tout, elle est peut-être lesbienne. Comment savoir ? Ce qu'il savait, en revanche, c'était que visiblement, elle n'était pas très bien disposée à son égard. Autant revenir à l'affaire en cours.

— Avez-vous une idée du mobile du crime ? s'enquit-il.

— Non.

— Quel genre de relations aviez-vous avec la victime ?

— Rien de personnel, naturellement. C'était un malade, et moi je fais partie des cadres. (Elle se fit plus volubile.) Mais je l'aimais bien. Il était d'une intelligence supérieure, vous savez. Quel dommage qu'il soit mort juste au moment où nous allions lui obtenir son ordinateur ! J'étais tellement impatiente de choisir le matériel qui conviendrait à ses besoins, et de lui apprendre à s'en servir !

— Merci d'avoir pris sur votre temps, fit Petri en se levant. Il y a encore une chose que vous pouvez faire pour moi. Le listing que vous m'avez fourni concerne les décès survenus à Willow Glen dans les douze derniers mois. Le chiffre est de soixante-deux. Pourriez-vous me sortir le dossier de ces soixante-deux malades ? S'ils ont été long-temps pensionnaires ici, ce n'est pas le dossier complet qui m'in-téresse, mais simplement leurs derniers jours et les circonstances du décès. C'est possible ?

— Certainement. Ce sera prêt demain matin à la première heure.

— Ah ! Et pouvez-vous aussi me communiquer le même genre de listing que le premier, mais pour les deux années précédentes ?

— Pas de problème, répondit-elle.

En rentrant au poste de police au volant de sa voiture, Petri son-gea qu'il pouvait barrer le nom de Ms. McAdams sur sa liste de ren-dez-vous possibles. Elle ne lui avait pas témoigné le moindre intérêt. Dommage, mais malgré l'attirance qu'il avait tout d'abord ressentie, ça n'accrochait pas du tout entre eux. Néanmoins, il ne l'avait pas interrogée en pure perte. Il avait appris quelque chose : tout le monde ne portait pas dans son cœur l'« Ange de Willow Glen ».

CHAPITRE DIX

Vendredi 25 mars

Après le petit déjeuner, Lucy se dirigea vers le séjour dans l'intention de regarder la télévision ; mais Georgia, elle, alla tout droit dans leur chambre se plonger avec délice dans ses vagues rêveries habituelles. Toutefois, ces dernières furent bien vite interrompues.

— On vous demande au téléphone, fit Lucy sur le seuil. Vous pouvez leur dire de vous rappeler sur ma ligne privée, si vous voulez être tranquille.

— Je vous remercie, Lucy mais ce ne sera sans doute pas nécessaire. Merci d'être venue m'avertir.

Georgia cacha son irritation à son amie. Ça ne pouvait être que Kenneth ou Marlène. Lorsqu'elle prit la communication et reconnut la voix de son fils qui prononçait son nom, elle n'y alla pas par quatre chemins.

— Qu'est-ce que tu veux ?

— C'est à cause du meurtre. Tu dois être inquiète, et nous nous faisons du souci pour toi.

— Je suis très touchée, fit-elle d'un ton où perçait indubitablement le sarcasme.

— Étant donné les circonstances, nous avons pensé que tu préférerais peut-être venir ce week-end au lieu d'attendre le suivant.

— Les circonstances n'exigent pas que vous outrepassiez vos obligations formelles.

Georgia se délecta de l'agacement dont se teinta la voix de Kenneth en réponse à sa propre sécheresse.

— Très bien. Alors, à la semaine prochaine, comme d'habitude.

Georgia n'était pas plus tôt rentrée dans sa chambre qu'on vint encore la déranger. Cette fois-ci c'était Peggy.

— Mrs. Grochowski m'a demandé de vous dire qu'elle voudrait vous parler le plus tôt possible.

Georgia ressentit à la fois du plaisir et de l'étonnement. En effet, elle aimait bien Mrs. Grochowski ; d'ailleurs, tout le monde l'aimait. Elle était allée plusieurs fois lui rendre visite dans sa chambre, et cela lui avait toujours fait du bien. Mrs. Grochowski avait le statut de reine de Willow Glen, aussi était-ce presque un honneur de se trouver en sa présence. Mais c'était la première fois qu'elle la faisait appeler. À sa connaissance, la malade n'avait jamais convoqué personne de cette façon-là. Apparemment, il se passait quelque chose d'important.

Lorsque Georgia se présenta à l'audience, Mrs. Grochowski ne perdit pas de temps en vaines politesses.

— Savez-vous que Heather est accusée du meurtre du jeune homme ?

— Heather ? Mon Dieu, non ! Comment peut-on soupçonner Heather ?

— C'est à cause de vous.

— De *moi* ?

— Oui, c'est parce que vous avez dit au policier qu'elle avait des rapports sexuels avec Stephen. Vous lui avez également déclaré qu'elle voyait un psychiatre, n'est-ce pas ? Eh bien, maintenant, elle a de graves problèmes. Il se peut qu'on la mette en prison.

— Mais... Je ne pensais pas lui causer d'ennuis ! protesta Georgia.

— C'est bien le problème chez vous, Georgia. Vous ne pensez pas. Vous ne réfléchissez pas beaucoup, hein ? C'est une habitude chez vous. Une habitude peut-être très ancienne, n'est-ce pas, Georgia ? À mon avis, vous avez cessé de réfléchir il y a fort longtemps.

L'audience s'annonçait mal. Mal à l'aise, Georgia ne savait absolument pas comment réagir.

— Les faits sont les suivants, reprit Mrs. Grochowski. Le jeune homme a été assassiné à une heure où soit Heather, soit Bertha, soit les deux, se trouvaient dans le bureau des infirmières, c'est-à-dire à quelques mètres de lui. Il a été tué avec une paire de ciseaux provenant vraisemblablement de la pharmacie, et par quelqu'un qui possédait des connaissances en anatomie, comme un médecin, une infirmière ou une aide-soignante. Par conséquent, Heather et Bertha sont toutes les deux des suspects de premier choix.

— Je ne vois pas ce que j'y peux, protesta à nouveau Georgia.

— Maintenant, l'inspecteur croit que le mobile du crime est en rapport avec la liaison de Heather et Stephen. En plus, à cause de vous, il a appris qu'elle consultait un psychiatre, et il en a déduit qu'elle était déséquilibrée. Il sait qu'elle a tendance à fréquenter des hommes qui ne valent rien. Par ailleurs, il sait que les malades de Willow Glen ont tendance à s'éteindre quand elle est de garde. Il ne comprend pas que c'est parce que Heather est quelqu'un de bien, et non une meurtrière. Sa vision des choses est faussée, et il va falloir la redresser. Vous avez contribué à lui donner cette vision-là ; donc, je pense qu'il est de votre devoir de le remettre dans le droit chemin.

— Mais qu'est-ce qu'on peut y faire ?

— Qu'est-ce que *vous* pouvez y faire, Georgia. Moi, j'ai rempli mon rôle. Maintenant, à vous de trouver quoi faire.

Georgia s'offusqua.

— Je suis une vieille femme. Je ne vois pas comment vous pouvez espérer que...

— En ce moment il me serait facile de me mettre en colère contre vous, Georgia, jeta Mrs. Grochowski. Vous faites sans arrêt semblant d'être jeune, et dès qu'il faut prendre des responsabilités, vous prétendez être une vieille dame sénile. Vous n'êtes plus jeune, c'est un fait ; mais vous n'êtes pas si vieille que ça et, par-dessus tout, vous n'êtes certainement pas sénile. Il y a peut-être des gens pour le croire, mais vous et moi savons bien ce qu'il en est. Vous êtes tout à fait capable de trouver ce qu'il faut faire, et vous en avez la responsabilité.

Georgia avait l'impression d'être une cible criblée de flèches plantées juste au bon endroit et dont elle ressentait vivement la piqûre. Elle chercha frénétiquement le moyen de se sortir de ce mauvais pas. De toute évidence, si elle essayait de lui faire croire qu'elle n'avait pas les idées claires, Mrs. Grochowski ne se laisserait pas abuser. Très bien, puisque c'était comme ça, elle allait se servir de sa propre jugeote. Elle choisit la ruse.

— Je ne vois pas très bien où se situe ma responsabilité dans cette affaire. Je n'ai pas inventé les informations que j'ai fournies au lieutenant, et le simple fait de les lui avoir fournies ne me rend pas responsable pour autant.

— Vous avez le devoir de brosser un tableau complet.

— Peut-être, mais je ne sais pas ce que le tableau contient d'autre.

— Tant que vous n'y aurez pas réfléchi, c'est normal.

– Tout de même, je ne crois pas que ce soit à moi de le faire. Vous n'avez qu'à réfléchir, vous, et lui dire tout ce qu'il doit savoir.

– Vous avez raison de penser que vous ne devez pas simplement réparation à Heather. Votre devoir ne s'arrête pas là. Croyez-vous en Dieu, Georgia ?

La vieille dame en resta bouche bée.

– Je ne sais pas. Je crois que je n'y ai jamais beaucoup réfléchi.

– Vous voyez ! Quand je vous disais que vous ne réfléchissiez pas souvent ! Y compris à Dieu. Eh bien, moi, je crois en Dieu.

– Et alors ?

– Et alors je Lui parle, et Il me parle. Je Lui ai beaucoup parlé la nuit dernière. Je Lui ai demandé ce qu'il fallait faire pour aider Heather. Sa réponse a été très claire. Il m'a dit de remettre cette tâche entre vos mains. Dieu m'a dit qu'Il vous avait choisie entre tous pour corriger les idées fausses de l'inspecteur. Il me l'a laissé entendre sans ambiguïté. Il ne veut pas que ce soit moi qui m'en charge. Il ne m'a pas dit que ce devait être fait par n'importe qui, mais très précisément qu'Il vous nommait responsable.

– Mais...

– Je suis fatiguée maintenant, fit Mrs. Grochowski. Laissez-moi, je vous prie. Je n'ai pas d'autres instructions à vous donner.

Lorsque Georgia rentra dans sa chambre, la tempête faisait rage sous son crâne. Elle se sentait coupable, et profondément mal à l'aise à l'idée d'avoir véritabllement fait quelque chose de mal. Elle était en colère contre Mrs. Grochowski. Pour qui se prenait-elle, celle-là ? Elle se révoltait devant la perspective de devoir réfléchir. Elle se sentait impuissante. Elle avait peur. Elle était troublée. Mais les heures passèrent, et tandis que ces sentiments mêlés se décantaient quelque peu, une unique notion affleura à la surface de sa conscience : l'étrange notion que Dieu l'avait chargée d'une mission.

Par certains côtés, c'était une notion très gênante. Là d'où elle venait, à New York ou dans des endroits comme Westchester, on ne parlait guère de Dieu. Ce n'était pas de bon ton. Et surtout, on n'allait pas raconter qu'on discutait avec Lui comme s'il s'agissait d'une personne réelle. Non, elle n'était pas sénile. Mrs. Grochowski, en revanche... Néanmoins, cette position de repli ne tint pas très longtemps ; cette femme était décidément trop intelligente.

Elle avait dit vrai en affirmant n'avoir jamais beaucoup réfléchi à Dieu. Elle n'était même pas sûre qu'Il existe. Mais s'Il existait, elle sentait confusément qu'Il devait avoir une importance extrême. Et le cas échéant, elle venait de se voir confier une tâche également importante. Toute sa vie de femme mariée, Georgia avait fait partie de diverses associations féminines : clubs de jardinage, associations bénévoles... Tout cela, elle l'avait fait pour la forme ; son rôle y avait été insignifiant, et par-dessus tout elle s'y était ennuyée. L'idée qu'on pouvait jeter cette jeune fille en prison était déraisonnable. Georgia ne savait trop quoi penser de cette histoire de Dieu, mais se voir confier une mission véritablement importante, ça c'était excitant. Peut-être y réfléchirait-elle, après tout. Mais (qu'elle aille au diable, cette Mrs. Grochowski !) – ce n'était pas du tout sûr.

Une fois terminée la toilette matinale, Peggy eut envie de souffler un peu. Elle n'était pas tellement fatiguée ; elle avait juste envie de réfléchir. Non, ce n'était pas ça non plus. En fait, elle ne savait pas très bien ce qu'elle voulait, depuis quelques jours. Sauf qu'elle désirait être seule. Elle entra dans le séjour et se réjouit de n'y trouver que Hank Martin, qui regardait la télévision dans un coin, et Lucy, qui dormait dans un fauteuil. Elle s'assit dans l'angle opposé et regarda par la fenêtre.

Elle était tellement absorbée dans ses pensées qu'elle n'entendit pas Hank venir dans son dos. Il posa les mains sur ses épaules et elle fit un bond affolé. Les yeux écarquillés par la frayeur, elle s'adossa à la fenêtre.

– Ne me touchez pas ! jeta-t-elle.

Hank avait l'habitude de se l'entendre dire. En revanche, il n'avait pas l'habitude de se retrouver confronté à ce qui suivit : Peggy éclata en pleurs. De grosses larmes se mirent à couler sans interruption sur son visage. Elle ne pouvait plus s'arrêter. Il resta désemparé.

– Qu'est-ce qui ne va pas ? s'enquit-il enfin.

– J'ai cru que vous vouliez me tuer, balbutia Peggy. J'ai cru que c'était l'assassin.

– Mais non, voyons ! protesta-t-il. Je voulais simplement vous toucher.

– Par-derrière, comme ça, ça aurait pu être n'importe qui.

Au grand dam de Hank, les larmes se muèrent en gros sanglots. Comme il n'avait pas la moindre idée de ce qu'il fallait faire dans ces cas-là, il resta immobile, muet et perplexe. Petit à petit, les sanglots s'atténuèrent.

– Je suis bouleversée depuis le meurtre, lui dit-elle.

– Qu'est-ce qu'il y a de si bouleversant ?

– Comment ? fit-elle en levant sur lui un regard stupéfait. Quelqu'un a été tué et vous demandez ce qu'il y a de si bouleversant ? Ça vous est donc complètement égal ?

– Qu'est-ce que vous voulez que ça me fasse ?

– Vous avez un cœur de pierre, Hank Martin.

Hank s'était toujours considéré comme un individu passionné ; toutefois, dans certaines occasions c'était vrai. Il pouvait avoir un cœur de pierre quand il avait le doigt sur la détente et un Messerschmidt dans le viseur. Ainsi que dans d'autres circonstances – plus réelles, plus récentes.

– Je ne le connaissais même pas, fit-il.

– Eh bien, moi, oui. Je le touchais. Je lui faisais sa toilette. C'était un vrai être humain. Non, plus que ça. Il était bon.

– Bon ? Qu'est-ce qu'il avait de si bon ?

– Il s'intéressait à ce que je pensais. Il a demandé à me parler, un jour. Ce n'est pas pour lui qu'il l'a fait, mais pour moi. Moi, je ne suis jamais allée vers lui. Infirme comme il l'était, c'est lui qui m'a tendu la main.

– Je vous tends la main quand vous voulez, fit Hank avec un sourire lubrique.

– Vous, vous ne pensez qu'à vous. Lui, c'est pour moi qu'il l'a fait. Voilà pourquoi tout le monde vous envoie promener. Lui, il le faisait par bonté.

– D'accord, il était bon. Et alors ? Ce n'était qu'un infirme. Pourquoi vous mettre dans des états pareils pour un infirme ?

Peggy le regarda horrifiée. Sans un mot, elle tourna les talons et sortit en courant. Le bureau des infirmières était désert. Mais ce n'était pas là qu'elle trouverait l'intimité. Il fallait qu'elle s'enferme quelque part. Elle poursuivit sa course et arriva à la pharmacie. Là, elle alluma la lumière et referma la porte derrière elle. Elle tourna le robinet de l'évier, mit ses mains en coupe et s'éclaboussa plusieurs fois le visage à l'eau froide.

Au bout d'un moment, elle se calma. Pourquoi était-elle toute retournée ? Ce n'était pas seulement à cause de cet obsédé sexuel stupide et sans cœur, mais à cause de la question qu'il avait posée : « Il était bon. Et alors ? » Comment pouvait-on être indifférent à ce point ? Pour lui, Stephen ne comptait pas. Les autres non plus, d'ailleurs. Mais pour elle, si. Pourquoi ? Pour être honnête, il ne lui manquait pas vraiment. Ce n'était pas parce qu'il avait été gentil avec elle une fois qu'elle s'y était attachée. Ou qu'elle ne regrettait pas d'avoir un corps de moins à laver tous les jours. Alors, pourquoi avait-il de l'importance pour elle ? Pourquoi les choses avaient-elles de l'importance ?

Jamais Peggy ne serait capable de répondre à cette question par des mots. Mais elle sentit brusquement monter en elle une bouffée de rage qui l'atteignit en plein cœur. Stephen avait été un être humain. Vivant. Maintenant, il n'était plus humain. Il était mort. L'être humain qu'elle avait découvert était mort. Assassiné. C'était mal. L'assassin avait fait le mal. L'assassinat était l'œuvre du mal.

Une seconde vague la submergea, cette fois-ci de trouble et de confusion. Stephen avait été un être bon, et elle avait accepté ce fait sans y penser. Mais aujourd'hui, à cause du meurtre, elle se retrouvait face à face avec cette réalité. Elle avait sous les yeux le bien et, pour la première fois de sa vie, le mal. Et elle ne savait absolument pas comment réagir devant cette réalité-là.

Dans son bureau, Mrs. Simonton se faisait du souci pour Heather. Elle ne reprendrait pas son service avant dimanche. Où était-elle ? Toute seule chez elle ? À l'heure qu'il était, elle devait sûrement savoir que l'inspecteur la soupçonnait. À fond. Elle devait se demander pourquoi on l'avait fait passer de jour. Que ressentait-elle ? Serait-elle capable d'en parler à Stasz ?

Et puis, il y avait ces rapports intimes qu'elle avait eus avec Stephen. En tant que directrice, tôt ou tard elle devrait lui en parler. Nom de nom, comment cette jeune femme pouvait-elle être à ce point impulsive ? Néanmoins, elle avait beau essayer, Mrs. Simonton n'arrivait pas à éprouver de véritable colère. Ce qui la perturbait le plus dans le comportement de Heather, c'était tout simplement qu'il lui ait valu des ennuis, qu'il l'ait mise en danger. À vrai dire, elle comprenait très bien ce qui avait poussé Heather à faire ça. Si elle avait elle-même travaillé dans le service, si elle s'était trouvée quotidiennement en contact avec le jeune homme, s'il avait fallu qu'elle le lave, si elle avait pu lui procurer une quelconque forme de plaisir, si elle avait pu le prendre sans sa bouche... Mrs. Simonton stoppa net son fantasme. Elle ne travaillait pas dans ce service, son boulot n'était pas de faire la toilette des patients ; sa vocation à elle était d'être là, sans amour, sans sexe, et responsable de tout. Je suis devenue une vieille bonne sœur, se dit-elle avec un soupir.

Même pas la mère supérieure, qui détient un réel pouvoir. Toute la matinée elle avait eu conscience de la présence de Petri, installé dans le Service administratif comme s'il avait pris le relais, comme s'il dirigeait Willow Glen à sa place. Il ne lui avait pas demandé la permission ; depuis deux jours, il faisait comme si elle n'était pas là. Manifestement, il lui en voulait de l'avoir défié. Mais qu'aurait-elle pu faire d'autre ? Elle l'aurait mis au défi même s'il avait été Dieu tout-puissant. Il en avait besoin. Encore maintenant, il en avait besoin. Elle se leva et se dirigea vers les bureaux, où il travaillait à la table que McAdams lui avait assignée.

— Voulez-vous venir dans mon bureau, inspecteur ? Je voudrais vous parler deux minutes.

— Eh bien ? fit le policier lorsqu'ils se furent assis.

— J'ai l'impression que vous m'évitez.

Petri lui jeta un regard dépourvu d'intérêt.

— Je n'ai pas eu besoin de vous.

— Mais moi, j'ai besoin de vous parler, répliqua Mrs. Simonton. L'autre jour je vous ai promis le secret, et maintenant j'ai besoin que vous me délivriez de ma promesse. Sur votre demande j'ai fait passer Heather de jour, mas je n'ai même pas pu lui dire pourquoi.

— Et alors ?

— Alors je suis sûre qu'elle se pose des questions.

— Tant mieux, dit Petri en songeant qu'elle n'en marinerait que plus dans son jus.

— Vous lui avez parlé ?

— Je ne sais pas s'il faut que vous soyez au courant.

Petri avait appris la leçon. Plus question de révéler inutilement des informations.

— Bien sûr qu'il le faut. C'est mon infirmière. En ce moment même elle traverse certainement des heures très difficiles. J'aimerais pouvoir lui parler.

— Vous n'avez pas besoin de mon autorisation pour lui parler du moment que vous ne lui rapportez en aucune manière notre conversation de mercredi matin. Et je ne suis toujours pas convaincu de devoir vous informer des éventuels contacts que j'aurais pu avoir avec elle.

— Est-ce que vous ne vous montrez pas un petit peu inhumain ?

— Devant un meurtre on ne fait pas preuve d'humanité, Mrs. Simonton.

Jamais elle n'aurait cru qu'il pourrait se muer ainsi en petite ordure pompeuse. Ma fois, elle pouvait toujours répondre du tac au tac.

— Vous m'avez l'air bien occupé, là-bas.

— En effet.

— Et qu'est-ce que vous faites ?

— Je ne suis pas sûr de devoir vous le dire.

— Je suis désolée, sincèrement désolée que nous en soyons venus à nous considérer comme des ennemis, inspecteur. Que faire pour nous sortir de là ?

— Je fais mon travail, répondit-il froidement.

— Alors, je dois faire le mien. Apparemment, vous consultez des dossiers. Or, ici, les dossiers sont légalement ma propriété, et j'ai le droit de savoir ce que vous en faites.

— Ce ne sont pas des dossiers de malades actuellement hospitalisés dans l'établissement. Ceux-là, je vous ai promis de les consulter au bureau des infirmières, et j'ai tenu ma promesse, répondit Petri d'un ton irrité.

— Vous m'avez dit qui ces dossiers ne concernaient pas. Peut-on savoir alors qui ils concernent ?

Petri se rendit compte que sur ce sujet, elle le tenait et ne le lâcherait pas tant qu'il ne se montrerait pas plus précis.

— Les autres malades décédés pendant le service de Ms. Barsten, admit-il à contrecœur.

— Vous êtes encore après elle, hein ? Il n'y a pas que Heather au monde. Pourquoi vous acharner sur elle ? Elle est donc la seule à attirer vos soupçons ? Vous n'avez pas d'autres chemins à explorer ?

— Mrs. Simonton, fit Petri en se relevant. Sauf quand je vous ai conseillé de mettre Ms. Barsten à pied, je ne vous ai jamais dit comment faire votre travail. Alors je vous en prie, ne vous mêlez pas du mien.

Le cœur gros, elle le regarda repasser la porte et aller reprendre ses activités. Elle n'avait réussi qu'à aggraver la situation entre eux. Elle se sentait parfaitement impuissante. Il n'y avait plus qu'à prier. Ma foi, c'était bien à cela que servaient les vieilles bonnes sœurs, non ? Est-ce que nous inventons Dieu parce que nous sommes impuissants, se demanda-t-elle, ou bien Dieu nous rend-il impuissants afin que nous puissions prier ? Elle ne connaissait pas la réponse, et ne s'attendait pas à la découvrir. Cela n'avait même plus d'importance. Seigneur, commença-t-elle. Je ne sais pas très bien m'y prendre pour vous parler, mais...

Heather avait été tentée de ne pas se rendre à son rendez-vous chez Kolnietz. Mais elle partait du principe que Petri s'était déjà entretenu avec lui, et savait que si elle ne se présentait pas, le médecin l'appellerait au bout d'un quart d'heure de retard. Et en effet, dès qu'elle se fut assise en face de lui il demanda :

— Pourquoi n'êtes-vous pas venue me voir plus tôt ?

— Parce que je n'avais pas rendez-vous.

— Vous avez dû passer une semaine épouvantable.

Une partie d'elle-même avait envie de pleurer en entendant le ton compatissant de sa voix. Mais une autre partie, plus forte, refusait de céder d'un pouce. Elle resta muette.

— Cela me fait beaucoup de peine de voir que votre résistance à la thérapie est si grande que vous ne pouvez même pas m'appeler quand vous avez besoin de moi, poursuivit Kolnietz. J'ai mal de constater que je ne peux même pas vous aider en temps de crise.

— Je suis venue, non ?

Kolnietz fit la sourde oreille.

— Un homme que vous aimiez profondément est assassiné et vous ne songez pas à m'appeler. Ensuite on vous accuse de meurtre, et vous n'avez toujours pas l'impression que vous pourriez m'appeler. Je suis vraiment triste de ne pas exister pour vous.

— Vous croyez que j'ai tué Stephen ? proféra Heather.

— Bien sûr que non.

— L'inspecteur vous a dit que j'avais des rapports intimes avec lui ?

— Oui.

— J'ai tellement honte. À certains moments j'ai eu envie de vous appeler, avoua Heather, mais j'avais trop honte.

— Honte de quoi ?

— De lui avoir fait du mal.

— Du *mal ?*

— La nuit où il a été tué, il était dans un état pitoyable. Il disait qu'il avait perdu tout espoir. Parce qu'il était infirme, il ne voyait aucun avenir à nos relations. Je n'avais pas réfléchi aux conséquences. Je n'avais pas vu que cela pourrait lui faire du mal. J'aurais dû comprendre tout de suite.

— Oui, je reconnais que vous avez des raisons de vous sentir coupable. Mais ce n'est tout de même pas si terrible, non ? D'accord, dans l'idéal vous auriez dû y penser. Mais combien de jeunes filles de vingt-cinq ans réfléchissent vraiment à ce qu'elles font dans le cadre d'une liaison ? De plus, tôt ou tard l'amour s'accompagne invariablement de chagrin.

— Alors, vous comprenez pourquoi j'ai honte ?

— Non, je comprends pourquoi vous vous sentez un petit peu coupable.

Kolnietz regrettait de devoir se montrer dur avec elle dans un moment pareil. S'il l'avait vue la veille, il se serait contenu. Mais après la conversation qu'elle avait eue avec Mrs. Grochowski, Heather avait pu trouver le sommeil. Elle n'était plus si hagarde, et il décréta qu'elle saurait s'en sortir.

— J'ai cru que vous auriez envie de m'en parler, reprit-il. En général, quand on se sent coupable on est soulagé de pouvoir se confesser. Durant l'année écoulée, cela ne vous a pas posé problème. Si vous n'êtes pas venue me voir, je ne crois pas que ce soit à cause de la culpabilité. Non, quand vous avez parlé de honte, vous avez employé le terme qui convient. La honte et la culpabilité sont deux choses bien différentes. À mon avis, vous vous sentez sincèrement coupable d'avoir fait du mal à Stephen. Mais à un autre niveau, vous avez également honte de vos rapports avec lui. Et c'est cette honte qui vous a empêchée de venir me parler. Pourquoi avez-vous honte de ce que vous avez fait ?

— À cause du sexe.

— Et alors ? Les autres fois vous n'aviez pas honte d'avoir des rapports sexuels.

— C'est parce qu'il était infirme.

— Ah ! On y arrive. Qu'y a-t-il de honteux à avoir des rapports sexuels avec un infirme ?

— Je ne sais pas. Je l'aimais.

— D'accord, vous l'aimiez. Il n'y a rien de honteux à avoir des relations de nature sexuelle avec une personne handicapée, surtout si on éprouve de l'amour pour elle. Je crois que votre honte va plus loin.

— Peut-être que j'ai honte parce que c'était un de mes malades. On ne doit pas faire l'amour avec ses malades.

— Vous y êtes presque, Heather. Mais pas tout à fait. (Kolnietz la poussait dans ses derniers retranchements.) Un psychothérapeute ne doit pas faire l'amour avec un patient, c'est certain. Mais vous n'étiez pas la psychothérapeute de Stephen. Et comme vous dites, vous l'aimiez. Et il vous aimait. Alors, pourquoi faut-il avoir honte d'avoir des rapports sexuels avec un patient ?

Heather rougit.

– C'est comme si... comme si on avait la charge de ses malades, bégaya-t-elle. Comme si l'infirmière était une sorte de tuteur.

– Pourquoi ?

– Parce qu'ils sont sans défense.

– En effet, il était faible et sans défense. Et vous avez coutume d'avoir des relations sexuelles avec des hommes faibles, n'est-ce pas ?

– Mais Stephen n'était pas faible ! Là où il faut, il était plus viril que tous les autres.

– Mais par bien des aspects, il était tout de même sans défense.

En un éclair, Heather repensa à la nuit du meurtre. Elle avait dit à Stephen : « Tu es le plus vrai de tous les hommes. » Elle se remémora avec une clarté atroce la cruauté de sa réponse : « C'est ton problème. » Peut-être avait-elle vraiment un problème, après tout. Mais ce n'était tout de même pas sa faute à elle s'il était sans défense !

– Vous allez encore me dire que si j'ai le don de choisir des hommes faibles, c'est parce que c'est enregistré sur mes « bandes », fit-elle d'un ton coléreux. À vous entendre, on croirait que je refuse les liaisons amoureuses satisfaisantes. Mais ce sont peut-être les hommes faibles qui sont attirés par moi. S'il existe des hommes forts, je n'en ai pas encore vu la couleur. Peut-être que ça n'existe pas.

Mais tout en prononçant ces paroles, Heather se rendit compte qu'elle avait déjà répété plusieurs fois ces mêmes récriminations.

Kolnietz s'en rendit compte aussi. Et il comprit que pour Heather, le moment n'était pas encore venu de changer de refrain. Il espérait que ce serait pour bientôt. Oh, comme il espérait qu'elle cesserait un jour de lutter ! Mais pas aujourd'hui. Aujourd'hui, l'heure était au maternage, et non à la confrontation.

– Stephen était quelqu'un de très beau, n'est-ce pas ? fit Kolnietz.

Pour toute réponse, Heather se mit à pleurer.

Il resta silencieux, absorbant son chagrin tout en pressentant autre chose derrière ses larmes.

– Vous ne me détestez pas ? demanda-t-elle finalement.

– Mais non. Pourquoi voulez-vous que je vous déteste ?

– À cause de mes relations avec Stephen.

– Je ne peux pas dire que je vous approuve de tout mon cœur, mais en tout cas je comprends.

— J'en ai aussi parlé à Mrs. Grochowski, hier. Elle non plus ne me déteste pas.

Kolnietz saisit la perche.

— Vous pensiez que nous vous détesterions tous les deux ?

— Oui.

— Deux fois de suite vous avez fait des prédictions irréalistes. Je me demande pourquoi.

Heather eut l'air troublé.

— Vous savez, fit doucement Kolnietz, je ne suis pas votre mère.

— Ah ! Encore vos fameuses bandes.

— Exactement ! Vous avez cru recevoir de nous le même genre de désapprobation perverse que vous recevez de votre mère, alors que vous devriez savoir que nous ne lui ressemblons ni l'un ni l'autre. Cela s'appelle un transfert. Vous vous souvenez ?

— Je me souviens, reconnut Heather avec un sourire forcé.

Kolnietz eut envie d'enfoncer le clou, mais comprit instinctivement qu'encore une fois, ce n'était pas le moment. Il se contenta donc d'attendre.

— La mort de Stephen a dû vous porter un coup très dur, dit-elle après un long silence.

— Par certains côtés, oui, répondit-il d'un ton délibérément neutre.

— Vous ne me dites jamais rien de vous, protesta Heather.

Le terme chinois traduisant l'idée de crise traversa fugitivement l'esprit du médecin, avec ses deux caractères signifiant l'un « danger » et l'autre « occasion cachée ».

— Vous ne m'avez jamais réellement demandé de vous en parler, remarqua-t-il.

— Je ne sais même pas si vous êtes marié. Enfin, non, ce n'est pas vrai. J'ai entendu des infirmières le dire. Mais je ne sais pas si vous avez des enfants.

— Et alors ?

— Et alors, je veux savoir. Je veux que ce soit vous qui parliez, pour changer.

À ce stade, il existait une demi-douzaine de tactiques possibles. Les ouvrages de référence comportaient des chapitres entiers traitant du moment où le patient commençait à s'enquérir de la vie privée du ou de la thérapeute. La manœuvre la plus courante était la parade. Même « Pourquoi me posez-vous cette question ? » lui aurait fait gagner du temps. Mais le fait qu'elle exprime, pour la première fois en un an, de la curiosité à son égard lui apparut soudain comme intrinsèquement sain. Malgré les règles de la profession, malgré les pièges possibles qu'il voyait se profiler, il n'était pas dans sa nature de réagir à un signe de progrès en restant évasif. Dans la plupart des cas, il aurait en effet répondu avec prudence, mais quelque chose le poussa à choisir la voie de la sincérité – même si c'était aussi celle du plus grand risque. Ce fut toutefois avec une vive inquiétude qu'il lui répondit.

— On vous a bien renseignée. Je suis effectivement marié. Mais plus pour très longtemps. Ma femme a demandé le divorce. J'ai deux enfants, des garçons. Des adolescents, en fait. Mark a treize ans et David quinze.

Elle observa un long silence, le temps de digérer ces informations.

— Vous les aimez bien, vos fils ? s'enquit-elle enfin.

Fort judicieux, songea-t-il.

— Oui, je les aime. Et je les aime « bien », aussi – enfin, la plupart du temps, ajouta-t-il avec un sourire.

— Alors, ils vont vous manquer, après le divorce.

— Non. Ils vont rester avec moi.

— Ah bon ? Elle renonce à les garder ? s'exclama-t-elle d'un ton incrédule.

Piège numéro un, se dit Kolnietz.

— Vous allez être tentée de mettre tous les torts de son côté, répondit-il, mais je vous suggère de n'en rien faire. Marcia – ma femme – est éprise de liberté et a choisi de ne pas s'encombrer d'eux. Mais il faut garder à l'esprit que si je l'ai épousée, c'est justement parce qu'elle était éprise de liberté. Il arrive souvent – bien que ce ne soit pas toujours indiqué – qu'on épouse une personne qui vient nous compléter, qui possède ce qui nous manque. Je suis complètement imprégné de la bonne vieille éthique professionnelle puritaine. Je ne sais pas très bien jouer. Ce n'est donc pas par accident que j'ai été attiré par une femme particulièrement joueuse.

— Vous essayez donc de me dire que, dans cette histoire, personne n'a tort.

Kolnietz admira sa faculté de résumer la situation. C'était exactement la conclusion à laquelle il était parvenu, encore qu'il lui ait fallu quatre ans pour cela.

— C'est ça. Il serait peut-être plus juste de dire que c'est un divorce « à torts partagés ».

Cette fois-ci, la pause qu'elle observa fut brève.

— Si Mrs. Simonton accepte de me laisser m'absenter, je pourrais venir vous voir plus régulièrement, et un peu plus souvent ?

Piège numéro deux.

— C'est une question intéressante. Et plutôt bienvenue, fit Kolnietz. Mais avant même d'y répondre, il faut que je sache pourquoi vous me la posez, et surtout pourquoi maintenant.

— Je ne sais pas très bien, dit Heather en rougissant. Ce n'était pas prémédité. Ça m'est venu comme ça.

— Continuez.

— C'est parce que vous m'avez parlé de vous, j'en suis sûre.

— Je vous écoute.

— Eh bien... En... en un sens, balbutia-t-elle, désormais vous me paraissez plus réel, plus... plus vulnérable.

— Plus vulnérable, ou plus intéressant ?

— Je ne comprends pas.

— Je viens de vous dire que j'étais en train de divorcer, expliqua Kolnietz. Tout à coup, cela me rend plus intéressant du point de vue d'une éventuelle liaison. Éprouvez-vous des sentiments amoureux pour moi ?

— Je ne crois pas, répondit-elle en rougissant à nouveau.

— Je ne veux pas dire que vous devriez éprouver ce genre de chose pour moi. Mais il est très fréquent que les patients nourrissent des sentiments amoureux à l'égard de leur thérapeute, surtout quand ils savent qu'il ou elle est un tant soit peu disponible.

— Je sais ! proféra Heather sur le ton de l'enfant à qui l'on s'adresse avec condescendance. (Puis elle se ravisa et se mit à réfléchir.) Je ne peux pas l'affirmer, mais je ne crois pas que ce soit ça. Maintenant que je sais que vous avez des problèmes conjugaux, vous me paraissez moins parfait. Moins lointain.

— Si vous vous rendez compte que je ne suis pas parfait, tant mieux, commenta Kolnietz. C'est une réalité. Très souvent le processus psychothérapeutique peut se comparer à un aveugle qui en guide un autre.

— J'aime mieux être guidée par un humble aveugle que par un psychiatre glacial qui croit avoir tout compris.

Kolnietz vit que la séance touchait à sa fin. Il vit aussi les autres pièges qui l'attendaient.

— Il est peut-être souhaitable que nous nous voyions plus régulièrement et plus souvent, mais ce n'est pas une décision qu'on doit

236

prendre sur l'impulsion du moment. D'abord, vous devez demander à Mrs. Simonton si elle veut vous laisser fréquemment partir pendant vos heures de travail. Plus important, cela signifie que nous devrons affronter la question des sentiments amoureux de manière suivie.

— Et en affrontant ce problème, poursuivit-il, il vous faudra comprendre deux choses. La première, c'est que je ne suis pas disponible pour vous sur ce plan. Ne croyez que je ne vous trouve pas séduisante. Vous l'êtes. En fait, une partie de moi-même regrette de ne pas être disponible. Mais ce n'est pas possible. Pour le meilleur et pour le pire, je suis votre thérapeute, et cela implique que la sexualité soit exclue de nos rapports. Un point c'est tout. Pas de « si », pas de « mais » qui tiennent. Mais ce n'est pas parce que je vous tiens ce langage que vous allez y croire au fond de vous-même. Non seulement il est très probable que vous aurez des fantasmes sexuels et romantiques à mon sujet, mais en plus il faudra m'en faire part, quelle que soit la gêne que cela vous cause. Est-ce que vous comprenez ?

Heather hocha la tête en silence.

Une fois Heather partie, avant de se préparer à recevoir le patient suivant Kolnietz eut un sourire sans joie. Il ne lui serait pas difficile de maintenir la jeune fille à distance, mais il se rendait compte que ce désir de le voir plus souvent était le signe d'un grand pas en avant et que peut-être, avec un peu de chance, il avait fait ce qu'il fallait juste au bon moment.

Georgia ne regrettait qu'en de très rares occasions les cocktails qu'elle et son mari prenaient invariablement avant dîner quand elle vivait dans l'Est. Dieu merci, la vie qu'elle menait à présent était dans l'ensemble dépourvue de stress. Mais ce soir-là, tandis qu'elle attendait la cloche du dîner dans sa chambre en compagnie de Lutzina, elle sentit son corps réclamer une forme d'apaisement. Elle n'arrivait pas à se concentrer. La journée avait été particulièrement perturbée.

— ... alors j'ai décidé de le faire piquer, s'il le faut, disait Lucy.

— *Comment ?* s'écria Georgia en se redressant brusquement dans son fauteuil.

— Oui, j'ai décidé d'emmener Plissé chez le vétérinaire pour qu'il l'endorme, si j'y suis obligée, répéta Lucy.

— Mais... c'est du meurtre !

— On peut dire que vous n'y allez pas par quatre chemins, Georgia.

— Je suis désolée, s'excusa la vieille dame. Je n'ai pas réfléchi. Mais pourquoi le faire piquer alors que vous l'aimez tellement ?

— Vous n'avez donc pas entendu un mot de tout ce que je viens de vous dire ? J'étais en train de tout vous expliquer. D'accord, ce serait un meurtre. Mais le meurtre de ce pauvre jeune homme m'a fait comprendre à quel point je tenais à la vie. Encore plus qu'à celle de Plissé. Et c'est lui ou moi. Quelle vie devrais-je mener, à attendre ici sans rien faire que le pauvre Plissé rende l'âme ?

— C'est une décision très difficile à prendre pour vous, non ? fit Georgia, compréhensive.

Les yeux de Lucy se remplirent de larmes.

— J'espère encore ne pas avoir à en arriver là. Il y aura au moins quatre mois d'attente pour obtenir une chambre à Santa Barbara, et peut-être que d'ici là, Plissé mourra de sa belle mort. Et puis, j'essaierai de lui trouver un foyer. Mais vous savez, il y a une chose qui me console. Ces deux derniers jours, il y a une parole qui me trotte dans la tête. Une parole de Jésus. « Je suis venu pour qu'ils aient la vie, et qu'ils l'aient en abondance. » Nous sommes là pour vivre en abondance, et c'est une chose que je ne peux pas faire à New Warsaw.

Tout à coup, la curiosité de Georgia s'éveilla.

— Je ne savais pas que vous aviez de la religion, Lucy.

— Je n'en ai pas. Je me suis simplement souvenue d'une phrase entendue à l'église quand j'étais petite. C'est drôle comme ces choses-là vous reviennent. En réalité, je suis très attachée aux choses de ce monde. Je veux y vivre, dans ce monde. Je veux aller dans des soirées, assister à des concerts, faire les magasins. Et d'une certaine manière, cette phrase me dit que j'ai raison de vouloir cela. Mais vous, Georgia ? Êtes-vous croyante ?

— Je l'ignore, mais je pose des questions là-dessus depuis ce matin. (Georgia eut un sourire pensif.) Et moi aussi, je crois que j'ai songé à vivre un peu plus abondamment.

Lucy se mit à rayonner d'enthousiasme.

— Oh, Georgia, c'est merveilleux ! Dois-je en conclure que vous allez demander à vos enfants de partir avec moi pour cette communauté d'adultes ?

— Non, ce n'est pas ça que je voulais dire. Les soirées, les concerts, les magasins... tout ça m'est égal. J'en ai eu plus que ma part quand je vivais à New York et à Westchester.

— Alors, que veut dire pour vous vivre abondamment ?

– Je ne le sais pas très bien, Lucy.

– Peut-être allez-vous faire quelque chose d'autre ?

– Encore une fois je ne sais pas, Lucy. Peut-être. Et peut-être pas. Ça signifie seulement que j'y pense un peu.

La cloche du dîner retentit, coupant court aux questions que Lucy s'apprêtait sans doute encore à poser. Georgia s'en réjouit. Réfléchir, c'est bien ; mais point trop n'en faut.

CHAPITRE ONZE

Dimanche 27 mars

Petri avait travaillé dans son coin le vendredi et toute la journée du samedi au Service administratif de Willow Glen. Il avait épluché les dossiers des trente-quatre pensionnaires décédés dans l'établissement durant l'année écoulée pendant le tour de garde de Heather Barsten. Les derniers rapports de l'infirmière du service étaient d'une similitude décourageante : « Patient ayant décliné rapidement, a demandé Ms. Barsten », puis « Patient décédé en présence de Ms. Barsten. Mort paisible. Le docteur Ortiz a été averti. » Aucune indication de quoi que ce soit d'autre.

Ensuite, il avait passé en revue les listings préparés par Ms. McAdams concernant les décès survenus deux et trois ans auparavant. Le résultat était conforme à ses prévisions. Pendant les six premiers mois après l'arrivée de Barsten, le taux de mortalité pendant son service était resté normal. Les mois suivants, la moyenne avait doublé. De toute évidence, elle avait préféré ne pas tuer tout de suite, mais gagner d'abord la confiance générale. Il savait néanmoins que Simonton utiliserait les mêmes données pour en tirer une conclusion radicalement opposée : c'était parce qu'ils en étaient venus à lui faire confiance que les patients *décidaient* de mourir pendant son tour de garde.

Le samedi soir, il avait dîné en solitaire à la Cafétéria de New Warsaw. En rentrant chez lui il avait allumé la télévision, mais il était trop préoccupé pour se concentrer sur l'écran. Il fallait que quelque chose se passe. Il tenait le premier meurtre du comté depuis trois ans, et on n'avait encore procédé à aucune arrestation. Il savait bien que ce genre d'enquête prenait généralement du temps, beaucoup de temps ; mais un meurtre commis dans une maison de retraite aurait dû être plus simple à résoudre, et non plus compliqué. Les trois premiers jours, il avait bien débroussaillé le terrain ; mais depuis trois jours, il n'avançait plus.

Une fois qu'il eut éteint la lumière, il s'agita plus d'une heure dans son lit avant de trouver le sommeil. Il avait conscience de devoir se prouver qu'il était bien responsable de l'enquête. Il savait également à quel point il lui importait que le commissaire soit content de lui. Mais il y avait plus. Si le commissaire n'avait pas fait pression sur lui, il n'ignorait pas qu'on faisait pression sur le chef : il y avait ces coups de téléphone incessants des journalistes, les communiqués désespérément identiques dans la presse quotidienne et à la radio : « On cherche toujours le coupable du meurtre de Willow Glen. La police déclare que l'enquête suit son cours. » On ne pourrait plus s'en tirer comme ça bien longtemps. Et alors, que faire ?

Lorsque le cauchemar revint, Petri venait tout juste de s'endormir ; c'est du moins ce qu'il lui sembla. C'était exactement le même que trois semaines plus tôt : même tache s'élargissant sur le mur du salon fraîchement repeint ; même substance visqueuse vert foncé revenant sans cesse au même endroit ; même pied-de-biche dans sa main, et lui qui s'escrimait à arracher le plâtre ; même tache filtrant à travers l'isolant ; même incapacité à en localiser la source ; même réveil en sursaut, trempé de sueur et submergé de frustration, de rage, de honte et de terreur.

Une fois calmé, il s'interrogea. La première fois, on pouvait attribuer le rêve à ses travaux de peinture : l'appartement était encore tout imprégné de l'odeur. Mais cette nuit ? Pourtant, en y réfléchissant il ne le comprenait que mieux. Ne reflétait-il pas la forte contrariété que lui causait l'affaire de Willow Glen ? Et l'impossibilité de repérer l'origine de la tache ne représentait-elle pas l'impasse dans laquelle il se trouvait en essayant d'accumuler les preuves de la culpabilité de Heather Barsten ?

Mais ces constatations ne lui procurèrent pas pour autant la paix de l'esprit. La sensation associée à la matière visqueuse, le dégoût et la honte (pourquoi la honte ? se demandait-il) s'attarda, et il lui fallut deux heures pour se rendormir.

Pas étonnant, dans ces circonstances, qu'il ait ressenti la sonnerie du téléphone, à neuf heures le dimanche matin, comme une insulte insupportable. C'était Mrs. Simonton qui l'appelait de chez elle pour l'informer que Georgia Bates avait demandé à lui parler.

— J'ignore totalement de quoi il s'agit. Ce n'est pas dans ses habitudes. Mais elle prétend que c'est urgent.

Simonton proposa de le rejoindre là-bas, mais il lui dit que ce ne serait pas nécessaire. Il l'appellerait en cas de besoin.

En route pour Willow Glen, Petri ressentit un pincement d'excitation. Georgia Bates était peut-être une drôle de vieille dame, mais l'information qu'elle lui avait donnée s'était révélée exacte. Elle l'avait mis sur la bonne piste. Peut-être allait-elle maintenant lui donner l'unique pièce qui manquât encore au puzzle.

— Vous n'auriez pas vu mon sac ? Qu'est-ce qu'ils ont fait de mon sac ?

Comme il pénétrait dans le service, Carol la Folle essaya de l'attraper au passage, mais il s'y était fait et se contenta de la repousser en se dirigeant d'un pas vif vers la chambre de Mrs. Bates.

Georgia s'était habillée pour la circonstance, et avait même expédié Lucy dans le séjour. Elle l'accueillit comme si elle l'avait invité à prendre le thé.

— Merci d'avoir pris sur votre temps pour venir me voir, inspecteur.

— Je vous en prie, répondit Petri en prenant un siège. Qu'est-ce qui me vaut le plaisir ?

— Je voulais vous dire que j'étais coupable.

Petri sentit son esprit se vider sous le coup de la stupéfaction. Il resta longtemps muet, puis demanda enfin :

— Coupable ? Mais coupable de quoi ?

Georgia ne répondit pas. Pendant le silence qui suivit, Petri fut pris de vertige. Lui qui s'était tellement fixé sur Heather Barsten, se pouvait-il que... ? Fallait-il en déduire... ? Sans se rendre compte qu'elle était en train de le manœuvrer, au bout d'un moment il rompit le silence.

— Vous voulez dire coupable du meurtre ?

— Non, mais j'aurais pu, rétorqua tranquillement Georgia.

Bon sang ! songea-t-il. Pourquoi faut-il que les choses soient toujours si embrouillées dans cette baraque ?

— Que voulez-vous dire, que vous auriez pu le tuer ?

— Tout juste. Si j'avais voulu, j'aurais pu.

— Mrs. Bates, fit-il avec patience. Le jeune homme a été assassiné entre quatre heures et demie et cinq heures et demie du matin. Pour autant que nous sachions, il se trouvait alors sur son chariot, à quelques mètres à peine du bureau des infirmières, où se trouvaient à ce moment-là soit Ms. Barsten, soit Mrs. Grimes, soit les deux. Comment auriez-vous pu le tuer si près d'elles ?

— Quand Mrs. Grimes était seule au bureau, sans aucun problème.

— Pourquoi Mrs. Grimes ?

— Parce qu'elle aime les romans, lui apprit-elle. Quand elle lit, ça lui occupe complètement l'esprit. On peut dire qu'elle s'y plonge tout entière. Une bombe pourrait exploser à côté du bureau qu'elle ne s'en rendrait même pas compte.

— Pourquoi me dites-vous tout cela ?

— Comme je vous l'ai dit, je me suis réveillée la nuit du meurtre et je suis allée faire un tour dans les couloirs. Là, vous le savez, j'ai vu Heather et le jeune homme. Mais ce que j'ai négligé de vous dire, c'est que pendant ce temps, Mrs. Grimes lisait au bureau. En fait, je suis passée à trois reprises devant elle pendant ma promenade. Pas une fois elle n'a levé les yeux. Je doute fort qu'elle s'en soit rendu compte. J'estime que j'aurais parfaitement pu poignarder le jeune homme sans qu'elle remarque quoi que ce soit.

Petri se cala dans son fauteuil. Il y avait donc du nouveau. Pas vraiment ce qu'il avait escompté, mais cela pouvait avoir son importance. Il se souvint de ne pas avoir trouvé Mrs. Grimes très vive lors de leur entretien. Mais là encore, pouvait-on faire confiance à cette vieille dame apparemment sénile ? Ce n'était pas parce qu'elle avait dit la vérité quelques jours plus tôt qu'il fallait maintenant croire tout ce qu'elle disait. Et puis, elle faisait partie des gens qui avaient de l'affection pour Barsten ; peut-être essayait-elle de la protéger.

Par ailleurs, il était difficile de croire que, même plongée jusqu'au cou dans un bouquin, Mrs. Grimes ne verrait pas un meurtrier agissant à trois mètres dans le silence de la nuit. Et même dans ce cas, cela ne disculpait pas forcément Barsten. Au contraire, cela confirmait simplement la possibilité qu'elle eût frappé sans que Mrs. Grimes s'aperçoive de rien. Mais il y avait une autre conséquence, beaucoup plus déroutante celle-là : *n'importe qui* aurait pu commettre le crime à son insu. Peut-être ce quelqu'un avait-il agi pendant que Heather Barsten était allée faire un tour dehors. Mais qui ? Il se rappela d'un seul coup que Mrs. Bates s'était déclarée coupable.

— Vous m'avez dit que vous n'aviez pas commis le meurtre, mais que vous en auriez eu la possibilité. Alors si vous ne l'avez pas fait, de quoi êtes-vous coupable ?

— De ne pas vous avoir tout dit. Voyez-vous, je ne l'ai pas fait exprès. Mais en réfléchissant après coup, je me suis dit que quand nous avions discuté la dernière fois, je ne vous avais pas fourni une description complète.

— Comment cela ?

— Eh bien, je vous ai déjà donné un exemple. Je vous ai dit que je me promenais dans les couloirs la nuit du meurtre, mais en omettant d'ajouter que Mrs. Grimes ne s'en était pas rendu compte. Cet élément manquait à ma description. Il y en a d'autres.

— Je vous écoute.

— Je vous ai révélé que Heather et le jeune homme avaient des rapports sexuels. Mais je ne suis pas sûre que vous ayez assez de recul en la matière. Il ne m'était pas venu à l'esprit que considéreriez cela comme un fait unique. Si je vous avais donné une description complète, vous sauriez que beaucoup de gens ont des rapports sexuels ici.

Il la regarda bouche bée.

— Beaucoup de gens ? Mais qui ?

— Mais nous, inspecteur. Nous, les pensionnaires. Ce jeune homme était loin d'être le seul. Il y a ici un homme qui tripote tout le monde, et deux malades qui couchent ensemble assez régulièrement. Vous n'auriez pas cru trouver du sexe à Willow Glen, n'est-ce pas ?

Petri avoua qu'en effet, il n'y aurait pas pensé.

— C'est ça le problème, avec les gens, reprit Georgia. Ils ne pensent pas à ce genre de chose. Ils nous considèrent comme déjà morts, nous les pensionnaires de maison de retraite. Ils ne pensent pas que nous puissions mener une vraie vie. Ils ne nous croient même pas capables de commettre un meurtre.

— Entendez-vous par là que le coupable se trouve parmi les malades ?

— Je l'ignore, mais en tout cas c'est une éventualité. Je vous ai déjà expliqué que j'aurais moi-même pu commettre ce crime. Il ne faut surtout pas négliger cette possibilité.

Petri resta pensif. Il s'était habitué à l'idée qu'en mettant les pieds à Willow Glen, il s'était aventuré en terrain inconnu. Mais à cet instant, il crut comprendre qu'il y avait emporté avec lui un certain nombre d'idées reçues. Peut-être, en effet, ne s'était-il pas suffisamment préoccupé des patients. Il se pencha en avant et demanda :

— Connaissez-vous l'identité du meurtrier, Mrs. Bates ?

— Non.

— Avez-vous des soupçons particuliers ?

— Non. Mais il y a encore une chose que j'ai involontairement omise.

— Laquelle ?

— Je vous ai dit que Heather consultait un psychiatre comme s'il s'agissait d'un phénomène unique. J'aurais dû ajouter qu'un grand nombre d'entre nous en faisaient peut-être autant. Disons qu'au moins, cela a pu se produire. Moi-même, par exemple, j'ai dû en voir un l'année dernière. Il m'a trouvée sénile. Moi, pour ma part, je l'ai trouvé un peu obtus pour un médecin.

— Est-ce que par hasard il s'agissait du docteur Kolnietz ?

— Non. C'était un certain docteur Harcel, à l'hôpital. Il mérite bien son nom, celui-là. On peut dire qu'il m'a harcelée.

— Savez-vous qui — pensionnaire ou autre — voit actuellement un psychiatre, ici ?

— Non, mais ça ne veut pas dire qu'il n'y en ait pas. J'ai pensé que vous voudriez peut-être jeter un coup d'œil de ce côté-là. Et d'un autre côté, d'ailleurs.

— Lequel ?

— J'ai cru comprendre que vous soupçonniez Heather en partie parce que le meurtrier devait avoir des connaissances médicales. Outre les membres du personnel, certaines personnes correspondent à cette description.

— Voulez-vous encore une fois parler des malades ?

— Oui. Nous avons aussi un passé, vous savez.

Petri contempla Georgia avec un mélange d'admiration et de rancune. Elle lui avait drôlement ouvert les yeux. Mais par ailleurs, il s'irritait de ce que cette vieille dame ait pris tant d'avance sur lui. De plus, il doutait encore de la fiabilité de son témoignage. Peut-être pouvait-il lui rabattre un peu le caquet.

— En quelle année êtes-vous née ? s'enquit-il.

— Vous me l'avez déjà demandé. En 1912.

— Et quel âge avez-vous ?

Jusqu'alors Georgia avait eu l'agréable impression de contrôler la situation. Mais elle n'avait pas suffisamment réfléchi au prix à payer. Or, celui-ci était terriblement élevé. Mais il y avait Heather, et Mrs. Grochowski, et Dieu. Tandis qu'elle se livrait à son calcul, plusieurs fois son visage se contracta douloureusement. À Willow Glen, il y avait des calendriers dans tous les coins. Impossible de ne pas savoir la date. On était en 1988. Voyons, 1912 ôté de 1988 égale... Elle baissa les yeux sur ses mains posées sur ses genoux. Des mains de vieille femme. Finalement, elle releva la tête.

— J'ai soixante-seize ans, inspecteur.

Juste avant l'heure du déjeuner, alors qu'elle longeait le couloir pour faire prendre de l'exercice à sa hanche, Lucy Stolarz perçut un faible appel au secours dans la chambre de Mrs. Grochowski. Ouvrant la porte, elle trouva Tim O'Hara effondré sur le sol ; il était tombé de sa chaise au pied du lit.

— Allez chercher Heather, ordonna la malade.

Jouant de sa canne, Lucy courut plus qu'elle ne marcha jusqu'au bureau des infirmières.

— C'est Tim O'Hara, dit-elle vivement. Il est par terre dans la chambre de Mrs. Grochowski.

Heather se rua dans le couloir. Une fois sur place, elle se pencha sur Tim. Il avait les yeux ouverts, mais gisait sans réaction. Elle écouta sa respiration : régulière, mais laborieuse et bruyante. Alors elle se redressa et dit :

— Je suis désolée, Mrs G., mais j'ai bien peur qu'il n'ait eu une autre attaque. Je vais appeler le médecin.

— Non, je vous en prie, n'en faites rien, répondit Mrs. Grochowski.

— Non ?

— Non. Nous avons toujours su que s'il faisait une autre attaque, ce serait la dernière. Il va mourir, Heather ; inutile d'aller chercher le médecin. S'il vous plaît, demandez de l'aide et déposez-le sur le lit. Je veux être près de lui quand il partira.

Elle s'exprimait calmement, mais Heather sentit qu'il s'agissait de ce calme étrange qui survient parfois en cas de crise majeure. Elle était tiraillée entre son devoir envers Tim et sa dévotion à l'égard de Mrs. G. Elle se força à scruter une nouvelle fois le visage du vieil homme. Un filet de salive s'échappait de la commissure des lèvres et commençait à dégouliner sur son menton. Le reverrait-elle jamais debout ? Bien droit, avec son teint fleuri, sa magnifique crinière blanche, si paisible et si viril à la fois ?

Soit. Il en serait selon les désirs de son amante, selon ses propres désirs, s'il avait pu les exprimer. Heather ressortit en courant et revint cinq minutes plus tard avec trois aides soignantes appartenant chacune à l'un des trois services ; elles déplacèrent Mrs. Grochowski vers le côté du lit le plus proche de la fenêtre, puis soulevèrent précautionneusement Tim et l'étendirent à côté d'elle.

— Vous savez, je suis obligée d'appeler le médecin, déclara Heather. Dans d'autres circonstances, peut-être aurais-je pu me débrouil-

246

ler autrement ; mais en ce moment, la police me surveille. Et il faut aussi que je prévienne Mrs. Simonton.

— Je comprends. Ne vous en faites pas pour ça. Le médecin ne sera certainement pas là avant plusieurs heures. D'ici là, Tim sera parti. Mais laissez-nous seuls maintenant, je vous en prie.

Heather comprit aussi. Elle aurait bien voulu embrasser Tim pour lui dire adieu, mais son instinct lui dit que dorénavant, il appartenait entièrement à Mrs. Grochowski.

— Je vous aime, Mrs. G., dit-elle. Je viendrai faire un tour toutes les vingt minutes.

Elle referma la porte sans bruit.

Après son dialogue avec Georgia Bates (plutôt un monologue d'ailleurs, songea-t-il tout à coup), Petri reprit la voiture et rentra au poste. Il chercha dans l'annuaire le numéro de Bertha Grimes et l'appela chez elle. Elle ne parut pas surprise qu'il exprime le désir de la voir et lui demande le chemin de la ferme où elle vivait avec son mari. Mais connaissant le flegme de la dame, il ne s'était guère attendu à ce qu'elle manifeste de la surprise.

Petri lui fixa rendez-vous en fin de journée car il avait besoin de temps pour réfléchir. Il avait été tellement sûr de ce qu'il avançait ! Et voilà que la vieille dame l'obligeait à se tourner vers d'autres possibilités. Barsten n'était pas innocentée pour autant ; simplement, il fallait qu'il se montre plus ouvert, et cela lui posait un problème. Il se rendit compte qu'il avait du mal à fonctionner sans point de repère. Barsten lui en avait fourni un, et maintenant il fallait qu'il change son fusil d'épaule. Mais en même temps, elle restait son suspect numéro un. Il n'arrivait pas à détourner ses pensées de cette maudite infirmière.

Mais vers où se tourner ? Vers qui ? Aucun autre point de repère. Mrs. Bates avait soulevé l'éventualité que le coupable soit un des malades. Lorsqu'il les avait interrogés, il s'était contenté de jeter un coup d'œil à leur dossier. Le lendemain, il les examinerait plus en détail. Mais ce n'était qu'une suggestion de la part de la vieille dame. Ce pouvait être n'importe qui. S'il se tournait tout d'abord vers Mrs. Grimes, c'était parce qu'elle venait en second sur sa liste de suspects, juste après Heather. Elle aurait pu tuer lorsque cette dernière était sortie se promener, mais ce n'était visiblement pas son genre. Toutefois, il allait la presser de questions l'après-midi même. Oui, mais si sa visite ne donnait rien ? Ce pouvait être une autre infirmière, une autre aide soignante. N'importe quel membre du personnel. Voire l'un des médecins. Un parent, un visiteur quelconque. Bon sang, ce pouvait être n'importe qui ! Alors qui ? Et pourquoi ? Il avait une impression de vide, comme s'il était perdu dans les ténèbres de l'espace.

La ferme des Grimes lui rappela celle des Kubrick, en plus délabrée. Par endroits, les fauteuils du salon étaient usés jusqu'à la corde, et il leur manquait les housses en plastique. La table basse était poussiéreuse. Question ménage, Bertha Grimes n'est pas une championne, se dit-il.

— Désolé de vous déranger un dimanche après-midi, commença-t-il, mais quand on enquête sur un meurtre, pas de congé qui tienne. Il ne faudrait pas qu'on se retrouve avec un deuxième crime sur les bras pendant qu'on se la coule douce, n'est-ce pas ?

Bertha ne répondit pas. Scrutant son visage impassible, Petri lui donna la soixantaine, mais ne pressentit rien d'autre qu'une absence chronique de toute vivacité.

— Parlez-moi un peu de vous, reprit-il.

— Y a pas grand-chose à dire.

— Vous êtes mariée ?

— Évidemment. Toute seule, je ne pourrais pas faire tourner la ferme.

— Ah bon, la ferme est en activité ?

— En ce moment même, Sam est en train de traire.

Petri essaya de la dégeler un peu en lui faisant un sourire.

— Quand on a du bétail, on travaille le dimanche comme les inspecteurs de police, hein ? La vie ne doit pas être facile pour vous.

— Non, et ça rapporte plus rien. On envisage de prendre notre retraite.

— Vous avez des enfants ?

— On en a trois, Sam et moi, mais ils sont grands maintenant ; il sont partis.

— Des passe-temps favoris ?

— Non. Rien que la lecture.

— Ah bon ? Et qu'est-ce que vous lisez ?

— Des romans d'amour, dans l'ensemble. Vous savez, des trucs sentimentaux.

— Combien en lisez vous ?

— Je ne sais pas. Cinq, peut-être dix par semaine.

— Eh bien, dites donc ! Où trouvez-vous le temps de lire tout ça ?

— C'est pas difficile maintenant que les enfants sont grands et que j'ai ce boulot à Willow Glen. C'est plutôt calme, la nuit.

— Donc, quand vous êtes de garde vous lisez beaucoup ?

— Ouais. À la maison aussi. Mais là-bas, ça s'y prête très bien.

Tout concordait.

Petri changea de sujet en se disant qu'il reviendrait là-dessus plus tard.

— Comment était-il, ce Mr. Solaris ?

— Il ne posait pas de problème.

— Comment ça ?

— Je veux dire, c'était pas difficile de s'occuper de lui.

— Vous l'aimiez bien ?

— Ma foi, oui. Tout le monde l'aimait bien.

— Vous le trouviez intelligent ?

Petri crut déceler un léger trouble.

— Ma foi, j'en sais rien. Je ne lui ai jamais beaucoup parlé. J'avais du mal à passer par cette planche à lettres. Mais les autres disent qu'il était drôlement malin.

Petri n'était pas tellement surpris que Mrs. Grimes n'ait pas souvent parlé avec lui.

— Avez-vous la moindre idée de l'identité de l'assassin ?

— Alors là, non.

— Ms. Barsten était dans les parages. Elle aurait pu le tuer dans la petite pièce devant la pharmacie.

— Heather est une fille bien ; jamais elle ne ferait une chose pareille.

— Et les malades ? Vous en voyez un qui puisse avoir commis le crime ?

— Pas du tout.

Petri changea encore une fois de tactique.

— C'était calme, la nuit du meurtre ?

— Euh... Carol la Folle – la malade qui partage la chambre de Rachel – s'est mise à se plaindre vers deux heures. Ça lui arrive de temps en temps. Mais Heather lui a fait une piqûre pour qu'elle se rendorme. Après ça, oui, la nuit a été très calme.

— Pas de malades qui se promenaient dans les couloirs ?

— Pas que je m'en souvienne.

— Et vers les quatre heures, quand Ms. Barsten préparait ses médicaments dans la pharmacie en compagnie de la victime ? Personne ne s'est levé à ce moment-là ?

— Ben non.

— Vous n'avez pas vu Mrs. Bates aller et venir ?

— Ben non.

— Vous m'avez dit qu'aux environs de quatre heures et demie Ms. Barsten était allée faire un tour, et qu'elle était rentrée vers cinq heures.

— Exact.

— Donc, pendant ce temps, vous êtes restée seule au bureau.

— Ouais.

— Et là, vous n'avez pas vu de malade se promener ?

— Ben non.

— Quelqu'un d'autre, peut-être ?

— Ben non.

— Vous êtes sûre ?

— Ça me paraît peu probable.

— Pourquoi ?

— Parce que si quelqu'un s'était promené dans les couloirs, je l'aurais vu.

— Pourtant, vous m'avez dit que vous lisiez beaucoup la nuit. Est-il possible que vous ayez été en train de lire quand Ms. Barsten est sortie et que, plongée dans votre bouquin, vous n'ayez pas vu quelqu'un passer devant vous ?

— Oui, c'est possible, admit Bertha avec réticence. Mais peu probable.

Le moment était venu d'attaquer.

— Pas d'accord, intervint Petri. Moi, je trouve ça tout à fait probable. Reconnaissez-vous que les infirmières et les autres aides soignantes vous taquinent en disant que vous êtes tellement absorbée par la lecture qu'une bombe pourrait exploser sans que vous vous aperceviez de rien ?

Pour la première fois Petri constata une réaction émotive : Bertha rougit, puis prit l'air apeuré.

— C'est vrai qu'elles se moquent de moi.

Bien sûr, il avait un peu extrapolé, mais un peu seulement. Finalement, le témoignage de Georgia Bates était fiable. Et puisque Mrs. Grimes paraissait ébranlée, autant passer à la vitesse supérieure.

— Pas d'accord non plus quand vous dites ignorer l'identité de l'assassin, Mrs. Grimes. À mon avis, vous savez très bien de qui il s'agit. C'est Ms. Barsten, n'est-ce pas ?

Mais elle s'en tint à ses convictions.

– Je vous l'ai dit, ce n'est pas son genre. J'en suis sûre.

– Alors, qui ?

– Je vous ai dit que je n'en savais rien.

– Parmi les patients, vous ne voyez vraiment pas ?

– Ben non.

– Vous les aimez bien, vos malades ?

– Ben oui.

Bertha avait repris sa contenance. Mais cette fois-ci, songea Petri, elle va la perdre pour de bon.

– Je ne sais pas si vous vous rendez compte de la gravité de la situation, Mrs. Grimes. De *votre* situation. Vous êtes parmi les premiers sur ma liste de suspects. Vous aviez accès à la victime ainsi qu'à l'arme du crime. Vous étiez seule avec elle quand elle a été tuée.

– Ce n'est pas moi ! s'écria Bertha avec une telle véhémence qu'elle en sauta sur sa chaise.

C'était aussi l'avis de Petri, mais pour bien s'y prendre avec elle, il devait la maintenir sous pression.

– Il est probable que Mr. Solaris a été tué pendant que Ms. Barsten était sortie, poursuivit-il. Vous n'avez pas d'alibi. Je vous conseille de coopérer, Mrs. Grimes.

– Je ferai tout ce que je peux, répondit-elle, l'air terrifié.

Petri continua de pousser son avantage.

– Vous me dites que vous aimez bien vos patients. Je n'en crois rien, Mrs. Grimes. J'ai du mal à croire qu'ils soient tous faciles à aimer.

– D'accord, il y en a de plus faciles que d'autres. Je n'aime pas énormément Carol la Folle, avec cette manie qu'elle a de gémir constamment en disant qu'on lui a volé son sac. Quant à Rachel, évidemment...

– Rachel ?

– Oui, Rachel Stimson. La compagne de chambre de Carol.

– Pourquoi « évidemment » ?

– Ben, personne l'aime, celle-là.

– Ah bon ? Pourquoi ?

– Ben, elle ouvre la bouche que pour dire des vacheries ou pour mordre.

– Pour mordre ?

– Oui. À Willow Glen, y a pas une infirmière, pas une aide soignante qui ne porte la marque de ses dents sur les bras.

– Comment s'y prend-elle ?

– Ça arrive parfois quand on lui fait sa toilette et qu'elle est de mauvais poil. Dans ce cas, il faut trois ou quatre filles pour la faire tenir tranquille. Et c'est là qu'elle mord. Moi, j'ai pas eu trop de problèmes avec elle parce que je fais les nuits ; on ne fait pas la toilette la nuit. Mais deux ou trois fois par an, par exemple quand il y a eu une grosse tempête, ils me demandent de venir donner un coup de main dans la journée. Alors même moi, je me suis fait mordre. Je l'ai vue faire. Cette femme, c'est la méchanceté même.

— Croyez-vous qu'elle ait pu commettre le meurtre ?

— Oh, non. Non, je ne pense pas.

— Pourquoi ?

— Parce qu'elle est amputée des deux jambes.

Toute l'excitation de Petri retomba.

— Alors elle est grabataire ?

— Non, elle a un fauteuil roulant. Elle sait même sortir de son lit et s'y installer toute seule. Elle a une de ces forces !

En y repensant, Petri crut l'avoir aperçue pendant qu'il interrogeait les pensionnaires cinq jours plus tôt. Pour lui, ce n'était qu'une vieille dame dont il n'y avait visiblement rien à tirer. Sans doute celle qu'il avait vue dans un fauteuil roulant au pied de son lit. Elle n'avait répondu à aucune de ses questions et lui avait paru complètement muette. Il lui vint une idée.

— Vous poussez son fauteuil pour la déplacer ?

— Non. Elle se débrouille toute seule. Si vous voyez comme elle se propulse dans tous les sens ! Une vraie pro.

— Y a-t-il d'autres malades qui ne vous plaisent pas beaucoup ?

— Euh... Un seul, oui. Les autres ne l'aiment pas non plus.

— Et c'est ?

— Hank Martin. Celui qui essaie toujours de tripoter toutes les femmes.

— Comment ça, tripoter ?

— Ben oui, de les caresser, quoi. On l'appelle le Chaud Lapin. Mais avec moi, il se tient à distance, ajouta-t-elle avec un sourire satisfait.

Zut ! songea Petri. Elle recommence déjà à se détendre.

— N'oubliez pas que je suis en train de vous interroger dans le cadre d'une enquête, lui rappela-t-il. Croyez-vous que Hank le Chaud Lapin puisse être le meurtrier ?

— J'en doute.

— Pourquoi ?

— Ma foi, personne ne peut le supporter, mais tout le monde le trouve plutôt inoffensif.

252

— À quoi est-ce dû ?

— Je ne sais pas.

— Il est faible ? Il est cloué au lit ?

— Non, non. Il marche. Il est en bonne santé. Je ne sais même pas ce qu'il fait à Willow Glen. Il boite un peu, c'est tout.

— Donc, physiquement il est capable de commettre un meurtre ?

— Ben oui.

— Plus que les autres patients ?

— Maintenant que vous m'y faites penser, oui.

Pensif, Petri fit une pause. On n'avait encore rien dit du mobile du crime.

— Quelles étaient les relations de la victime et de Hank ?

— Aucune idée.

— Veuillez coopérer, je vous prie.

— On ne pouvait lui parler que par l'intermédiaire de la planche à lettres. La plupart des patients n'essayaient même pas.

— Et Hank Martin ?

— Non plus, pour autant que je sache.

— Mr. Martin avait-il des raisons de ne pas aimer la victime ?

— Pas que je sache.

— Et cette autre malade, là...

— Rachel Stimson ?

— Oui. Est-ce qu'elle communiquait avec la victime ?

— Sûrement pas. Généralement, elle ne parle même pas aux gens avec qui c'est facile.

— Et elle, avait-elle des raisons de ne pas aimer la victime ?

— Pas que je sache.

Petri sentit qu'elle lui avait probablement dit tout ce qu'elle savait, et tout ce qu'elle pouvait imaginer. Néanmoins, méthodique, il persévéra.

— Y a-t-il d'autres malades que vous n'aimiez pas ?

— Ben non.

— Vous êtes sûre ?

— Oui. Naturellement, il y en a que j'aime mieux que les autres. Mrs. Grochowski, par exemple. Tout le monde l'aime. Mais les autres de l'Aile C, je les aime bien.

Petri prit quelques notes. Il était sans doute impossible d'éveiller durablement l'attention de cette femme, mais mieux valait tout de même ne pas la lâcher.

— Je vous remercie, Mrs. Grimes. Mais n'oubliez pas que vous êtes toujours parmi les principaux suspects dans cette affaire ; je vais vous demander votre entière collaboration. Je vous interdis de parler à quiconque — vous entendez : à *quiconque* — de cet entretien, ni de ce qui s'y est dit. C'est clair ?

C'était en effet fort clair.

En rentrant à New Warsaw, Petri se dit qu'il avait décidément bien peu de pistes. Mrs. Grimes restait suspecte, bien que devant elle, il ait un peu exagéré ses soupçons ; elle ne lui faisait pas l'effet d'une meurtrière. Manifestement, il fallait aller voir Hank le Chaud Lapin le plus tôt possible. Autre piste possible : cette Mrs. Stimson ; en tout cas, on pouvait toujours vérifier. Mais Ms. Barsten restait la candidate la plus probable. Malgré tout, il ne pouvait s'empêcher de trouver piquant qu'on s'absorbe dans un roman à l'eau de rose au point de ne pas remarquer un assassinat à trois mètres.

CHAPITRE DOUZE

Lundi 28 mars

En arrivant dans le service à huit heures du matin, Petri trouva Peggy Valeno au bureau des infirmières. Il lui expliqua qu'il allait s'installer là pour lire les dossiers de tous les patients. Son premier mouvement fut de prendre directement ceux de Hank Martin et Rachel Stimson, mais, ayant décrété la veille qu'il pouvait être dangereux de se concentrer excessivement sur un suspect particulier, il se ravisa et préféra les prendre dans l'ordre, tels qu'il étaient classés. C'est-à-dire, par numéro de chambre. Il allait les éplucher un par un. Alors seulement il tirerait des conclusions. Enfin, peut-être.

Il venait juste de s'asseoir quand Heather revint de sa tournée, toute fraîche et propre dans sa blouse blanche raide d'amidon. Pendant un moment, tous deux se sentirent gênés. Petri choisit de faire comme si elle n'était pas là. Heather fut tentée de l'imiter, mais se rendit compte alors qu'elle tenait l'occasion de lui lancer un coup de patte, de le mettre mal à l'aise et de lui renvoyer en pleine figure une partie de ce qu'il lui avait fait subir.

— Bonjour, inspecteur. Vous m'aviez bien dit que vous me surveilleriez de près, mais à ce point-là...

Petri fit la sourde oreille. Sa remarque lui causait encore plus d'embarras. Qu'elle aille au diable, se dit-il. Puis il se rappela qu'elle était son principal suspect. La seule attitude possible dans ces circonstances n'était-elle pas le détachement hautain ? Il reporta son regard sur le premier dossier de la pile et sur son bloc-notes, et se prépara en silence à affronter une longue matinée de travail.

Alors qu'en temps normal, elle se serait ennuyée, Peggy trouva que le week-end avait passé à toute allure. Entre la vaisselle et les autres corvées qui lui incombaient dans sa famille, elle était restée plongée dans ses pensées. Jamais elle n'aurait cru qu'on pouvait réfléchir aussi longtemps.

Comment réagir devant le bien, incarné par Stephen, et le mal, représenté par son assassinat ? Il fallait soit fuir en courant, soit approfondir. Elle ne sut jamais trop pourquoi elle choisit la seconde solution.

Quand vint le samedi soir, Peggy ne savait plus si elle devait rire ou pleurer. Elle avait envie de rire parce que son trouble était passé, et de pleurer à cause de la clarté du problème. Car elle comprenait maintenant que le bien et le mal étaient des choses *réelles*. Le problème, c'était que cette compréhension nouvelle lui laissait le choix entre plusieurs futures Peggy.

Toute la journée du dimanche elle rumina ce choix. Et en apprenant la mort de Tim, dès son arrivée au travail ce lundi matin, elle vit que c'était l'occasion ou jamais d'agir en conséquence. Naturellement, il fallait faire sa toilette à Mrs. Grochowski. C'était son travail ; néanmoins, aucune loi ne lui interdisait d'en faire un peu plus.

En entrant dans la chambre de la malade, elle s'étonna d'avoir autant de mal. C'était en partie à cause de sa timidité, mais aussi parce que l'effort était entièrement nouveau pour elle. L'effort d'aller délibérément vers autrui.

— Je voulais juste vous dire que je suis désolée, pour Tim.

— C'est gentil de votre part, Peggy, répondit Mrs. Grochowski avec un pauvre sourire.

— Vous tenez le coup ?

— Oh, je savais bien — tout le monde savait — que Tim s'en irait bientôt. Sa mort ne m'a pas prise au dépourvu. Je m'en sortirai.

Peggy eut l'impression qu'il ne lui restait plus rien à dire. Légèrement désarçonnée, elle partit vers la salle de bains chercher la cuvette.

— Peggy, fit la voix de Mrs. Grochowski dans son dos. Revenez.

La jeune fille se retourna.

— Je veux que vous sachiez que je vous remercie du fond du cœur, reprit la malade. Je vous suis très reconnaissante. Je suis contente que vous vous inquiétiez pour moi. Je suis très douée pour m'inquiéter des autres, mais je n'ai pas encore l'habitude qu'on me rende la pareille. Merci.

Peggy rayonnait. Elle se dandina gauchement, puis répondit :

— C'est gentil à vous d'avoir remarqué que je faisais un effort.

— On dit qu'il vaut mieux donner que recevoir, fit Mrs. Grochowski en lui adressant un sourire. C'est peut-être vrai quand on est jeune. Mais quand on vieillit, on réapprend à recevoir. Sincèrement, je ne sais pas très bien comment réagir quand on me témoigne de la gentillesse, Peggy. Ça me pose un gros problème. Pour moi, il vaut mieux recevoir que donner.

— Eh bien, moi, je suis jeune, déclara Peggy. Et je commence juste à m'intéresser aux gens. Avant, je ne savais pas. En fait, vous êtes une espèce d'expérience pour moi. J'ai décidé d'apprendre à m'occuper des gens. Mais je ne sais pas par où commencer.

— Peut-être suffit-il simplement de vouloir, avança Mrs. Grochowski. Peut-être faut-il simplement compatir. Vous êtes venue me dire que vous étiez triste à cause de la mort de Tim. Bon, ça suffit. C'est tout ce dont j'ai besoin. Le problème, quand on veut s'investir, c'est qu'on a toujours l'impression de devoir faire quelque chose pour prouver qu'on est sensible au malheur d'autrui. Avec moi, vous n'avez pas besoin de *faire* quoi que ce soit, Peggy.

— Mais qu'est-ce que je fais maintenant, alors ?

— Eh bien, asseyez-vous un moment à côté de moi et prenez ma main.

Peggy s'exécuta.

— Et qu'est-ce qu'il faut que je dise ?

— Mais rien ! Tenez-moi la main, c'est tout. (Au bout d'un moment Mrs. Grochowski ajouta :) S'il vous plaît.

Peggy resta donc là sans rien faire. Le silence qui suivit parut interminable. Puis, finalement, la malade reprit la parole.

— Je n'ai pas été tout à fait honnête avec vous, Peggy. Je vous ai dit que je m'attendais à la mort de Tim. D'un certain côté, c'est exact. Du côté qui pense. Mais côté cœur, c'est une autre histoire. Je ne sais pas pourquoi le cœur, lui, a été pris au dépourvu, mais c'est un fait. J'avais même répété, vous savez. Je m'étais dit que si la mort ne venait pas tout de suite, je demanderais à Tim de s'allonger auprès de moi. Et c'est ce qui est arrivé. Sa dernière heure, je l'ai vécue avec lui. C'était exactement ce que je voulais, et je me réjouis que les choses se soient passées ainsi. D'une certaine façon, c'était très beau. Mais je ne pensais pas que ce serait un tel choc.

Peggy leva les yeux et vit que Mrs. Grochowski s'était mise à pleurer tout doucement.

– Je crois au paradis, vous savez, poursuivit la malade. Je crois que Tim est plus heureux maintenant qu'ici avec moi. Mais je regrette de ne pas être partie la première. C'est de l'égoïsme, je sais, mais c'est comme ça. Je ne suis pas triste pour lui, mais pour moi. Je voudrais qu'il ne soit pas mort.

À présent les larmes ruisselaient sur ses joues. Peggy se mit à pleurer aussi. Mais si Mrs. Grochowski pleurait de chagrin, Peggy pleurait de gratitude, presque de joie. Elle ne comprenait pas pourquoi. Non, elle ne comprenait pas encore très bien, mais elle se sentait étrangement privilégiée.

Lucy bondit dans la chambre, autant que le lui permettaient sa canne et son léger boitillement.

– À la rééducation, on vient de me dire que je pouvais sortir demain ! annonça-t-elle avec un grand sourire. J'ai déjà appelé Rob. Il viendra me chercher dans la matinée. En chemin, on s'arrêtera au chenil pour prendre Plissé. Je rentre à la maison, Georgia ! Je rentre chez moi !

Georgia lui fit une réponse ravie, avec un soupçon de regret.

– C'est merveilleux, Lucy ! Je suis contente pour vous. Mais vous allez me manquer. C'était un plaisir de partager cette chambre avec vous ; je ne m'entendrai certainement pas aussi bien avec la suivante.

Lucy décida de tenter une dernière fois sa chance.

– Mais vous n'êtes pas obligée de partager avec une autre, Georgia. Je n'arrive pas à croire que vos enfants puissent vous séquestrer ici sans votre consentement. Venez chez moi, et puis nous partirons ensemble pour Santa Barbara !

– Non, Lucy, il faut que je reste.

– Mais pourquoi ? Vous n'êtes ni malade ni sénile.

Georgia prit son temps pour répondre à cette femme si différente d'elle et que pourtant elle aimait bien. Lucy ignorait tout de ce qui se passait dans sa tête depuis trois jours ; elle-même commençait à peine à y comprendre quelque chose. Mais elle en savait maintenant assez pour répondre avec fermeté :

– Il faut que je reste ici pour apprendre.

– Apprendre ? Mais apprendre quoi ?

Georgia chercha le terme exact. Lorsqu'il se présenta à son esprit, elle-même fut un peu surprise.

— Le pouvoir, je crois.

— Que voulez-vous dire ?

— Vous aussi, Lucy, vous avez appris des choses à ce propos, durant votre séjour ici. Par exemple, vous avez exercé votre pouvoir de décision en décrétant que votre vie était plus importante que celle de Plissé, en prenant la résolution de laisser derrière vous vos racines et de partir à l'autre bout du pays. Vous vous êtes prise en charge, maintenant vous avez pouvoir sur votre vie.

Lucy réfléchit quelques instants.

— Oui, je suppose que vous exprimez bien les choses. Mais je ne crois pas que tout cela soit arrivé à cause de Willow Glen, et je ne comprends toujours pas ce qui vous incite à rester, Georgia. Qu'est-ce que cet épouvantable endroit a donc à vous apprendre sur le pouvoir ?

C'était une bonne question, et Georgia ne se pressa pas d'y répondre. Il s'était passé plus de choses autour d'elle (ou plutôt *en* elle), ces quelques jours, qu'en un grand nombre d'années. Et ces choses avaient beau être nouvelles pour elle, elles ne lui en paraissaient pas moins justes et bonnes. Elle se sentait revivre. Lucy — ou même les gens du dehors — auraient peut-être du mal à le comprendre, mais à Willow Glen, il se passait des choses. Elle n'en avait pas encore fait le tour, mais n'essayait déjà plus de se raccrocher à l'illusion que l'institution était un « endroit épouvantable », ni qu'on l'y avait fait rentrer de force. Ses pensées se tournèrent vers Heather, et par-dessus tout vers Mrs. Grochowski.

— Il y a des gens qui m'enseignent des choses ici, Lucy, répondit-elle enfin. Sans doute les gens empruntent-ils des chemins différents. Vous avez beaucoup à apprendre en fréquentant les concerts et en vous installant là-bas, à Santa Barbara. Ce que j'ai besoin d'apprendre *moi* se trouve ici, du moins pour le moment.

— Ma foi, je ne comprends pas très bien, Georgia. Mais je reconnais que vous me paraissez avoir plus de pouvoir sur vous-même qu'à mon arrivée.

— Merci. J'espère que vous m'écrirez quand vous serez là-bas, et que vous me raconterez comment c'est. Autre chose : je sais que l'idée vous répugne mais... j'ai réfléchi, et j'ai même prié. Si vous devez vraiment faire piquer Plissé, il n'y a pas de mal à ça. J'en suis sûre.

Voyant que Georgia la comprenait, Lucy sentit ses yeux s'emplir de larmes de soulagement.

— Georgia, il m'est encore un peu difficile de me baisser, vous savez. Vous voulez bien vous lever et me serrer dans vos bras ?

Georgia s'exécuta. Pour l'une comme pour l'autre, c'était la première fois depuis bien longtemps.

Petri rentra au poste pour déjeuner, puis revint terminer l'examen des dossiers. Maintenant qu'il en avait pris connaissance, il voyait bien l'intérêt de se concentrer particulièrement sur les deux malades que Mrs. Grimes n'aimait guère : Rachel Stimson et Hank Martin.

Parmi les dossiers des pensionnaires de l'Aile C, huit comportaient des rapports d'expertise psychiatrique. Mrs. Bates (que Dieu la bénisse ou la maudisse !) avait certainement visé juste. Mais à la différence de Heather Barsten, aucun des malades ne suivait actuellement de traitement psychiatrique. À une exception près, l'expertise se préoccupait uniquement de sénilité ou de lésions cérébrales, comme ceux de Mrs. Bates et de Mr. Martin par exemple. L'exception était Mrs. Stimson, dont l'expertise psychiatrique présentait d'autres particularités : c'était la seule à avoir été rédigée par le docteur Kolnietz, la seule à avoir été demandée par l'établissement (désireux de savoir quelle attitude adopter envers elle), et la seule à ne proposer ni diagnostic ni plan de traitement. Ce rapport datait de trois ans et était remarquablement concis : « Cette femme perpétuellement débordante de haine et qui ne peut vraisemblablement pas être considérée comme psychotique au sens strict du terme (encore que cela reste à prouver) affiche un comportement destructeur au vu duquel l'administration de psychotropes à haute dose ne semble pas indiquée. Je n'ai donc rien de particulier à recommander dans son cas outre ce que vous savez déjà, à savoir qu'il peut se révéler nécessaire de l'attacher durant de brèves périodes. »

L'expression « comportement destructeur » retint l'attention de Petri. Il ne s'appliquait qu'à Mrs. Stimson et Mr. Martin. Les symptômes des autres (incontinence pour Mrs. Bates, escapades et radotage pour Mrs. Kubrick) pouvaient bien sûr être considérés comme pénibles, voire autodestructeurs, mais rien d'agressif là-dedans. En revanche, la notion de violence (et même de malignité) revenait sans arrêt dans le dossier de Mrs. Stimson : morsures rapportées par les infirmières et aides soignantes, querelles injurieuses et hebdomadaires avec son mari, silence brutal succédant à d'imprévisibles déversements de fiel, sans compter de fréquentes remarques sur sa force physique exceptionnelle pour une personne aussi frêle et aussi âgée. Dans un autre registre, le dossier de Mr. Martin faisait aussi nettement ressortir des comportements agressifs récurrents : nombreux épisodes d'ivresse sur la voie publique, bagarres répétées, puis placement à Willow Glen. Suivaient de multiples mentions d'avances sexuelles non sollicitées — encore qu'il s'agît davantage de tripotages à la limite de l'attentat à la pudeur.

Rien ne laissait entendre qu'il eût suivi une quelconque formation médicale. Mais naturellement, il ne fallait pas en exclure la possibilité. Néanmoins, Petri eut la surprise de constater que Mrs. Bates marquait encore un point : la seule consultation des dossiers témoignait du fait que trois pensionnaires de l'Aile C au moins avaient été, à un moment ou à un autre de leur existence, en contact avec le secteur de la santé. Parmi eux Mrs. Stimson, dont le rapport d'admission, qui datait de huit ans, commençait par ces mots : « Cette infirmière en retraite âgée de soixante-quatorze ans... »

Toutefois, ce fut la justification de la présence de Hank Martin à Willow Glen qui intrigua le plus Petri. Certes, il avait eu une petite attaque, mais rien de très handicapant. Il se servait d'une canne, mais un certain nombre de notes jointes au dossier indiquaient qu'il n'en avait pas un réel besoin. Certes, il avait apparemment des illusions de grandeur et se prenait pour un pilote hors pair du temps de la Seconde Guerre mondiale, mais ça n'allait pas bien loin. Même l'État avait plusieurs fois remis en cause le bien-fondé de son hospitalisation. Bien sûr, il était possible que son comportement sexuel agressif provienne d'une quelconque lésion cérébrale, ainsi que le laissait entendre un récent rapport de Mrs. Simonton, mais, comme l'avait remarqué Mrs. Grimes, c'était le patient le plus valide de l'Aile C — en tout cas, assez pour commettre un meurtre. De surcroît, le ton général de son dossier en faisait plus un candidat à la prison qu'un pensionnaire de maison de retraite.

Petri décida de commencer par lui. Il le trouva assis dans le séjour, sa canne à portée de main. C'était un petit homme svelte pourvu d'une épaisse tignasse rousse coupée très court, et qui ne faisait pas l'âge que lui donnait son dossier.

— Bonjour, Mr. Martin, lança-t-il en guise d'introduction. Vous vous souvenez peut-être de moi : nous avons parlé au début de la semaine dernière. À présent je m'entretiens plus longuement avec les patients les plus lucides du service pour voir s'ils peuvent m'aider à résoudre le meurtre révoltant de ce pauvre jeune homme sans défense.

Hank fut content qu'on le considère comme faisant partie des plus lucides.

— Je vois. Eh bien, je ferai tout ce que je peux pour vous aider.

— À votre avis, qui a pu faire une chose pareille ?

— J'aimerais bien le savoir, figurez-vous. Si je le savais, je l'aurais déjà traîné au poste de police.

Un mot vint à l'esprit de Petri : foutriquet. Minable.

— À vous entendre, on dirait que vous étiez très proche de la victime, commenta-t-il.

— Ben non.

— Alors, quelles étaient vos relations ?

L'autre marqua une pause suffisamment appuyée pour que Petri ait le temps de bien observer ses yeux. Puis Hank répondit :

— Inexistantes. Ce n'était pas facile de discuter avec lui, vous savez. Avec cette planchette, et tout et tout.

Il y a déjà de la peur dans ces yeux-là, songea Petri.

— Donc, vous n'étiez jamais en contact l'un avec l'autre ?

— Non, je ne lui adressais jamais la parole.

— Et quels sentiments éprouviez-vous à son égard ?

— Oh, je l'aimais bien.

— Comment pouviez-vous avoir de l'affection pour lui, fonça Petri, alors que vous ne lui parliez jamais, que vous ne le connaissiez même pas ?

— Ma foi, tout le monde avait l'air de bien l'aimer, fit maladroitement Hank. C'est ce que je voulais dire.

Ses mains se mirent à trembler.

— Qu'essayez-vous de me cacher, Mr. Martin ?

— Rien.

— Je pense que vous ne me dites pas la vérité.

— Je ne suis pas un menteur ! fanfaronna l'autre en jouant les durs malgré le tremblement qui agitait ses mains.

Petri sut exactement comment procéder avec lui.

— Avez-vous jamais servi dans l'armée, Mr. Martin ?

— Absolument. J'étais pilote de chasse pendant la guerre.

— Ah bon ? Et quand vous êtes-vous engagé ?

— Avant Pearl Harbor, fit fièrement Hank. Début 1941. Je l'avais senti venir, aussi j'étais parmi ceux qui se sont engagés dans l'aviation canadienne. Je me suis battu contre les Boches au-dessus de l'Atlantique Nord.

— Et avant, qu'est-ce que vous faisiez ?

— Oh, je travaillais par-ci par-là. Principalement dans le bâtiment.

— Quel est le maximum de temps pendant lequel vous ayez
conservé un emploi ?

Voilà une question à laquelle Hank n'était pas préparé.

— Euh... deux ou trois mois, lâcha-t-il étourdiment.

— En quelle année êtes-vous né ?

— 1910.

Comme prévu, ça ne collait pas. Que ce foutriquet fût ou non
l'assassin, il l'ignorait ; mais en tout cas, il avait affaire à un menteur,
et un menteur fort déplaisant, de surcroît. Il n'hésita pas une seconde
à lui tomber dessus.

— Si vous dites vrai, ce dont je doute, cela signifie que vous aviez
trente et un ans au moment où vous vous êtes enrôlé. Apparemment,
vous étiez également du genre marginal, avec vos petits boulots. Or,
l'armée n'a jamais pris de marginaux de trente et un ans pour en faire
des pilotes de chasse, Mr. Martin.

La main droite du vieux grattait convulsivement son avant-bras
gauche.

— J'ai servi mon pays, déclara-t-il.

— Naturellement, vous devez pouvoir produire un certificat de
retour à la vie civile, poursuivit Petri. Mais même si vous déclariez
l'avoir perdu, ça n'aurait aucune importance. Il existe des archives
pour ce genre de choses. Il me serait très facile de les consulter, mais
je suis sûr que vous m'épargnerez ce tracas inutile.

Hank avait l'air pitoyable.

— J'étais mécanicien auto dans l'armée pendant la guerre,
avoua-t-il. Je n'ai jamais quitté le pays.

— Je vous remercie, Mr. Martin. Voilà qui me paraît plus réaliste. Toutefois, je ne suis toujours pas très content de vous. Il y a cinq
minutes vous m'avez solennellement affirmé ne pas être un menteur ;
là-dessus, vous vous empressez de me raconter des histoires. Qu'est-ce
que vous ne voulez pas que je sache, Mr. Martin ? Que vous êtes un
lâche, une mauviette ?

— C'est faux ! protesta Hank.

— Alors venez, on va faire une partie de bras de fer.

Petri se leva et tira une petite table basse entre leurs deux sièges.
Il comprit très vite que, dans son désir de s'affirmer, Hank y allait de
toutes ses forces. Ils luttèrent d'un bras, puis de l'autre. Jeune et

vigoureux, Petri aurait pu le battre dans les deux cas, mais ne fit rien pour conclure l'affrontement. Il avait ce qu'il cherchait : Hank Martin était effectivement très fort pour un homme mince de soixante-dix-huit ans (si c'était bien là son âge), et en tout cas assez fort pour planter une paire de ciseaux dans le cœur d'un autre homme.

— Avez-vous reçu une formation médicale, Mr. Martin ?

— Oui. (Sur ce chapitre au moins, Hank pouvait se vanter.) J'ai été pompier et ambulancier.

— Montrez-moi votre cœur.

Hank posa le bout de l'index sur sa poitrine avec une précision instantanée, cinq centimètres au-dessous du sternum.

— Mr. Martin, il est tout à fait possible que vous ayez assassiné Mr. Solaris, déclara Petri d'un ton neutre.

— C'est faux ! proclama l'autre.

— Comment voulez-vous que je vous croie alors que vous m'avez déjà menti au moins une fois ?

Hank prit l'air terrifié.

— Puisque je vous dis que ce n'est pas moi !

— Que faisiez-vous entre quatre heures et six heures du matin la nuit du meurtre ?

— Je dormais dans ma chambre.

— Quelqu'un peut-il confirmer que vous étiez bien en train de dormir dans votre chambre à ce moment-là ?

Hank pensa à Tim O'Hara, qui était sorti cette nuit-là et qui de toute manière était mort, maintenant.

— Je ne sais pas, répondit-il. Je dormais.

— J'aimerais vous croire, Mr. Martin, mais le fait est que vous n'avez pas d'alibi.

Hank eut l'air encore plus terrifié. Petri avait pressenti la couardise de cet homme, mais la peur qu'il manifestait (tellement plus forte que celle de Barsten !) semblait démesurée, même au vu des circonstances. À moins qu'il ne soit coupable, évidemment. Petri avait l'impression que le vieil homme lui cachait quelque chose depuis le début, au chapitre de ses relations avec la victime. Il laissa le silence s'installer, en partie pour chercher un nouvel angle d'attaque et en partie pour laisser mariner Hank.

— Vous m'avez dit que vous ne connaissiez pour ainsi dire pas la victime, reprit-il enfin.

— C'est vrai.

— Je ne vous crois pas, Mr. Martin. Je suis sûr que vous avez quelque chose à cacher.

— Pas du tout. Je n'ai rien à cacher.

— Je vais vous dire une bonne chose. Il y a une minute je songeais à vous emmener au poste et vous boucler comme assassin présumé. Vous avez déjà été en prison, n'est-ce pas ? Mais finalement, j'ai décidé d'être gentil et de vous donner la nuit pour réfléchir. Je reviendrai demain matin — disons, vers huit heures et demie. Nous reprendrons cette petite conversation, et vous me direz ce que vous me cachez encore. D'ici là, pas de bêtises, hein ? Je vais demander aux vigiles de vous tenir à l'œil. Vous pouvez partir maintenant. À demain matin.

Petri le regarda détaler dans le couloir. L'observation du dossier était exacte : il boitait légèrement, mais ne semblait pas avoir besoin de canne et se déplaçait rapidement. Décidément, Hank Marin faisait un bon suspect. Petri mit ses notes à jour.

Puis il reporta son attention sur le cas Stimson. En tant qu'amputée des deux jambes condamnée au fauteuil roulant, sa culpabilité était déjà moins probable. Malgré tout, il y avait cette aura de violence qui se dégageait de son dossier ; par ailleurs, il luttait désormais contre sa tendance à se concentrer sur un seul suspect. Il allait devoir mettre au point une stratégie spéciale pour cet entretien-là.

Il la trouva seule dans sa chambre, assise dans son fauteuil roulant ; elle ne lisait pas, elle ne faisait rien. On aurait dit qu'elle attendait. Mais quoi ? Il approcha le rocking-chair et s'y installa.

— Je suis l'inspecteur Petri, annonça-t-il. Je ne sais pas si vous vous en souvenez, mais nous nous sommes vus la semaine dernière, au début de mon enquête sur le meurtre de Stephen Solaris. À présent, je prends les patients un par un en rentrant un peu plus dans les détails. J'ai besoin de votre collaboration. Êtes-vous prête à m'aider ?

Rachel le regarda droit dans les yeux mais resta sans rien dire. Petri fut intrigué par son regard. Il n'exprimait rien du tout. Son visage était vieux, très vieux, encore que la peau fine et tendue fût étrangement lisse et ne révélât absolument rien de sa personnalité. Un peu comme celui de la victime, songea-t-il distraitement, excepté que ses yeux n'étaient ternis ni par la mort ni par la vieillesse. Ils étaient au contraire brillants, perçants, et parfaitement impénétrables.

— Pouvez-vous me dire quoi que ce soit qui puisse m'être utile dans cette malheureuse affaire ?

Silence.

— Bon. Je n'y comptais pas vraiment, de toute façon. Pour l'instant, je cherche surtout à mieux connaître les habitants de Willow Glen, en particulier les pensionnaires de ce service, avec une préférence pour les plus anciens. Je crois que vous êtes là depuis huit ans ?

Silence.

— Dans quelles circonstances êtes-vous arrivée ici ?

Silence.

Petri baissa les yeux sur les moignons inégaux qui se dessinaient sous le tissu de la robe de chambre.

— C'est en rapport avec votre diabète et votre amputation, je suppose. Ce ne doit pas être facile d'être clouée dans un fauteuil roulant, ajouta-t-il d'un ton compatissant.

Silence.

Il s'y était attendu, et avait préparé une petite provocation qui la ferait peut-être réagir.

— Eh bien, je suppose que vous êtes incapable de soutenir une conversation normale, déclara-t-il. Je n'avais aucune raison d'espérer une aide quelconque de la part d'une personne ayant complètement perdu la tête, une vieille dame sénile.

Mais elle ne mordit pas à l'hameçon. Le poisson était-il trop apathique, ou bien trop malin ? En tout cas, ces yeux-là n'étaient pas du tout apathiques.

Mais Petri avait encore une petite provocation dans sa manche, d'ordre légal cette fois.

— Excusez-moi. Ce n'est pas très gentil, ce que je viens de dire, n'est-ce pas ? Mais dans une enquête de police, on n'a pas souvent l'occasion de l'être. Il s'agit plus de justice que de gentillesse, en fait. Et voilà bien ce qui me pose un problème, dans votre cas. Votre dossier indique que vous n'êtes probablement pas sénile, Mrs. Stimson ; que vous pouvez vous exprimer en toute lucidité quand vous le voulez bien. Manifestement, c'est donc que vous ne voulez pas répondre à mes questions. Or, savez-vous ce qu'on dit quand quelqu'un refuse de répondre aux questions d'un inspecteur ? On dit qu'il ou elle fait obstruction à la bonne marche de l'enquête. C'est un délit dont je suis sûr que vous ne voulez pas vous rendre coupable.

Petri attendit quelques instants, mais la réponse ne vint pas.

— Ma foi, reprit-il, vous êtes vieille et malade. Peut-être ne pouvez-vous pas faire mieux. La suivante sur ma liste est votre camarade de chambre, Mrs. Kubrick. Je préfère m'entretenir avec elle en privé.

Ça vous dérange si je vous pousse dans le séjour ? Comme ça, je pourrai ramener Mrs. Kubrick ici.

Bien que ce fût exactement ce à quoi il s'attendait, Petri ne put s'empêcher de sursauter en voyant Mrs. Stimson faire brusquement pivoter son fauteuil sur la droite en une série de mouvements du poignet rapides et remarquablement coordonnés, puis le dépasser à toute allure. Il fit volte-face juste à temps pour la voir tendre le bras, actionner la poignée de la porte, tirer celle-ci à elle et la maintenir grande ouverte tandis qu'elle fonçait dans le couloir.

Il suivit le même chemin. Elle était déjà hors de vue. Il se dirigea alors vers le bureau des infirmières, et prit à gauche vers l'endroit où il savait trouver Mrs. Kubrick. Celle-ci l'agrippa instantanément et lui servit son refrain habituel. Petri ne se laissa pas démonter. Je suis peut-être en train de m'habituer à cette maison de fous, songea-t-il. Il la poussa jusqu'à la chambre qu'elle partageait avec Rachel et immobilisa le fauteuil au beau milieu de la pièce. Puis il ferma la porte, fit pivoter le fauteuil afin qu'ils se trouvent face à face et s'assit.

— C'est encore moi, Mrs. Kubrick.

Pas de réponse.

— Vous vous entendez bien avec votre compagne de chambre ?

Pas de réponse.

— À votre avis, qui vous a volé votre sac ?

Rien.

— Pourquoi ne veut-on pas vous laisser voir le médecin ?

Toujours rien.

— Mrs. Kubrick, savez-vous quelque chose qui puisse m'aider à résoudre l'énigme du meurtre ? J'ai absolument besoin de votre aide.

Les yeux de Carol restèrent parfaitement inexpressifs. Ce qui ne surprit guère Petri. En réalité, ce petit entretien était une ruse. Son véritable but était de faire croire à Rachel Stimson qu'il interrogeait pour la forme tous les pensionnaires de l'aile, et lui donner l'occasion d'exhiber ses talents. Bertha Grimes avait dit vrai : c'était une véritable pro du fauteuil roulant. Qui plus est, il n'avait pas manqué de noter que ses déplacements ne s'accompagnaient pas du moindre bruit. Mais il y avait plus. La porte elle-même était plutôt massive, difficile à manœuvrer, et la poignée située plus ou moins à la même hauteur qu'un lit roulant comme celui de Stephen.

— Je vous remercie, Mrs. Kubrick, reprit-il. Vous ne savez pas à quel point vous m'avez rendu service.

Sur quoi il la ramena à sa place habituelle, devant le bureau des infirmières.

Que faire maintenant ? Petri regagna le poste de police l'esprit peu clair : dans l'ensemble, la journée avait été fructueuse. Il estimait s'être très bien sorti de ses entrevues avec Mrs. Stimson et Mr. Martin, il avait réussi mettre en évidence deux suspects supplémentaires. Mais ces succès ne faisaient en fin de compte que l'embrouiller davantage. L'avant-veille encore il suivait une piste unique, et voilà qu'il se retrouvait devant quatre possibilités ; on ne pouvait plus parler de piste. Combien allait-il encore en découvrir ? Il progressait peut-être, mais pour s'enfoncer de plus en plus profondément dans le noir.

Il se dit que Barsten restait tout de même le principal suspect ; tout l'accusait. Mais il ne pouvait pas exclure Bertha Grimes, la dévoreuse de bluettes, soi-disant présente sur les lieux du crime pendant toute la période où il avait pu être commis. Alors, témoin ou criminelle ? Comment avait-elle pu se déconnecter au point de ne rien voir du tout ? Il y avait quelque chose de fuyant dans cette faculté d'absence ; il avait du mal à se convaincre que ses airs de paysanne simple, presque bornée, n'étaient qu'une apparence, un travestissement élaboré de femme sans prétentions, un mensonge parfaitement imaginé. Mrs. Stimson, elle, ne mentait pas ; elle ne prononçait même pas un mot. Par ailleurs, il demeurait difficile d'accréditer la possibilité qu'une vieille dame de quatre-vingt-deux ans confinée dans un fauteuil roulant, diabétique et amputée des deux jambes, puisse être une meurtrière. Seulement, il y avait ces relents de perversité qui traversaient toute son histoire ; d'autre part, il avait désormais la preuve, à sa grande satisfaction, qu'elle était aussi mobile qu'un patient ambulatoire, aussi mobile que Martin. Toutefois, ce dernier faisait un candidat plus plausible. Non seulement il possédait la force nécessaire et les connaissances médicales, mais c'était de surcroît un fieffé menteur qui vous glissait entre les doigts comme une moisissure. Ce qui lui rappela la moisissure de son rêve. Naturellement, les rêves n'avaient rien à voir avec la réalité. Néanmoins, il était viscéralement convaincu que le vieux lui cachait quelque chose.

Oui, que faire ? D'accord, pour le moment c'était le noir complet. Mais lorsqu'il entra dans le parking du poste de police, il avait au moins décidé de ses deux ou trois prochaines démarches. D'abord, il demanderait à Mitchell de faire sa petite enquête sur les trois nouveaux suspects : Grimes, Stimson et Martin. Quant à la suite de la piste Martin, le rendez-vous était déjà pris. Il serait certainement très intéressant d'entendre ce que le petit homme aurait à dire après une bonne nuit de réflexion sur ses multiples péchés.

CHAPITRE TREIZE

Mardi 29 mars

Lorsque Petri revint voir Hank Martin, il détenait des informations nouvelles. Rien de bien surprenant, néanmoins. Bertha Grimes n'avait jamais été arrêtée, ni même été citée comme témoin dans une quelconque enquête de police. Comme prévu, Martin avait en revanche accumulé les interpellations pour ivresse et tapage sur la voie publique. Il avait passé plus d'une nuit en prison. Mais rien de très grave : ni cambriolages ni attaques à main armée. Plus troublant était le cas de Mrs. Stimson. Une nuit, huit ans auparavant, elle avait appelé la police en accusant son mari de l'avoir frappée. Pourtant, à leur arrivée sur les lieux les agents n'avaient constaté aucune trace de violence. Curieusement, c'était le mari qui portait de nombreuses traces d'égratignures au visage. L'affaire n'avait pas eu de suites. Mais il était tout de même étrange, songea Petri, que cette femme ait appelé à l'aide alors qu'en apparence, c'était elle l'agresseur.

Cette fois-ci, il trouva Hank Martin dans sa chambre. Ce n'était pas par hasard. On ne tarderait pas à lui assigner un nouveau compagnon de chambre, mais puisque Tim O'Hara était mort l'avant-veille, pour l'instant il l'avait pour lui tout seul. Et cela tombait bien. Hank préférait que personne n'entende ce qu'il avait à raconter.

— Alors, Mr. Martin, commença Petri. Vous avez eu tout la nuit pour réfléchir à ce que vous alliez me dire.

— Vous pouvez fermer la porte, s'il vous plaît ?

La nuit n'a pas dû être très bonne, se dit le policier en regardant le vieil homme, qui faisait à présent son âge ; les yeux chassieux, il tremblait encore plus que la veille. Il alla fermer la porte.

— Je vous écoute.

— Je n'ai pas grand-chose à dire, marmonna l'autre.

— Ah bon ?

— Je veux dire, ce que je vous ai caché n'est pas très important.

— Mais encore ?

— Il n'y a vraiment pas de quoi en faire tout un plat.

Petri attendit qu'il cesse de se tortiller et lâche enfin le morceau.

— J'ai un peu menti, c'est vrai, poursuivit Hank en gardant les yeux fixés au plancher, mais seulement quand je vous ai dit que je l'aimais bien.

— Continuez.

— C'est tout.

— Et pourquoi n'aimiez-vous pas la victime, Mr. Martin ?

— Parce qu'on ne faisait attention qu'à lui, lâcha Hank. Surtout Heather. Moi, elle ne me regardait même pas. Mais lui, elle était constamment en train de lui tourner autour.

Une fois de plus, Petri fut frappé par le pouvoir étrange que le jeune infirme semblait avoir exercé sur son entourage. Néanmoins, le fait cadrait parfaitement avec l'image qu'il était en train de se faire de Willow Glen.

— Vous étiez jaloux ?

— Je suppose qu'on peut voir les choses comme ça, admit Hank sans relever les yeux.

— La jalousie fait un très bon mobile de meurtre, Mr. Martin.

— Ce n'est pas moi qui l'ai tué, geignit Hank. Je vous l'ai déjà dit. Je ne l'ai même jamais vraiment touché.

Il persiste à ne pas vouloir tout me dire, songea Petri.

— Que voulez-vous dire par « vraiment touché » ?

— Rien, rien.

— J'en ai assez de vos cachotteries, jeta Petri. Je suis désolé, mais je n'ai plus d'autre choix que vous emmener au...

— J'ai tapé sur le chariot, c'est tout, coupa Hank. Lui, je ne l'ai pas touché.

Petri s'était préparé à l'entendre avouer un meurtre, et non ce genre de comportement agressif.

— Vous avez tapé sur son chariot ? répéta-t-il sans comprendre.

— Ouais, répondit Hank d'un air pitoyable.

— Avec quoi ?

— Avec ma canne.

— C'est-à-dire que vous êtes allé trouver un infirme parfaitement sans défense et que vous avez frappé son lit, son unique support, à coups de canne ?

Question purement théorique. Comme il avait besoin de réfléchir, Petri ne le pressa pas de répondre. Pour Hank, les deux minutes de silence qui suivirent furent insupportables. Finalement, le policier demanda :

— Que lui avez-vous fait d'autre ?

— Rien. Je vous l'ai dit. Je ne lui ai même jamais parlé. Jamais posé la main sur lui.

— Je ne vous crois pas, Mr. Martin.

— Pourtant c'est la vérité !

— Comment voulez-vous que je vous croie ? Je sais que vous êtes un menteur, ne l'oubliez pas. Vous m'avez déjà menti à deux reprises.

Hank posa la main sur son cœur.

— Je jure devant Dieu que c'est la vérité.

Sa main tremblait moins.

Heureusement pour Hank, mais malheureusement pour l'enquête et son désir de trouver le coupable, Petri eut envie de le croire. Il trouvait ce petit homme parfaitement repoussant, mais il fallait reconnaître que son geste correspondait mieux à sa personnalité qu'un meurtre.

— Y a-t-il encore quelque chose que vous ne m'ayez pas dit, reprit-il, que ce soit sur vous, la victime ou toute autre personne, et qui puisse avoir un quelconque rapport avec le meurtre ?

— Non, rien. Je le jure.

— Mr. Martin, vous restez mon principal suspect. Tout — vous entendez : tout — ce que vous pourrez faire pour vous disculper jouera en votre faveur. S'il vous revient quoi que ce soit en tête, il faut...

— Si je le découvre, l'interrompit Hank, je l'attrape et je vous l'amène.

Petri ne voulait plus en entendre davantage.

— Vous n'avez pas peur, Mr. Martin ?

— Non. Pourquoi ?

— Parce que si ce n'est pas vous l'assassin, c'est forcément quelqu'un d'autre, et vous serez peut-être sa prochaine victime. Vous ne craignez pas qu'une nuit — peut-être cette nuit même —, alors que vous êtes tout seul dans votre chambre — pendant que vous dormez, peut-être —, quelqu'un vienne vous planter une paire de ciseaux en plein cœur ?

— Non, non, je n'ai pas peur.

— Vous mentez, Mr. Martin.

— Mais non ! protesta l'autre. Je vous assure que non.

271

— Oh, si. Vous mentez parce que vous êtes un menteur, et si vous êtes un menteur, c'est parce que vous êtes un lâche. Une brute, Mr. Martin, voilà ce que vous êtes. Et les brutes sont toujours des lâches.

Sur ces mots, Petri tourna les talons et sortit tout droit de la chambre sans regarder en arrière.

Il ne s'arrêta qu'en arrivant au bureau des infirmières, où il alla s'asseoir. Bon sang ! Que faire maintenant ? Si le vieux disait la vérité (et il en avait bien l'impression), il se retrouvait encore une fois dans une impasse. Il y avait bien Mrs. Stimson, mais c'était maigre. Elle était méchante, certes, mais tellement vieille, tellement handicapée ! Tout de même, elle se débrouillait drôlement bien avec son fauteuil roulant. Méchante, mais pourquoi avoir accusé son mari alors que c'était elle qui l'avait attaqué ? Paranoïaque, probablement. Pourtant, il y avait quelque chose là-dedans qui le tarabustait. Petri sortit son dossier du placard.

Il commença par son rapport d'admission, et lisait pour la deuxième fois la phrase : « Cette infirmière en retraite âgée de soixante-quatorze ans... » quand son attention fut attirée par la date figurant dans le coin supérieur droit de la feuille : 13 août 1980. Cela lui rappelait quelque chose. Petri jeta un regard circulaire : personne dans les parages. L'infirmière et l'aide soignante étaient occupées ailleurs. Il n'y avait que Mrs. Kubrick, sanglée dans son fauteuil orthopédique. Il décrocha le téléphone, composa le numéro du poste de police et demanda le sergent Mitchell.

— Bill, attaqua-t-il quand il l'eut au bout du fil. Vous savez ce qu'on a trouvé à propos de cette Mrs. Stimson — pas l'incident lui-même, mais le rapport de police ? Vous ne vous rappelez pas de la date, par hasard ?

— Si, répondit Mitchell. Je l'ai encore sur mon bureau. Attendez. Voilà : 8 août 1980.

— Intéressant, commenta Petri. Je suis à Willow Glen en train de lire son dossier. Elle est entrée ici cinq jours plus tard.

— Si vous me permettez..., hasarda Mitchell.

— Oui, Bill ? Qu'est-ce que c'est ?

— Eh bien, je ne sais pas pourquoi vous vous penchez sur son cas mais, à propos de cet incident, il y a un petit détail que vous aimeriez peut-être connaître.

— Je vous écoute.

— Comme je n'étais pas directement concerné, je ne sais pas grand-chose de plus, mais du point de vue de la procédure, les choses se sont passées de manière un peu inhabituelle. À l'époque, le commissaire a donné l'ordre de ne pas consigner l'incident au registre. Ça n'a été fait que quinze jours plus tard environ, juste avant qu'on entre tout dans l'ordinateur. Ça lui arrive de temps en temps – pas plus d'une fois par an –, quand il ne veut pas qu'un incident soit rapporté par la presse.

– Et pourquoi ne voulait-il pas qu'on parle de celui-là ?

– Aucune idée, sauf que le mari fait partie des notables.

– Je vous remercie, Bill.

Petri raccrocha satisfait. Son assistant se révélait décidément fort compétent. Il avait vraiment bien fait de venir s'installer à New War-saw. Néanmoins, il se demanda pourquoi le commissaire n'avait pas voulu que l'affaire soit mentionnée dans les journaux. C'était un détail, mais qui s'ajoutait aux questions restant en suspens côté Mrs. Stimson. Cette femme commençait à piquer sa curiosité. Il pouvait toujours se renseigner auprès de Mrs. Simonton, sans compter le personnel, les anciens voisins, le mari, les patients, et le docteur Kolnietz. Mais que pourraient-ils lui dire qu'il ne sût déjà – que c'était une méchante vieille dame qui jouait méchamment du fauteuil roulant et qui, dans sa jeunesse, avait été infirmière ? Ça ne pesait pas très lourd. Ce qu'ils ne pourraient pas lui dire, c'est si elle avait tué Stephen Sola-ris, et *pourquoi*. Il aurait fallu savoir ce qu'elle avait dans la tête, en avoir ne serait-ce qu'un petit aperçu, comme avec Hank Martin. Mais comment explorer la personnalité profonde d'un être qui refuse de parler, de se laisser explorer ?

Explorer... Mais oui ! Une perquisition ! Voilà ce qu'il pouvait toujours faire. Il n'avait pas la moindre idée de ce qu'il cherchait, mais c'était le meilleur moyen de pénétrer l'intimité d'une personne qui ne voulait pas parler : fouiller dans ses affaires, ses objets personnels, ceux qu'elle conservait dans ses placard, ses tiroirs, les objets intimes qui révéleraient peut-être le profil de leur propriétaire. Oui, la perqui-sition serait sa prochaine démarche. Mais cela posait un certain nombre de problèmes. Bouillant d'impatience, mécaniquement, Petri les énuméra. Il parvint à la conclusion qu'ils n'étaient sans doute pas insolubles. Néanmoins, la question était de savoir combien de temps il allait lui falloir pour les surmonter. Et que cela lui plaise ou non, Mrs. Simonton était la clef de tout. Courant presque, il fonça vers le bureau en regrettant amèrement de ne pas entretenir de meilleures relations avec la directrice de Willow Glen.

— Eh bien, inspecteur, dit-elle en le voyant entrer en coup de vent dans son bureau. Vous m'avez l'air bien excité. Qu'est-ce qui vous arrive ? Vous voulez un peu de café ?

Devant cet accueil chaleureux (plus qu'il ne s'y attendait, et certainement plus qu'il ne le méritait), il eut encore plus l'impression de se faire gronder.

— Merci, je veux bien. Si ça ne vous dérange pas. (Il décida d'aller droit au but.) Vous serez contente d'apprendre que Ms. Barsten n'est plus mon seul suspect. Encore que je ne l'aie pas rayée de ma liste.

— En effet, je suis contente. Et curieuse. Qui d'autre figure sur cette liste ?

— Mrs. Stimson, notamment.

La directrice se sentit soulagée et se réjouit de voir le policier démontrer un peu plus de souplesse que par le passé.

— Il se peut que vous vous trompiez de cible, mais je sens que vous tenez peut-être quelque chose.

— D'après ce que j'ai constaté, ce n'est pas à proprement parler une femme charmante.

— En effet. Mais comment êtes-vous remonté jusqu'à elle ?

— J'aimerais pouvoir vous répondre : par la seule puissance de mon raisonnement, répondit Petri avec une ironie amère. Mais en fait, c'est grâce à Mrs. Bates. Quand elle m'a demandé de venir la voir, c'était pour exprimer le regret de ne pas m'avoir donné une vision plus équilibrée des choses, et faire amende honorable. De plusieurs manières. Elle m'a sacrément ouvert les yeux. Cette femme est très intelligente.

Eh bien ! On en apprend tous les jours, songea Mrs. Simonton. Si Georgia avait mieux réussi qu'elle à influencer l'esprit borné de Petri, on pouvait effectivement la considérer comme très intelligente. Beaucoup plus qu'il n'y paraissait. Il y avait peut-être beaucoup à attendre de ce côté-là. Une phrase se présenta fugitivement à son esprit : « Suivez-moi et je ferai de vous des pêcheurs d'hommes. » Pourquoi ces absurdes versets de la Bible ne cessaient-ils de lui revenir ? Elle classa l'information dans un coin de sa mémoire afin de l'examiner ultérieurement. Si ça se trouvait, Georgia et elle pourraient aller à la pêche ensemble.

— Dans quel sens vous a-t-elle ouvert les yeux ? s'enquit-elle.

— C'est elle qui m'avait déclaré avoir vu Ms. Barsten faire l'amour avec la victime la nuit du meurtre. En outre, elle a tenu à m'apprendre qu'elle était passée trois fois devant le bureau des infirmières, cette nuit-là, et que Mrs. Grimes ne l'avait même pas vue. Elle m'a également informé du fait que la nuit, cette dernière lisait des romans sentimentaux avec un tel acharnement qu'une bombe pourrait exploser sans qu'elle s'aperçoive de quoi que ce soit. Interrogée, Mrs. Grimes a confirmé. Il est pour le moins concevable qu'on ait assassiné Mr. Solaris sans qu'elle ait même levé les yeux. Et quand je dis « on », je n'entends pas seulement Ms. Barsten. Ce pourrait être n'importe qui.

Mrs. Simonton gribouilla quelque chose sur son bloc-notes. Il allait falloir s'occuper du cas de Bertha.

— Quel rapport avec Rachel Stimson ? demanda-t-elle.

— Mrs. Bates m'a fait remarquer que j'avais négligé de tenir compte des patients, et que Stephen n'était peut-être pas le seul pensionnaire à avoir une vie sexuelle. Par ailleurs, d'après elle, certains malades ont pu recevoir une formation médicale ou paramédicale, et certains ont pu consulter un psychiatre. Honnêtement, ça ne m'était pas venu à l'idée.

— Et alors ?

— Et alors, j'ai repris les dossiers des patients un peu plus en détail. Celui de Mrs. Stimson est particulièrement révélateur. Manifestement, c'est quelqu'un de violent. De plus, elle se déplace sans difficulté. Et pour finir, c'est une ancienne infirmière.

Mrs. Simonton songea à Rachel Stimson, à ses crises de rage du samedi soir, ses yeux emplis de fureur. Mais... une amputée en fauteuil roulant ?

— Cela me surprend, lui dit-elle, mais surtout à cause du fauteuil. Dieu sait que je l'ai déjà vue jeter des regards meurtriers.

Petri lui parla des commentaires concernant sa force physique, et lui fit part de ses propres observations quant à la manière dont elle manœuvrait son fauteuil. Mrs. Simonton digéra l'information et hocha la tête.

— Qu'allez-vous faire maintenant ?

— Vous demander votre aide. J'ai bien essayé de lui parler, hier après-midi, mais elle n'a pas voulu dire un mot. Je cherche donc le moyen de me faire une idée en dépit de son silence. L'un de ces moyens, à mon avis, est de perquisitionner dans sa chambre.

— Pour chercher quoi ?

— Je l'ignore. C'est en cela que réside mon problème, entre autres.

— Et en quoi puis-je vous être utile ?

— En me donnant votre autorisation. Je ne l'ai pas demandée à l'intéressée, mais de toute façon, puisqu'elle refuse de me parler je doute qu'elle me la donne. Je peux aussi faire établir un mandat de perquisition, mais cela prendrait un temps fou. J'espérais que vous pourriez m'aider. Vous m'avez dit que certains patients avaient le droit de détenir des ciseaux et pas d'autres. Vous, vous devez donc avoir le droit de fouiller dans leurs affaires.

Mrs. Simonton se cala contre son dossier et tira profondément sur sa cigarette. En effet, il faudrait sans doute un certain temps pour obtenir un mandat sur la base de soupçons aussi vagues, et qui plus est, sans savoir ce qu'on cherchait. Quant au droit de fouiller la chambre des malades, c'était une question ambiguë. Certains pensionnaires lui avaient été confiés en vertu d'une décision de justice, mais l'immense majorité était là prétendument de son plein gré (par exemple Rachel Stimson), même si, le plus souvent, ils n'avaient pas d'autre endroit où aller. Malgré tout, elle était responsable d'eux. Il arrivait aussi couramment que les aides soignantes dussent remplir ou vider leurs tiroirs, trier les vêtements sales et chercher d'éventuels médicaments thésaurisés ou aliments gâtés qui commençaient à sentir, ainsi que les couteaux ou ciseaux qui pouvaient représenter un danger. Légalement, rien ne l'empêchait d'exercer ce droit. On pouvait le lui reprocher, mais théoriquement, on pouvait aussi lui reprocher l'inverse. Et si jamais elle se créait des ennuis, elle n'aurait pas pu tomber plus mal. Non seulement Hubert Stimson détenait un grand pouvoir dans la ville, mais il était en outre l'un des plus généreux bienfaiteurs de Willow Glen.

— Je ne sais pas, déclara-t-elle enfin. Franchement, j'hésite. Il y a tellement de facteurs qui entrent en ligne de compte. Notamment, comme vous le ne savez peut-être pas, il y a le fait que le mari de Rachel fait partie du conseil d'administration de l'établissement, et qu'il nous apporte régulièrement son soutien financier, en plus d'être un gros bonnet de New Warsaw.

— On m'a dit que c'était quelqu'un d'important, oui, répondit Petri. Mais je ne savais pas qu'il siégeait au conseil. À ce propos, vous pouvez peut-être me renseigner. J'ai fait ma petite enquête sur Mrs. Stimson et, tenez-vous bien, comme pour Ms. Barsten, on a un dossier de violence conjugale. Un jour, il y a huit ans, elle a appelé la police en accusant son époux de l'avoir battue. Quand on est arrivé chez eux, on n'a rien constaté, aucune trace de coups. En fait, c'était lui l'agressé : il avait des marques de griffures plein la figure. On n'a pas donné suite. Mais il y a un fait troublant. Saviez-vous qu'elle avait été admise ici cinq jours après l'incident ?

— En effet, c'est troublant, reconnut Mrs. Simonton. D'autant plus que je n'étais pas au courant. Mais qu'en penser ? Pour autant que je sache, on ne l'a pas forcée.

— À votre avis, que se passerait-il si on demandait à Mr. Stimson la permission de perquisitionner dans la chambre de sa femme ?

— Il refuserait, répondit aussitôt Mrs. Simonton. C'est un sale vieux bonhomme très soupçonneux.

— Vous ne l'aimez pas beaucoup, hein ?

— Non. Dieu merci, je n'y suis pas obligée. Le conseil d'administration est une instance purement formelle, chez nous. Il est tellement pompeux ! Et puis... Comment dire ? Il y a quelque chose de... de *mauvais* en lui. (Petri s'étonna de l'intensité avec laquelle elle prononça ces mots.) Je ne sais pas l'exprimer autrement. C'est juste une impression viscérale. Mais je ne crois pas me tromper. Et je ne crains pas de l'affirmer.

L'idée déroutante de devoir ajouter un suspect à sa liste effleura l'esprit de Petri. Un visiteur, un homme âgé, quelqu'un d'important se glissant dans l'enceinte de l'établissement à quatre heures du matin ? Bizarre... Mais après tout, il était dans une maison de fous, confronté à une affaire un peu dingue comportant de plus en plus d'aspects inattendus. Mais au nom de sa propre santé mentale, il devait s'en tenir à son problème actuel.

— Alors, vous allez m'aider ? lui demanda-t-il.

Mrs. Simonton alluma une autre cigarette. Elle continuait de trouver choquante l'idée qu'une vieille femme amputée des deux jambes puisse être une meurtrière. Mais, comme elle l'avait dit à Petri, c'était peut-être une piste. Il y avait chez les deux Stimson une sorte de laideur. Dans ce genre de situations, Mrs. Simonton regrettait d'être responsable. C'était du moins ce qu'elle ressentait à ce stade. Elle pouvait très bien ne pas s'en sortir indemne. Au minimum, Hubert Stimson pouvait suspendre ses donations. Mais sa responsabilité ne se limitait pas à la protection des droits de Rachel ; elle avait également un devoir envers l'ensemble de ses patients.

— Entendu, décréta-t-elle. Je vais vous aider. La première chose à faire est de lui demander sa permission à elle, en ma présence. Si elle refuse, je serai obligée de me ranger de son côté ; et si vous voulez poursuivre il vous faudra demander un mandat de perquisition. Mais si elle se contente d'observer son fameux silence furibond, vous avez la permission de fouiller sa chambre – mais encore une fois, exclusivement en ma présence. D'accord ?

– D'accord. On y va ?

Maintenant que sa décision était prise, Mrs. Simonton se dit qu'il valait mieux en finir tout de suite.

– Que ce soit de votre point du vue ou du mien, il n'y a rien de plus important que la solution de cette affaire, n'est-ce pas ? Alors d'accord, on y va.

Tandis qu'ils s'acheminaient vers le service, Petri expliqua :

– Quand je l'ai interrogée, elle ne m'a pas dit un mot. Elle semble en pleine possession de ses moyens, mais je suppose que les apparences sont trompeuses.

– Non, Rachel est imprévisible, mais elle a toute sa tête. Généralement, elle refuse de parler ; mais quand elle se décide, elle fait preuve d'une lucidité tout à fait normale. Et d'un langage parfaitement ordurier.

Ils croisèrent Carol la Folle dans le couloir, et trouvèrent Mrs. Stimson seule dans sa chambre, assise dans son fauteuil roulant, face à la porte. Hormis la lueur fugitive qui s'alluma dans son regard, et qui pouvait éventuellement passer pour une réaction à leur irruption, son expression demeura impénétrable.

Ce jour-là, on ne l'avait pas recouverte de son plaid. Petri ne put s'empêcher de baisser les yeux sur l'ourlet de sa jupe et, juste au-dessous, sur le vide qui marquait l'absence de pieds. Mais il se reprit.

– Bonjour, Mrs. Stimson, commença-t-il. Je suis l'inspecteur Petri. Vous vous souvenez sans doute de moi, nous avons bavardé hier. Enfin, *moi* j'ai bavardé, parce que vous, vous avez refusé de répondre à mes questions.

Silence.

Il tenta une nouvelle fois sa chance.

– Il faut que je vous parle, Mrs. Stimson. Je voudrais en savoir un peu plus sur vous. J'ai des questions à vous poser, et avec quelqu'un qui refuse de parler, ça ne va pas sans problèmes.

Silence.

Ma foi, c'était bien ce qu'il craignait. Il ne restait plus qu'à passer à l'étape suivante.

– Je suis chargé d'une enquête, poursuivit-il. J'ai absolument besoin de savoir certaines choses sur vous. Si vous persistez à garder le silence, je vais être obligé de fouiller votre chambre. M'en donnez-vous l'autorisation ?

Toujours pas de réponse. Petri se rendit compte que ce qui le dérangeait le plus, ce n'était pas l'absence de réaction de la malade, mais ses yeux. On aurait dit qu'ils regardaient *à travers* lui. Tantôt ils étaient complètement vides, morts, comme ceux de Carol Kubrick – Carol la Folle –, tantôt il se sentait transpercé avec une intensité qu'il attribuait (était-ce dû à son imagination ?) à de la méchanceté pure.

Il déglutit et reprit :

– Mrs. Stimson, m'en donnez-vous l'autorisation ?

Il crut déceler dans ses yeux une lueur d'inquiétude, mais si c'était bien le cas cela n'avait duré qu'une fraction de seconde.

– Puisque vous ne pouvez pas ou ne voulez pas me répondre, je vais procéder à la perquisition.

Il eut beau faire preuve de minutie, la fouille fut brève. En comparaison des autres patients, elle possédait peu d'affaires personnelles. Nulle photographie. Ni cartes de vœux ni souvenirs de famille. Un bureau à trois tiroirs qu'il vida l'un après l'autre. Sous-vêtements, chemises de nuit, blouses de coton, chandails. Il ne déplia pas les habits, mais les posa sur le dessus du bureau et les tâta séparément. Rien, même pas de bijoux. Il tâta ensuite les draps, souleva le matelas, regarda sous le lit et la table de chevet, dont il fouilla le tiroir : des épingles à cheveux, un mouchoir, un vieux flacon de parfum. Même pas de stylo, ni de papier à lettres. Pas de sac à main. Une véritable ermite, cette femme. Puis il passa dans la salle de bains. Deux brosses à dents. Deux tubes de dentifrice. Une brosse à cheveux. Il s'attaqua à l'armoire.

– Comment distinguer ses affaires de celles de sa compagne de chambre ? s'enquit-il.

– Je ne peux pas vous le dire sans consulter les étiquettes, répondit Mrs. Simonton, mais je vous autorise à examiner aussi les affaires de Mrs. Kubrick.

Il passa le plat de la main le long de chaque robe, chaque jupe. Il inspecta les poches des deux manteaux suspendus, retourna toutes les chaussures, examina l'étagère. Rien.

Il était déçu. Étant donné qu'il ne cherchait rien de précis, cela le surprit. Il alla se tenir au centre de la pièce et regarda autour de lui. Là, il se rendit compte qu'il n'avait fouillé qu'une moitié de la chambre.

– L'autre pensionnaire de la chambre – comment s'appelle-t-elle, déjà ? Ah oui, Mrs. Kubrick. Puisque vous m'avez donné la permission d'inspecter ses vêtements dans le placard, puis-je aussi fouiller sa moitié de chambre ?

La directrice se dit que Carol faisait indubitablement partie des malades irresponsables, et qu'on ne pouvait certainement pas la soupçonner de meurtre. Mais elle ne vit pas d'inconvénient à laisser faire Petri.

— Entendu, allez-y.

Gagnant l'autre côté de la pièce, Petri recommença tout de zéro : il fouilla la table de chevet, regarda en dessous, puis sous le lit, il tâta les draps, le matelas. Rien. Il passa au bureau, souleva tous les vêtements contenus dans le tiroir du haut. Puis dans celui du milieu. Puis dans celui du bas.

— Ça alors ! s'exclama-t-il.

Mrs. Simonton sursauta.

— Qu'est-ce qu'il y a ? Qu'est-ce qui ne va pas ?

— *Qu'est-ce qui ne va pas ?* Regardez ! Mais regardez ça !

Petri avait passé les deux mains sous les vêtements pliés du côté gauche du tiroir, et soulevé le tout. Au fond, on voyait un carré de tissu brun tout froissé auquel était encore attaché un morceau de ruban adhésif, ainsi que deux gants de plastique blanc talqués.

Depuis une heure, Hank ruminait sa colère tout seul dans sa chambre. Imbécile d'inspecteur ! Comment ce crétin osait-il le traiter de lâche, lui, Hank Martin ? Il n'avait peut-être pas été pilote de chasse, mais quelle différence ? Il n'était certainement pas un lâche.

Pourquoi pensaient-ils tous qu'il devrait craindre l'assassin ? D'abord, il y avait eu Mrs. Simonton et le discours qu'elle leur avait fait au réfectoire. Puis Peggy. Et maintenant, ce crétin d'inspecteur. Il essaya de se faire peur en se remémorant le cadavre de Stephen gisant sur son chariot, ce matin-là, avec les ciseaux dépassant de sa poitrine, et Peggy qui hurlait. Non, décidément, il ne ressentait pas la moindre peur. Ensuite, il imagina l'assassin plantant les ciseaux dans sa propre poitrine. Ce fut tout d'abord difficile, parce qu'il ne se représentait pas le visage du meurtrier. Puis lui vint le fantasme d'un costaud au visage dissimulé par une cagoule noire : un bourreau. Toujours aucune peur. Le bourreau plantait ses ciseaux, et voilà tout.

Hank fit un effort et se représenta des ciseaux deux fois plus grands, presque des cisailles ; il imagina que le bourreau devait appuyer de toutes ses forces pour les lui enfoncer entre les côtes. Toujours rien. Hank Martin ne connaissait pas la peur !

Il n'était ni un lâche ni une brute. Non mais ! Le traiter de brute, lui ! La brute, c'était ce crétin de détective, oui ! Comme tous les flics.

Tous des brutes. Toute sa vie ils l'avaient poursuivi. Ils avaient fait de lui leur victime. Il avait été victime de la police et de toutes les autres brutes. Et tout ça parce qu'il était petit. Il se remémora toutes les fois où il s'était retrouvé sur le pavé après s'être fait rouer de coups, serrant les jambes pour essayer de protéger ses parties génitales.

Alors il eut un autre fantasme. Celui-là se présenta spontanément, sans effort de sa part. Brusquement, Hank se vit couché sur un chariot, nu, enfermé dans une petite pièce avec le même bourreau costaud et masqué. Seulement maintenant, l'homme ne tenait plus la même paire de cisailles. À la place, il avait une petite – une toute petite – lame de rasoir délicatement insérée entre le pouce et l'index, une lame dont il approchait lentement le fil de son pénis. Là-dessus, lentement il...

Avec un glapissement de terreur, Hank bondit sur ses pieds et se mit à virevolter dans la pièce en cherchant du regard un refuge. Pas la moindre cachette. Où était donc Tim ? Pourquoi Tim O'Hara n'était-il pas là ? Mais Tim était mort. Oh, pourquoi avait-il fallu qu'il meure ? Il n'y avait donc personne ?

— Oh, Jésus, gémit Hank. Jésus, Jésus aide-moi. Je t'en prie, aide-moi. Aide-moi !

Muets de stupeur, Petri et Mrs. Simonton regagnèrent le Service administratif. Là, ils s'assirent et restèrent longtemps sans voix. Finalement, Petri rompit le silence.

— Vous croyez que c'est Mrs. Kubrick ?

— Inspecteur, je crois qu'il y a deux pensionnaires de l'Aile C qui ne *peuvent pas* avoir fait ça. Mrs. Grochowski parce qu'elle est complètement paralysée, clouée au lit, et Carol Kubrick parce qu'elle est attachée en permanence, jour et nuit, sauf quand on lui fait faire sa promenade. (La directrice sourit.) Comme vous le savez, il nous arrive de nous montrer négligents ; je l'avoue bien volontiers. Carol réussit parfois à se détacher. Mais croyez-moi, c'est très rare.

Non seulement Petri était tout prêt à la croire, mais il abonda dans son sens.

— De toute façon, la nuit du meurtre elle s'est mise à crier et on lui a administré un sédatif deux heures avant le crime, ce qui la met doublement hors de cause. J'en conclus donc que le tissu d'emballage et les gants ont été déposés là par quelqu'un d'autre.

— C'est ce que je crois aussi.

— Et ce peut être n'importe qui. Ms. Barsten. Mrs. Grimes. Même vous, Mrs. Simonton.

— Absolument. En théorie.

— Mais j'en conclus également que Mrs. Stimson était la mieux placée pour cela. (Petri réfléchissait à voix haute.) Et si c'est bien elle, cela nous enseigne encore autre chose.

— Quoi donc ?

— Un des signes de démence chez un criminel, nous apprend-on dans la police, est que celui-ci ne cherche pas à effacer ses traces. S'il — ou plutôt *elle,* dans le cas présent — a essayé de se couvrir, c'est qu'elle savait ce qu'elle faisait. Si Mrs. Stimson a réellement caché ces objets dans le tiroir de Mrs. Kubrick et non dans le sien, c'est sans doute parce qu'elle ne voulait pas qu'on les trouve dans ses propres affaires. Elle n'est peut-être pas aussi dérangée qu'elle en a l'air.

— Cela, je vous l'avais dit, intervint Mrs. Simonton avec douceur.

— Je veux que Mrs. Kubrick déménage. Vous pouvez faire ça pour moi ?

— Oui.

— Je veux aussi qu'on poste un vigile devant la porte de Mrs. Stimson. Pouvez-vous le demander au vôtre jusqu'à ce que je rentre au poste ? Je vais prendre mes dispositions pour qu'on vous fournisse quelqu'un vingt-quatre heures sur vingt-quatre. Ça vous va ?

— Très bien. (La directrice comprit qu'il était pressé de passer à l'action, et qu'il ne tarderait pas à prendre congé.) Inspecteur, je voudrais appeler Heather et lui dire que vous tenez un autre suspect. Elle sera en congé les trois prochains jours, et j'ai mal au cœur de la savoir tournant en rond chez elle et se rongeant les sangs à l'idée de se retrouver en prison.

— Pas question ! s'écria Petri avec une fermeté tirant sur la hargne. Comment savoir si ce n'est pas elle qui a caché le tissu et les gants dans ce tiroir ? Ms. Barsten n'est pas innocentée, loin de là. Je vous suis reconnaissant de m'avoir autorisé à pratiquer cette fouille, mais je vous saurais gré de ne rien ébruiter tant que nous n'en savons pas davantage.

Mrs. Simonton jura tout bas. Une heure plus tôt il était tout sourire, affirmant que Heather n'était pas son seul suspect, et maintenant qu'il tenait une preuve tangible de la culpabilité de Rachel, il se comportait comme si l'infirmière était encore en tête de sa liste. Par moments il lui plaisait — à cause de son énergie, son côté consciencieux, son esprit analytique. Elle avait même crut discerner en lui, l'espace d'un instant, une certaine souplesse inédite. Et tout à coup il redevenait professionnel, insensible. Peut-être y était-il obligé, peut-être se contentait-il de faire son devoir ; mais on pouvait dire qu'il était doué pour la douche écossaise. Par ailleurs, Mrs. Simonton ne pouvait s'empêcher de penser que, pour une raison inconnue, Petri avait personnellement une dent contre Heather. Mais elle ne se rappelait que trop bien les dégâts qu'elle avait causés la dernière fois qu'elle lui en avait parlé.

— Comme vous voudrez, inspecteur, se contenta-t-elle de répondre en le voyant tourner les talons, sans refouler la froideur contenue dans sa voix.

En arrivant au poste, Petri eut la déception d'apprendre que le commissaire était parti déjeuner avec un collègue dans le comté voisin, et qu'il ne rentrerait pas avant le milieu de l'après-midi. Il aurait bien aimé partager son excitation avec le patron. Mais il était déjà appréciable de pouvoir informer Mitchell, de parler avec quelqu'un qui soit de la partie. D'ailleurs, avant de se préparer au retour du chef, il lui restait encore une chose à faire. Une fois qu'il eut demandé à Mitchell de poster un agent devant la porte de Mrs. Stimson, il appela le docteur Kolnietz et lui rapporta sa découverte du matin. Puis il sollicita un entretien à propos de Mrs. Stimson.

— Nous avons déjà discuté de cela, inspecteur, lui rappela Kolnietz. Je n'ai même pas le droit de vous dire si j'ai une cliente de ce nom sans son autorisation expresse.

— Je sais que vous l'avez vue, répliqua Petri. Vous avez été appelé en consultation à Willow Glen il y a plusieurs années à cause de son comportement violent. J'ai lu votre rapport dans son dossier.

— Je ne peux toujours pas vous en parler sans sa permission.

— Écoutez, docteur, s'impatienta Petri. Nous ne sommes pas du tout dans le même cas qu'avec Ms. Barsten. Mrs. Stimson ne veut même pas m'adresser la parole. Vous pensez bien qu'elle ne signera aucune autorisation. Votre rapport mentionnait la possibilité qu'elle soit psychotique, et si c'est le cas, sa signature n'a même pas de valeur juridique. J'en sais assez sur son mari pour croire qu'il ne me donnera pas non plus d'autorisation, même s'il en a le pouvoir. Pour obtenir de vous ces renseignements, il ne me reste donc qu'à requérir un mandat du juge d'instruction. Cela prend une éternité, et pendant ce temps quelqu'un d'autre peut se faire tuer à cause de votre rigidité. Pour l'amour du ciel, vous ne pourriez pas vous montrer un peu plus souple ?

Kolnietz trouva le raisonnement convaincant. Mais il ne se serait pas assoupli sans le souvenir particulièrement net qu'il gardait de Rachel Stimson.

— Au diable ! déclara-t-il. Je ne sais même pas si elle est suffisamment responsable pour signer quoi que ce soit. Il semble que nous soyons destinés à déjeuner ensemble, inspecteur.

En effet, au moment où démarra l'entretien, Kolnietz déballait son sandwich. Petri ne perdit pas de temps.

— Pourquoi cette violence ? Qu'est-ce qui se cache derrière tout ça ?

— La haine.

— *La haine ?*

— Mais oui. Je n'ai jamais vu autant de haine de ma vie. Généralement, je ne me souviens pas des patients que j'ai eus une heure en consultation trois ans auparavant. Mais elle, je ne peux pas l'oublier. Elle débordait de haine, une haine qui paraissait régir la moindre de ses pensées, le moindre de ses sentiments.

Petri resta interdit devant la simplicité du terme. Haine. Un petit mot de deux syllabes. *Haine ?* Ce devait tout de même être un peu plus compliqué, non ?

— À la lecture de votre rapport, il est difficile de dire si elle est ou non psychotique. Pourquoi ? Et qu'entendez-vous par ce terme ?

— Voilà une question difficile. À l'époque, Mrs. Stimson ne donnait pas signe de confusion mentale. Elle savait où elle était, elle pouvait dire la date — jour, mois et année. Elle était tout à fait capable de prendre soin d'elle-même. Elle pouvait faire des projets, prendre des décisions cohérentes. Nombre de psychiatres auraient hésité à la considérer comme psychotique.

— Donc, en admettant qu'elle se soit rendue coupable d'un crime, vous la jugez suffisamment lucide pour tenter d'en faire disparaître toute trace ?

— Oui, c'est très possible.

— Alors pourquoi avez-vous déclaré qu'elle était peut-être psychotique ?

— Parce que la haine est le moteur de sa vie.

Encore la haine !

— Qu'est-ce qu'il y a de psychotique là-dedans ?

— Rien, répondraient beaucoup de psychiatres. Mais vivre de cette manière, c'est épouvantable. La haine est une émotion normale, une réaction sensée devant une agression grave. Mais quand elle consume, comme dans le cas de Mrs. Stimson, elle en arrive à prendre le contrôle de la personnalité. Elle sort du champ de la réalité. Elle acquiert une vie propre. La haine de Mrs. Stimson n'était pas une haine rationnelle. Du moins, plus à l'époque. Ce n'était plus une réaction sensée à une quelconque agression. Elle ne la contrôlait plus. C'était la haine qui commandait. À mon avis, ces gens-là méritent le nom de psychotiques.

Je veux bien le croire, se dit Petri. Néanmoins, il avait la désagréable impression de tomber dans un guêpier.

— Qu'est-ce qui provoque l'apparition d'une telle haine ? s'enquit-il.

— Je l'ignore.

— Comment cela ?

— Mais oui. Je suis psychiatre, je devrais le savoir. Pourtant, ce n'est pas le cas. La psychiatrie ne sait pas. Personne ne sait, hormis peut-être Dieu.

Il ne s'était pas trompé. C'était bien un guêpier.

— Quand même, vous n'allez pas me dire que vous ne savez rien !

— Oh, nous savons deux ou trois petites choses. Nous connaissons le mécanisme. Mais trop mal pour savoir l'expliquer. Il existe une forme d'économie de l'âme. C'est l'équivalent du processus qui veut que les riches s'enrichissent, et que les pauvres s'appauvrissent. Les gens pleins d'amour ont tendance à s'en emplir toujours davantage, et inversement. Mais ce que nous ne savons pas très bien, c'est où se situe la ligne de partage : pourquoi un tel prend-il tel chemin et pas un autre. Dans quelle mesure le phénomène est-il conditionné par les expériences enfantines, le vécu ultérieur, l'hérédité, le libre arbitre, l'intervention de forces cosmiques ou l'intervention de Dieu, cela nous l'ignorons purement et simplement.

— Je ne vous crois pas.

— Pourtant, vous devriez.

La leçon ne l'éclairait guère.

— Il n'existe donc *aucune* explication ?

— Pas vraiment, non. Arrivé aux abords de la ligne de partage, souvent on change de direction. Un individu apparemment orienté vers le bien tournera mal. Et vice versa. Tel qui semblait mauvais se tourne tout à coup vers la bonté. C'est inexplicable.

Petri repensa à la pure malveillance émanant de la femme au fauteuil roulant.

— Mrs. Stimson peut-elle encore changer de direction ?

— Je n'y crois guère. Comme je vous le disais, ces revirements se produisent lorsque l'individu approche de la ligne de démarcation. J'ai eu l'impression, à l'époque, que Mrs. Stimson l'avait franchie depuis longtemps ; que chez elle, la haine était devenue un mode de vie.

Petri se carra dans son siège et réfléchit. Grâce au psychiatre, il avait le sentiment d'être un tant soit peu entré dans la tête de Mrs. Stimson. Mais un tant soit peu seulement. Il n'y avait toujours pas l'ombre d'un mobile. Il se redressa.

— Voyez-vous ce qui aurait pu la pousser à tuer Stephen Solaris ?

— Non.

— À part la haine ?

— À part la haine, répondit Kolnietz. Elle semblait haïr le monde entier ; je ne serais donc pas surpris d'apprendre qu'elle haïssait Stephen. Mais j'ignore pourquoi Stephen en particulier.

Petri poussa plus avant.

— L'autre jour, vous m'avez dit qu'au plus profond d'elle-même, Ms. Barsten n'était, selon vous, pas capable de commettre un meurtre. Diriez-vous qu'au même niveau de profondeur — au niveau de l'âme, selon vos propres termes — Mrs. Stimson en soit, elle, capable ?

— Oui.

— Elle a le meurtre dans l'âme ?

— Oui.

— Mais vous ne savez pas, absolument pas pourquoi ?

— Pas vraiment, non. J'ai peut-être une indication, mais en réalité, cela n'explique pas grand-chose. En tout cas, cela ne répondra pas à votre question.

— Allez-y.

— Mrs. Stimson a été mariée très longtemps. Il doit être difficile de rester si longtemps mariée à l'époux en question sans devenir haineuse.

— Dites-m'en davantage.

— Eh bien, vous le savez, j'ai été appelé en consultation à Willow Glen pour le cas de Mrs. Stimson. Par la suite, l'établissement m'a informé que tous les frais étaient réglés par son mari. Je lui ai donc envoyé mes honoraires. Il m'a téléphoné pour me demander une copie de mon rapport. Je lui ai répondu que c'était une question d'ordre personnel — que Willow Glen et moi étions liés par le secret médical. Il a insisté en disant qu'il payait, et donc, que le rapport lui appartenait. Je lui en ai alors révélé la teneur, en essayant d'être arrangeant : je ne pouvais proposer ni traitement médicamenteux ni suivi psychothérapeutique classique qui en vaillent la peine – ou qui vaillent l'investissement correspondant – en vue de contrôler, limiter ou atténuer le comportement violent de sa femme. Il a persisté à réclamer un exemplaire du rapport écrit, puisqu'il avait payé.

Petri fut intrigué. Le riche et puissant Mr. Stimson, celui qu'on trouvait toujours derrière la scène ou en coulisses, continuait à jouer un rôle dans le drame.

– Que s'est-il passé ensuite ?

– Nous nous sommes un peu disputés. Un peu seulement, mais c'était tout de même sérieux. Peut-être était-ce ma faute. Je lui ai dit que je traitais uniquement avec Willow Glen, qui m'avait appelé en consultation, et que s'il voulait se bagarrer avec l'institution pour une copie du rapport, libre à lui. Mais je lui ai fait bien comprendre que, pour ma part, je ne céderais pas. Il a répondu qu'il ne me paierait pas mes honoraires. Je lui ai dit : à votre guise, mais j'ai toujours la possibilité de demander le recouvrement par voie légale. Une semaine plus tard, je recevais son règlement. Tout cela m'a laissé une très mauvaise impression. L'homme m'a paru extrêmement dominateur. Pour être tout à fait honnête, à l'occasion de notre brève prise de bec je me suis surpris à le trouver profondément antipathique. J'ai même eu un peu de peine pour sa femme. J'ai du mal à comprendre qu'on puisse avoir des relations durables avec lui.

– Ce qui fut le cas de Mrs. Stimson.

– En effet.

– Alors, comment le supporte-t-elle ?

– Je vais encore être obligé de vous répondre « Je ne sais pas ». Tout ce que je sais, c'est que le vieil adage « Qui se ressemble s'assemble » a tendance à se confirmer en psychiatrie. Les gens sains tendent à rester avec les gens sains, les malsains avec les malsains. Le fait d'être mariée à Mr. Stimson suffit sans doute à remplir de haine n'importe quelle femme normalement constituée, mais je ne peux pas vous dire pourquoi celle-ci choisit de rester avec lui. Qui plus est, je ne peux pas affirmer que c'est Mr. Stimson qui a mis sa femme dans cet état. Certains psychiatres croient pouvoir reconstituer le puzzle. Peut-être est-ce à eux que vous devriez vous adresser. D'après ma propre expérience des problèmes relationnels, il y a toujours des pièces qui ne cadrent pas, des liens impossibles à établir et que je ne comprends pas.

Petri se souvint des disputes hebdomadaires du samedi soir, aussi prévisibles qu'un mécanisme d'horlogerie, et raconta au psychiatre que Rachel Stimson était entrée à Willow Glen cinq jours seulement après que la police eut été appelée à intervenir chez eux.

— Croyez-vous que son mari l'ait enfermée contre son gré ?

— Oui et non.

Encore une réponse ambiguë ! Mais Petri devenait plus patient.

— Pourriez-vous m'expliquer l'aspect « oui » et l'aspect « non » ?

Kolnietz s'exécuta obligeamment.

— Comme vous, je n'aurais pas manqué d'en conclure qu'il ne s'agissait certainement pas d'une coïncidence. J'imagine que cet épisode policier a précipité son admission à Willow Glen. C'était probablement une idée à lui. Mais je doute qu'elle ait émis des objections. C'est une femme douée d'une volonté de fer. Je suis sûr qu'elle ne resterait pas à Willow Glen si ce n'était pas ce qu'elle voulait.

— Mais pourquoi voudrait-elle y vivre ?

— Vous savez, les gens qui se ressemblent ne font pas que s'assembler. Il peut aussi être difficile de les séparer, parfois. Apparemment, il y a huit ans, les Stimson en sont venus à ne plus pouvoir vivre ensemble. Seulement, ils ne pouvaient pas non plus vivre séparément. Willow Glen représentait sans doute un compromis acceptable pour l'un comme pour l'autre, et leur fournissait un espace que, matériellement, ils n'avaient pas à partager, mais où ils avaient la possibilité de continuer à se quereller le samedi soir.

— Vous voulez dire qu'en fait, ils aiment se bagarrer ?

— Oui. Je dirais même qu'ils dépendent de ces querelles. Malsain, non ?

D'un côté il y avait quelque chose de peu clair là-dedans, mais de l'autre, on pouvait y trouver une certaine logique. Dès le début, Petri avait trouvé frustrantes ses discussions avec le docteur Kolnietz ; encore une fois, il n'avait rien pu lui soutirer de précis. Néanmoins, petit à petit il commençait à sentir que les précautions oratoires du psychiatre n'embrouillaient pas le problème mais le clarifiaient, et que, paradoxalement, elles contribuaient à mieux le cerner.

Il se tourna vers Kolnietz.

— Aussi bien hier qu'aujourd'hui, Mrs. Stimson a refusé de me dire un mot. Or, il faut absolument qu'elle parle. Je ne crois pas disposer du talent nécessaire pour l'y amener. Mais vous, vous l'avez. J'ai de bonnes raisons de la croire coupable. Seulement, pour autant que je sache, elle n'entretenait aucune relation avec la victime. Elle n'avait aucune raison de le tuer. Oui, il faut qu'elle parle, et je vais avoir besoin de vous. Êtes-vous disposé à m'aider ? Avant tout, il faut que mon chef me donne la permission de l'interroger en bonne et due forme, mais à mon avis cela ne posera pas de problème. Si possible, j'aimerais qu'on attaque demain. Au cas où vous accepteriez, je vous demanderais de me retrouver sur place. Ce ne sera pas une consultation mais un interrogatoire en règle. C'est moi qui en endosserai la responsabilité. Je suis pratiquement sûr que vous arriverez à la faire parler. S'il vous plaît, voulez-vous m'aider ?

Kolnietz prit cet aveu d'impuissance comme une marque d'humilité tout à fait inattendue de la part du jeune homme. Il s'aperçut qu'il en était impressionné, presque ému.

— Curieusement, répondit-il, il se trouve que mon client de huit heures du matin a annulé son rendez-vous. C'est peut-être un signe... Qui sait ? Le fait est que je ne vous rendrais pas ce service si je ne portais moi-même un intérêt étrange à cette affaire. Oui, je veux bien vous aider à conduire cet interrogatoire.

— Parfait. Pouvons-nous nous retrouver tôt demain matin à Willow Glen ?

— Entendu, j'y serai à huit heures. Mais il y a une chose que vous devez savoir, inspecteur.

— Laquelle ?

— Ce ne sera peut-être pas très beau à voir. Attendez-vous à ne pas en sortir indemne.

Lorsque Mrs. Simonton fit son entrée dans sa chambre, les yeux de Mrs. Grochowski s'animèrent de joie.

— Edith, comme je suis contente de vous revoir !

La directrice faillit en rougir de plaisir. Elle aussi se serait réjouie si les circonstances avaient été autres.

— Je suis terriblement navrée pour ce qui est arrivé à Tim, Marion. J'aurais dû venir vous voir hier, mais il a fallu que j'assiste à l'une de ces maudites réunions de la commission. Ce doit être très dur pour vous.

Malgré elle, les yeux de Mrs. Grochowski s'emplirent de larmes.

— Oui, j'ai beaucoup de chagrin, Edith. Mais savez-vous qui est venue me consoler ? La petite Peggy.

— *Peggy ?* Peggy Valeno, l'aide soignante ?

— Oui, elle y vient peu à peu.

Mrs. Simonton ne put dissimuler sa surprise, bien légitime au demeurant. Elle se souvenait du jour où elle s'était dit : il faudrait un miracle pour récupérer Peggy. Était-ce un miracle ? Pourquoi et comment s'était-il produit ? Pour la première fois, elle résolut de se pencher un peu plus sérieusement sur le problème des miracles. Mais ce n'était pas le moment. Il y avait des affaires plus urgentes.

— Malheureusement, ce n'est pas seulement la disparition de Tim qui m'amène aujourd'hui, Marion. Je crains de devoir vous donner une nouvelle camarade de chambre.

— Mais bien sûr. Je m'y attends depuis qu'on a assassiné ce pauvre Stephen. Rien ne justifie que le second lit de ma chambre reste vide, maintenant. Et cela m'est égal, puisque Tim est parti. En fait, je me sentirais plus en sécurité avec quelqu'un ici.

— Oui, je comprends ; je me doute que vous devez avoir peur. Mais entre nous, l'enquête avance et la solution se profile. Cela dit, je ne sais pas si vous vous sentirez beaucoup plus en sécurité avec la camarade de chambre que je vous réserve : je suis désolée, mais il faut que je vous colle Carol Kubrick pour la nuit. Peut-être plus. Mais ce n'est que temporaire ; je suis sûre que dans les prochains jours, nous vous trouverons quelqu'un de mieux. Avez-vous une préférence ?

Mrs. Grochowski ressentit une vive curiosité. Quels progrès avait-on fait vers la solution du meurtre ? Pourquoi déménageait-on Carol la Folle ? Cette dernière partageait en temps normal une chambre avec Rachel Stimson, elle le savait. Soupçonnait-on Rachel ? C'était fort possible ; elle-même l'avait soupçonnée. Mais elle savait aussi que, si Edith ne lui racontait pas tout, elle avait ses raisons.

— Non, répondit-elle enfin. Je ne vois pas.

— Et Georgia Bates ? proposa Mrs. Simonton. Sa compagne de chambre ne va pas tarder à sortir, et elle aussi commence à changer.

— Vraiment ? (Mrs. Grochowski ne put plus contenir sa curiosité.) Est-ce que par hasard, ce changement aurait quelque chose à voir avec les progrès de l'enquête ?

— C'est possible, répondit Mrs. Simonton en posant sur son amie un regard pénétrant. Sauriez-vous quelque chose que j'ignore ?

— À mon avis, chacune d'entre nous détient des informations que l'autre ignore, Edith, sourit Mrs. Grochowski. Mais en effet, si la transformation de Georgia Bates a un rapport avec la solution du meurtre, il se peut que nous nous entendions bien en partageant la même chambre. On va en discuter, elle et moi. Quoi qu'il en soit, vous avez bien choisi votre moment pour me rendre visite, parce que je songeais moi-même à vous faire appeler.

— Ah bon ?

— J'hésitais parce que je vous sais terriblement occupée depuis cette épouvantable affaire.

— Ça recommence ! Vous et votre névrose ! Vous savez bien que je suis toujours disposée à venir vous voir quand vous avez besoin de moi, Marion. (Restée debout jusqu'alors, la directrice attira le fauteuil à bascule près du lit. Avec Marion Grochowski, pas de place pour les futilités.) Alors, qu'est-ce qu'il y a ?

— Oh, deux ou trois petites choses. D'abord, je me demandais comment vous alliez, mis à part le meurtre.

Pourquoi cette circonspection ? s'interrogea Mrs. Simonton.

— La vie de Willow Glen reste fidèle à elle-même, répondit-elle en attendant la suite.

— Et ce glaçon de McAdams, comment va-t-elle ?

— Pas de changement non plus. Toujours aussi efficace. Sans elle, je ne m'en sortirais pas. Mais son côté glaçon demeure.

— Moi non plus, je ne l'ai pas trouvée plus chaleureuse que d'habitude. (Une légère pause. Puis :) S'il m'arrive quelque chose, pensez à McAdams, Edith.

Mrs. Simonton resta interdite. Cette requête semblait venir comme un cheveu sur la soupe, mais elle sut qu'il n'en était rien. Et aussi que c'était important.

— Que voulez-vous dire par « quelque chose » ? s'enquit-elle, mal à l'aise.

— Oh, rien de particulier.

Mrs. Simonton se rendit bien compte que le ton nonchalant de la malade était feint.

— Entendez-vous par là que Roberta McAdams a un quelconque rapport avec le meurtre ?

— Non. Je n'entends rien du tout. Je n'accuse personne. Et, de toute façon, ce n'est pas de cela que je voulais vous parler. En fait, c'était à propos du vin.

— Le vin ?

Ce coq-à-l'âne la laissa interloquée.

— Oui, le vin que Tim conservait avec votre permission pour que nous puissions communier, lui et moi. Je me doute qu'on a dû le faire disparaître en même temps que le reste de ses affaires, et je n'y trouve rien à redire. Ce n'est pas le vin en soi qui m'était précieux. C'était la communion. Cela va me manquer cruellement. Je ne sais pas si je pourrai m'en passer. Edith ?

– Oui ? Que puis-je faire pour vous ?

– Je sais que c'est beaucoup vous demander, mais accepteriez-vous de communier avec moi de temps en temps ?

Mrs. Simonton en resta bouche bée. Non seulement c'était une proposition qu'on ne lui avait encore jamais faite, mais en plus, elle n'arrivait même pas à concevoir la chose.

– Naturellement, je vais vous procurer du vin, répondit-elle pour gagner du temps. Mais il y a sûrement d'autres gens ici avec qui vous aimeriez le partager.

– C'est vrai, reconnut Mrs. Grochowski. Un jour, il y aura Heather. La petite Peggy. Et peut-être même Georgia Bates, avec le temps. Finalement, ça deviendra peut-être une grande fête collective. (L'idée la fit sourire, mais ses traits retrouvèrent bien vite leur sérieux.) Néanmoins, comme nous le disions tout à l'heure, ces trois-là y viennent petit à petit. Aucune n'est encore prête. Mais vous, si.

– Prête ? Prête pour la communion ? Mais qu'est-ce que vous me chantez là ? Je suis comme les autres.

– Ne dites pas de bêtises, Edith, répliqua Mrs. Grochowski avec un reniflement de dédain. Vous savez très bien que non. Dieu fait profondément partie de votre vie.

Mrs. Simonton réfléchit à toute allure. D'un côté elle savait bien que, bon gré mal gré, Dieu faisait effectivement partie de sa vie, avec toutes ces idées bizarres de prière et de miracles, tous ces versets de la Bible. Mais d'un autre côté, elle ne pensait vraiment pas s'en être beaucoup rapprochée. Elle décida de gagner du temps.

– Je ne suis même pas chrétienne, Marion. En fait, je ne sais pas ce que je suis. Mon mari était juif. Peut-être dois-je me considérer comme juive. Je ne peux pas communier.

– Et pourquoi donc ?

– Ma foi, je ne sais même pas si j'y crois. Enfin, je ne suis même pas sûre que Jésus soit le fils de Dieu. Naturellement, je crois en sa parole. Pour tout vous dire, il m'arrive de pleurer en lisant l'Évangile selon saint Jean. Mais cela ne fait pas de moi une chrétienne. On ne me laisserait pas communier.

– « On ? » Qui ça, « on » ? Mais c'est de moi que je parle, Edith. C'est *moi* qui souhaite communier avec *vous* !

– Mais... Je ne sais pas ce qu'il faut faire !

– Je vais vous apprendre.

Pour la première fois depuis des années, Mrs. Simonton eut envie de fuir en courant. Pas de fuir Mrs. Grochowski, non. Elle adorait

Marion. Ni de fuir sa chambre. Plutôt de fuir un endroit qui n'avait même pas d'existence réelle.

— Je ne suis pas prête, se défendit-elle.

— Mais vous connaissez Dieu ! Non ?

Mrs. Grochowski feignit de prendre la question au pied de la lettre.

— Si je connais Dieu ? Mais comment voulez-vous que je le sache ? Connaît-on Dieu ?

— Taisez-vous, Edith, ordonna Mrs. Grochowski. Calmez-vous. Restez silencieuse jusqu'à ce que les mots vous viennent.

Suivit une longue minute de silence. Puis la directrice déclara précipitamment :

— Je ne peux pas affirmer que je connais Dieu ; mais ce que je sais, c'est que je souffre pour lui.

— C'est bien ce que je disais, vous êtes prête.

— Mais non, protesta Mrs. Simonton en battant en retraite. Je n'y crois pas. Manger son corps, boire son sang... Beuh ! Symbole ou pas, c'est du cannibalisme. Et puis, de toute manière, je ne crois pas à... à ce que vous autres catholiques appelez la transsubstantiation. Il ne s'agit ni de son corps ni de son sang, mais simplement de pain et de vin. Ça n'a aucun sens.

— Vous avez peur, c'est ça ? Mais de quoi ?

L'espace d'un instant, elle crut que son cœur s'arrêtait de battre.

— De Dieu, fit-elle. J'ai peur de Dieu. Comment pourrais-je être déjà prête pour Lui ? Il ne voudrait pas de moi, ni comme fiancée ni comme rien du tout, d'ailleurs. Je me moque de l'aspect cannibale. Je ne le comprends pas, mais pour moi ce serait comparable à l'acte sexuel. Or, je ne crois pas être encore prête pour ce genre de rapports intimes. J'aurais l'impression de faire l'amour avec Dieu.

Mrs. Grochowski rayonnait de bonheur.

— C'est exactement ça, Edith ! Pourquoi croyez-vous que j'en aie tellement besoin, moi ? Il ne s'agit pas à proprement parler de sexe, mais ce n'est pas non plus une métaphore. C'est un accouplement de l'esprit. Et vous êtes prête pour cela.

Le silence retomba. Mrs. Simonton avait l'impression d'être redevenue jeune fille.

— Vous m'apprendrez ?

— Naturellement.

La directrice se leva. La jeune fille avait disparu.

— Il faut que je retourne travailler maintenant. Je vais devoir réfléchir sérieusement. Mais... c'est entendu, Marion. Je vais vous procurer une bouteille de vin à ranger dans votre tiroir. Quand vous voudrez communier, appelez-moi. Je viendrai.

Elle regagna son bureau, mais elle dut laisser passer un long moment avant de pouvoir s'occuper des papiers qui encombraient son bureau. Il s'était passé bien des choses depuis le matin, à commencer par la fouille de la chambre de Rachel. Et puis il y avait ce bref et curieux échange à propos de McAdams. Qu'avait voulu dire Marion ? C'était troublant. Mais le plus troublant restait cette affaire de communion et de Dieu. Non seulement elle avait l'impression de ne plus contrôler Willow Glen, mais en plus, on aurait dit qu'elle ne se contrôlait même plus elle-même. C'était bien pire. Histoire de maintenir un semblant d'autorité, elle rassembla ses papiers et se mit au travail.

Dès que le commissaire revint, Petri le mit scrupuleusement au courant des derniers développements de l'affaire en espérant ainsi justifier par là sa requête : il voulait interroger formellement Mrs. Stimson dès le lendemain matin. À sa grande surprise, l'autorisation ne lui fut pas accordée sur-le-champ.

— Si je comprends bien, vous suggérez que, quelque temps avant le meurtre — quelques minutes, quelques heures, quelques jours ou quelques semaines auparavant —, Rachel Stimson a fait rouler son fauteuil jusqu'à la pharmacie et s'est procuré en secret une paire de ciseaux et des gants, répondit le commissaire en résumant les faits énoncés par Petri. Ensuite, elle les a gardés en sa possession jusqu'à cette nuit-là vers quatre heures et demie, heure à laquelle elle s'est approchée du chariot de la victime. Là-dessus, alors que Ms. Barsten prenait l'air et que Mrs. Grimes était plongée dans sa lecture, elle a frappé Stephen Solaris à la poitrine, droit au cœur, et a regagné sa chambre sans que Mrs. Grimes s'aperçoive de rien. Puis elle a caché les gants et l'emballage dans le tiroir de sa camarade de chambre. Et tout cela sans mobile, en l'état actuel de vos connaissances.

— C'est cela, monsieur, répondit Petri.

Il se sentait un peu bête, tout à coup, mais cela ne l'empêchait pas de se demander pourquoi le commissaire faisait preuve d'une plus grande rigueur que le jour où il avait voulu interroger Heather Barsten.

— Ma foi, ce n'est pas impossible. Mais je ne trouve vraiment pas cela très probable. Croyez-vous vraiment qu'une femme amputée des deux jambes ait la force de se soulever de son fauteuil et de poignarder à mort un homme couché sur un lit roulant qui n'était pas directement à portée de main ?

— Ordinairement, non. Mais dans ce cas, cela ne fait aucun doute. Tout le monde m'a parlé de sa force physique exceptionnelle. Il lui en faut, pour passer du fauteuil au lit et inversement ; pourtant, elle le fait tous les jours sans problème. Je me suis arrangé pour la voir se déplacer de-ci, de-là dans son fauteuil, et je vous assure que ça vaut le spectacle. Les portes des chambres s'ouvrent en dedans, et elles sont plutôt lourdes. Eh bien, je l'ai vue de mes yeux se pencher en avant pour attraper la poignée, tourner, tirer la porte à elle sans heurter le bas de son fauteuil et foncer dans le couloir. Le tout ne lui a pas pris plus de deux ou trois secondes. Et la poignée de trouve à peu près à la même hauteur qu'un lit roulant. Pour être forte, elle est forte.

— D'accord, d'accord, mais la victime aurait crié, assez pour attirer l'attention de Mrs. Grimes, en tout cas.

— Honnêtement, je ne saurais l'affirmer. Je serais plutôt porté à le croire, moi aussi, mais plusieurs choses me retiennent. Le médecin légiste ne nous est d'aucun secours : il ne peut formuler d'opinion quant à la puissance du cri qu'a pu pousser la victime au cas où on l'aurait frappée pendant son sommeil. Et le plus probable est qu'à ce moment-là, Stephen Solaris dormait. C'était la nuit, et en plus il venait d'avoir des rapports sexuels. Qui plus est, à ce que je sais, il faut vraiment faire du bruit pour que Mrs. Grimes lève les yeux de son bouquin.

— Et le docteur Kolnietz ne peut donner une estimation claire de sa santé mentale ?

— Non, monsieur. D'après lui, la plupart des psychiatres ne la considéreraient pas comme psychotique. Lui-même ne se prononce pas.

Le commissaire se laissa aller en arrière et massa ses tempes grisonnantes. Tout cela était diablement compliqué. À cause du mari, évidemment. Hubert Stimson était un homme puissant ; riche, il avait des relations, ainsi que des avocats très malins entièrement à sa botte. Si elle se laissait interroger sans demander d'avocat, ils argueraient qu'elle n'était pas assez responsable pour refuser l'assistance juridique à laquelle elle avait droit. Connaissant l'homme, il savait pertinemment que si on lui demandait de coopérer, il exigerait la présence d'une horde d'avocats ; alors il faudrait attendre au moins une semaine pour pouvoir conduire l'interrogatoire. Pendant ce temps, trois membres de son effectif déjà restreint devaient monter la garde en permanence devant la porte de Rachel Stimson. Et c'était bien là le côté ironique de l'affaire. Il ne l'avait pas dit à Petri, mais le matin même, le maire lui avait demandé par téléphone comment il se faisait qu'on n'ait encore arrêté personne. Prudemment questionné, le maire avait déclaré que, avide de la moindre parcelle de pouvoir, Stimson lui-même lui faisait subir des pressions en menaçant discrètement de constituer un comité d'action civique. L'homme serait le premier à critiquer la police, à lui reprocher d'avancer trop lentement ; mais s'il apprenait qu'on soupçonnait sa femme, il serait certainement le premier à l'accuser de précipitation.

Malgré tout, Hubert Stimson n'était plus aussi puissant qu'il aimait à le croire. Souvent la vieillesse ne donne pas bon cœur, et beaucoup ne le portaient pas dans le leur. Dix, vingt ans plus tôt, peu de gens auraient osé le dire à haute voix : la ville était alors plus petite, et l'homme jouait un grand rôle dans son administration. Mais à quatre-vingt-deux ans, Hubert Stimson ne pouvait plus assister à toutes les réunions au sommet, ni faire partie de tous les comités. La plupart de ses compères étaient morts ; bien souvent, les pontes de l'agro-alimentaire du coin ne connaissaient même pas son nom ; les temps avaient changé. Bon nombre de citoyens ne seraient pas fâchés qu'on lui rabatte son caquet.

Dont le commissaire lui-même. Il n'était pas du genre vindicatif et, personnellement, il n'avait d'ailleurs rien contre Hubert Stimson. Pourtant, il ne pouvait oublier le jour où, huit ans auparavant, on lui avait demandé de passer sous silence la petite visite de ses hommes au domicile des Stimson suite à un appel pour violence conjugale. Certes, il avait obtempéré ; aucune raison de rendre publiques toutes les petites chamailleries de la ville. Mais il avait senti quelque chose, derrière cette requête (un soupçon de menace, peut-être ?) qui lui avait paru quelque peu déplacé. Par ailleurs, l'affaire qui les préoccupait actuellement n'avait rien d'une petite chamaillerie.

— Ce n'est pas aussi simple que dans le cas de cette jeune Barsten, croyez-moi, expliqua-t-il à Petri. Celle-là, ses parents ne sont ni des gens riches ni des citoyens respectés. Le mari de Mrs. Stimson, lui, entre dans les deux catégories.

— C'est ce que j'avais cru comprendre, monsieur.

— Vous pensez sans doute que je fais deux poids deux mesures, Tom.

296

— Je suppose que vous n'avez pas le choix, monsieur.

— Vous croyez ? Parfois j'ai un doute, confia le commissaire. Il y a huit ans, j'ai empêché les journaux de s'emparer de leur petite prise de bec. Je ne l'aurais pas fait pour n'importe qui. Je crois que de temps en temps, il faut faire preuve de souplesse, Tom ; seulement, je ne sais jamais très bien quand.

Petri se retrouvera-t-il un jour à ma place ? se demanda le commissaire. Et le cas échéant, saura-t-il faire le bon choix ? Et qu'est-ce que le bon choix ? Dieu seul le sait.

Si Mrs. Stimson n'avouait pas mais que son mari eût vent de l'interrogatoire, il ferait un foin d'enfer ; et ce serait au commissaire d'essuyer les plâtres. Mais si elle était reconnue coupable, il ferait des pieds et des mains pour que l'affaire traîne des années. Toutefois, entre-temps Mrs. Stimson serait placée sous tutelle et les pensionnaires apeurés de Willow Glen auraient moins de mal à trouver le sommeil.

— Montrez-vous très prudent, dit-il à Petri. Très régulier et respectueux de la procédure. Ne prenez aucune autre initiative sans m'en informer d'abord. Mais à part cela, vous pouvez y aller, Tom. Faites-le, cet interrogatoire.

CHAPITRE QUATORZE

Mercredi 30 mars

Si Mrs. Stimson fut surprise par le nombre de gens qui vinrent s'assembler dans sa chambre, elle n'en montra rien ; son visage resta aussi inexpressif que d'habitude. Peut-être s'y était-elle attendue à cause des policiers qui montaient la garde devant sa porte depuis la veille. Petri fit les présentations.

— Je suis l'inspecteur Petri, lui dit-il. Je suis venu vous voir hier. Et voici le sergent Mitchell, également de la police. Il a un magnétophone. Tout ce qui se dit dans cette pièce est enregistré. Et voici le docteur Kolnietz, que vous avez vu il y a quelques années. Il est psychiatre. J'ai eu tant de mal à communiquer avec vous que je lui ai demandé de venir avec l'idée qu'il pourrait nous aider. Vous connaissez Mrs. Simonton. Elle est là non seulement en qualité de témoin, mais aussi pour qu'il y ait une autre femme présente.

Mrs. Stimson posa sur eux un regard parfaitement neutre — ou bien était-il froid ?

— Vous êtes soupçonnée du meurtre de Stephen Solaris, poursuivit Petri. Tout ce que vous allez dire pourra être retenu contre vous. Par conséquent, vous avez le droit de garder le silence. Vous avez également le droit de vous faire représenter par un avocat. Voulez-vous que j'en fasse venir un ?

Pas de réponse.

— Comprenez-vous ce que je viens de vous dire ?

Rachel se contenta de regarder droit devant elle sans paraître se rendre compte de ce qui se passait.

— Vous êtes sûre que vous ne voulez pas que j'appelle un avocat ?

Silence.

— Mrs. Stimson, pouvez-vous me dire où vous vous trouviez le lundi 21 mars, jour du meurtre, entre quatre et six heures du matin ?

Pas de réponse.

— Connaissiez-vous la victime, Stephen Solaris ?

Petri avait l'impression de parler à un mur. Il n'était pas fâché de s'être adjoint le docteur Kolnietz, encore que ce mur fût si impénétrable qu'il avait du mal à imaginer quels talents de magicien le psychiatre allait devoir exercer.

— Aviez-vous des rapports avec la victime, et si oui, lesquels ?

Pas de réponse.

— Hier, j'ai trouvé deux gants et un morceau de tissu d'emballage dans le tiroir du bas de votre compagne de chambre. Savez-vous pourquoi ils se trouvaient là ?

Rachel cligna les yeux. Mais ce fut tout ; apparemment, il ne fallait pas en tirer de conclusion. Un réflexe, se dit Petri.

— Est-ce vous qui les y avez mis, Mrs. Stimson ?

Elle continua de regarder droit devant elle.

— Avez-vous une formation d'infirmière ?

Silence.

— Vous exerciez autrefois le métier d'infirmière, n'est-ce pas ?

Pas de réponse.

— Quels sont vos sentiments à l'égard de votre mari ?

Nouveau battement de paupières.

— Mrs. Stimson, hier j'ai fait vérifier vos antécédents chez nous. Nous ne possédons pas de procès-verbal vous concernant. Néanmoins, les archives mentionnent que vous avez appelé la police un soir, il y a huit ans, en accusant votre mari de vous avoir battue. Comme vous ne portiez aucune trace de sévices corporels, la police n'a pas donné suite. Une semaine plus tard, votre mari vous a fait admettre à Willow Glen. Étiez-vous consentante ?

Pas de réponse.

— Vous vous disputez avec votre mari toutes les semaines lorsqu'il vient vous rendre visite. Visiblement, vous ne vous entendez pas très bien. Pouvez-vous nous dire de quoi il s'agit ?

Rachel ne répondit pas.

— Mrs. Stimson, avez-vous tué Stephen Solaris ?

Elle continua de le regarder, sans rien exprimer.

— Pourquoi l'avez-vous tué, Mrs. Stimson ?

Comme prévu, elle s'obstina à garder le silence. Espérant vaguement obtenir quelque chose d'elle, Petri changea de style.

— Je vais vous dire ce que je pense, reprit-il. Je pense que vous avez fait rouler votre fauteuil jusqu'à la pharmacie, où vous avez pris les gants et une paire de ciseaux chirurgicaux. Puis, quelque part entre quatre heures et demie et cinq heures du matin, ce lundi 21 mars, vous vous êtes approchée de la victime, toujours sur votre fauteuil, pendant que l'aide soignante, Mrs. Grimes, lisait. La victime dormait, couchée sur le côté. Après avoir enfilé les gants, vous avez planté la lame affûtée dans son cœur avec une précision parfaite. Là-dessus vous êtes revenue ici et avez rangé les gants et l'emballage des ciseaux dans le tiroir inférieur de Mrs. Kubrick. C'est comme cela que les choses se sont passées, n'est-ce pas ?

Pas de réponse.

— Pourquoi haïssiez-vous Stephen Solaris, Mrs. Stimson ?

Toujours pas de réponse. Petri jeta un regard impuissant au docteur Kolnietz.

Ce dernier ferma les yeux et rassembla ses forces en prévision de ce qui l'attendait. Observant Rachel, il avait compris qu'il devait lui donner la tentation de parler, de la même manière que Stephen avait pu, par inadvertance, lui donner la tentation de le tuer. Stephen avait dû représenter pour elle une espèce d'insulte tacite. Et cette insulte, il fallait la réitérer.

— Stephen était terriblement handicapé, commença-t-il douce-ment, les paupières toujours closes. (Sa voix était légèrement chan-tante.) Au yeux d'un étranger, il pouvait paraître très laid. Mais Ste-phen n'était pas un étranger pour les gens de Willow Glen. Ils étaient capables de voir au-delà de son corps. Ils savaient discerner sa remar-quable intelligence, la volonté qui lui permettait de dépasser ses limites, cette merveilleuse volonté humaine grâce à laquelle il pouvait communiquer. Ils savaient voir sa gentillesse. L'amour qu'il irradiait malgré ses tourments. L'attention qu'il portait à autrui. Sa douceur. Sa spiritualité. Ils voyaient la beauté derrière le corps d'infirme. Il était beau. C'était un être humain véritablement beau. Personne n'a jamais été aussi beau. Il était tellement beau !

— TAISEZ-VOUS ! rugit Mrs. Stimson.

Petri se sentit non seulement stupéfait par la soudaineté de l'éruption, mais aussi collé au mur par la rage noire contenue dans sa voix.

Kolnietz continuait comme si de rien n'était.

— Oui, comme il était beau, reprit-il. Dans son malheur, il aurait pu abandonner la lutte. Il aurait pu être arriéré. Il aurait pu mourir il y a des années. Mais il portait en lui l'essence de la vie. Il a choisi la vie. Quel magnifique esprit que le sien ! Il était tellement beau. Tellement beau !

— ALLEZ-VOUS VOUS TAIRE ! hurla Mrs. Stimson. IL ÉTAIT LAID. C'ÉTAIT UN MISÉRABLE DIFFORME ET TOUT RECROQUEVILLÉ ; LAID, COUVERT DE MERDE. IL NE POUVAIT MÊME PAS S'ESSUYER, IL AVAIT DE LA MERDE SÉCHÉE DANS LA RAIE DES FESSES, DE LA MERDE PLEIN LE CUL ; UNE PETITE CRÉATURE MERDEUSE QUI RAMPAIT DANS LA BOUE, UN AFFREUX SAC D'OS PLEIN DE SA PROPRE MERDE.

— Non, il était humain, contra Kolnietz en continuant de psalmodier, presque comme s'il chantait une berceuse. Pleinement humain. Plus humain que la plupart d'entre nous ne le seront jamais. C'était un homme. Un homme authentique.

— COMMENT A-T-IL OSÉ ? fulmina Rachel. CE VER DE TERRE STUPIDE COMMENÇAIT MÊME À AVOIR UNE VIE SEXUELLE ! COMMENT A-T-IL OSÉ PRÉTENDRE À CELA ? À CETTE ÉNERGIE-LÀ ? CE QU'IL AURAIT DÛ FAIRE, C'EST RETOURNER EN RAMPANT DANS LA BOUE, LÀ OÙ ÉTAIT SA PLACE !

— Tellement beau, continua à chantonner le docteur Kolnietz. Quelle âme magnifique ! Un véritable don de Dieu. Une âme créée par Dieu. Créée tout spécialement pour Sa Gloire. Un exemple pour les hommes. Un exemple pour les femmes. Un exemple de ce que vous auriez pu être. Un exemple de la gloire de l'humanité. Quelle belle âme, quelle âme splendide !

— IL MÉRITAIT DE MOURIR ! CETTE LUMIÈRE... CETTE MAUDITE LUMIÈRE QU'IL AVAIT ! TOUT AUTOUR DE LUI. ELLE GRANDISSAIT. ELLE DEVAIT ÊTRE ÉTEINTE. JE NE POUVAIS PLUS SUPPORTER CETTE LUMIÈRE. JE NE POUVAIS PLUS LA SUPPORTER !

— Alors vous l'avez éteinte, n'est-ce pas ? Cette lumière, c'était un affront pour vous. Vous deviez vous en débarrasser. Alors vous l'avez poignardé, n'est-ce pas ?

Tout à coup, une lueur de folie traversa les yeux jusqu'ici ardents de Mrs. Stimson, puis disparut aussi vite qu'elle était venue. Elle posa sur eux un regard vide d'expression et ne répondit pas.

Kolnietz rouvrit les yeux.

— Pardon, fit-il. Je n'en peux plus. C'est tout ce que je peux faire.

— Cela suffira, répondit Petri. (Il se leva et se sentit étrangement fatigué.) Restent les formalités, Mrs. Stimson, mais vous pouvez dès maintenant vous considérer comme étant en état d'arrestation pour le meurtre de Stephen Solaris. Nous allons continuer à monter la garde devant votre porte. Vous ne pourrez plus quitter cette chambre. Si vous essayez de sortir, cela sera retenu contre vous. Vous comprenez ?

Pas de réponse.

Tous quatre (Petri, Mitchell, Kolnietz et Mrs. Simonton) regagnèrent d'un pas traînant le Service administratif, sans prononcer une parole. On ne pouvait dire qu'ils aient l'air victorieux ; ils ressemblaient plutôt à une petite bande de soldats en déroute, tout juste capables de mettre un pied devant l'autre. Le silence pesant se maintint une fois qu'ils furent tous assis dans le bureau de Mrs. Simonton et que celle-ci leur eut fait du café.

Ce fut Petri qui parla le premier.

— Dans la police, on n'a généralement pas une très bonne opinion des psy, déclara-t-il. Mais là, je dois reconnaître... Au moins en ce qui vous concerne, Stasz. (L'emploi du prénom entre deux personnes qui viennent de livrer bataille côte à côte semblait aller de soi.) Bon sang, c'était grandiose !

— Je l'ai obligée à sortir de ses gonds pendant une durée totale de quatre-vingt-dix secondes, objecta Kolnietz.

— Il n'en fallait pas plus. Ce ne sont pas à proprement parler des aveux, mais on s'en contentera.

Petri manquait d'entrain. Mrs. Simonton comprit, et exprima ses propres sentiments en demandant :

— Vous en êtes tout retourné, n'est-ce pas, inspecteur ?

— Jamais vu une haine pareille, acquiesça-t-il. De la haine à l'état pur. Comme l'a dit le docteur Kolnietz, ça n'a guère duré plus d'une minute, mais je ne l'oublierai jamais. Je ne savais même pas qu'une telle haine pouvait exister.

— Je vous avais averti, lui rappela Kolnietz.

— Ça vous arrive souvent ? s'enquit Petri.

— Non. À ce point-là, c'est rare.

— Mais qu'est-ce qui peut bien susciter une telle haine ?

— Je croyais vous avoir dit hier que c'était inexplicable.

— D'accord, mais vous devez bien savoir quelque chose, tout de même ! Enfin quoi, c'est le *mal* à l'état pur que j'ai vu ce matin. Qu'est-ce qui peut bien se passer dans la tête de cette femme, mon Dieu ?

— C'est tout le problème du mal, Tom, répondit Kolnietz en passant lui aussi aux prénoms. Il est inexplicable parce qu'il est toujours caché.

— Que voulez-vous dire ?

— En psychothérapie, on dit : « On est aussi malade que ses secrets. » Les gens les plus mauvais sont les plus malades de tous parce que chez eux, tout est secret.

Petri sentit de nouveau se profiler le bourbier, le labyrinthe. Lequel venait le premier de la poule et de l'œuf ? Toutefois, son esprit logique l'empêcha de renoncer.

— Pourquoi tout est-il secret chez eux ? demanda-t-il.

— Une fois pour toutes, Tom, sourit Kolnietz, comprenez bien que je l'ignore. Les gens qui viennent faire une psychothérapie chez nous nous exposent leur vie intérieure de manière que nous sachions ce qui régit leur existence. Les gens mauvais, eux, ne font pas de psychothérapie. On ne connaît rien de leur vie intérieure, on ne sait pas ce qui régit leur vie — à part le peu qu'on peut deviner de l'extérieur. C'est probablement pour cela qu'ils n'entrent pas en thérapie : ils ne veulent pas se révéler. Restent donc deux solutions seulement. Soit l'être mauvais refuse, pour une quelconque raison, d'exposer sa vie intérieure, soit — pour la même raison — il en est totalement dépourvu.

— Il y a une autre possibilité.

C'était le sergent Mitchell. Surpris, les trois autres se tournèrent vers cet homme discret qui n'avait jusqu'alors pas dit mot.

— Oui, Bill ? pressa Mrs. Simonton.

— Cette vieille femme est peut-être possédée.

— Comment ça, « possédée » ? répéta Petri sans comprendre.

— Par le démon, je veux dire.

Petri contempla son sergent d'un air consterné. S'agissait-il d'une forme de superstition rurale complètement insensée, ou bien ce type avait-il perdu la boule ? À sa grande surprise, Kolnietz répondit sans broncher :

— Oui, c'est une idée que j'ai en tête depuis le début. Même quand je l'ai vue pour la première fois, il y a trois ans.

— C'est vrai qu'elle a quelque chose de démoniaque, reconnut Mrs. Simonton.

Petri les dévisagea comme s'ils étaient tous devenus fous.

— Hier, poursuivit imperturbablement Kolnietz, j'ai dit à Tom que chez Rachel, la haine avait pris le pouvoir. Qu'elle l'avait possédée. Mais je ne sais pas si on peut dire que la haine dont est possédé tel ou tel individu est d'essence humaine ou démoniaque. Pas quand ils ont fait tant de chemin. Qu'en pensez-vous, Bill ?

— Je ne sais pas non plus, fit ce dernier en secouant la tête.

Petri décida de revenir sur un terrain plus rationnel.

— Il est évident qu'elle haïssait Solaris et voulait le voir mort, dit-il. Mais pourquoi ? Et qu'est-ce que c'est que cette histoire de lumière ? Vous y comprenez quelque chose, vous, Stasz ?

– Curieusement, oui, sourit Kolnietz. Du moins en un certain sens. Rappelez-vous ces secrets dont je parlais plus tôt. En un sens, les êtres mauvais – les êtres emplis de haine – choisissent de vivre dans les ténèbres. Ils ne doivent donc pas aimer la lumière. Et tous ceux qui font un autre choix doivent leur apparaître comme une agression. Je connaissais Stephen. Nul n'aurait pu choisir plus intégralement la lumière – la vérité. Je crois que je comprends, maintenant, pourquoi elle lui vouait une haine tenace.

– Oui, ça se tient, commenta Mrs. Simonton. Mais vous prenez le mot dans un sens symbolique, allégorique. Rachel, elle, en parlait comme de quelque chose de réel, comme si elle pouvait matériellement percevoir cette lumière, qu'elle lui faisait concrètement mal aux yeux.

– Peut-être était-ce le cas, répondit Kolnietz. Peut-être pouvait-elle effectivement la voir. Il y a des gens qui distinguent les auras, vous savez ; et la plupart du temps, ce ne sont pas des farfelus. Je n'en ai jamais vu moi-même, mais je doute que les peintres religieux primitifs, par exemple, aient inventé les auréoles de toutes pièces.

Petri trouvait ce langage un peu plus crédible que les histoires de possession – mais pas beaucoup.

– Elle paraît aussi avoir compris que Solaris avait une vie sexuelle. Croyez-vous qu'elle les ait surpris, Barsten et lui ? demanda-t-il en sentant la curiosité prendre le pas sur son dégoût.

– C'est possible, dit Kolnietz. Mais pas forcément. Vous pouvez le lui demander, naturellement, mais je doute qu'elle vous réponde. Cela dit, si elle fait partie des gens qui savent distinguer les auras, il est probable qu'elle s'en soit également rendu compte. Stephen était sans doute amoureux. Dans ces cas-là, on observe parfois un fort rayonnement d'énergie, vous savez. Mais assez posé de questions. (Il se leva.) Il faut que j'y aille. J'ai un patient à neuf heures et demie, et si ça se trouve, je suis déjà en retard.

– Oh, Stasz, nous sommes toujours tellement pressés, vous et moi ! fit Mrs. Simonton en se levant également. Tellement occupés à nous donner à nos malades que nous ne nous donnons plus rien l'un à l'autre. Eh bien, moi, je veux qu'avant de partir vous me serriez dans vos bras, nom de nom.

Petri sentit malgré lui les larmes lui monter aux yeux en regardant les deux amis s'étreindre. Ce fut bref, mais nullement superficiel. Il lui vint à l'idée que ces deux-là devaient se connaître depuis plus de dix ans ; ce n'était donc vraisemblablement pas la première fois qu'ils livraient bataille ensemble. Combien il y avait eu de batailles, cela, il n'aurait su le dire. Il fut ému par l'affection discrète mais visible qu'ils se vouaient ; on était décidément bien loin de l'affreuse explosion de haine à laquelle il venait d'assister.

Kolnietz prit congé et Mrs. Simonton se rassit. Les pensées de Petri continuaient de tournoyer follement, et pas seulement à cause de ce qu'il avait vu. Il y avait aussi cette curieuse idée de démons, exprimée par son propre assistant et débattue par les autres avec le plus grand naturel. Les questions se pressaient dans sa tête, si nombreuses qu'il ne savait même plus par où commencer. Et le commissaire ? Saurait-il y répondre ? se demanda Petri qui ressentait fortement le besoin d'en appeler aux conseils d'un homme plus âgé.

— Bon, moi aussi il faut que j'y aille, annonça-t-il gauchement. Je dois mettre le commissaire au courant le plus tôt possible. Il nous reste beaucoup à faire avant d'être enfin tranquilles.

— À propos de tranquillité, inspecteur, intervint Mrs. Simonton, puis-je appeler Heather, maintenant, et lui faire savoir qu'elle est hors de cause ?

Petri eut l'air surpris. Il avait complètement oublié Heather et ne manqua pas de distinguer un soupçon d'hostilité dans le ton de la directrice.

— Ah oui ! Bien sûr, fit-il négligemment. Je vous en saurais gré. Je le ferais moi-même si je n'étais pas dans l'obligation de faire mon rapport séance tenante.

Il se remit debout et prit bien soin de la remercier pour son aide. Il lui restait en effet beaucoup à faire. Mais en franchissant avec Mitchell la porte de Willow Glen, Petri sentait encore dans son dos le regard d'Edith Simonton, un regard qui l'accusait imperceptiblement d'avoir commis Dieu sait quel péché.

Depuis vingt-quatre heures, Hank Martin errait dans les couloirs de Willow Glen comme un chiot égaré. Terrifié à l'idée de se retrouver seul, il saisissait n'importe quel prétexte, tout ce qui lui venait à l'esprit, pour engager la conversation. À un moment donné il se retrouva devant la porte de Mrs. Grochowski, à s'efforcer de trouver quelque chose de sensé à lui dire.

— Je voulais vous faire mes condoléances, réussit-il enfin à articuler avec raideur.

— Oh, merci, Hank. C'est très gentil de votre part.

— Je ne sais quoi vous dire d'autre.

— Vous n'êtes pas obligé d'en dire plus.

Hank avait envie de partir en courant, mais aussi de rester. Il sentait qu'il devait se passer autre chose. Ce fut Mrs. Grochowski qui rompit le silence.

— Condoléances à vous aussi, Hank.

— Ah bon ? Pourquoi ?

— Eh bien, Tim et vous partagiez une chambre, non ?

— Nous... nous n'étions pas très proches, bégaya-t-il.

— Tim disait que vous ne parliez pas beaucoup. Mais c'est peut-être parce que vous êtes timide.

Là, Hank partit bel et bien en courant.

Il s'arrêta devant le séjour. Il aurait bien voulu s'éclaircir les idées, mais pas moyen. On lui avait lancé tellement d'adjectifs à la tête, ces derniers jours ! « Sans cœur », avait dit Peggy. L'inspecteur, lui, l'avait traité de « menteur », de « brute » et de « lâche ». Sans compter le dernier adjectif, le plus anodin et le plus bizarre à la fois : « timide ».

S'il avait su comment, Hank les aurait réfutés l'un après l'autre, ces qualificatifs. Mais la vérité était trop flagrante. La seule autre solution aurait été de renoncer complètement à la réalité, mais quelque chose (de la fierté, ou peut-être un reste de dignité) lui barrait cette issue possible. Excentrique, d'accord, mais il ne serait pas dit que Hank Martin était fou ! Mrs. Grochowski lui avait offert ses condoléances en partant du principe que la mort de Tim lui causait du chagrin. Or, en réalité, il s'était soucié du vieil homme comme d'une guigne. Il n'avait réellement pris conscience de la mort de Tim qu'au bout de deux jours, lorsque, la veille, dans sa panique il s'était tourné vers lui pour rechercher sa protection et s'était aperçu qu'il n'était plus là.

« Nous n'étions pas très proches », avait-il déclaré à Mrs. Grochowski. C'était peu dire ! Ils avaient vécu plus d'un an dans la même chambre sans jamais être proches. Pourquoi ? Assurément, on ne pouvait rien reprocher à Tim. Pour tout dire, le vieil homme s'était montré d'une affabilité sans faille. Il ne se rappelait pas que Tim eût jamais fait quoi que ce soit pour l'éviter. C'était lui, Hank, qui n'avait jamais fait un seul pas vers Tim. Il ne lui avait pas accordé suffisamment d'importance pour cela. À ses yeux, Tim n'avait tout simplement aucune espèce d'importance.

Et les autres, s'en souciait-il ? Il avait toujours cru s'intéresser aux femmes. Et pourtant, il ne pouvait oublier que Peggy l'avait traité de sans-cœur qui ne se souciait que de lui-même. Il était un sans-cœur, et il ne se souciait pas des autres. Voilà la vérité.

Impossible aussi de nier sa peur. Le fantasme du bourreau qui s'approchait de lui (ou plutôt de ses parties génitales) avec sa lame de rasoir revenait avec moins d'insistance, ce jour-là ; il lui semblait donc moins réel. Certes, la terreur s'était muée en simple peur, mais celle-ci le traquait impitoyablement, où qu'il dirige ses pas. Il ne pouvait se défaire d'un sentiment d'angoisse implacable, comme si une couple de rats le rongeait de l'intérieur en se frayant un chemin dans sa cage thoracique.

« Peut-être êtes-vous timide », avait dit Mrs. Grochowski. Il n'avait jamais envisagé cette possibilité. En général, on l'accusait plutôt du contraire. Pour approcher les femmes, il fallait se mettre en avant — encore que pour lui, cela n'eût jamais vraiment marché. Pourtant, dans sa bouche à elle le mot « timide » sonnait presque comme un compliment, comme s'il n'y avait pas de mal à être timide. Seulement, la timidité était une forme de peur, et la peur était une faiblesse, un trait féminin, non ?

Tout à coup, Hank sentit sa peur se contracter encore plus violemment dans sa poitrine. Il n'avait plus d'endroit où se réfugier. Il était pris au piège, et pendant cette minute d'immobilité, les trois mots (les « autres », « proche » et « peur ») s'assemblèrent. Peut-être avait-il en fait peur de s'occuper des autres, d'en être concrètement proche. De quoi avait-il peur ? Que les autres ne se soucient pas autant de lui que lui d'eux ? Il se demanda ce que c'était d'avoir des sentiments profonds pour quelqu'un (Mrs. Grochowski, par exemple), et s'aperçut tout à coup qu'il était en train de rougir.

Bien plus tard, chaque fois qu'elle repenserait à cette journée, Mrs. Simonton serait invariablement frappée par l'ironie du sort. Ç'aurait été une journée importante de toute façon. : l'élucidation du meurtre de Stephen constituait un événement de première importance dans la vie de Willow Glen. Mais en regardant partir Petri et Mitchell, comment aurait-elle pu se douter qu'un événement encore plus important (cette fois-ci en rapport avec sa propre vie) allait se produire ?

Il s'était déjà passé tant de choses en une heure qu'avant d'appeler Heather, elle éprouva le besoin de prendre un peu de recul. Elle se carra dans son fauteuil. Comme les autres, elle avait été choquée, voire blessée, intoxiquée au plus profond d'elle-même par la fureur meurtrière de Rachel. On sentait là un venin d'essence démoniaque. Mais s'agissait-il *réellement* de démons ? Malgré le naturel de sa réaction quand la question était venue sur le tapis, cela la tracassait. Le plus troublant, c'étaient les conséquences. Si l'on admettait les démons, il fallait logiquement accepter les anges. Se pouvait-il qu'une espèce de combat cosmique soit en train de prendre place quelque part, avec des forces surnaturelles attendant en coulisse, juste derrière la scène ? Et dans ce cas, de quel côté était-elle ?

Alors il se passa quelque chose de fort étrange dans la tête de Mrs. Simonton. Une sorte de voix s'éleva, qui n'était pas la sienne, mais pas non plus une voix au sens strict du terme, car on ne pouvait pas vraiment dire qu'elle fût audible. C'était plutôt comme si les mots s'étaient inscrits dans son esprit. Le mécanisme lui-même, le processus biochimique qui intervint dans son cerveau resta insondable. Mais le message, lui, était irrévocablement clair. Simple et définitif, il disait : *Tu es du côté des anges.*

Un point c'est tout. Nul doute possible. Une évidence pure et simple.

Presque aussi remarquable fut la sensation qui s'empara alors de la personne d'Edith Simonton : la sensation d'être totalement aimée, fondamentalement aimable et acceptable. Mais c'était plus qu'une sensation, plutôt une *expérience*. Elle faisait physiquement l'expérience de l'amour total qu'on lui portait. À ce moment exact, elle se souvint d'avoir lu que d'autres avaient fait cette même expérience. Mais la prise de conscience n'enleva rien à sa joie. « Moi aussi je connais cela, maintenant », songea-t-elle avec un ravissement incrédule tandis que, vague après vague, la joie emplissait tout son être.

Juste après la joie (non, réflexion faite, cela en faisait partie) vint la gratitude. Une gratitude indicible. Pendant ce qui lui parut durer une éternité, elle vécut dans l'ineffable paradoxe de se sentir à la fois extrêmement indigne et irrévocablement *digne*.

L'éternité passa. Tout doucement (comme la main précautionneuse replace l'oisillon dans son nid), elle revint sur terre. Elle regarda fixement le téléphone. Heather. Il fallait qu'elle appelle Heather. Mrs. Simonton consulta sa montre. Il ne s'était pas écoulé plus de dix minutes depuis le départ des policiers. Elle sourit toute seule en se disant que le moment pouvait avoir une importance capitale sans pour autant durer plus d'un... moment, et décrocha le combiné en s'apprêtant à composer le numéro, sachant que, dorénavant, elle ne serait plus vraiment la même.

— Félicitations, vous venez d'élucider votre première affaire criminelle, déclara le commissaire lorsqu'il eut fini d'écouter la bande de l'interrogatoire.

— Sincèrement, je n'ai pas l'impression que le mérite m'en revienne, dit Petri. (Il ressentait une certaine satisfaction — due à l'approbation de son chef, la résolution de l'énigme et le rôle qu'il avait lui-même joué —, atténuée toutefois par l'horreur dont continuait de l'emplir la fureur de Rachel, et par les ambiguïtés rencontrées au cours de l'enquête.) Il a fallu une malade sénile pour me montrer la voie, Mrs. Simonton pour me permettre de pratiquer la perquisition, et le docteur Kolnietz pour la faire parler.

— Certes, mais vous avez accepté d'écouter cette vieille dame sénile, et c'est vous qui avez eu l'idée de cette perquisition, vous qui avez demandé à Kolnietz de prendre part à l'interrogatoire. Mais en un sens, vous avez raison, Tom. Les affaires graves ne sont jamais résolues par une seule et unique personne. Si vous avez réussi, c'est justement parce que vous avez été assez avisé pour vous faire aider par ceux qui pouvaient vous être utiles.

— À propos, qu'est-ce que je fais maintenant ?

Petri s'aperçut qu'il n'avait pas accordé une seule pensée aux conséquences de la découverte, de la désignation nominale de l'assassin.

— Un tas de choses. D'abord, vous prenez la cassette et vous en faites faire cinq copies de la meilleure qualité qui soit. Le sergent Mitchell vous dira où vous adresser, mais allez-y avec lui. Cette cassette, c'est votre énigme et votre solution. Perdez-la et vous perdez votre emploi. Donnez-m'en une copie, gardez-en une sur vous et placez l'original plus deux copies dans le coffre-fort.

— Ça nous en fait cinq, sourit Petri. Vous avez sans doute une petite idée pour la sixième.

— Absolument. (Le commissaire lui rendit son sourire.) Celle-là, vous l'apporterez au juge Michelwicz, dans son bureau, au tribunal. Débarquez sans prévenir si vous ne pouvez pas faire autrement. Avant tout, faites-lui remplir les formulaires d'inculpation. Dites-lui qu'il nous faut un mandat de justice nous autorisant à la transférer à l'Hôpital pénitentiaire.

— Elle ne passe pas d'abord au tribunal ?

— Ciel ! Non. Comment voulez-vous garder en prison une femme de quatre-vingt-deux ans amputée des deux jambes ? On ne peut pas non plus poster des agents devant sa porte pendant des mois jusqu'au procès. Il est suffisamment intelligent pour comprendre, et il a le pouvoir de la faire interner en observation, en attendant le procès. Mais il va peut-être falloir le pousser un peu. Comme tout bon juge, il est prudent.

— Entendu. Et ensuite ?

— Ensuite, allez trouver le mari et dites-lui que nous l'avons arrêtée. N'y allez pas avant. Il a le droit de savoir avant que les journaux ne publient la nouvelle demain. Mais, Tom...

— Oui.

— C'est un saligaud. Ne vous laissez pas impressionner.

D'un seul coup, Petri se rendit clairement compte de son inexpérience. Au temps où il était sergent, à New York, il avait côtoyé la lie de la société : prostituées et proxénètes, drogués et petits revendeurs, voleurs à la tire... Il était venu ici pour se nettoyer de cette fange sans songer qu'il pouvait exister une autre forme de vice mortifère, qui pouvait se révéler encore plus dangereux dans ces demeures bien tenues, ces comptes en banque bien pourvus.

— Il m'arrive de me laisser impressionner. Mais pas si vous êtes derrière moi.

— Je suis derrière vous.

— Comment pouvez-vous avoir une telle certitude ? Je veux dire, la bande ne contient pas de confession proprement dite. C'est plutôt une diatribe. Elle le haïssait, d'accord. Mais elle n'est pas vraiment passée au aveux, si ?

— Il existe trois types d'assassinat, Tom. Le plus courant est le crime passionnel. Un type tue l'amant de sa femme, ou bien deux types s'entre-tuent dans une bagarre de bistrot. Puis vient le meurtre avec préméditation commis par intérêt. On tue son mari pour toucher l'assurance-vie, ce genre de chose. Mais il y a une troisième catégorie.

— Laquelle ?

— C'est un peu comme le viol. Beaucoup de violeurs sévissent parce qu'ils haïssent les femmes. Rien à voir avec le désir. C'est un acte de haine, commis pour ainsi dire au nom de la haine elle-même. Un acte de folie parce que, en un sens, il s'agit d'un acte sans mobile. C'est ce qui rend la chose si horrible. Il y a là-dedans une espèce de pureté horrible.

— Mais comment avez-vous acquis une conviction ?

— J'ai écouté la bande, Tom.

Petri se sentait tiraillé. Lui aussi avait été complètement dépassé par la rage folle de Rachel Stimson. Pourtant, s'il avait appris quelque chose au cours de ces dix derniers jours, c'était bien à se méfier des certitudes. Il fit la grimace en repensant à Heather Barsten.

— Et si je n'arrive pas à m'en sortir avec le mari ? demanda-t-il.

— Vous avez toujours le recours de me l'envoyer, Tom. Ce n'est pas seulement de votre propre chef que vous procédez à cette arrestation ; c'est aussi sur mon instigation. Mais il y a plus. Cette cassette. Ce n'est même pas moi qui l'ai. Hubert Stimson peut bien faire ce qu'il veut. J'y ai pensé, croyez-moi. Il essaiera peut-être de nous barrer la route. Mais je ne crois pas qu'il en ait les moyens. Il ne représente pas la loi, lui. Je crois que là, il est coincé, Tom.

Heather arriva devant le bureau de Mrs. Simonton. Elle se sentait calme. Au téléphone on lui avait dit de venir, qu'on avait de bonnes nouvelles pour elle. La meilleure nouvelle aurait été l'annonce de la solution de l'énigme ; aussi ne fut-elle pas surprise quand la directrice lui narra la perquisition de la veille et l'explosion de haine contre Stephen à laquelle ils avaient assisté le matin même de la part de Rachel. Mais à ce moment là, ses yeux s'emplirent de larmes.

Mrs. Simonton s'inquiéta.

— Pourquoi pleurez-vous ? demanda-t-elle.

— Je viens de me rappeler quelque chose, expliqua Heather. La nuit du meurtre, après avoir fait sa piqûre à Carol, j'ai demandé à Rachel si elle avait besoin de quoi que ce soit. Elle ne m'a pas répondu. Mais au moment où j'éteignais la lumière et où je m'apprêtais à sortir, j'ai cru entendre une toute petite voix qui disait : « Ne partez pas. » Une voix très faible qui ne ressemblait pas à celle de Rachel — ni à aucune autre, d'ailleurs. Je lui ai tout de même demandé de répéter. Elle n'a pas répondu ; je me suis dit que j'avais dû rêver, et je suis partie. J'aurais dû insister.

Mrs. Simonton s'interrogea. Tout cela était décidément mystérieux. La voix que Heather avait entendue était-elle celle de Rachel ? Ou peut-être celle de Carol ? Se pouvait-il même qu'un esprit lui ait parlé, de l'intérieur d'elle-même ou bien du dehors, pour l'avertir du danger qui s'annonçait ? Dieu seul le sait, se dit-elle.

— Vous êtes très intuitive, Heather. (Ce fut tout ce qu'elle trouva à lui dire.) C'est en partie ce qui fait de vous une si bonne infirmière. Mais si on se fiait à ses seules intuitions, on s'attirerait des tas d'ennuis.

— Pourtant, si c'est vraiment Rachel que j'ai entendue...

— Oui, si c'était elle... ? l'encouragea Mrs. Simonton.

— Alors elle devait être en détresse, poursuivit Heather. Une partie d'elle-même désirait qu'on l'empêche d'agir.

Peut-être ne le saurait-on jamais. La directrice se sentit à son tour au bord des larmes. Cette femme débordante de haine était tellement coupée du monde, tellement isolée, solitaire !

— Rachel Stimson est une âme en détresse dans tous les cas de figure, répondit-elle. La seule différence, je suppose, c'est la nature de cette détresse. Même si cela implique une souffrance plus grande, j'aime à croire qu'une partie d'elle-même ne voulait pas tuer. En un sens, cela nous laisse plus d'espoir pour elle.

Heather ne parut pas consolée. Mais il ne restait pas grand-chose à ajouter. Mrs. Simonton changea de sujet.

— Comment se sont passés ces derniers jours ? s'enquit-elle. Vous aussi vous avez dû traverser des moments de détresse, sachant que le lieutenant Petri vous soupçonnait de meurtre. Je me suis fait beaucoup de souci pour vous, mais on m'interdisait de vous tenir au courant.

— Au début j'ai eu rudement peur, avoua Heather. Mais par la suite j'en ai parlé à Mrs. G. et au docteur K., et ils m'ont beaucoup aidée. Je veux dire, ils ont vraiment cru en moi.

Mrs. Simonton releva la nuance d'incrédulité qui perçait dans sa voix.

— Mais moi aussi j'ai cru en vous, Heather. Je voulais vous le dire, mais j'ai dû promettre à l'inspecteur de ne parler à personne de l'enquête. Je suis navrée.

— Ça ne fait rien. Ça n'a pas été trop mal, finalement. Après avoir parlé à Mrs. G. et au docteur K., d'un certain côté j'ai su que tout irait bien. C'est seulement pour ce pauvre Stephen que j'ai eu de la peine.

— Évidemment. Moi aussi. Je sais à quel point vous l'aimiez.

Heather se rembrunit.

— Vous saviez pourquoi l'inspecteur me soupçonnait ?

La directrice se réjouit que se présente si vite l'occasion de passer à la question suivante.

— Oui. Je sais que vous aviez des rapports sexuels.

Mais elle ne s'attendait pas à ce qui arriva alors.

— Willow Glen va me manquer, fit Heather. Et vous aussi, vous allez me manquer.

— Quoi ! Mais qu'est-ce que vous me chantez là !

— Je sais bien que vous n'avez pas le choix, expliqua Heather. Je comprends bien que vous soyez obligée de me renvoyer.

Mrs. Simonton en resta ébahie.

— Vous renvoyer ? Mais pour quelle raison ?

— Pour avoir eu des rapports sexuels avec Stephen.

La pauvre ! Non seulement elle s'était fait un sang d'encre parce qu'on l'accusait à tort, mais en plus elle se croyait congédiée ! Où avait-elle bien pu aller pêcher cette idée ?

— Heather, deux problèmes se posent, répondit Mrs. Simonton d'un ton mesuré. Vos rapports spéciaux avec Stephen en sont un, mais qui ne justifie absolument pas que je vous renvoie.

— C'est vrai ?

— C'est hors de question. Si vous étiez méchante, mauvaise infirmière, vos relations sexuelles avec un malade seraient sans doute le reflet de ces défauts et constituerait en effet un motif de renvoi. Mais vous êtes ma meilleure infirmière, Heather, pour moi vous êtes quelqu'un de très bien. Il est possible qu'en l'espèce, vous ayez commis une erreur avec Stephen ; mais je ne renvoie pas les gens bien pour une seule erreur éventuelle.

— *Possible ? Éventuelle ?*

Heather n'en croyait pas ses oreilles. Comment Mrs. Simonton pouvait-elle se montrer aussi tolérante ?

— Mais oui, il est seulement *possible* que vous ayez commis une erreur. Vous êtes la seule à connaître vos raisons, la seule à pouvoir dire dans quelle mesure elles étaient mal venues. Voyez-vous, non seulement je sais à quel point vous aimiez Stephen, mais je l'aimais moi aussi ; et je crois comprendre ces raisons. Vous savez, je ne vous condamne pas. Au pire, je crois que vous avez commis une erreur en ne venant pas m'en parler d'abord. Je doute que nous ayons jamais d'autre malade avec qui vous souhaitiez avoir des rapports sexuels, mais le cas échéant j'espère... non, j'exige que vous veniez discuter des conséquences avec moi. Parce que les conséquences d'un tel acte sont innombrables, et que le problème est trop grave pour qu'on prenne la décision toute seule.

D'un côté Heather avait envie de craquer, de sangloter de gratitude devant la reconnaissance maternelle qu'elle recevait. Mais de l'autre (cela lui arrivait fréquemment, mais c'était la première fois qu'elle en ressentait un désagrément) elle se sentait distante, voire irritée. On aurait dit que cette facette-là d'elle-même était douée d'une vie propre et contemplait Mrs. Simonton avec une incrédulité hautaine frisant l'indifférence. Le résultat de cette cohabitation disparate était un grand trouble. Elle ne sut que répondre.

Mrs. Simonton sentit tout cela et devina la cause de son trouble.

— Cela m'amène à notre second problème, poursuivit-elle. Pourquoi diable croyiez-vous que j'allais vous renvoyer ? C'est comme la dernière fois, quand vous aviez cet œil poché et que vous n'avez même pas pensé à me demander d'aller consulter le docteur Kolnietz pendant le travail. Parfois je me dis que vous me voyez comme je suis, Heather, mais parfois aussi, il me semble que vous me considérez comme une méchante vieille sorcière. Qu'allons-nous faire à ce sujet ?

Le trouble de Heather subsistait. Elle ne pouvait toujours pas parler. Mais Mrs. Simonton venait d'éveiller dans son esprit le souvenir d'une autre phrase, prononcée par une autre personne, où il était question de transfert. Elle se surprit elle-même en formulant spontanément une requête qui rompit le silence.

— Accepteriez-vous que je voie le docteur Kolnietz de façon régulière, c'est-à-dire même quand je suis de service ? Même si ce n'est pas une urgence ? Avec mes horaires, nous avons du mal à nous fixer des rendez-vous stables. J'aimerais le voir plus souvent et plus régulièrement.

Mrs. Simonton réfléchit rapidement. Était-ce un test ? La jeune fille essayait-elle de sonder les limites de sa directrice, ou bien sa propre sincérité ? Ce pouvait être une tentative de manipulation. Mais les perceptions irréalistes, c'était plutôt le domaine de Stasz. Les cadres pouvaient conseiller les employés, certes, mais la psychothérapie à long terme, ce n'était pas leur rayon. Et elle tenait à la guérison de Heather plus qu'à son dévouement professionnel. Si elle guérissait, la confiance, le bénéfice du doute pourraient passer au second plan.

— Mais bien sûr, répondit-elle enfin. Donnez-moi simplement vos heures de rendez-vous afin que je puisse m'y reporter si nécessaire. Je n'ai pas besoin de vous dire qu'il faudra également avertir les aides soignantes et les autres infirmières de vos allées et venues.

Heather la remercia pour la forme. Mrs. Simonton voyait bien qu'elle brûlait de s'en aller. Quels qu'en soient les effets, elle avait fait son devoir de conseillère. Elle se demanda ce qui pouvait bien se passer dans la tête de son infirmière, mais comprit que cela lui échappait et la laissa partir.

Dès qu'elle eut regagné son appartement, Heather se dévêtit et se mit au lit. Elle éprouvait un besoin instinctif, irrépressible de se blottir toute nue. Logiquement, elle aurait dû essayer de tirer les choses au clair ; seulement, elle ne ressentait rien. Elle aurait dû se sentir immensément soulagée – que le meurtre soit enfin résolu, qu'aucun soupçon ne pèse plus sur elle, qu'elle ne risque plus d'être renvoyée. Et elle ne ressentait absolument rien. Pourquoi ? Pourquoi était-elle aussi vide de sentiments ? Parce qu'elle avait ressenti beaucoup de choses, ces derniers temps, qu'elle avait épuisé ses ressources ? Non, il y avait autre chose. C'était bizarre. La sensation de vide évoquait moins une *absence* de quelque chose que *quelque chose* en soi. Comment le vide pouvait-il être *quelque chose ?*

Brusquement, une image de désert surgit dans son esprit. Allongée sur son lit, elle se représenta couchée dans le désert. Très loin à l'horizon s'élevaient des montagnes arides, mais tout autour d'elle, à perte de vue, le paysage était plat. Pas de végétation, rien, rien que le vide.

Était-elle morte ou vivante ? Un vautour décrivait des cercles dans le ciel, de plus en plus bas. Non, c'était un corbeau. À grands coups d'ailes l'oiseau s'abattit sur le sol à côté de sa tête et se mit à lui picorer l'œil gauche. Elle ne ressentait aucune douleur. Et pourtant, elle était consciente, tout à fait consciente. Elle aurait pu se dérober si elle avait voulu, mais elle n'en éprouvait pas le besoin. Elle restait simplement couchée là en se laissant passivement picorer.

Quelle drôle d'image ! Pourquoi cette passivité ? Elle attendait, mais quoi ? La mort ? Les larmes se mirent à rouler doucement sur ses joues. De vraies larmes. En imagination elle gisait sur le sol, dans le désert, mais en même temps elle avait conscience d'être dans son lit et de verser de vraies larmes. Pourquoi pleurait-elle ? Elle ne ressentait aucun chagrin. Rien que le vide, et l'attente. Pleurait-elle parce que quelque chose était en train de mourir ? Mais alors, pourquoi n'était-elle pas triste ? Peut-être fallait-il que ce « quelque chose » meure ?

Petit à petit, elle s'enfonça dans le sommeil. En rêve, elle retourna dans le désert. L'attente reprit.

Bien qu'ayant officiellement pris sa retraite, Hubert Stimson avait conservé un bureau au siège de sa société immobilière ; et un bureau chic, en plus. Petri trouva qu'il s'en dégageait une impression de pouvoir. Était-ce la raison pour laquelle Stimson lui avait donné rendez-vous ici plutôt que chez lui ?

– Je dois dire que je suis plutôt surpris de recevoir la visite de la police. En quatre-vingt-deux ans d'existence, c'est la première fois que cela m'arrive, déclara Mr. Stimson. Très impressionnant. Que puis-je faire pour vous, inspecteur ?

Petri nota qu'il était exceptionnellement vigoureux pour son âge, que ses manières témoignaient d'une grande urbanité, et qu'il avait oublié – ou volontairement omis – la visite qu'il avait reçue chez lui, huit ans auparavant, lorsque Rachel Stimson avait appelé la police pour le dénoncer.

– Je crains d'être porteur de mauvaises nouvelles, lui dit Petri. Votre femme vient d'être arrêtée pour le meurtre d'un pensionnaire de Willow Glen.

Le visage du vieil homme, qui ne semblait pas avoir souvent vu le soleil, vira soudain au rouge.

– Comment ! Mais c'est impossible ! Ma femme est dans un fauteuil roulant. Il doit y avoir erreur.

– Non, je ne crois pas, répondit Petri. Elle en avait la force, elle possédait les compétences requises, elle avait accès à la victime, et son tempérament s'y prêtait. Nous avons trouvé dans sa chambre l'emballage de l'arme du crime, et ce matin elle a reconnu qu'elle haïssait la victime.

– Qu'est-ce que c'est que cet établissement ? (La coloration rouge jusqu'alors cantonnée à ses joues gagnait maintenant son cou.) Ils auraient dû l'attacher. C'est leur faute. Je devrais leur intenter un procès. Je vais prendre contact avec mes avocats.

L'urbanité n'a pas duré très longtemps, nota Petri qui resta muet.

Mr. Stimson changea d'angle d'attaque.

– Je suis certain que vous vous fourvoyez, inspecteur. Vous faites preuve d'irresponsabilité en portant de fausses accusations. Je vous préviens, je n'aurai de cesse que justice soit faite.

– Il arrive que la police se fourvoie, reconnut Petri. C'est la raison d'être du système judiciaire. Jusqu'à présent, votre femme a seulement été arrêtée. Mais de son côté, le juge Michelwicz a estimé que l'ensemble des preuves et témoignages, ajoutés à ses déclarations, justifiait l'instruction. Toutefois, la culpabilité ne sera pas établie avant le jour du procès.

– Un procès ? Il ne peut y avoir de procès.

– Et pourquoi cela ?

Mr. Stimson se déroba et s'efforça de se recomposer une attitude onctueuse.

– Dans le cas où il y aurait effectivement procès, et si ma femme était déclarée coupable, que lui arriverait-il, à votre avis ?

— Étant donné son âge et son état mental, je pense qu'elle serait internée dans un hôpital pour malades mentaux criminels.

— Alors pourquoi ne pas la mettre dans ce genre d'établissement sans passer par le tribunal ?

Petri se dit que le vieil homme parlait de sa femme comme d'un meuble à déménager. Il ne semblait pas se préoccuper le moins du monde d'*elle*.

— C'est une possibilité, répondit-il. En fait, c'est exactement ce que nous avons l'intention de faire, puisque Willow Glen ne convient plus. Mais cela n'empêchera pas le procès.

— Pourquoi ?

— Pour être considéré comme dément criminel, il faut d'abord que la culpabilité soit établie, ou du moins l'irresponsabilité ; or, ce jugement requiert un juge et un minimum de procédure légale.

— Il n'y aura pas de procès. Je ne le permettrai pas. Je ne permettrai même pas que ce sordide gâchis apparaisse dans les journaux.

— Mr. Stimson, je crains qu'ils ne s'en emparent de toute façon.

— Pourquoi dites-vous cela ?

— La presse passe en revue le registre d'arrestations toutes les vingt-quatre heures. Elle a le droit de relater n'importe quelle arrestation. En cas de meurtre, c'est inévitable. De plus, comme vous le savez, elle s'est particulièrement intéressée à l'affaire de Willow Glen.

— Dois-je en conclure que ma femme aura demain son nom dans les journaux ?

— Oui.

— Mais c'est complètement irresponsable ! Le nom de ma femme peut apparaître dans les journaux rien que parce que vous en avez décidé ainsi ?

— Vous n'avez pas une juste vision des choses. Je vous le répète, le juge s'est d'ores et déjà prononcé, et avant lui mon supérieur.

— Je vous présente mes excuses, inspecteur, fit l'autre d'un ton patelin. Je ne voulais pas vous offenser. Mais comprenez mon émoi. Naturellement, vous ferez tout ce qui est en votre pouvoir pour éviter que la presse ne s'empare de l'affaire, n'est-ce pas ? Nous ferons en sorte que vous ne le regrettiez pas, j'en suis certain.

Petri l'avait vu venir.

— La chose ne dépend pas de moi, Mr. Stimson.

Les manières onctueuses du vieil hommes disparurent aussi vite qu'elles étaient venues.

— Cela dépend bien de quelqu'un ! Vous vous rendez compte, n'est-ce pas, que je vais devoir appeler votre supérieur ? Cela ne jouera pas en votre faveur, inspecteur. Le commissaire est un ami. Tous les gens influents de la ville sont mes amis.

— Faites comme bon vous semble, Mr. Stimson, tant que vous restez dans la légalité, répondit Petri en se levant pour partir.

Ce type lui donnait envie de ficher le camp aussi vite que possible. Fort heureusement, Stimson n'avait plus aucune raison de le retenir. Il fallait bien qu'il le laisse partir.

Sur le chemin du retour, Petri essaya de se mettre à la place du vieil homme. Quelle impression cela faisait-il de s'entendre annoncer qu'une femme, la vôtre depuis des décennies, venait d'être arrêtée pour meurtre ? Les choses se seraient-elles mieux passés s'il lui avait démontré un peu de compassion ? Ce n'était pas facile. Petri se rendit compte avec stupéfaction qu'il avait moins de mal à compatir pour cette vieille manifestement méchante, haineuse. Il eut une autre sensation très nette : qu'importe son attitude, l'entrevue avec le mari aurait suivi le même cours. Quoi qu'il eût dans la tête, Mr. Stimson n'était certainement pas disposé à se laisser influencer — surtout par la compassion.

Cinq minutes après la cloche du dîner, Mrs. Simonton quitta son bureau et se dirigea vers le réfectoire. Deux discours en un peu plus d'une semaine ! songea-t-elle. Mais cette fois-ci, le sujet était moins difficile à aborder ; au moment où elle pénétrait dans sa salle, une nouvelle citation non sollicitée lui traversa l'esprit : « Les mots vous seront donnés. »

Comme la fois précédente, elle fit tinter une cuillère sur le verre de Hank Martin afin de capter l'attention générale.

— Ce que j'ai à vous annoncer, certains l'ont peut-être déjà deviné. Mais je veux que ce soit clair pour tous. Mrs. Rachel Stimson a été arrêtée aujourd'hui pour le meurtre de Stephen Solaris. L'affaire est élucidée. Tant qu'elle demeurera dans l'établissement, un policier montera la garde devant sa porte. Je prévois que cela ne durera pas très longtemps. Vous ne courez plus aucun danger. J'ai pensé que vous aimeriez vous l'entendre confirmer.

— Pourquoi ? Pourquoi a-t-elle fait ça ?

C'était Georgia Bates. Pas étonnant qu'elle veuille se renseigner, maintenant qu'elle fait presque officiellement partie des services de police de New Warsaw, se dit Mrs. Simonton.

— Malheureusement, je ne suis pas autorisée à vous en dire davantage. Rachel n'aurait pas été arrêtée si on n'avait pas eu de preuves solides contre elle, mais pour le moment on en est là, et je ne peux vous donner ces preuves avant le procès. Je suis désolée, Georgia.

Puis ce fut le tour de Hank Martin.

— Pour moi, ce n'est toujours pas clair, dit-il.

Mrs. Simonton s'étonna. Cela ne ressemblait pas à Hank de participer. D'ordinaire, il ne pas s'intéressait à rien ; parfois même, il avait l'air de ne pas se rendre compte de ce qui se passait autour de lui.

— C'est vrai, reconnut-elle, mais c'est tout de même plus clair qu'avant. D'ailleurs, les choses ne sont jamais tout à fait claires, vous ne croyez pas ?

— Que voulez-vous dire ? interrogea Hank.

Mrs. Simonton sursauta. Qu'est-ce qui lui avait pris de dire ça ?

— Eh bien... Il y a toujours un peu de mystère dans la vie, non ? répondit-elle avec hésitation. Mais ça ne veut pas dire que la vie n'ait pas de sens. Les choses sont mystérieuses quand on n'en comprend pas le sens, mais ce n'est pas parce qu'on ne le comprend pas qu'elle n'en ont pas.

— Alors là, je suis complètement perdu ! s'exclama Hank.

Georgia vint à son secours.

— Je crois que je saisis ce que veut dire Mrs. Simonton, fit-elle. Parfois je me demande ce que je fais là, pourquoi je suis en vie, et je ne connais pas la réponse. Mais ce n'est pas parce que je ne la connais pas qu'elle n'existe pas. Peut-être ma vie a-t-elle un sens même si moi, vu de l'intérieur, j'ai l'impression que c'est un mystère.

Mrs. Simonton lui jeta un regard reconnaissant.

— C'est exactement ce que je voulais dire. (Elle s'adressa ensuite au groupe tout entier.) Et je voudrais que vous vous en souveniez. De temps en temps vous vous posez peut-être des questions, mais chacune de vos vies a un sens. (Brusquement, le pouvoir ne la gêna plus.) N'oubliez jamais ça, ajouta-t-elle. Que Dieu vous bénisse, tous tant que vous êtes.

Elle sortit du réfectoire et, sitôt hors de portée, émit un sifflotement admiratif. Cette brève rencontre avec ses malades s'était conclue de manière tout à fait inattendue. Elle se sentait comme un pantin dansant au bout de ses ficelles. Mais quelle chorégraphie extraordinaire ! Et toute la journée comme ça ! Jamais elle n'avait eu autant l'impression de ne rien comprendre à rien. Jamais elle ne s'en était autant félicitée.

CHAPITRE QUINZE

Jeudi 31 mars

Hank Martin s'immobilisa devant la porte de Georgia Bates.

— S'il vous plaît, je peux entrer ? Je vous promets de ne pas vous toucher. J'ai besoin d'un conseil.

Georgia lui lança un regard sceptique. Quand Hank Martin vous promettait de ne pas vous toucher, il était permis de douter. Mais aussi de s'étonner, d'autant plus qu'il ne paraissait plus le même homme : il était presque penaud. Elle prit le risque.

— Je vous en prie.

Hank entra directement dans le vif du sujet.

— Je voudrais faire la cour à Mrs. Grochowski, expliqua-t-il une fois qu'il fut assis. Jusqu'à présent, je ne crois pas avoir jamais courtisé les femmes. Je les ai pelotées, ça oui, mais on ne peut pas vraiment appeler ça faire la cour, n'est-ce pas ?

— En effet.

Georgia fut tentée de s'esclaffer. L'idée de Hank courtisant une femme (surtout Mrs. Grochowski !) lui semblait risible. Néanmoins, Hank était si sérieux que quelque chose lui dit que ce n'était pas le moment de le tourner en ridicule.

— Ce qui fait que je n'y connais rien. J'ai pensé vous demander votre avis. Comment s'y prend-on ?

— Pourquoi me demander cela à moi ?

L'espace d'un instant Hank retrouva son ancienne façon de faire.

— Mais parce que vous êtes terriblement sexy, ma chérie ! (Puis il se rendit compte qu'il ne désirait plus suivre cette voie-là.) Parce que vous avez un espèce de dignité, comme Mrs. Grochowski.

— Je suis loin d'être experte en la matière. (Flattée par la comparaison, Georgia sourit.) Je n'ai guère attaché d'importance aux choses de l'amour et du sexe, dans ma vie. Bien sûr, mon mari m'a fait la cour, mais c'était il y a très longtemps. Et j'ai eu maintes occasions de le regretter par la suite. Je n'ai pas d'autre expérience.

— Je tiens tout de même à avoir un point de vue de femme sur la question.

— Ma foi, commençons donc par le mot lui-même, se lança Georgia. Sans doute nous vient-il de ce qui se passait à la cour des rois et des reines. L'étiquette se composait d'un grand nombre de règles selon lesquelles se faire la cour, c'était se livrer à une espèce de danse de la communication.

— Quelles sont ces règles ?

— Dieu du ciel, comment voulez-vous que je le sache ? Mais une chose est sûre : c'est dans ces cours royales que sont apparues les bonnes manières. Pour moi, les règles sont les mêmes dans les deux cas. Je vous conseille donc, si vous voulez faire la cour à Mrs. Grochowski, de surveiller vos manières.

— Qu'est-ce que c'est, les bonnes manières ?

— C'est bien ce que je pensais, vous en ignorez le premier mot, n'est-ce pas, Hank ? (Georgia ne put s'empêcher de lui lancer cette petite pique.) Les bonnes manières, c'est principalement une question de respect. Avec un membre de la cour, on a affaire à un individu de haut rang, comme une princesse par exemple. Quand on a envie de courtiser quelqu'un, c'est peut-être qu'on éprouve déjà beaucoup de respect pour lui.

— C'est exactement le genre de chose que je ressens pour Mrs. Grochowski.

— Alors, traitez-la avec respect. À mon avis, c'est à cela que se ramènent les bonnes manières : il faut respecter les gens.

— C'est-à-dire qu'il ne faut pas leur courir après et essayer de les peloter ?

— Quelque chose comme ça, oui. Respecter l'intégrité de leur corps. Respecter leur intimité. Leur droit de dire non. Mais ce n'est pas tout. Il faut respecter leur personnalité, leurs humeurs, leurs conseils. Respecter leur histoire, leur expérience.

— Comment fait-on pour connaître tout ça ?

— C'est bien le problème, Hank. Respecter quelqu'un, c'est apprendre à connaître tout cela. Si une femme veut qu'on la respecte — et quelle femme voudrait le contraire ? —, elle ne vous laissera pas poser la main sur elle avant que vous n'ayez tout appris.

— Ça fait un sacré boulot, commenta Hank.

— Peut-être, mais les femmes n'aiment pas les paresseux. De plus, on peut trouver ce « boulot », comme vous dites, plutôt amusant.

— Je n'en sais rien. Je n'ai jamais essayé.

— Pas avec moi, en tout cas.

— C'est tout ce que vous avez à me dire sur le sujet ?

— Je crois, oui.

Hank se leva et, s'aidant de sa canne, se dirigea en boitant vers la porte.

— Merci, Georgia.

Elle contempla sa silhouette debout dans l'encadrement de la porte et, pour la première fois, se dit qu'après tout, il n'était pas dépourvu de charme. Il était élancé, petit, mais très soigné. Comment se faisait-il qu'elle n'ait encore jamais remarqué cela ? Oui, on pouvait l'imaginer faisant la cour à une femme.

— Bonne chance, Hank, conclut-elle, émue par son sérieux.

Une fois qu'il eut disparu, Georgia s'installa dans son fauteuil à bascule. Elle n'en revenait pas. Elle baissa les yeux sur ses mains. Oui, c'étaient des mains de vieille femme. Mais pas laides pour autant. Il ne fallait pas en conclure que sa vie était finie. Peut-être se laisserait-elle elle-même un peu courtiser, un jour ou l'autre. L'idée que l'amour (et même le sexe) puisse réapparaître dans sa vie lui paraissait nouvelle et quelque peu étrange. Mais divertissante aussi. Elle eut un petit sourire.

Le lieutenant Petri avait décidé de faire la grasse matinée ; il l'avait bien mérité, puisque l'affaire était close. Un peu avant dix heures, alors qu'il venait de se lever et tenait à la main sa tasse de café, le téléphone sonna. C'était Mitchell.

— J'ai pensé que vous aimeriez être au courant, annonça-t-il. On vient d'amener Hubert Stimson à l'hôpital. Mort.

— *Quoi ?*

— Vous savez bien, le mari de la dame que vous avez arrêtée hier. Eh bien, on l'a amené mort à l'hôpital.

— Dire qu'hier après-midi encore, je l'interrogeais. Mon Dieu !

Un long silence au bout du fil. Puis Mitchell s'enquit :

— Chef ? Vous êtes toujours là ?

— Oui, oui, je suis là. J'essaie de me remettre du choc. Je veux dire, je lui ai tout de même parlé hier après-midi. Que s'est-il passé ? Il s'est suicidé ?

— Je ne crois pas. Je n'en sais rien, en fait. Tout ce que je sais pour le moment, c'est qu'en arrivant, la femme de ménage l'a trouvé au pied de l'escalier. Apparemment, il a une vilaine contusion à la tête. Tout semble indiquer un accident.

— Il l'ont gardé à l'hôpital ?

— Oui.

— Bon, appelez-les et demandez-leur de le garder. J'arrive. Prévenez le commissaire. Et téléphonez au légiste, s'il vous plaît. Celui-là aussi, je veux qu'il l'examine. Il y a une chance pour que ce soit bel et bien un suicide. Dites-lui que je veux un bilan sanguin complet.

Que fallait-il ajouter ? Il s'aperçut que sa main, celle qui tenait l'écouteur, tremblait.

— Vous pourriez me retrouver à l'hôpital, Bill ? Je crois que j'aimerais bien avoir quelqu'un à qui parler.

— D'accord, chef.

Petri raccrocha.

— Ça alors ! murmura-t-il.

Il se rasa et se doucha en hâte, et dès dix heures et demie il était auprès du corps de Hubert Stimson. Le visage qu'il avait vu rouge de colère la veille était à présent livide, avec une nuance verdâtre, hormis une énorme contusion violacée à la tempe gauche. Devant ce deuxième cadavre, Petri se sentit une nouvelle fois pris de malaise. Mais ce n'était pas la même chose que le jour où il s'était retrouvé devant le corps difforme de Stephen.

— Probablement un hématome épidural, expliqua le médecin légiste en désignant le centre de la contusion. Le crâne s'est fracturé ici, sectionnant l'artère temporale juste à l'endroit où elle pénètre l'os. L'hémorragie est visible à l'extérieur, mais il y a sans doute une contusion bien plus importante dedans, qui a comprimé le cerveau et provoqué ainsi la mort. Je ne peux pas en être absolument certain avant d'avoir pratiqué l'autopsie, ce que je ne pourrai pas faire avant demain matin. Mais je vais demander une radio avant qu'on l'emmène à la morgue, et je suis pratiquement sûr qu'elle nous montrera la fracture. Mais pas grand-chose d'autre. La peau n'est pas ouverte, il est donc peu plausible qu'on l'ait frappé. Néanmoins, si la fracture est en creux il faudra que je révise mon opinion. Je lui ai pris du sang, que je viens d'envoyer au labo pour analyse toxicologique. Ça va leur prendre un certain temps. Appelez-moi donc après treize heures ; j'aurai le rapport quasi définitif.

— Allons voir le juge, pendant ce temps, dit Petri à Mitchell. Il va falloir le mettre au courant. Probable qu'il reviendra sur sa décision de faire interner la vieille dame aujourd'hui.

Arrivés dans l'antichambre de la salle d'audience de maître Michelwicz, ils s'entendirent annoncer par sa secrétaire que le juge serait en séance jusqu'à midi. Ils se disposèrent donc à l'attendre. Une foule d'idées tournaient en rond dans la tête de Petri, mais la plus insistante était une comparaison entre les deux Stimson. À sa manière, le défunt lui avait paru, lors de leur entrevue de la veille, aussi nuisible que sa venimeuse et criminelle épouse. Le mal était donc de plusieurs sortes ? La question le laissa extrêmement perplexe.

— Bill, c'est vous qui avez parlé le premier de possession, hier. Vous ne croyez pas vraiment à ces choses, n'est-ce pas ?

— Ma foi, oui et non.

Voilà que son propre sergent se mettait à parler comme le docteur Kolnietz ! Mais Petri commençait à savoir faire preuve de patience face à l'ambiguïté.

— Bon, soupira-t-il. Allez-y. Dites-moi tout.

— Ce n'est pas facile, répondit Mitchell. Pardonnez-moi, chef, mais... Êtes-vous croyant ?

La question désarçonna Petri.

— Euh... Eh bien, je n'en sais rien, bafouilla-t-il. Comme tous les petits Italiens du quartier, j'ai été élevé dans la religion catholique. Je suis baptisé, j'ai fait ma confirmation, et tout. Ma mère me traînait à la messe. Mais une fois au lycée, je me suis éloigné de tout ça. Je n'y ai pas réfléchi. Puisque ça n'a guère d'importance pour moi, je suppose que je dois répondre non. Mais pourquoi cette question ?

— Ma foi, c'est important pour la plupart des gens, ici. Ici, c'est un peu la « boucle de la Ceinture biblique », vous savez*.

— Oui, je m'en étais aperçu, reconnut Petri. Et alors ?

— Nous autres chrétiens ne sommes pas tous les mêmes, poursuivit Mitchell. Pas tous dans le même camp, en quelque sorte. Il y a, entre autres, le camp des charismatiques — c'est le nom qu'on leur donne ; ma femme et moi y avons passé cinq ans.

Pourquoi tourne-t-il ainsi autour du pot ? se demanda Petri. Il ne peut donc pas répondre par oui ou par non ? Qu'il y croit ou qu'il n'y croit pas, à ces trucs ? Mais il se réfréna, et se contenta de l'inciter à continuer.

_____

* En anglais « Bible Belt » désigne une région ou un quartier peuplé de bigots. (*N.d.T.*)

— Les charismatiques prennent le diable très au sérieux. Ils ont tendance à croire que nous sommes tous engagés dans ce qu'ils appellent une guerre spirituelle. Pour eux, ceux qui souffrent de troubles psychiatriques sont en réalité persécutés par des démons ; alors ils passent leur temps à s'exorciser mutuellement. Générale- ment, ils appellent ça des « délivrances ». Ma femme et moi avons participé à plusieurs de ces séances.

— Vous disiez que vous aviez appartenu à ce camp-là, l'aiguil- lonna Petri.

— Ouais. On en est sortis. Pour un certain nombre de raisons. La principale étant que, de notre point de vue, ils prenaient le diable un peu trop au sérieux, justement. Ou alors pas assez, vu sous un autre angle.

Trop sérieusement ou alors pas assez ! Mitchell faisait-il exprès de parler par énigmes ?

— Que voulez-vous dire ? interrogea Petri, contrarié.

— Ils pratiquaient des délivrances à tour de bras. Très souvent, nous n'étions pas très convaincus. C'était trop simpliste. Au bout d'un certain temps, ma femme et moi nous sommes rendu compte qu'ils se trompaient d'ennemi, et que nous ne voulions pas être mêlés à ces histoires de possession, en tout cas pas de cette manière-là. Actuelle- ment nous fréquentons une église plus traditionnelle.

— Ça veut dire que vous ne croyez plus aux démons ?

— Je n'ai pas dit ça, répliqua Mitchell d'un ton égal. J'y crois de temps en temps.

— Comment est-ce possible ?

— Je les ai vus, chef.

— Comment ça ?

— Oui, chef. Voyez-vous, il y avait des cas où ils ne se trompaient pas d'ennemi. Je les ai vus. Quelquefois. Quelquefois ils sont réels. Tout ce qu'il y a de plus réel.

Chez son sergent, Petri en était venu à estimer la compétence. À présent, il entrevoyait la possibilité que cet homme paisible ait pu aborder des couches profondes de réalité qu'il n'avait lui-même jamais effleurées durant ses vingt-neuf ans d'existence.

— Bon, conclut-il. Revenons-en à Mrs. Stimson. Vous la croyez possédée ?

— Peut-être. Elle en montre certains signes.

— Par exemple ?

— La haine farouche. Le langage ordurier. Mais il n'existe pas de signes bien précis. Parfois – en surface, du moins –, ils s'expriment joliment, ils témoignent de l'amour aux autres... et on a la puce à l'oreille pour d'autres motifs, par exemple ils se mettent à se comporter bizarrement, ils entendent des voix qui leur disent de se tuer. Mais tout cela ne prouve rien. Simplement, ça vous met sur la piste.

— Et Mr. Stimson ? Je sais bien que vous ne pouvez pas vous prononcer. Vous ne l'avez pas vu vivant, comme moi hier après-midi. Mais je l'ai trouvé aussi malveillant que sa femme, bien que de manière très différente. Il ne criait pas, il ne jurait pas. C'était autre chose. Il était onctueux. Si je l'avais laissé faire, il m'aurait graissé la patte. En fait, je crois que s'il avait pu agir impunément, il m'aurait tué.

— Je vois le genre, répondit Mitchell en lui laissant entendre qu'il avait déjà rencontré de pareils hommes. C'est le genre éminence grise. Oui, devant ces gens-là j'ai parfois eu l'impression que Satan n'était pas loin.

— Mais lui, il était possédé ? insista Petri.

— Peut-être.

Sa patience nouvellement acquise lui fit tout à coup défaut.

— Peut-être, peut-être, peut-être ! singea-t-il. Vous n'avez que ce mot à la bouche.

Mitchell sourit. Il n'était pas vexé.

— Il faut que je vous explique quelque chose, chef, fit-il avec douceur. La seule occasion qui m'a été donnée de voir des démons de mes yeux, c'étaient ces exorcismes, quand nous ne nous trompions *pas du tout* d'ennemi. C'est là le but de l'exorcisme : chasser les démons. Mais jusqu'à ce qu'on l'ait pratiqué, on ne peut pas être sûr qu'ils soient véritablement là.

— Et Mrs. Stimson ? Vous pourriez le lui faire subir, à elle ?

— C'est ce qui me reste encore à vous expliquer, répondit le sergent. Les seuls exorcismes auxquels j'aie assisté ont été pratiqués sur des gens qui voulaient guérir — assez pour nous laisser faire. Peut-être le Seigneur peut-il pratiquer des exorcismes sur des gens qui n'en veulent pas, mais je ne crois pas que vous et moi puissions le faire. Or, je n'ai pas eu l'impression que la veille dame ait envie de guérir. À mon avis, en matière d'exorcisme, dans son cas on n'ira jamais plus loin que le docteur Kolnietz hier.

Enfin Petri comprit.

— Vous voulez dire que même si elle est encore en vie, on ne saura jamais si elle est possédée.

— C'est ça, chef, acquiesça Mitchell. Il est probable qu'on ne le saura jamais, en effet.

Une sonnerie désagréable retentit du côté du bureau dressé devant la porte de communication.

— Le juge Michelwicz est rentré, déclara la secrétaire. Il va vous recevoir.

D'habitude, en sortant du réfectoire, Georgia serait allée tout droit dans sa chambre, mais cette fois-ci Peggy l'intercepta.

— Salut ! lança-t-elle gaiement. Mrs. Grochowski aimerait que vous veniez la voir dès que vous aurez un moment.

Deuxième convocation, songea la vieille dame. Espérons que ce sera plus agréable que la dernière fois. Mais il s'était passé tant de choses depuis !

Effectivement, Mrs. Grochowski était tout sourire.

— Ce n'était pas la peine de venir aussi vite, dit-elle, mais je suis tout de même contente de vous voir. Asseyez-vous, Georgia. Vous avez dû apprendre qu'on a la solution du meurtre.

— Bien sûr. Vous savez comme les nouvelles se répandent vite ici. À vrai dire, je m'en doutais depuis qu'on a transféré Mrs. Kubrick dans votre chambre et qu'on a posté un garde devant la porte de Rachel Stimson.

— Cela vous a étonnée ?

— Je n'avais pas pensé à elle. Mais maintenant que je sais, non, cela ne m'étonne pas. Je ne lui ai parlé qu'une seule fois, mais elle s'est montrée très grossière. Ce n'est pas quelqu'un de très gentil, dirons-nous.

— Non, en effet. (Mrs. Grochowski dévisagea attentivement sa visiteuse.) Georgia, j'ai des raisons de croire que vous êtes pour quelque chose dans l'issue de cette enquête. Qu'avez-vous fait ?

— Rien de plus que ce que vous m'aviez demandé. J'ai juste fait appeler l'inspecteur, et je lui ai expliqué que je ne lui avais pas brossé un tableau complet de la situation. Je l'ai lancé sur quelques pistes et, à partir de là, il s'est débrouillé tout seul.

— Cela a dû vous demander pas mal de réflexion.

— Non, pas tant que ça.

— C'est amusant de réfléchir, une fois qu'on est lancé, vous ne trouvez pas ?

Georgia hésita.

— Ma foi, oui et non. J'ai toujours réfléchi, mais seulement aux choses qui m'intéressaient. Peut-être qu'on ne peut pas vraiment

327

appeler ça réfléchir. Alors, je ne suis pas sûre que ce soit si amusant. Parce que cela implique de penser à des choses auxquelles on ne veut pas penser.

Mrs. Grochowski émit un gloussement.

— Ça oui. Mais au bout d'un moment, on prend le pli, et réfléchir devient un pari. Mais un pari enthousiasmant. Quelles sont ces choses auxquelles vous ne vouliez pas penser ?

— Mon âge, par exemple. Je refusais de le regarder en face.

— Mais de toute évidence, c'est fini maintenant. Dites-moi, Georgia. (Là, Mrs. Grochowski fixa sur elle un regard pénétrant.) Êtes-vous à présent capable de penser à *toutes sortes de choses* ?

— Comment voulez-vous que je réponde à ça ? Enfin quoi, il y a peut-être des choses dont je n'ai même pas conscience, justement parce que j'évite d'y penser.

— Pas bête, Georgia, pas bête. Alors laissez-moi vous poser une autre question : s'il existait une chose dont vous n'ayez pas conscience, et que je vous demande d'y réfléchir, est-ce que vous le feriez ?

Pourquoi toutes ces questions ? se demanda Georgia. Néanmoins, il ne lui fallut que quelques secondes pour répondre.

— Oui, je le ferais. Pour moi vous êtes une espèce de professeur.

Mrs. Grochowski rayonnait.

— Alors je vous en prie, appelez-moi Marion. Vous vous rendez compte que vous ne m'avez jamais appelée par mon prénom ! On dirait que vous avez un peu peur de moi. Mais maintenant que vous savez réfléchir et que vous êtes disposée à réfléchir sur tout, plus besoin d'avoir peur, n'est-ce pas ?

— Peut-être, sourit Georgia.

— Et maintenant que vous n'avez plus peur de moi — et que, j'espère, je ne vous impressionne plus autant —, je suis libre de vous faire une proposition, Georgia, puisque vous êtes libre de la décliner. Comme vous le disiez tout à l'heure, on a provisoirement installé Carol Kubrick chez moi. On ne peut pas dire qu'elle soit très distrayante, comme camarade de chambre. Alors je me suis demandé si vous accepteriez de prendre sa suite. Mais avant de répondre, je vous en prie, réfléchissez. Par exemple, je sais que vous avez un lit près de la fenêtre et que vous y tenez. Toute personne sensée voudrait un lit près de la fenêtre, y compris moi. En réalité, du fait que je ne peux pas bouger de ce lit, dans mon cas il *faut* que je sois près de la fenêtre. Mon âme en a besoin. Aussi, si vous emménagiez dans ma chambre, il faudrait y renoncer.

Georgia réfléchit intensément. Elle ne voulait pas y renoncer. Ce serait un grand sacrifice. Mais pourquoi fait-on des sacrifices si ce n'est pour accéder à quelque chose de mieux ? Au fond, tout bon sacrifice n'est-il pas un peu égoïste ? Et puis, il existait plusieurs sortes de fenêtre, comme elle commençait à le comprendre : il y avait des fenêtres qui donnaient sur l'intérieur de soi aussi bien que sur le monde extérieur.

– Je dois avouer que vous m'impressionnez encore un peu, Marion, répondit-elle enfin. Mais je serais heureuse et flattée de partager une chambre avec vous.

– Parfait. L'affaire est donc réglée ! s'exclama Mrs. Grochowski. Allez donc en informer Peggy et lui demander de prendre les dispositions nécessaires.

Ravie par la marque d'approbation dont elle venait de se voir gratifier, Georgia faillit bondit hors de la chambre.

Mrs. Grochowski aussi était ravie. Visiblement, Georgia changeait bel et bien. Par ailleurs, la présence d'une autre femme dans sa chambre, surtout une femme lucide et vigoureuse comme elle, lui procurerait une certaine sécurité. Si ses prévisions étaient exactes, Roberta McAdams ne tarderait pas à venir la voir. Mrs. Grochowski ne savait pas très bien comment se déroulerait cette visite déplaisante, mais prévoyait toutefois qu'après, elle aurait très probablement besoin de toutes les mesures de protection possibles et imaginables.

Pour la première fois de sa vie, Petri comprenait pleinement l'expression « passer par des hauts et des bas ». La veille au soir, il avait atteint des sommets : toutes les pièces du puzzle s'emboîtaient parfaitement, il se sentait exalté, les félicitations du chef et les siennes propres lui étaient montées à la tête. Puis, après une nuit de sommeil, il avait touché le fond : on aurait dit que le puzzle s'était défait, ou plutôt qu'il venait de trouver d'autres pièces et qu'il fallait tout recommencer. Mais il n'y avait pas que les hauts et les bas ; il avait également suivi une trajectoire circulaire qui l'avait entraîné dans tous les coins de la ville. D'abord à l'hôpital, puis chez le juge, puis chez les Stimson pour interroger la femme de ménage, et enfin à la morgue pour consulter le médecin légiste. Mitchell avait faim. Il l'avait laissé partir. Lui-même ne se sentait aucun appétit. Lorsqu'il arriva enfin à Willow Glen pour prévenir Mrs. Simonton, il était quatre heures et demie.

— Apparemment, c'est un accident, lui dit-il une fois qu'il eut pris place dans son bureau. Il semble qu'il soit tombé dans l'escalier et se soit blessé à la tête. La porte était verrouillée ; la femme de ménage est entrée avec sa clef et l'a trouvé au pied des marches. Fracture du crâne sans enfoncement. Rien n'indique que sa tête ait heurté autre chose que le plancher. Le bord de la fracture a provoqué la rupture d'une artère, entraînant ce qu'on appelle un hématome épidural. Il a certainement perdu conscience sous le choc ; la mort par compression du cerveau suite à l'hématome est intervenue environ une heure plus tard. Le médecin légiste estime qu'il a dû tomber aux alentours d'une heure du matin, et qu'il a cessé de vivre vers deux heures, deux heures et demie.

Mrs. Simonton lui jeta un regard perçant.

— Vous n'avez pas l'air au sommet de la forme, inspecteur.

— En effet, reconnut Petri. Ça m'a donné un coup. Voyez-vous, l'après-midi précédent j'étais allé lui dire que j'avais fait mettre sa femme en état d'arrestation. Ça cause un choc de voir quelqu'un de vivant un après-midi et puis son cadavre le lendemain matin.

— Oui, je vois. Mais j'aurais cru qu'après vos années de service dans la police, vous seriez immunisé contre ce genre de choses.

— Toujours perspicace, hein ? fit-il en lui adressant un sourire triste. Vous avez raison, il y a autre chose. Quand je lui ai annoncé la nouvelle, il a violemment réagi. Mais ne croyez pas qu'il se soit fait du souci pour sa femme. Ce qui l'inquiétait, c'était que l'affaire paraisse dans les journaux. Il semblait absolument terrifié par cette éventualité. Il a même plus ou moins essayé de m'acheter pour que cela n'arrive pas. Autant dire qu'il ne m'a pas plu du tout.

— Moi non plus il ne me plaisait pas, je vous l'ai déjà dit.

— Il était tellement bouleversé que ma première réaction à l'annonce de sa mort a été de songer au suicide. On me dit que c'était un accident. Mais comment en être sûr ? Il avait deux grammes deux d'alcool dans le sang, mais les analyses ne révèlent la présence d'aucune autre substance, du moins pour l'instant. Mais deux grammes deux, c'est beaucoup. Il était ivre. Or, il ne m'a pas fait l'impression d'un grand buveur. Dans l'absolu, ce n'est peut-être pas un alcoolémie exagérée, mais pour un type de quatre-vingt-deux ans, c'est énorme.

— Continuez, inspecteur, pressa Mrs. Simonton.

Il finit par lui livrer ce qui le troublait réellement.

— Eh bien, j'ai comme l'impression que c'est moi qui suis responsable de sa mort. Pas vraiment coupable : pour moi c'était un vrai salaud, et ce que j'ai fait, j'étais obligé de le faire. Et puis, ils disent que c'est un accident. Mais moi, je suis sûr que si je n'étais pas allé lui parler hier, aujourd'hui il ne serait pas mort.

— C'est plausible. Mais je ne suis pas sûre de vous suivre quand vous dites que vous ne vous sentez pas « vraiment coupable ». Dois-je comprendre que vous ressentez une « fausse culpabilité » ?

Petri réussit tant bien que mal à renouveler son pauvre sourire.

— Vous savez bien, cette espèce de culpabilité — que je ne sais pas décrire — qu'on éprouve quand on sait qu'on a causé la mort de quelqu'un sans que personne puisse vous le reprocher vraiment d'un point de vue éthique.

— Je comprends, fit Mrs. Simonton d'un ton compatissant. Vous ne méritez pas de vous sentir coupable, mais vous ne pouvez pas vous en empêcher parce que vous êtes un homme responsable.

— Et de toute façon, la thèse de l'accident ne me satisfait pas. Sans doute est-il tombé dans l'escalier parce qu'il avait trop bu. Mais pourquoi avait-il bu autant ? Pour noyer sa terreur de voir l'affaire s'étaler dans les journaux ? Ou bien a-t-il eu tellement peur qu'il a voulu mourir ? J'avais l'impression d'être en face d'un rat acculé dans un coin.

— Beaucoup de gens meurent quand la vie les accule dans un coin dont ils ne peuvent s'échapper autrement.

— Mais c'était un accident, ou un suicide ?

Il en revenait toujours là.

— Ah, lieutenant, vous voudriez encore que les choses soient toujours soit noires, soit blanches ! Peut-être que dans certains cas, on ne peut pas distinguer un décès accidentel d'un suicide. En fait, il est parfois aussi difficile d'exclure le suicide dans certaines morts naturelles.

— Que voulez-vous dire ?

— Vous avez déjà rencontré ce problème à propos de Heather. L'idée qu'on puisse attendre qu'elle soit de garde pour mourir vous était totalement étrangère. Êtes-vous à présent capable d'accepter que l'heure de la mort — la mort naturelle — puisse être une question de choix ?

— Peut-être, oui, admit Petri à contrecœur.

Mrs. Simonton eut un petit rire.

— Mais sans enthousiasme, je vois ! Si vous partez du principe que les gens peuvent choisir *l'heure* de leur mort naturelle c'est que, d'une certaine façon, ils choisissent de mourir.

— Je ne comprends toujours pas.

— La vie nous use, lieutenant. On se fatigue, et pour finir, on se dispose à abandonner la lutte. Vient un moment où l'on a plus envie de mourir que de vivre, et ce moment-là est un moment décisif.

— Le vieux Stimson ne m'a certainement pas paru disposé à abandonner, quand je l'ai vu hier après-midi.

— Laissez-moi vous expliquer encore une fois, insista Mrs. Simonton. La vie commence très tôt à user certains d'entre nous. Pour d'autres, le processus est très progressif, très lent. Pour d'autres encore, cela arrive d'un seul coup. Peut-être peut-on avancer que la vie a brusquement pris Mr. Stimson au piège — à moins qu'il ne se soit pris à son propre piège à travers son besoin de respectabilité. Tout dépend de notre manière de voir les choses. C'est rarement simple. Mais visiblement, dans le cas de Stimson, la nuit dernière la vie l'a tout à coup usé à mort.

À ce moment-là, la lumière se fit dans l'esprit de Petri. Il n'aurait su traduire en mots ce qu'il venait de comprendre. C'était plutôt comme une porte qui s'ouvre. En esprit, il venait de pénétrer d'un bond dans un territoire nouveau, un territoire dont il ne possédait pas la carte et auquel il ne pouvait encore donner de nom. Mais c'était un lieu baigné d'une espèce de lumière qui lui faisait du bien. Beaucoup de bien.

— Nom de nom ! fit-il. Je crois que j'y suis. Merci.

Il y eut un long silence pas désagréable. Puis Petri se mit à rire de bon cœur. Mrs. Simonton resta confondue devant le spectacle de cette gaieté inaccoutumée chez lui.

— Qu'est-ce qu'il y a de si drôle ?

— Autrefois j'avais un mentor, un vieux détective, quand j'étais dans la police new-yorkaise. Un vieux renard, celui-là. Quand il disait quelque chose, ça paraissait toujours logique. Mais il me lançait de temps en temps une citation — je crois qu'elle est du juge Oliver Wendell Holmes — dont le sens m'échappait complètement. Eh bien, je crois que finalement, je viens de la comprendre.

— Qu'est-ce que c'était ?

— Si je me souviens bien, ce vieux juge disait : « Je me soucie comme d'une guigne de la simplicité de ce côté-ci de la complexité, mais je mourrais pour la simplicité de l'autre côté de la complexité. »

Mrs. Simonton rit à son tour.

— Vous avez raison. Je crois que vous avez compris.

Mais le moment de gaieté était passé.

— Il faut que je mette Mrs. Stimson au courant maintenant, fit Petri d'un air maussade. Si vous vouliez bien m'accompagner, ce ne serait pas de refus.

— Entendu.

— Vous croyez qu'elle sera soulagée ? Difficile d'être soulagé quand on est accusé de meurtre. En tout cas, moi je me sentirais soulagé de ne plus avoir à supporter ce type. Mais Dieu sait ce qui se passe dans sa tête. C'est une démente.

Puis il se rappela ce qu'avait dit le docteur Kolnietz : la plupart des psychiatres la jugeraient sans doute saine d'esprit.

— Enfin, j'ignore si elle est folle ou non, reprit-il. Tout dépend du point de vue selon lequel on se place. Encore un domaine ou les choses ne sont pas ou toutes noires, ou toutes blanches, c'est ça ?

— Vous faites des progrès, lieutenant. De sacrés progrès.

— J'essaie. Ou plutôt, on m'y oblige. Mais vous, qu'en pensez-vous ? Vous croyez qu'elle sera soulagée ?

— Je suis bien trop futée pour me risquer à formuler une hypothèse, répondit-elle tandis qu'ils se préparaient à gagner l'Aile C. Vous avez raison de dire que certaines personnes sont soulagées à la mort du conjoint, car celle-ci les libère d'un joug épouvantable. L'événement peut leur donner une chance de revivre. Mais d'autres s'épanouissent au sein d'un mariage raté.

— Comment aurait-elle pu s'épanouir au côté d'un type pareil ?

— Elle a tout de même quatre-vingt-deux ans, non ? fit Mrs. Simonton sans s'arrêter. Ça ne l'a pas empêchée d'atteindre un âge avancé. À mon avis, votre ami Kolnietz vous dirait que parfois, les pires alliances sont aussi les plus stables. Il y a des époux dont les psychopathologies s'entendent comme deux doigts de la main. Ils s'assassinent mutuellement tous les jours que Dieu fait, mais on aurait beau faire, on n'arriverait pas à les séparer. Je ne sais si Rachel considérera la mort de son mari comme libératrice ou si elle la ressentira comme un arrachement. Elle réagira peut-être d'une troisième manière, qui sait ?

Ils saluèrent d'un hochement de tête le policier en uniforme posté devant la porte et entrèrent dans la chambre de Mrs. Stimson.

— J'ai de mauvaises nouvelles pour vous, Rachel, commença Mrs. Simonton. (Elle s'exprimait d'un ton neutre, mais Petri crut déceler une certaine compassion sous-jacente.) Votre mari est décédé la nuit dernière. Il est tombé dans l'escalier, chez lui. Il s'est blessé à la tête. Pour autant qu'on puisse se prononcer, il a immédiatement perdu connaissance ; il n'a donc pas souffert.

Petri s'était attendu à ce que Rachel observe son silence habituel. Mais elle n'avait pas fini de l'étonner.

— Vous mentez, lança-t-elle d'un ton venimeux. J'ignore pourquoi, mais je suis sûre que vous mentez. Il n'est pas mort.

— J'ai bien peur que si, Rachel, répondit Mrs. Simonton.

— Mais non. Il n'est pas mort. Ce sale con sera là samedi soir pour me voir. Il vient toujours me voir le samedi soir.

— Il est mort, Rachel. Il ne viendra pas samedi.

— Mais si. Il sera là samedi soir. Il a intérêt. Il n'oserait pas ne pas venir. Je le connais. Il viendra.

Mrs. Simonton ayant essuyé le plus gros des plâtres, Petri se sentit le devoir de venir à la rescousse.

— Mrs. Stimson, intervint-il. Comme vous vous en souvenez peut-être, je suis de la police. C'est mon travail de faire la lumière sur les décès, et même de m'assurer qu'ils se sont effectivement produits. Je me suis entretenu avec votre mari hier après-midi, et il était bien vivant. Ce matin je l'ai vu à l'hôpital, et il était mort. Ensuite j'ai revu son cadavre à la morgue. Je sais bien que ce n'est pas facile à entendre, mais je vous assure, Mrs. Stimson, que votre mari est décédé. Il est mort.

— HORS D'ICI, SALAUDS DE MENTEURS ! hurla Rachel. DEHORS ! DEHORS ! SORTEZ IMMÉDIATEMENT OU JE VOUS L'ARRACHE, VOTRE PUTAIN DE CERVELLE !

Il ne leur resta plus qu'à s'en aller.

Lorsqu'ils se retrouvèrent dans le bureau de Mrs. Simonton, ils se sentirent aussi agressés, pour ainsi dire violés, que la veille après l'interrogatoire. Au bout d'un moment, la directrice rompit le silence hébété.

— À première vue, je pencherais plutôt pour la solution de l'arrachement, pas vous ?

Même s'il n'était pas disposé à l'admettre, Petri était trop perturbé pour reprendre la discussion philosophique sur la mort, le mariage, le mal et les différents types de relations, tout conscient qu'il fût que cette femme lui en avait décidément beaucoup appris. Il se rabattit sur le détail.

— Je crains d'avoir de mauvaises nouvelles pour nous deux, dit-il. Hier, j'ai demandé au juge de faire interner Mrs. Stimson en hôpital pénitentiaire, en observation jusqu'au procès. Il m'a répondu qu'il allait consulter les textes et qu'il me donnerait sa réponse aujourd'hui. Seulement aujourd'hui, il a fallu que je lui annonce la mort de son mari, et il paraît que ça change tout. On ne sait même pas s'ils avaient de la famille, on ne connaît pas leurs exécuteurs testamentaires. Il a fait interroger les avocats de la ville. On en saura sans doute davantage demain, mais d'ici là on est coincés. Vous ici avec elle, et nous avec nos maigres effectifs contraints de monter la garde jour et nuit devant sa porte. Le juge dit qu'il ne la fera pas interner tant qu'il n'aura pas une idée plus précise de la situation. Je vous tiendrai informée dès que je serai moi-même au courant.

— Entendu.

Petri prit brusquement conscience du calme qui régnait. Nul crépitement de machines à écrire de l'autre côté de la porte.

— Dites donc, à cinq heures il n'y a plus personne, ici, remarqua-t-il.

— Si vous parlez du Service administratif, c'est vrai, en effet. Mais pour Willow Glen, la réponse est non. Ici, la vie ne s'arrête jamais. Et la mort non plus, ajouta-t-elle.

Au diable la philosophie !

— Pour moi aussi il est temps de fermer, dit Petri en se levant. Vous parlez d'une journée !

Mrs. Simonton comprenait. Néanmoins, il lui restait quelque chose à faire, et elle le retint du geste.

— Finalement, j'ai de la sympathie vous vous, lieutenant. Vous êtes consciencieux. Vous êtes souple. Vous êtes ouvert. Mais il y a quelque chose qui m'ennuie chez vous. Hier encore vous étiez curieusement sans cœur. Vous aviez pratiquement accusé Heather de meurtre. Vous vous êtes montré impitoyable avec elle. Or, quand vous avez acquis la conviction que ce n'était pas elle, vous n'avez même pas pensé à l'informer qu'elle était hors de cause. Comment expliquez-vous cela ?

Petri voulait qu'on le laisse tranquille. Qu'elle lui fiche un peu la paix avec ça !

— Je le lui aurais probablement annoncé en temps voulu, protesta-t-il gauchement.

— Je n'en suis pas si sûre. Qu'avez-vous contre elle ?

— Mais rien !

— Mais si. Pensez-y, inspecteur.

Allez au diable, songea-t-il en rentrant chez lui au volant de sa voiture. « Pensez-y », avait-elle dit. Il eut beau faire, pas moyen de s'en empêcher. Il y pensa toute la soirée, jusqu'à ce qu'il s'endorme. Il fallait avouer qu'elle n'avait pas tout à fait tort. Cette Heather Barsten, il lui avait drôlement collé au train. Il s'était trop concentré sur elle.

Même quand on le lui avait fait remarquer, il avait eu du mal à abandonner cette piste. Et maintenant qu'il la savait innocente, comme disait Mrs. Simonton, il ne tenait plus aucun compte d'elle. Il y avait du vrai là-dedans. On aurait dit que depuis le début il en avait après elle. Pourquoi ? Maudite Simonton ! Pourquoi en avait-il après Barsten ? Il ne l'avait pas fait consciemment. Mais il semblait bien qu'il eût effectivement quelque chose contre elle. Quoi ? Ce dragon femelle ne pouvait-il donc pas le laisser un peu tranquille ? La journée avait déjà été bien assez difficile, et la soirée s'annonçait encore pis.

CHAPITRE SEIZE

Vendredi 1ᵉʳ avril

Le rêve revint. Petri avait vaguement conscience d'éprouver la même exaspération, qui s'achèverait encore une fois dans une explosion de rage, d'horreur et de honte.

Dans son rêve, il venait d'appliquer le dernier coup de pinceau dans son salon, désormais parfaitement propre, immaculé. Alors il se retournait et apercevait sur le mur la même tache noire. Il allait la recouvrir de peinture. Il replaçait le couvercle sur le pot et se redressait. La tache était toujours là. La même matière visqueuse, vert foncé, recommençait à suinter. Il s'attaquait au mur, arrachait des plaques de plâtre entières. Il défonçait les planches, atteignait l'isolant dans un effort désespéré pour parvenir à la source de l'infecte infiltration.

Seulement cette fois-ci, il déboucha de l'autre côté du mur. Il élargit l'ouverture afin de pénétrer dans la pièce adjacente. Elle était exiguë. Le plancher était recouvert de vieux lino poisseux. On ne voyait rien d'autre qu'un petit bac à douche de conception ancienne reposant à quelques centimètres du revêtement immonde sur quatre courts pieds de porcelaine crasseux.

Il s'éveilla.

La fin du rêve était différente ; l'impression qu'il en gardait aussi. Nulle rage, nulle terreur. Mais toujours la honte, cette fois-ci teintée d'un extraordinaire sentiment de profonde tristesse. Au nom du ciel, que se passait-il donc dans sa tête ? Petri savait que ce rêve signifiait quelque chose, mais aussi qu'avec lui, il venait de franchir une étape. Certes, il était passé de l'autre côté du mur. Mais pourquoi cette drôle de petite pièce ? Que voulait donc dire la douche ?

Et puis brusquement, tout lui revint.

Baigné de sueur, il consulta son réveil. Il n'était que quatre heures. Il ne pouvait tout de même pas appeler Kolnietz à cette heure-ci. Était-ce une urgence ? Apparemment, oui. Mais le psychiatre ne méritait pas ça. Mieux valait attendre encore trois ou quatre heures. Mon Dieu, comment attendre tout ce temps ?

En sortant de chez Mrs. Grochowski, Heather alla rendre visite à Georgia.

— Mes trois jours de congés sont finis. Je suis de retour, annonça-t-elle.

Georgia se sentait excitée comme une jeune fille, ou presque.

— Et Dieu sait qu'il s'en est passé des choses, en trois jours ! s'exclama-t-elle.

— C'est ce qu'on m'a dit.

— Heather, je suis vraiment désolée de vous avoir mise dans le pétrin. Je n'avais aucune raison de dévoiler votre vie privée devant cet inspecteur.

— Je ne vous en ai même pas tenu rigueur sur le moment, répondit Heather. D'ailleurs, Mrs. G. m'a dit que vous vous étiez plus que rattrapée. Elle m'a également appris que vous alliez partager une chambre, toutes les deux.

— En effet. Qui aurait cru qu'une femme aussi intelligente voudrait habiter avec une vieille écervelée dans mon genre ?

— Après déjeuner, je vous enverrai Peggy pour commencer le déménagement. Peut-être pourrai-je vous donner un coup de main moi-même.

Heather regarda autour d'elle afin d'évaluer l'ampleur de la tâche. Elle nota que la photo de la jeune fille à la balançoire avait été remplacée sur la coiffeuse par un portrait de Kenneth et Marlène, mais ne fit pas de commentaire. Elle pensait à Peggy. Mrs. Grochowski lui avait aussi parlé des relations qui commençaient à se nouer entre elle et la jeune aide soignante. L'espace d'une seconde, Heather en avait voulu à Peggy ; en réalité, elle était jalouse. Allait-on bientôt pouvoir se passer d'elle ? Mais ces sentiments cédèrent aussitôt la place à cette étrange passivité, cette sensation de vide qui l'envahissaient depuis deux jours. Bon, et alors ? Tant mieux pour Peggy. Et qu'est-ce qu'elle en avait à faire si on pouvait se passer d'elle ? Qu'est-ce qu'elle en avait à faire de *tout* ? Elle ne savait absolument plus ce qu'elle était censée faire et être. Elle attendait de le découvrir.

Georgia remarqua son air absent.

— Qu'est-ce qui se passe ? On dirait que vous n'êtes plus la même.

— Je ne sais pas, répondit Heather. Je ne sais pas du tout.

À dix heures précises, Ms. McAdams entra d'un pas décidé dans la chambre de Mrs. Grochowski, armée de sa planchette et prête à entreprendre son sondage bimensuel.

— Alors, comment allons-nous aujourd'hui ? s'enquit-elle.

C'était le moment que Mrs. Grochowski redoutait depuis des jours.

— Je vais très bien, Roberta, répondit-elle.

Ms. McAdams fut surprise. C'était la première fois qu'un malade l'appelait par son prénom. Mais elle dissimula son étonnement en cochant consciencieusement une case sur sa liste.

— Avez-vous à vous plaindre du personnel ? fit-elle en passant à la question suivante.

— Figurez-vous que oui.

C'était également la première fois qu'elle entendait Mrs. Grochowski se plaindre de qui ou de quoi que ce soit. Décidément, il se passait quelque chose. Encore une fois, elle fit comme si de rien n'était.

— Ah bon ? De qui s'agit-il au juste ?

— De vous.

— De *moi* ?

— Mais oui, de vous, Roberta.

McAdams ne savait pas ce qui l'attendait, mais comprit instinctivement que ce serait plus que pénible. Toutefois, elle était la reine de la maîtrise de soi ; elle se montra froide, aussi froide que les circonstances pourraient l'exiger.

— Et quelle est — ou quelles sont les récriminations que vous avez à formuler à mon encontre ?

— Vous n'êtes pas affectueuse, Roberta. Vous vous tenez toujours à distance.

— Mon principe est que le personnel ne doit pas témoigner d'affection aux malades.

— Tiens donc ! Et pourquoi ?

— On travaille plus efficacement quand on ne mélange pas les genres.

— Roberta, nos routes se croisent régulièrement depuis que vous travaillez ici, ce qui fait maintenant quatre ans. Vous ne croyez pas qu'il serait temps de me traiter comme un être humain ?

— Je vous respecte en tant qu'être humain.

— Vous ne m'en donnez pas l'impression. (Stupéfaite par l'opacité de cette jeune femme, Mrs. Grochowski la dévisagea attentivement.) Qui êtes-vous, Roberta ? Je sais que ce n'est pas facile, pour vous. Mais si vous me révélez quoi que ce soit sur vous qui me donne l'assurance que vous êtes humaine, je vous laisserai tranquille. S'il vous plaît. Cela me met très mal à l'aise de ne pas savoir si vous êtes ou non un robot.

— Je vous ai dit que je ne croyais pas à la familiarité entre les malades et le personnel, répondit Ms. McAdams en tournant les talons.

Mais Mrs. Grochowski la figea sur place.

— Vous n'êtes même pas arrivée au bas de la liste, Roberta. Vous faites preuve de négligence dans l'exercice de vos fonctions. Qu'est-ce qui vous fait peur à ce point ?

La jeune femme ne put supporter cette provocation. Peur, elle ? Elle se retourna et regarda dans les yeux la vieille dame clouée dans son lit d'hôpital.

— Que voulez-vous savoir, au juste ?

— N'importe quoi. Tout ce que vous voudrez du moment que j'ai la preuve que vous avez une âme.

L'autre ne répondit pas. Elles se dévisagèrent une minute entière, l'une debout et pleine de vigueur, l'autre paralysée et impuissante.

— Où allez-vous, Roberta ? s'enquit finalement la malade. Vers le sud, Saint Louis, ou le nord, Minneapolis ?

— Je ne sais pas de quoi vous voulez parler.

— Où allez-vous chercher votre plaisir ? Si vous êtes un être humain, vous devez avoir une vie sexuelle. Alors, où ? Vous êtes trop secrète pour faire ça ici, à New Warsaw. Où allez-vous ?

Mrs. Grochowski crut lire de la peur dans ses yeux, mais n'aurait pu en jurer. Elle n'était même pas sûre d'être tombée juste.

— Pourquoi vous me faites ça à moi ? demanda Ms. McAdams.

— Il est parfois très difficile, pour quelqu'un comme moi, de ne rien pouvoir faire. Par exemple d'être ici, dans cette chambre vide, en sachant qu'un meurtrier rôde dans les parages. Tout ce que je pouvais faire, c'était me demander de qui il s'agissait et si j'étais la prochaine sur sa liste. Et en réfléchissant, je me suis dit que c'était probablement vous, Roberta.

— Mais maintenant, vous savez bien que ce n'est pas vrai. Vous savez que c'était Mrs. Stimson.

— Oui, c'était sans doute elle. J'aurais dû me pencher un peu plus sur son cas. J'ai bien essayé d'éprouver du remords pour vous avoir méjugée, Roberta. Mais vous savez, je n'ai pas pu. Je n'ai pas pu parce que je ne peux pas me débarrasser d'un doute. Oui, c'était probablement Mrs. Stimson. Mais vous aussi vous haïssiez Stephen, non ? Et même quand je me persuade que la coupable est bien Rachel Stimson, je ne peux pas m'empêcher de m'inquiéter à votre sujet. Je m'inquiète de ce que vous ferez peut-être un jour. Et j'ai ressenti le besoin de faire tout ce qui était en mon pouvoir pour me protéger et protéger les autres.

Que signifie son expression ? se demanda Mrs. Grochowski. Si elle avait cru déceler de la peur, celle-ci avait à présent disparu. Ce qu'elle avait maintenant sous les yeux, c'était un sourire dédaigneux, presque narquois. Puis la jeune femme répondit d'une voix curieusement plate, calme :

— Je ne vois pas pourquoi je supporterais les divagations ridicules d'une femme au cerveau dérangé.

— En effet, vous n'y êtes pas obligée, répondit Mrs. Grochowski sans se laisser surprendre par son fiel. Vous pouvez me planter là quand vous voulez. Mais vous ne pouvez pas me chasser de vos pensées. Vous êtes tenue de revenir deux fois par mois me soumettre vos questions, non ? Et même si vous décidez de me rayer de votre liste, vous l'aurez sur la conscience ; vous aurez conscience de mon existence. Vous n'avez aucun moyen de m'éviter. Vous vivrez constamment dans l'idée que quelqu'un ici sait quel genre de personne vous êtes.

Le sourire arrogant s'accentua. On aurait presque pu croire qu'il s'agissait d'un jeu auquel Ms. McAdams commençait à prendre goût.

— Et à votre avis, que vais-je faire de cette idée ? s'enquit-elle.

— Pour moi, trois possibilités s'offrent à vous, Roberta. La première – celle pour laquelle vous opterez, j'espère –, c'est de vous faire aider. Le docteur Kolnietz est un excellent psychiatre. Mais vous pouvez aller ailleurs, voir quelqu'un d'autre si vous le désirez. Je vous en prie, faites-le. Faites-vous aider. Tout le monde peut guérir, du moment qu'on le souhaite assez fort.

Son expression ne changea pas.

— Et les deux autres possibilités, quelles sont-elles, s'il vous plaît ?

— Vous pouvez quitter la ville dans l'espoir de m'échapper. Ou me tuer pour vous débarrasser de moi. Mais, Roberta...

— Oui ?

— Je ne suis pas stupide au point de risquer ma vie plus que nécessaire. Certaines personnes savent que s'il m'arrive quelque chose, elles devront penser immédiatement à vous.

Ms. McAdams baissa les yeux sur le dernier article de sa liste.

— Avez-vous une demande à formuler ?

— Oui. Je vous en prie, faites-vous aider, Roberta.

Ms. McAdams fit volte-face et sortit à grands pas.

Les chances de réussite sont maigres, songea distraitement Mrs. Grochowski une fois qu'elle fut partie. Et si Roberta McAdams changeait de ville, de région, qu'est-ce qui se passerait ? Elle déplacerait son problème, voilà tout. Enfin, peut-être aurait-elle contribué à retarder l'échéance. Seigneur, se dit-elle, j'espère que j'ai bien fait ce qu'il fallait.

Kolnietz ne résista pas à l'envie de se livrer à sa plaisanterie habituelle. Les pied sur son bureau, entre deux bouchées de sandwich, il déclara :

— Il faut cesser de nous voir dans ce genre de circonstances, inspecteur.

Néanmoins, Petri n'était pas d'humeur à plaisanter.

— Désolé de vous bloquer encore une fois à l'heure du déjeuner. J'aurais sans doute dû vous dire au téléphone que ma visite n'avait rien à voir avec l'enquête. Cette fois-ci c'est personnel. Je vous réglerai vos honoraires. Mais j'étais désespéré. Il fallait absolument que je vous voie. Que je vous parle.

Kolnietz ôta les pieds de son bureau en s'efforçant de dissimuler sa surprise. Pour une raison qu'il ignorait Petri venait d'endosser le rôle de client, condition à ses yeux plus honorable que celle d'officier de police. Il avait dû lui falloir bien du courage, et la démarche méritait le plus grand respect.

— Dites-moi ce qui se passe.

Petri lui rapporta son rêve récurrent, y compris la scène nouvelle par laquelle il s'était conclu le matin même.

— Je me suis demandé à quoi correspondait le bac à douche, et tout à coup je m'en suis souvenu.

— Continuez.

— Je suis fils unique. Mon père nous a quittés peu après ma naissance. Je n'ai aucun souvenir de lui. Ma mère ne s'est jamais remariée. Elle n'est même jamais sortie avec d'autres hommes. Je crois que j'ai servi de solution de remplacement. Elle était folle de moi. Excessivement.

Petri semblait s'exprimer d'une voix normale, mais Kolnietz y percevait tout de même une tension. Ce qu'il s'apprêtait à dire ne serait certainement pas facile.

— Ne vous arrêtez pas, le pressa-t-il doucement.

— Le bac à douche de mon rêve était le même que celui du petit appartement minable où j'ai grandi, à Newark, dans le New Jersey. Quand j'étais petit, ma mère aimait me baigner. Je ne sais pas quel âge j'avais quand ça a commencé. Aussi loin que remontent mes souvenirs, ça a toujours été comme ça. Bref, quand elle avait fini de me laver, elle me séchait. Puis elle m'asseyait sur le rebord du bac, s'agenouillait par terre, prenait mon pénis dans sa bouche et suçait jusqu'à ce que j'entre en érection.

À présent Petri rougissait.

— Continuez comme ça, dit Kolnietz. Vous vous en sortez très bien.

— J'aimais ça. Je m'en souviens maintenant. J'aimais beaucoup ça. Ça me faisait du bien. Pourtant, j'avais toujours la vague impression de faire quelque chose de mal. J'attendais ce moment avec impatience, mais en même temps je me sentais honteux. Et puis un soir, je devais avoir douze ans — peut-être onze —, j'ai joui dans sa bouche. C'était mon tout premier orgasme. En un sens, c'était formidable. Mais je ne savais pas très bien ce qui m'arrivait, et j'étais aussi effrayé, dégoûté. Nous n'avons plus jamais recommencé. Je ne sais pas lequel de nous deux y a mis fin. Honnêtement, je ne m'en souviens pas.

— Je comprends, fit doucement Kolnietz.

— Il me semble que c'est juste après cela que je me suis mis à la détester. Je ne peux pas en jurer, mais je me rappelle qu'à partir de treize ans, non seulement je ne pouvais plus supporter qu'elle me touche, mais en plus je ne voulais même pas avoir affaire à elle. J'ai vécu avec elle dans ce même petit appartement jusqu'à vingt et un ans, mais je ne lui parlais que si je ne pouvais vraiment pas faire autrement. Pendant les trois ou quatre années qui ont suivi mon départ je revenais de temps en temps — pas pour la voir, mais parce que je ne savais pas où dormir ou que je n'avais pas d'argent pour manger. Depuis, je n'y suis plus jamais retourné. Je ne l'ai pas vue, je ne lui ai ni parlé ni écrit depuis quatre ans. Elle ne sait même pas où j'habite, et j'ignore si elle est encore en vie.

Il y eut un long silence. L'histoire était sortie, du moins dans les grandes lignes. Mais quel en était le sens ? Kolnietz se posa la question. Et quelle en était la meilleure interprétation ? Il décida de laisser pour l'instant son nouveau patient conduire de lui-même l'exploration.

— Donc, ce rêve vous a amené à vous remémorer une relation sexuelle avec votre mère que vous aviez oubliée, reprit-il d'un ton neutre.

— Eh bien, c'est drôle mais... je ne peux pas vraiment dire que je l'avais oubliée, répondit Petri. En quelque sorte, ça a toujours été là, dans ma tête, mais je n'y pensais jamais. Comme si c'était resté dans un recoin de mon esprit pendant quinze ou vingt ans sans que je la laisse en sortir. Ce n'est pas tellement que je l'avais oubliée ; disons plutôt que je ne voulais pas y penser.

— Excellent, le félicita Kolnietz. C'est une très bonne description du fonctionnement habituel de ces choses.

Petri s'enhardit.

— Mais même si je n'y pensais pas, je sens maintenant que cette histoire a largement influencé ma vie. Je suis pratiquement sûr que c'est à cause de cela que je me suis tant détaché de ma mère. Et pour cela aussi, peut-être, que je suis venu m'installer dans le Midwest : pour m'éloigner d'elle.

Nouveau silence prolongé. Manifestement, il y avait encore beaucoup de choses à examiner de ce côté-là, mais Petri n'y arriverait pas tout seul.

— Je me demande pourquoi vous avez fait ce rêve particulièrement révélateur à ce moment bien particulier de votre vie ? s'enquit Kolnietz.

— Moi aussi. Il y a sans doute un rapport avec le meurtre et avec Mrs. Stimson. Je crois qu'après ce qu'elle m'a fait, j'en suis venu à considérer ma mère comme représentant le mal. Et je l'ai certainement traitée en conséquence : comme une intouchable qui méritait un châtiment. Mais l'autre jour, quand vous avez forcé Mrs. Stimson à se montrer au grand jour, j'ai vu ce que c'était que le mal. Le vrai. La haine à l'état pur. Je crois que ma mère n'aurait pas dû me faire ça — je crois qu'elle m'a fait du mal —, mais je ne pense pas qu'elle soit réellement mauvaise. En fait, en faisant le tour du problème ce matin, je me suis rendu compte que ces quinze dernières années, je me suis montré drôlement mesquin avec elle. Pourtant, elle n'a jamais rien dit. Elle n'a jamais paru me renvoyer ma haine.

— Alors ?

— Alors il serait peut-être temps que je lui pardonne. Je veux dire... je ne sais absolument pas qui elle est. Si je lui parlais je ne l'aimerais peut-être pas, mais il y a des années que je ne lui ai pas parlé. Il me semble que je lui dois au moins d'essayer.

— Donc ?

— J'ai pensé lui écrire. Et selon la réponse qu'elle me fera, j'irai peut-être lui rendre visite cet été, pour essayer de savoir un peu qui elle est.

Kolnietz se sentit tout ému. En effet, Petri avait dû faire le tour du problème ce matin-là. Il avait déjà fait une grande partie du chemin. En tout cas, il était sur la bonne voie. Mais étant donné les circonstances, il semblait remarquablement à l'aise ; le psychiatre avait la désagréable impression que tout n'était pas dit.

— Je comprends que l'image de mal à l'état pur projetée par Mrs. Stimson ait remis en question celle de votre mère, dit-il. Et que votre rêve vous ait aidé à composer avec cette contradiction. Mais c'est mercredi que vous avez vu le mal en Mrs. Stimson. Je me demande pourquoi vous n'avez pas fait ce rêve cette nuit-là ? Pourquoi la nuit dernière ?

— Ça alors, je n'en sais rien du tout.

Bon, c'était peut-être vrai. Mais peut-être pas. La réponse était venue un peu trop vite. Il y avait quelque chose que Petri préférait éviter.

— Que s'est-il passé hier ? demanda Kolnietz.

— J'ai passé toute la journée à m'occuper du décès de Hubert Stimson. Vous êtes au courant ?

— Oui. Mrs. Simonton m'a annoncé la nouvelle par téléphone. Mais continuez, je vous en prie.

— Ma foi, il n'y a pas grand-chose à ajouter. Je suis allé voir le corps à l'hôpital. Ensuite, j'ai parlé à la personne qui l'a trouvé. Puis au juge. Puis au médecin légiste. Puis à Mrs. Simonton. Après, je suis allé l'annoncer à Mrs. Stimson.

— C'est tout ?

— Euh... Mrs. Simonton et moi avons bavardé un peu.

— De quoi avez-vous parlé ?

Brusquement, Petri rougit.

— Elle m'a reproché d'en avoir après Heather Barsten. Je me suis rendu compte qu'elle avait raison. Je me suis tellement empressé de l'accuser, j'ai eu tant de mal à y renoncer ensuite ! Je me suis demandé pourquoi toute la soirée, sans résultat.

— Votre rêve vous fournit-il une réponse ?

Petri avait toujours le feu aux joues.

— Je suppose que oui. Apparemment, cette histoire de fellation m'a drôlement marqué. Sans doute ai-je automatiquement considéré Ms. Barsten comme mauvaise à cause de ses relations sexuelles orales avec la victime, puisque je considérais ma mère comme mauvaise à cause de ce qu'elle m'avait fait à moi.

— Ça se tient, non ? commenta Kolnietz avec un sourire affable destiné à l'encourager.

— Nom de nom, à quoi nous pousse notre inconscient quand même ! remarqua Petri d'un air consterné. Comment puis-je prétendre faire un bon enquêteur si ce genre de chose se produit sans même que je m'en rende compte ?

— Mais vous prenez de plus en plus conscience de certaines choses, le rassura Kolnietz. Les préjugés graves sont toujours inconscients. Non seulement vous venez d'en surmonter un très grave, mais en plus vous savez maintenant que vous pouvez en avoir. Vous êtes bien parti pour vous améliorer. Je ne veux pas dire par là que vous ayez mal fait votre métier jusqu'à présent. Simplement, vous étiez humain. Et jeune. Mais vous venez de franchir une étape, c'est sûr.

Mais Petri continuait de s'acharner sur lui-même.

— Je n'ai pas fait que réagir en pudibond vertueux devant elle ; j'étais prêt à la sacrifier. Qu'est-ce qu'il faut faire maintenant, docteur ?

Kolnietz ne manqua pas de remarquer l'emploi de son titre.

— Que voulez-vous dire ?

— Vous voulez bien m'accepter comme client ?

— Pourquoi le devrais-je ?

— Eh bien, vous êtes sûrement très occupé, mais j'ai du respect pour vous et j'ai vraiment besoin d'une thérapie.

— Pourquoi avez-vous besoin d'une thérapie ?

Petri prit un air exaspéré.

— Pourquoi ? Mon Dieu, mais je viens de comprendre que j'avais été victime d'un inceste, que ma relation à ma mère en a énormément souffert, que cela a failli me conduire à commettre une faute professionnelle grave, et vous me demandez pourquoi j'ai besoin d'une thérapie !

346

Kolnietz replaça ses pieds sur son bureau et lui fit un grand sourire.

— Il me paraît extrêmement probable qu'il vous faille suivre une thérapie un jour, Tom. Et si je suis encore là — que ce soit dans une semaine, dans un an ou le siècle prochain —, je serais ravi de travailler avec vous. Mais vous ne m'avez rien dit qui prouve que vous ayez besoin de me consulter en ce moment.

— Ah bon ? fit Petri, stupéfait.

— Nous sommes tous dérangés, névrosés, mais quelques-uns d'entre nous ont la bonne fortune — peut-être faites-vous partie de ces rares élus — de pouvoir s'en sortir naturellement, sans appui extérieur. On entre en thérapie quand on n'avance plus, quand on est bloqué. C'est pour cela que Heather vient me voir : elle est bloquée. Cela vous est arrivé aussi, mais vous, vous vous êtes débloqué tout seul. Non seulement chez vous le processus de guérison est déjà entamé, mais en plus il paraît progresser à une allure extraordinairement rapide.

Curieusement, Petri se sentait déçu. Toute la matinée il s'était préparé à devoir entreprendre une cure à long terme. Ce verdict de bonne santé mentale, il le ressentait comme un abandon. Mais il devait bien reconnaître que le raisonnement du psychiatre se tenait. Effectivement, il avait l'impression d'avancer à grands pas.

— Comment se fait-il que je sois parmi les rares individus capables de s'en sortir par eux-mêmes ? s'enquit-il.

— Grand Dieu, Tom ! s'exclama Kolnietz. Encore une fois, nous ne détenons pas la réponse aux questions de ce genre ! Nous n'avons que de vagues intuitions. Par exemple, vous vous rappellerez peut-être m'avoir entendu dire que Heather n'était pas aimée de sa mère, que celle-ci la tenait pour une pas-grand-chose. Aussi est-elle bloquée par sa conviction de ne rien valoir du tout dans ses relations avec les hommes. Peut-être vous êtes-vous débloqué parce que votre mère vous aimait, elle — même si elle vous a réellement fait beaucoup de mal. Je l'ignore. Mais ce que je sais, jeune homme, c'est que mon heure de déjeuner est finie et que j'ai un autre patient qui m'attend. Je vous enverrai ma note. Et ne vous sentez pas rejeté. Si vous avez du mal à digérer tout ça — si vous pensez tout de même avoir besoin d'une thérapie —, appelez-moi quand vous voudrez. Même demain, s'il le faut. Ou la semaine prochaine. Dès que vous sentirez que vous n'avancez plus.

Kolnietz mentait. Il avait encore quatre minutes avant le patient suivant. Simplement, il désirait prendre le temps de savourer l'événement. C'était à cause de scènes comme celle-là qu'il continuait d'exercer. La plupart du temps, les gens refusaient d'avancer ; même ceux qui, comme Heather, avaient le courage de se faire soigner avançaient généralement à une allure d'escargot. Quel privilège de voir l'inconscient *réellement* à l'œuvre, de le voir produire un rêve pareil, quel privilège d'assister à un tel bond en avant, si rapide et si plein de grâce ! La danse classique avait toujours ennuyé Kolnietz, mais pour la première fois de sa vie il arriva à imaginer qu'on pût prendre plaisir à regarder un ballet.

Voyant débarquer Petri en fin d'après-midi, Mrs. Simonton ne fut pas fâchée de mettre un peu de côté sa paperasse. Elle lui jeta un rapide coup d'œil.

— Mais dites-moi, inspecteur... Vous avez bien meilleure mine qu'hier !

— C'est vrai, je me sens beaucoup mieux, admit-il, et c'est en partie votre faute.

— Ah bon ?

— Hier, vous n'avez pas cessé de me tarabuster sur les raisons de mon attitude envers Ms. Barsten. J'ai continué à y penser, et ce matin j'ai compris.

— Ah bon ?

— Je me suis aperçu que j'avais moi aussi quelques problèmes côté sexe.

— Ah bon ? fit encore Mrs. Simonton en haussant les sourcils pour la troisième fois.

— Le reste ne vous regarde pas, sourit Petri. J'ai abordé le problème avec le docteur Kolnietz, et il m'a fait une psychothérapie éclair. Mais je voulais vous remercier de m'y avoir poussé. Vous aviez raison. J'ai été injuste envers Ms. Barsten. Elle était devenue une obsession pour moi, mais c'est fini maintenant.

Mrs. Simonton songea à nouveau qu'elle commençait à vraiment apprécier ce jeune homme. Ainsi il était allé chercher de l'aide auprès de Kolnietz pour résoudre un problème personnel... Très malin.

— Je suis sûre que vous n'êtes pas venu jusqu'ici simplement pour me remercier d'avoir mis de l'ordre dans votre vie sexuelle, ironisa-t-elle.

— Comme d'habitude, vous avez raison. Je me suis entretenu avec le juge, cet après-midi. Il a appris que les Stimson se faisaient représenter par Stefanovski et Underhill, comme on pouvait s'y attendre. En fait, Underhill est chargé de leurs biens immobiliers et figure en tant qu'exécuteur sur leurs deux testaments. Ils n'ont aucun proche parent. Il a organisé un service funèbre pour Mr. Stimson à l'église luthérienne, dimanche après-midi, et s'attend à ce que beaucoup d'habitants de la ville se présentent. Naturellement, tout le monde sait que Mrs. Stimson a été arrêtée pour meurtre. Un certain nombre de curieux viendront à l'enterrement dans l'espoir de la voir. Si elle y va. Auquel cas j'ai demandé à ce qu'elle soit placée sous bonne garde, naturellement ; Underhill et le juge ont donné leur accord. Ils sont également d'accord pour vous laisser le soin de décider si elle devait ou non assister à l'enterrement. Et pour finir, le juge a émis un mandat ordonnant son internement en observation à l'hôpital pour malades mentaux criminels, dès lundi, en attendant le procès. Underhill a écouté la cassette de l'interrogatoire et accepté de ne pas la mettre en cause, mais il confiera le cas de Mrs. Stimson à un des plus jeunes juristes de son cabinet dès son transfert à l'hôpital.

— Tout cela me semble éminemment raisonnable, commenta Mrs. Simonton, sauf quand vous me dites que je dois prendre la décision de l'envoyer ou non à l'enterrement. Non que ce soit déraisonnable, mais je préférerais que ce soit quelqu'un d'autre. Enfin, je suppose que nous devons la mettre un tant soit peu au courant. On y va ensemble cette fois encore ?

— D'accord, répondit Petri.

Le garde posté devant la porte de Rachel n'avait rien de particulier à leur apprendre.

— Elle reste assise dans son fauteuil roulant à regarder fixement devant elle, leur dit-il, sauf quand elle est couchée, quand elle prend ses repas ou qu'elle va à la salle de bains.

— Ce n'est pas une mission très passionnante qu'on vous a confiée là, reconnut Petri d'un ton compréhensif, mais on n'avait pas le choix. Si elle sortait de sa chambre, elle pourrait tuer quelqu'un d'autre.

Le policier parut flatté par cette affirmation valorisante pour lui.

Ce fut Mrs. Simonton qui parla la première.

— Rachel, votre avocat, Mr. Underhill, a été désigné pour s'occuper de vos affaires. Nous sommes vendredi après-midi. Lundi, vous serez transférée dans un autre hôpital aux fins d'observation. Elle ne put s'obliger à préciser la nature exacte de cet hôpital.) Mr. Underhill veillera à ce que vous soyez bien représentée par un de ses associés. Est-ce que vous comprenez ?

Alors Rachel explosa.

— HORS D'ICI, PUTAIN DE MENTEURS ! hurla-t-elle d'une voix perçante. IL N'EST PAS MORT, VOUS NE VOYEZ DONC PAS QUE C'EST MOI QUI COMMANDE ? IL VIENDRA DEMAIN COMME IL EST CENSÉ LE FAIRE, CE PETIT SALAUD !

Ils s'en allèrent. Ils n'avaient plus rien à faire là. Ils ne retournèrent même pas au bureau de Mrs. Simonton.

— Il est tôt, constata cette dernière avec surprise quand ils atteignirent la réception. Mais je crois que je vais rentrer quand même. Willow Glen peut se passer de moi de temps en temps.

— J'espère bien, lui dit Petri.

La directrice annonça à la réceptionniste qu'elle partait et lui demanda d'en avertir Ms. McAdams. Elle n'avait aucune envie de le faire elle-même.

— Dieu sait comment elle réagira en ne voyant pas arriver son mari demain soir comme tous les samedis, dit-elle à Petri. Je vais demander au personnel de se tenir sur ses gardes. Pour l'instant, je ne suis pas du tout sûre de l'autoriser à se rendre à l'enterrement. Mais je viendrai lui parler dimanche matin ; à ce moment-là seulement, je prendrai ma décision.

— Merci, fit Petri.

Ils se séparèrent sur le parking. Mrs. Simonton ne se sentait pas particulièrement exaltée. Quand on avait entendu Rachel et contemplé le pouvoir qu'a la volonté humaine de nier la réalité pour se préserver elle-même, il n'y avait vraiment pas de quoi se sentir grandie. Non, sa tristesse n'était pas sans raison. Mais il n'y avait pas que les Stimson au monde. Une fois que Petri se fut éloigné au volant de sa voiture et qu'elle se fut elle-même installée au volant de sa vieille Buick, Edith Simonton prit brusquement conscience de plusieurs phénomènes. Tout d'abord, bien sûr, il y avait ce départ inhabituellement précoce. Oh, et puis, pourquoi pas ? Après tout, elle était du côté des anges, non ? Ensuite, il faisait encore jour. La neige avait fondu. La nature était encore uniformément brune et le champ de maïs d'en face toujours couvert de tiges courtaudes et stériles ; mais malgré le ciel nuageux, une certaine douceur planait dans l'air de cette fin d'après-midi. Sa souffrance intérieure avait changé du tout au tout. Peut-être un léger accès de fièvre printanière, songea-t-elle en mettant en marche son antique moteur.

CHAPITRE DIX-SEPT

Dimanche 3 avril

Mrs. Simonton eut une nuit agitée et s'éveilla de bonne heure toute préoccupée par Rachel Stimson. Les funérailles de l'époux étaient fixées à treize heures ; il fallait qu'elle prenne une décision. Mais au nom du ciel, comment ? Elle se doutait que Rachel continuerait à nier le décès. Fallait-il l'envoyer à l'enterrement afin de briser ce refus et l'aider à s'adapter à la réalité ? Ou bien la laisser s'y réfugier, et lui épargner la terrible épreuve de devoir quitter Willow Glen pour la première fois en huit ans pour assister sous bonne garde à une cérémonie publique ? De toute évidence, il fallait choisir l'attitude la plus humaine. Mais laquelle était-ce ?

Quoi qu'il en fût, elle ne pouvait se décider avant de lui avoir parlé. À sept heures trente, elle était dans les couloirs de l'Aile C.

— Qu'est-ce qui peut bien vous amener ici un dimanche matin, à une heure pareille ? s'étonna Heather.

Mrs. Simonton se réjouit de la trouver bien reposée.

— Il faut que j'aille parler à Rachel, pour décider ensuite si je la laisse aller à l'enterrement de son mari cet après-midi, expliqua-t-elle. Comment se comporte-t-elle ?

— Je ne sais pas. Je ne suis pas encore allée la voir. Mais je crois qu'elle ne va pas très bien. L'infirmière de nuit dit que vers sept heures hier soir — c'est-à-dire au moment où il aurait dû arriver —, elle a commencé à gémir : « Pourquoi est-ce qu'il ne vient pas ? » Selon elle, elle a poussé le même gémissement — sans rien ajouter d'autre — tous les quarts d'heure jusqu'à dix heures. Là, elle s'est arrêtée. Après cela, l'infirmière ou l'aide soignante sont allées la voir toutes les deux heures. Elle ne s'est pas mise au lit. Elle a refusé. Elle n'a pas parlé non plus. Elle est simplement restée assise dans son fauteuil. Apparemment, elle n'a pas dormi de la nuit. Susan a bien pensé appeler le médecin pour qu'il lui prescrive un sédatif, mais a finalement décidé de n'en rien faire. Betsy lui a apporté son petit déjeuner il y a une demi-heure, mais elle l'a refusé. En fait, elle lui a renversé le plateau dessus. Betsy en avait plein sa blouse. J'allais justement me rendre compte par moi-même.

— En effet, ça n'a pas l'air d'aller très bien, constata Mrs. Simonton. Je vais y aller moi-même. Il faut que je lui parle, de toute façon.

Elle descendit le couloir à grands pas et salua d'un hochement de tête le policier en faction devant la chambre. En entrant, elle vit Rachel dans son fauteuil, près du lit du fond, le dos tourné à la porte. Elle alla se tenir à ses côtés et vit alors à quel point Rachel était menue. Son corps paraissait tellement fluet, maintenant que la vie l'avait quitté. Car tel était le cas. À la façon dont son front reposait sur le bord du lit, on comprenait tout de suite que Rachel était morte.

Kenneth et Marlène Bates se sentaient coupables de ne pas être allés rendre visite à Georgia de trois semaines. Ces visites se passaient toujours si mal ! Ils avaient hésité à venir la voir après le meurtre, et ils s'en voulaient. Même après le coup de téléphone de Kenneth, le jour où il s'était fait vertement remettre en place. Ce dimanche-là, ils allèrent à la messe très tôt et partirent directement pour Willow Glen afin d'en finir le plus tôt possible avec cette corvée. Ils eurent la surprise de trouver la chambre de Georgia occupée par deux autres malades. Interloqués, ils allèrent trouver Heather au bureau des infirmières et apprirent que leur mère avait emménagé dans celle de Mrs. Grochowski.

Georgia quitta son fauteuil à bascule en les voyant entrer. Elle les présenta à Mrs. Grochowski, mais ne les laissa pas échanger de banalités.

— Je peux vous recevoir dans le séjour, annonça-t-elle en leur montrant le chemin.

Ils n'eurent même pas le temps de constater que leur photo trônait sur sa coiffeuse.

Une fois là-bas, elle ne prit pas la peine de les présenter à Hank Martin.

— J'aimerais m'entretenir seule à seule avec mes enfants, lui dit-elle. Vous seriez gentil de nous laisser. Allez donc dans ma chambre bavarder un peu avec Mrs. Grochowski. C'est l'occasion rêvée pour vous, Hank. L'heure de la cour a sonné !

Hank obtempéra docilement. Georgia choisit un fauteuil capitonné à l'excès et, d'un geste, indiqua le canapé aux deux autres.

— Comment se fait-il que vous ayez changé de chambre, Mère ? s'enquit Marlène.

Avec une lueur dans le regard qui leur échappa complètement, Georgia répondit :

— On vous transbahute comme du bétail, ici.

Kenneth tenta à nouveau sa chance.

— Comment te portes-tu, Mère ? fit-il avec une gaieté forcée.

Georgia ne put résister à la tentation.

— Comment veux-tu que je me porte, enfermée dans ce camp de concentration ?

— Je vois que tu n'as pas changé, remarqua Kenneth.

— Si, si, les choses changent. Je sais bien que vous m'avez souvent entendue tenir ce langage depuis un an, mais aujourd'hui, c'est la première fois que je le dis pour rire.

— *Pour rire ?*

— Mais oui, je me moque de vous.

— Qu'est-ce que tu veux dire ? demanda Kenneth qui ne comprenait pas un traître mot de ce qu'elle disait.

— Le fait est que je me porte comme un charme, merci. À vrai dire je m'y plais énormément, dans ce camp de concentration.

— Vous vous y plaisez ? proféra Marlène. Vous parlez sérieusement ?

Georgia se délectait de leur perplexité.

— Mais oui, tout à fait. Je suis très heureuse à Willow Glen.

— Mais qu'est-ce qui s'est passé ? Qu'est-ce qui a changé ?

— Beaucoup de choses. Pour commencer, nous avons eu un meurtre. Ce n'est pas tous les jours qu'on a un rôle à jouer dans une affaire de meurtre, vous savez.

Kenneth et Marlène échangèrent un regard gêné. Ce n'était plus la Georgia qu'ils voyaient depuis deux ans, et ils en restaient tout désemparés. Elle avait réellement changé, mais ni l'un ni l'autre n'aurait su dire en quoi, ni combien de temps cela allait durer. Mieux valait se montrer prudent.

— Nous sommes au courant, pour ce meurtre, reprit Kenneth d'un ton mesuré. Tu le sais, puisque je t'ai téléphoné. Nous avons même envisagé de te faire sortir d'ici, mais quand j'ai demandé si tu courais un risque quelconque, on m'a répondu que non. C'était au moment où la police est venue me voir en disant que tu avais quelque chose à voir dans tout ça.

— Ah bon ? La police est venue te voir ? (Georgia sourit de plaisir.) C'est vrai, j'ai été impliquée dans l'affaire. En fait, j'ai même contribué à sa solution. Je ne connaissais pas le coupable, mais je les ai mis sur la piste. Ils s'étaient trompés de suspect ; je les ai remis dans le droit chemin.

— Nous avons lu jeudi dans les journaux qu'on avait arrêté quelqu'un, fit prudemment Marlène. Quel soulagement !

— Oui, c'était une malade de l'établissement. Quelqu'un de très déplaisant. Pendant quelque temps, certains d'entre nous se sont sentis menacés. Mais on a posté un garde devant sa porte. Cela dit, ce n'est plus nécessaire. Elle a rendu l'âme il y a quelques heures.

— Comment ? Tu veux sans doute parler de son mari ? la contredit Kenneth. C'était dans le journal, vendredi.

Toujours ravie, Georgia répliqua :

— Mais non, je sais ce que je dis, quand même. Elle est morte aussi. Ce matin. Il arrive que nous sachions ce qui se passe ici avant que les journaux n'en parlent, nous autres pensionnaires de Willow Glen. Mais tu disais que la police était venue te voir, Kenneth. S'agissait-il de ce charmant jeune inspecteur ? Quand était-ce ?

— Il y a environ dix jours. En effet, c'était bien un jeune inspecteur. Il a dit s'appeler Petri.

— Je suppose qu'il voulait savoir si j'étais sénile ?

— Euh... En quelque sorte, oui, répondit son fils en rougissant.

— Eh bien, je ne le suis pas. Je ne l'ai jamais été. (Une pause.) Non, ce n'est pas tout à fait vrai. J'étais en train de devenir sénile, mais j'ai changé d'avis en cours de route. Je me suis mise à penser autrement.

— À penser autrement ?

— Mais oui. La sénilité a bien un rapport avec la pensée, non ? Alors, si on se met à penser autrement, eh bien, on cesse d'être sénile.

Kenneth et Marlène la regardaient bouche bée. Georgia continuait de prendre secrètement plaisir à leur perplexité, mais ce plaisir se teintait maintenant d'un léger remords.

— Je sais bien que j'avais l'air sénile, poursuivit-elle. Et aussi que je vous ai fait de la peine. Je vous ai reproché tout un tas de choses dont j'étais seule coupable. Toutes mes excuses ; j'espère que vous me pardonnerez. Peut-être pas tout de suite, je m'en doute, parce que j'ai vraiment été méchante avec vous. Mais avec le temps, je ne désespère pas.

Marlène jeta un coup d'œil à Kenneth, puis posa sur Georgia un regard pénétrant. Sa belle-mère avait décidément quelque chose de radicalement différent. Mais une partie de sa frustration longtemps refoulée remonta à la surface, et elle lança un coup de sonde.

— Peut-on savoir au juste pourquoi vous avez été si méchante avec nous, Mère ?

— Parce que j'étais vieille et lasse, et que je voulais me retrouver ici. Mais je ne voulais pas regarder les choses en face, alors comment aurais-je pu vous le dire à vous ? J'avais l'impression que vous ne comprendriez pas. Ce qui s'est passé, c'est que j'ai fait semblant d'être sénile, et puis je vous ai accusés de m'avoir bouclée ici. C'était terriblement malhonnête et injuste de ma part. Je m'en excuse.

— Tu faisais semblant d'être sénile ? s'enquit Kenneth.

— Oui. D'une certaine façon, du moins. Il faudrait peut-être dire que je me suis laissée devenir sénile. Mais c'est fini maintenant. Je le deviendrai peut-être un jour. Mais je n'ai pas l'intention de me laisser faire de sitôt.

— Si vous n'êtes pas sénile, vous pouvez rentrer à la maison, remarqua Marlène.

Celle-là, elle l'attendait !

— Non, répondit fermement Georgia.

— Pourquoi ?

— Parce que je n'en ai pas envie.

— Tu ne veux donc pas mener une vie normale ? Vivre aux côtés de tes petits-enfants ?

— Non. C'est justement à cause de ce qu'on attendait de moi que j'ai cru ne pas pouvoir dire ce que je désirais vraiment. Mais je suis adulte et responsable maintenant. Je peux vous faire savoir ce que je veux.

— Tu ne veux pas être avec tes petits-enfants ? fit Kenneth, atterré.

— Non, pas particulièrement. Un jour, peut-être. Mais pas pour l'instant. Je sais que cela peut vous paraître un peu dur, mais je suis lasse. J'ai passé des années et des années à m'occuper de toi, de ton frère et de ta sœur. Si je devais partir d'ici, vous me demanderiez de m'occuper de vos enfants de temps en temps. À leur manière, les adolescents exigent beaucoup de soins aussi. Vous me demanderiez de les garder. Ce sont de très gentils enfants, mais je n'ai aucune responsabilité envers eux. C'est votre devoir à vous.

— On ne vous demanderait rien de tel, protesta Marlène.

— Bien sûr que si ! Peut-être pas les premiers temps, mais au bout d'un moment vous voudriez me voir jouer le rôle de la grand-maman gâteau. Ce que je serai peut-être un jour, d'ailleurs. On change. Mais pour l'instant, ça ne me dit rien du tout.

— Mais tu ne veux pas vivre une vie normale ? demanda Kenneth.

— Dieu m'en garde ! J'ai vécu une vie normale pendant de nombreuses années. Maintenant, ce qui m'intéresse c'est de vivre une vie anormale.

— Tu veux dire que tu souhaites rester ici ?

— Tu n'as donc pas entendu ? C'est exactement ce que j'essayais de vous faire comprendre !

— Mais... et ta liberté ? Tu ne veux pas être libre de partir d'ici ?

— Non, je ne veux pas partir. Pas encore, en tout cas. Mais je peux partir quand je veux. (Georgia s'irrita de leur stupidité. Elle poursuivit d'une voix empreinte de résolution.) Je peux m'en aller à tout moment. Comme tu me l'as fait toi-même remarquer, Kenneth, tout ce que j'ai à faire, c'est signer un papier. Il se peut qu'on me retienne le temps de m'envoyer un psychiatre, auquel je dirai que je suis née en 1912, ce qui me fait soixante-seize ans. Et que nous sommes début avril, en l'an 1988. Rien de plus simple, vous voyez. Il serait bien obligé de me laisser partir. Seulement, je n'en ai pas envie. Je me rends bien compte que c'est difficile à croire, mais Willow Glen est un endroit fort intéressant. On parle même de nous dans le journal ! En plus, je me suis fait des amis ici.

— Mais c'est tellement cher ! se récria Kenneth. Tu pourrais vivre plus raisonnablement chez nous, ou dans un appartement à toi, comme avant.

— Kenneth, je sais que je vous ai maltraités, Marlène et toi, répondit Georgia d'un ton sans réplique. Mais entendons-nous bien. Quand ton père est mort, il m'a laissé une somme assez considérable. Cet argent, je l'ai bien gagné. Il est à moi, et j'ai le droit d'en faire ce que je veux. Je sais que tu as procuration sur mes biens, et je m'en réjouis. Je te fais confiance, et j'aime autant ne pas avoir à m'occuper de mes investissements. Franchement, j'ai des choses plus importantes en tête. Mais cette procuration ne te donne pas le droit de contrôler ma vie. Le jour où je deviendrai vraiment sénile, en admettant que cela arrive, alors là, oui. Mais pour le moment, si tu ne te sers pas de cette procuration comme je l'entends, je te la retire dans la semaine.

Kenneth et Marlène échangèrent un regard à la dérobée. Comment fallait-il prendre cela ? C'était une attitude entièrement nouvelle de sa part. Voilà qu'elle s'exprimait avec une force, une autorité qu'ils ne lui avaient jamais connues.

— Si je suis à Willow Glen, poursuivit Georgia, c'est parce que j'en ai décidé ainsi. Je sais que vous avez du mal à comprendre. Beaucoup de gens réagiraient ainsi. Mais j'ai fait mon choix. Et je choisis également de dépenser de l'argent pour exercer ce libre choix. Comme je vous disais, on change. Il est tout à fait possible — voire probable — qu'avec le temps, je souhaite nouer des liens avec mes petits-enfants — vos enfants —, mais selon mes propres termes, et non les vôtres.

Il était à présent très net que leur mère jadis sénile (du moins en apparence), déplaisante et frappée de confusion mentale, avait subi une espèce de métamorphose. Toutefois, ses deux années de ressentiment accumulé poussèrent Marlène à demander :

— Comment savoir si nous pouvons vous faire confiance, Mère ? Vous avez été sacrément dure avec nous. Comment savoir si vous êtes bien sûre de ce que vous faites ? Vous êtes peut-être en train de jouer à une sorte de jeu avec nous.

— Encore une fois, je vous demande pardon pour le mal que je vous ai fait en vous accusant à tort de m'avoir enfermée ici contre mon gré. Sincèrement. J'ai commis là un grand péché. Si grand que, comme je vous le disais tout à l'heure, je ne vous demande pas de me pardonner tout de suite. Mais maintenant je suis honnête. Je ne fais pas mystère de mes intentions. Franchement, je me moque que vous trouviez normal ou anormal que je veuille rester ici. C'est ici que je veux être. J'ai choisi. Et il va vous falloir apprendre à respecter ce choix. Je suis trop vieille pour perdre du temps à des bêtises. C'est ma vie, et j'en fais ce que je veux. (Georgia marqua une légère pause.) Non, ce n'est pas tout à fait vrai, corrigea-t-elle. Je n'en fait pas entièrement ce que je veux. Plus exactement, c'est une affaire entre Dieu et moi. Il arrive que Dieu désigne certaines personnes, vous savez.

— Dieu ?

— Oh, ne recommencez pas à me croire sénile, s'il vous plaît. N'y pensez plus. Gardez simplement à l'esprit qu'en cet instant — relativement bref —, j'ai la haute main sur ma vie. Vous m'entendez ?

— Nous t'entendons, Mère, répondit Kenneth, mais pour le moment, je ne sais pas très bien si nous comprenons.

— Bien sûr, cela ne me surprend pas. Toutefois, j'espère que vous continuerez à venir me voir. Vous pourriez même m'amener les enfants. Voyons... quel serait le meilleur moment ? Ah, au fait, je crois qu'il me faut un agenda. Chère Marlène, pourriez-vous m'en acheter un d'ici votre prochaine visite ? Je vous en serais très reconnaissante. Cela m'aiderait à garder les idées claires, au cas où je retomberais dans la sénilité.

Marlène acquiesça, et on fixa la date de la visite suivante à deux dimanches de là.

Lorsqu'ils eurent franchi le portail et se retrouvèrent sur la nationale, Kenneth déclara :

— Je ne comprends pas. Comment peut-elle vouloir rester ici ?

— Je donne ma langue au chat, répondit Marlène.

— Enfin quoi, c'est gaspiller son argent !

— Tu la préférais avant, quand c'était une vraie peau de vache ?

— Non, bien sûr que non. Mais on dirait qu'elle est passée d'une forme de folie à une autre.

— Je n'en suis pas si sûre. Est-ce qu'elle est folle, ou bien est-ce tout simplement qu'elle ne répond pas à notre attente ?

— Mais bon sang ! explosa Kenneth. C'est *normal* ce qu'on attend d'elle, non ?

— Oui, c'est normal, fit Marlène. Moi non plus, je ne comprends pas. Il est certain qu'elle a changé — du moins temporairement. Mais elle n'est certainement pas normale.

Tous deux se turent, chacun s'efforçant à sa façon de tirer ce mystère au clair. Et c'était bien un mystère. Manifestement, le meurtre avait quelque chose à voir là-dedans. Mais quoi, au juste ? Comment était-ce arrivé ? Ce n'était pas bien de sa part de ne pas s'intéresser à ses petits-enfants. Comme s'ils allaient lui demander de les garder ! Que pouvait-on bien lui demander, d'ailleurs ? Comme l'avait elle-même dit Georgia, il allait leur falloir du temps pour s'adapter. Beaucoup de temps.

Hank Martin sentait son cœur battre si vite qu'il se demanda si cela n'allait pas l'empêcher de bouger. L'espace d'un instant, il songea que tout ça n'était peut-être pas très bon pour sa santé. Mais d'une certaine manière il savait à présent que la vie, ce n'était pas seulement la sécurité. Finalement, il se força à passer la porte.

— Est-ce que ça vous dérange si j'entre ? s'enquit-il en s'obligeant à s'exprimer calmement.

— Bien sûr que non, Hank, répondit Mrs. Grochowski. Venez donc vous asseoir.

Hank s'exécuta.

— Je sais que la mort de Tim est encore toute proche, commença-t-il, débitant les mots qu'il avait inlassablement ressassés. Si vous me trouvez déplacé, dites-le et jetez-moi dehors. Mais je me demandais si vous me permettriez de vous faire la cour ?

Mrs. Grochowski n'en croyait pas ses oreilles. Si Hank ne s'était jamais mal conduit avec elle, elle avait entendu parler de son comportement avec les autres femmes. Il lui avait fait l'impression d'un homme assez obtus. Et tout à son chagrin, elle n'avait encore guère de goût pour les choses du sexe ou de l'amour. Par ailleurs, elle détestait profondément les préjugés. Il y avait des années qu'elle s'entraînait à s'ouvrir aux cadeaux, inattendus et souvent mal présentés, que fait parfois la vie. Non, elle ne se fermerait aucune porte sans raison.

— Me faire la cour ? Quelle jolie expression ! répondit-elle en prenant bien soin de ne pas le rejeter d'emblée. Seulement, dans ce genre de chose, on ne peut pas répondre par oui ou par non.

— Ah bon ?

— Nous ne nous connaissons pas assez. Si vous me connaissiez un tant soit peu, peut-être ne voudriez-vous plus me faire la cour.

— Je suis sûr que non, proclama Hank.

— Je vous assure que c'est possible, l'avertit Mrs. Grochowski en songeant qu'il était d'une innocence charmante. Moi aussi, je pourrais découvrir que je n'ai pas assez de sentiments pour vous. Vous ne seriez pas content, n'est-ce pas, Hank ?

— Je ne sais pas. Je ne peux pas savoir ce que je ressentirai plus tard.

— Tout juste ! s'exclama Mrs. Grochowski. On ne sait jamais ce que l'avenir nous réserve. C'est pour cela que je ne peux pas vous dire simplement : oui, vous pouvez me faire la cour. Mais si vous êtes disposé à prendre le risque, alors... d'accord, je veux bien que vous *commenciez* à me faire la cour.

— C'est vrai ?

— Mais oui. Seulement, n'oubliez pas : chacun doit pouvoir s'arrêter quand il le souhaite.

— L'ennui, c'est que je n'ai jamais fait la cour à personne — même pas *commencé*. J'ai toujours essayé de mettre le grappin sur les femmes. Je ne connais pas les bonnes manières. Je n'ai jamais pensé qu'à moi. On ne m'a pas donné de bonne éducation.

— Ah bon ?

— Non, j'ai grandi dans les bidonvilles de Cleveland, dans le quartier ouest, près des usines. Et comme vous me l'avez laissé entendre, je suis timide. Vous savez, vous êtes la première personne à me le dire. J'ai réfléchi, et j'en ai conclu que vous aviez raison. Donc, je ne sais pas par où commencer pour vous faire la cour.

— Mais si.

— Comment ça ?

— Vous avez déjà commencé. Vous venez de me parler de vous, de votre enfance. Continuez, suggéra Mrs. Grochowski en songeant que Hank avait une intelligence tout à fait normale, et de l'authenticité en plus.

— Ma foi, j'ai toujours pensé qu'il n'y avait pas grand-chose à raconter. Nous autres gosses d'Irlandais, on n'arrêtait pas de se battre avec les Polonais. J'étais petit pour mon âge. Je me souviens du jour où...

Petri arriva à Willow Glen peu après le coup de téléphone de Mrs. Simonton lui rapportant la mort de Rachel.

— Finalement, je n'ai pas eu à prendre la décision de l'envoyer ou non aux funérailles, déclara cette dernière. C'est elle qui a décidé pour moi. J'ai pris contact avec Mr. Underhill, qui s'occupera des pompes funèbres.

— Il va encore falloir demander une autopsie, vous savez. Je me doute bien qu'on ne trouvera rien, mais on ne peut tout de même pas laisser mourir une criminelle sans pratiquer d'autopsie, n'est-ce pas ? D'après vous, qu'est-ce qui s'est passé ? Une crise cardiaque ?

— Probablement, oui. Ou une attaque. En tant que diabétique, elle était particulièrement sujette aux deux. Vous ne me paraissez pas tellement surpris cette fois-ci, inspecteur.

— J'ai de l'entraînement, sourit Petri. Vous m'avez bien préparé. Je crois que je n'attribuerai plus jamais l'heure d'un décès au seul hasard. Une femme forte comme un bœuf qui a passé huit ans ici et meurt le jour où son mari ne vient pas prendre part à la querelle hebdomadaire, c'est peut-être tragique, mais certainement pas dû au hasard. Je parierais même trois contre un que c'est une crise cardiaque.

— Ah bon, pourquoi ?

— Parce que ça ne m'étonnerait pas qu'elle soit morte le cœur brisé.

— Dites donc, vous vous mettez vraiment à parler en psychiatre, fit Mrs. Simonton, rayonnante.

— Mais quel cœur ! Je n'en reviens pas qu'elle ait pu attacher tant d'importance à une relation si haineuse.

— Moi non plus, inspecteur. Nous qui sommes plus fortunés, nous avons du mal à comprendre la perversité durable. Pourquoi y a-t-il des gens qui choisissent la haine ? Mais pensez à ceux que vous avez haïs. Pas facile, de renoncer à cette haine. Elle a tendance à s'auto-alimenter. Comme si on s'évertuait à ronger un os sur lequel ne subsiste pas le moindre lambeau de viande, ni même de tendon. Cela implique une grande quantité d'énergie.

Petri se remémora les sentiments tout récents qu'il s'était découverts pour sa mère.

— Certaines personnes — encore qu'elles soient rares — peuvent vivre d'amour toute leur vie, poursuivit Mrs. Simonton. Mais d'autres — nous en avons eu ici — atteignent apparemment un âge fort avancé en n'ayant jamais rien connu d'autre que la haine.

Que lui avait dit Kolnietz sur le bien et le mal, déjà ? Ah oui, que les riches s'enrichissaient et que les pauvres s'appauvrissaient.

— Je ne sais pas si je vous l'ai dit, reprit Petri au bout d'un moment, mais c'est la première enquête criminelle dont j'aie la responsabilité. Non, je n'ai pas dû vous le dire. Je ne voulais pas avoir l'air d'un bleu.

Mrs. Simonton apprécia cet aveu ; elle s'en doutait depuis le début. Ce jeune homme lui plaisait de plus en plus. Le moment était venu de l'appeler par son prénom.

— Vous ne vous êtes pas très souvent comporté comme tel, Tom.

— L'affaire me paraissait tout ce qu'il y a de plus classique, poursuivit-il. On allait présenter devant la cour toutes les preuves, tous les témoignages que j'avais brillamment accumulés au cours de l'enquête ; mon nom serait dans les journaux, j'aurais de l'avancement. Résultat : mon premier assassin est une vieille dame de quatre-vingt-deux ans clouée dans un fauteuil roulant et qui n'a plus de jambes. Je sais qu'elle est coupable, mais je n'ai pas ses aveux. Même pas de mobile dont la presse puisse s'emparer. Et pour couronner le tout, voilà qu'elle meurt de mort naturelle quatre jours après son arrestation et avant d'être passée en justice.

— Décevant, non ?

— Pour l'instant, je trouve ça plutôt ironique. Mais vous avez raison, c'est décevant et humiliant. (Il s'aperçut qu'il avait grand besoin de communiquer ses sentiments et ses idées à cette femme forte et sage. Elle aussi avait joué un rôle de mentor, pour lui.) Malgré tout, même si cette affaire n'a rien de commun avec mes fantasmes, j'ai appris plus de choses en quinze jours que je ne l'aurais cru possible.

— Par exemple ?

— Eh bien, ce que vous m'avez enseigné : que la mort n'est presque jamais entièrement due au hasard. Que les morts en apparence naturelles ou accidentelles dissimulent souvent une forme ou une autre de suicide. Qu'on peut choisir l'heure de sa mort. Mais n'ayez pas la grosse tête. Vous n'avez pas été mon seul professeur.

— Tiens tiens, j'ai donc des collègues ? s'enquit Mrs. Simonton en feignant la surprise.

— Oui, mais vous n'êtes pas totalement en bonne compagnie avec eux. Rachel Stimson m'en a appris beaucoup sur la haine. Et sur les gens qu'on tient pour sains et qui sont en réalité des malades mentaux. Mais quelqu'un d'autre m'a enseigné un phénomène corollaire.

— Ah oui ?

— Mrs. Bates m'a ouvert les yeux sur le fait qu'une personne en apparence sénile pouvait en réalité se montrer plus compétente que moi.

— Voilà qui est humiliant, en effet.

— Mais la leçon la plus difficile que j'aie apprise, et la plus importante à la fois, m'a été donnée par Stephen. (Petri se rendit compte qu'il ne considérait plus le jeune homme comme « la victime ». C'était vraiment bizarre de nouer une relation avec un mort.) Parce qu'il était physiquement difforme, je l'ai automatiquement classé dans la catégorie des exclus. Il m'a fallu beaucoup de temps — plus le regard des autres : le vôtre, celui de Heather, de Kolnietz et, d'une certaine manière, celui de Rachel — pour le voir tel qu'il était réellement. En fait, c'était une personnalité dominante, n'est-ce pas ?

Mrs. Simonton ne répondit pas directement.

— Vous ferez un excellent détective, Tom. Vous *êtes* un excellent détective.

— Et les gens qui ont l'air de bureaucrates grincheux se révèlent de sages philosophes et de grands donneurs de leçons.

— Ma parole ! On dirait un fan-club, ici ! fit-elle d'une voix un peu bourrue. Que de congratulations !

— Je reconnais que j'ai du mal à vous dire au revoir, sourit Petri. (Il se leva.) Je viendrai peut-être faire un tour à Willow Glen de temps en temps, histoire de voir à quoi ressemble la vraie vie.

— Avec plaisir, Tom. Il y aura toujours une tasse de café pour vous. Alors, à bientôt !

Petri ne quitta pas tout de suite les lieux. Au lieu de cela, il gagna l'Aile C et la chambre de Rachel Stimson. On avait étendu le corps sur le lit. Lui aussi la trouva bien menue, maintenant que la haine l'avait quittée. Puis il interrogea le policier en faction devant la porte. Son récit corroborait celui de Mrs. Simonton.

— Vous pouvez rentrer au poste, lui dit Petri. Inutile de monter la garde devant un cadavre. Elle ne fera plus de mal à personne, maintenant.

Comme il l'avait espéré, Heather se trouvait au bureau des infirmières et annotait le dossier d'un patient. Il s'éclaircit la gorge. Elle leva les yeux.

— Alors, inspecteur, vous me filez toujours ?

Une légère agressivité perçait dans sa voix. Il tenta de répondre par la plaisanterie.

— Oui. J'ai interrogé dans le détail Mrs. Simonton et le policier de garde. Apparemment, à aucun moment vous ne vous êtes approchée de Mrs. Stimson. On dirait bien que cette fois vous avez un alibi, Ms. Barsten, dit-il en lui souriant.

Mais elle ne lui rendit pas son sourire.

— Je peux faire quelque chose pour vous, inspecteur ?

— En effet, oui. (Il sortit deux lettres de la poche de sa veste, y remit celle qui portait un timbre et lui tendit l'autre.) Je voulais vous donner cette lettre. Je vous l'ai écrite hier.

— Qu'est-ce qu'elle dit ?

— Des choses que je trouvais plus faciles à écrire qu'à dire en face.

— Je la lirai, répondit froidement Heather.

Sur quoi elle lui signifia la fin de l'entrevue en retournant à ses dossiers.

Tandis qu'il se dirigeait vers la sortie, Petri ne se sentit en fin de compte que légèrement déçu par la réaction de la jeune femme. Bien sûr, il avait escompté mieux, mais sans grand espoir. Il tâta l'autre lettre dans sa poche. Il s'arrêterait devant la poste en rentrant chez lui et la glisserait dans la boîte. Elle partirait avec la levée du matin. Elle était adressée à sa mère.

CHAPITRE DIX-HUIT

Lundi 4 avril

Heather jeta la lettre sur les genoux du docteur Kolnietz.
— Non mais regardez-moi ça ! fit-elle, outragée. Lisez un peu !
Kolnietz s'exécuta.

Chère Ms. Barsten,

Je préférerais vous appeler Heath⸜ , mais vous ne m'en avez pas encore donné la permission.

Je vous dois de plates excuses pour vous avoir soupçonnée à tort du meurtre de Stephen Solaris. Je me suis montré injuste envers vous. Non seulement je me suis lourdement trompé sur votre compte, mais en plus je vous ai causé beaucoup de souffrances inutiles. Je suis sincèrement navré.

Jusqu'à présent, je fonctionnais sous l'emprise d'un certain nombre de stéréotypes, dont certains ont à présent disparu. Sans doute en reste-t-il beaucoup dont je n'ai même pas conscience. Mais j'ose espérer que vous voudrez m'aider à m'en débarrasser aussi.

Me laisserez-vous vous présenter mes excuses en personne ? L'idéal serait de dîner ensemble un soir. Je dois vous avertir que les policiers mènent une vie telle qu'ils sont contraints d'annuler environ dix pour cent de leurs rendez-vous personnels pour cause d'urgence professionnelle. Maintenant que vous êtes prévenue, acceptez-vous mon invitation ? Appelez-moi chez moi ou au travail pour me donner votre réponse.

J'espère avoir bientôt de vos nouvelles.
Avec toutes mes excuses,
Votre dévoué

Tom Petri

Kolnietz rendit sans rien dire la lettre à Heather, qui la fourra dans son sac. Voyant qu'il ne réagissait pas, elle lança :

– Non mais, quel toupet ! C'est incroyable !

– Je ne comprends pas très bien.

– Comment ! Mais vous ne vous rendez pas compte du culot de ce type ! Il manque m'arrêter, il me croit capable d'avoir assassiné Stephen, et il me demande de sortir avec lui !

– Dans sa lettre, il vous présente très clairement ses excuses, fit Kolnietz sans s'engager.

– Tiens ! C'est facile, de s'excuser ! Quand je pense qu'il ose me donner rendez-vous après ce qu'il m'a fait !

– Il n'a pas l'air du genre arrogant.

– Ah oui ? Eh bien si ce type vous plaît, vous pouvez le prendre.

– Vous ne pensez donc pas vous rendre à cette invitation ?

– Certainement pas !

– Comment allez-vous répondre à sa lettre ?

– Je ne prendrai même pas cette peine. C'est tout ce qu'il mérite.

Kolnietz sentit concrètement ses muscles se contracter en vue du grand saut. Il fonça.

– Il semble que nous ayons atteint le moment de vérité. Pas trop tôt ! Il y a des mois et des mois que nous parlons de ces bandes enregistrées dans votre tête, qui vous contraignent à ne voir que des hommes faibles, passifs, potentiellement violents ; des mal intégrés qui vivent constamment en marge de la société et de la loi.

– Et alors ?

– Vous n'avez cessé de contester l'existence de ces bandes, de trouver d'autres explications. Vous me dites toujours que ce n'est pas à cause d'elles, que l'occasion d'agir autrement ne se présente jamais. Que vous aimeriez fréquenter un autre genre d'hommes, mais que vous n'en trouvez nulle part. Que ceux-là ne sont pas disponibles. Que vous n'avez donc pas le choix. Mais que si vous rencontriez par hasard un type bien, vous n'hésiteriez pas à sortir avec lui.

– Évidemment, fit Heather.

– Je regrette, mais ce n'est pas vrai. Je veux bien que vous croyiez à ce que vous dites. Seulement, maintenant il faut regarder les choses en face. Parce que, aujourd'hui, il y a un homme d'un tout autre genre qui vous demande très courtoisement de sortir avec lui, et vous vous apprêtez à l'envoyer paître. D'accord, il vous a mal jugée au départ. Mais vu les circonstances, il est probable que n'importe quel détective chargé d'enquête dans une institution aurait fait la même chose. Qui plus est, celui-là a eu l'intelligence de rectifier son erreur, et l'élégance de la reconnaître. Vous tenez l'occasion que vous attendiez — à vous en croire —, et vous la méprisez. Vous débloquez complètement, Heather.

— Mais ce type ne me plaît pas ! protesta la jeune fille.

— Et pourquoi donc ?

— Parce qu'il a été méchant avec moi, fit-elle d'une toute petite voix.

On aurait dit une gamine de quatre ans.

— Nous en avons déjà discuté. Il n'a pas été méchant avec vous. Il ne faisait que faire son métier. Il s'est trompé, et maintenant il s'en excuse très humblement. Je ne vois pas où est la méchanceté là-dedans.

— Il ne me plaît quand même pas.

— Pourquoi ?

— Ce sont les vibrations qu'il émet. Tout est une question de vibrations. Les siennes et les miennes ne s'accordent pas, je le *sens*.

— Ah bon ? Il émet des vibrations fausses ? plaisanta Kolnietz.

— Non, répondit Heather sans sourire.

— Alors, pourquoi ne s'accordent-elles pas aux vôtres ?

— Je ne sais pas. Ces choses-là ne s'expliquent pas.

— Auriez-vous l'intuition que Petri n'est pas quelqu'un de bien ? Heather saisit la perche.

— C'est ça, oui.

— Les intuitions sont généralement fondées sur l'observation, partielle ou attentive. Qu'avez-vous observé chez lui qui joue en sa défaveur ?

— Rien ne me vient à l'esprit pour l'instant. Vous me harcelez tellement que je ne trouve rien.

Mais Kolnietz n'était pas prêt à lâcher prise.

— En tant que psychiatre, je suis censé être spécialisé dans l'intuition et formé à observer les individus. Dans le cas de l'inspecteur Petri, j'ai observé qu'il travaillait dur, qu'il était intelligent, capable de revoir son raisonnement à la lumière d'informations nouvelles, susceptible de rechercher l'aide d'autrui le moment venu et de témoigner de la reconnaissance en retour, j'ai vu qu'il savait se montrer amical quand les circonstances le permettaient, qu'il pouvait changer et évoluer. Il se trouve également qu'il a un vrai métier, du bon côté de la loi, et une carrière qui vient manifestement de faire un bond en avant. Alors, qu'est-ce qui vous fait dire que ce n'est pas un type bien ?

— Je ne sais pas, geignit Heather. Je vous l'ai dit, ce sont les vibrations.

— Et ces vibrations, elles viennent d'où ?

— Comment voulez-vous que je le sache ?

— À votre avis, est-il possible qu'elles proviennent des bandes enregistrées ?

— Allez vous faire foutre ! Je ne vois vraiment pas ce qui m'oblige à supporter ces conneries ! cria Heather en se levant d'un bond.

Sur quoi elle se dirigea d'un pas décidé vers la porte et posa la main sur la poignée.

— Je vois que vous n'avez même pas le courage de rester dans la même pièce que la vérité, cria-t-il à son tour dans son dos.

— La vérité, ça ? Laissez-moi rire !

Cependant, elle s'était arrêtée devant la porte, assez longtemps pour que Kolnietz reprenne la parole, cette fois-ci un ton plus bas.

— Vous pouvez partir, Heather. La thérapie ne marchera que si vous y mettez du vôtre. Mais je veux que ce soit clair : en quittant cette pièce, c'est moi que vous quittez. Je ne suis peut-être pas le meilleur des hommes, mais il me semble que dans l'ensemble, je ne m'en tire pas trop mal. J'ai beaucoup d'affection pour vous. Je crois sincèrement avoir fait de mon mieux pour vous aider, et je ne pense pas vous avoir vraiment fait du mal. J'ai été pour vous un thérapeute fidèle. Et maintenant, vous allez me quitter. Non seulement vous sacrifiez à votre névrose un type bien, Petri, mais par la même occasion vous allez en sacrifier un autre. À mon avis, c'est un prix un peu élevé pour maintenir en place une névrose dont vous ne voulez même pas.

— Allez vous faire voir, répondit Heather.

Elle claqua la porte derrière elle, attrapa son manteau suspendu dans la salle d'attente, sortit en courant sur le parking et monta dans sa voiture. Allez vous faire voir, se répétait-elle. Allez vous faire voir, allez vous faire voir. Puis elle se mit à se cogner la tête contre le volant.

Tout d'abord, Kolnietz s'imagina qu'elle allait revenir. Il resta dans son fauteuil, à attendre sans réaction. Au bout de quelques minutes, il regarda sa montre. Il lui faudrait sans doute un moment pour se calmer, non ? Pas la peine de s'alarmer avant au moins cinq minutes. Puis l'attente se fit anxieuse. Il consulta trois fois sa montre avant que les cinq minutes ne soient écoulées. Puis il regarda la trotteuse faire tout le tour du cadran. Il se sentait tellement désemparé ! Il se leva, traversa la pièce, revint s'asseoir à son bureau, reposa son front sur le dossier de Heather sans même se rendre compte qu'il s'agissait du sien.

— Mon Dieu, je vous en prie, gémit-il. Faites qu'elle revienne. Je vous en prie, mon Dieu, faites qu'elle revienne, faites qu'elle revienne, faites qu'elle revienne.

Il gémit et gémit encore, répétant inlassablement la même prière. On aurait dit une mélopée funèbre.

Il perdit la notion du temps. Puis il comprit qu'il avait perdu la partie. Alors il se mit à pleurer. Tout d'abord, les larmes coulèrent en silence, baignant ses joues et gouttant sur le dossier. Non, geignait-il. Non, non, non... Puis vinrent les sanglots. Il étendit ses bras devant sa tête, posa ses mains à plat sur le bureau, le nez enfoui dans le dossier de Heather, morve et larmes mêlées, le diaphragme agité de convulsions incontrôlables.

Lorsque la main vint se poser doucement sur sa nuque, il ne la ressentit que comme un poids mort. Puis comme une espèce de perturbation. Qu'on le laisse donc seul avec son chagrin ! Une minute entière s'écoula avant qu'il ne se demande consciemment ce que cette main faisait sur sa nuque. Alors il leva les yeux. À travers ses larmes, il vit Heather debout à côté de lui, bien droite dans son uniforme amidonné.

— Qu'est-ce qu'il y a ? demanda-t-il bêtement tant était grande son incrédulité.

— Je suis revenue, fit-elle.

— Mais... Je ne vous ai pas entendue entrer, dit-il comme pour chercher à s'assurer de la réalité de l'apparition.

— Je suis revenue, fit-elle encore.

Il se redressa et reprit ses esprits en la regardant fixement.

— Je n'ai pas pu renoncer à vous, reprit-elle. Je suis montée dans ma voiture. Je voulais partir, mais je n'ai pas pu. C'est vous qui aviez raison. Ça ne vaut pas la peine de vous laisser tomber.

Il en était encore à se persuader de sa présence que déjà elle s'éloignait pour rejoindre sa place habituelle. Là, elle se mit à glousser. La scène était complètement surréaliste.

— Pourquoi riez-vous ? demanda-t-il, perdu.

— Parce que vous m'avez coincée. Prise au piège. Il ne me restait que deux solutions : pousser des hurlements, partir en courant et ne jamais revenir, ou bien rire.

— Vous voulez dire que j'ai gagné la partie ?

— Oui, vous m'avez eue. Je m'avoue vaincue. Ça ne me fait pas tellement plaisir, vous savez. D'un côté, je me dis : « Merde, je me suis fait avoir ! » Mais d'un autre côté, je ris. Je ris de moi-même. J'ai tenu le coup si longtemps !

— Alors, j'ai vraiment gagné ?

— Oui, c'est vous qui avez raison. Pour les vibrations, je ne sais pas. Mais je veux bien croire que ce sont mes bandes enregistrées qui les fabriquent. Peut-être. Je suis même prête à admettre que c'est moi.

— Et que si vous modifiez les bandes, vous modifiez du même coup les vibrations ?

— Oui, pour la première fois je me rends compte que c'est sans doute possible. Pour la première fois, je me dis que ce n'était pas vraiment moi qui choisissais les hommes avec qui je sortais. Vous avez gagné.

— Alors, nous avons gagné tous les deux. Dieu merci.

Là-dessus Kolnietz se remit à pleurer. Mais cette fois-ci, c'étaient des larmes de joie qu'il versait. La lutte était terminée. Des larmes de joie, mais aussi de fatigue et de soulagement.

C'était encore un peu difficile à croire, mais en le regardant pleurer, Heather sentit croître en elle le sentiment d'être aimée. Elle-même aurait pleuré si elle ne s'était pas sentie aussi légère, presque gaie.

Finalement, il se tamponna les yeux et dit :

— Alors, qu'est-ce que vous allez faire ?

— Peut-être accepter l'invitation.

— Ce serait modifier les bandes.

— En effet.

— Ça fait peur, d'entamer une nouvelle bande. En quelque sorte, cela implique d'aborder les choses d'une manière entièrement différente.

— Mais c'est aussi un choix que je peux faire, non ?

— Si.

— Eh bien, disons que je vais le faire par pure perversité, sourit Heather.

C'était l'heure. Kolnietz se leva et, comme d'habitude, Heather l'imita. Mais à ce moment-là, quelque chose d'inattendu arriva. Spontanément, naturellement, ils vinrent l'un à l'autre et, pour la première fois, ils s'étreignirent.

– À lundi, dit Heather.

Lorsqu'elle fut partie, Kolnietz se rassit derrière son bureau et posa les pieds sur le dossier trempé de larmes. C'était l'heure du déjeuner. Pas de Petri, cette fois. Nulle urgence. Mais il ne fit pas mine de prendre son sandwich dans le tiroir. Ni d'annoter le dossier. Tout ça pouvait attendre. Ce qu'il voulait, c'était savourer l'instant.

La bataille était finie. Dieu merci. Il y en aurait d'autres, avec d'autres patients, mais celle-là était bel et bien finie. Bien sûr, ça n'irait pas tout seul pour autant, avec Heather. Mais l'issue de la course ne faisait plus de doute. Elle avait gagné.

Puis, tandis que séchaient ses larmes, il songea à sa femme. Ou plutôt son ex-femme, en fait. L'issue de son mariage ne faisait pas de doute. Cette bataille-là était perdue. Et son avenir lui paraissait incertain. Mais sur ce sujet, à ce moment précis, il eut conscience, contrairement à son habitude, de ne pas éprouver la moindre peur. Il examina cette impression comme il examinait systématiquement toutes les autres. Pourquoi ce calme intérieur ? Sans doute à cause du triomphe qu'il venait de remporter avec Heather, ainsi qu'à la décharge émotionnelle qui accompagne généralement les larmes. Mais ce n'était pas tout. Il s'était passé quelque chose d'infime, mais de significatif. Quoi ? Une étreinte. Encore une. Il se remémora le plaisir que lui avaient causé, la semaine précédente, ses brèves retrouvailles avec Edie Simonton, après l'interrogatoire de Rachel Stimson. Quel dommage d'attendre un meurtre pour se rapprocher à nouveau des gens ! Ces choses-là pouvaient se préparer. Dès que sa femme débarrasserait le plancher, d'ici une quinzaine de jours, il inviterait cette bonne vieille Edie à déguster ses fameux *linguini* aux fruits de mer, arrosés d'une bonne bouteille. Avec un peu de chance, les garçons s'entendraient bien avec elle. Ils avaient bien besoin de quelqu'un comme elle. Et lui aussi d'ailleurs, que ses fils gardent ou non leurs distances. Certes, l'avenir était incertain, mais au moins y entrerait-il avec des amis à ses côtés.

Mrs. Simonton avait deux choses à faire : l'une agréable, l'autre désagréable. Elle avait décidé de s'acquitter de la tâche déplaisante en premier. Elle gagna la salle d'attente, où se trouvait Mrs. Grimes. On l'avait appelée chez elle pour lui demander de venir.

— Je vous en prie, Bertha, entrez.

Elle attaqua en douceur.

— Bertha, il y a longtemps que vous travaillez ici. Un nombre incalculable de nuits. Vous avez toujours bien fait votre travail. Sans inspiration, peut-être, mais correctement. Vous êtes quelqu'un de bien, une femme vigoureuse et honnête. Certains jours de tempête de neige, vous êtes venue travailler quand n'importe qui d'autre serait resté au chaud.

Elle marqua une pause. Plus monolithique que jamais, Bertha attendait. Elle savait bien que si on l'avait appelée chez elle, ce n'était pas pour lui faire des compliments.

— Mais aujourd'hui il y a un problème, reprit Mrs. Simonton. Si j'ai bien compris, non seulement vous êtes une grande lectrice, mais en plus vous vous absorbez complètement dans vos livres. À tel point que Stephen a été assassiné à trois mètres de vous pendant que vous lisiez. Si vous aviez fait un peu plus attention, rien de tout cela ne serait arrivé. Je crains que ce défaut d'attention ne puisse pas être toléré plus longtemps.

Bertha n'eut l'air ni surprise ni offensée. Avec son flegme habituel, elle répondit :

— Ma foi, je pensais démissionner, de toute façon. Sam a une offre, pour la ferme. On va prendre notre retraite en Floride.

— Quand avez-vous prévu de partir ?

— Dans deux mois environ. Encore que la vente ne se fasse pas avant six semaines.

— Quand souhaiteriez-vous démissionner ?

— Disons dans un mois.

— Vous voudriez donc travailler encore un mois ?

— Ouais. Puis je prendrai un mois de vacances. On ne manquera de rien, Sam et moi.

— Si je vous garde encore un mois, pouvez-vous me promettre que vous ne lirez pas pendant votre service ?

La détresse se peignit sur le visage de Bertha.

— Jamais je ne défendrais à mon personnel de lire pendant le service de nuit, poursuivit Mrs. Simonton. Mais vous, vous avez une telle capacité de concentration que je suis dans l'obligation de vous l'interdire, Bertha. On aurait pu porter plainte contre Willow Glen à cause de votre distraction. Non seulement cela, mais nous aurions aussi perdu le procès.

Elle préféra ne pas insister sur le fait que, sans sa négligence, Stephen serait peut-être encore en vie. Il apprendrait à se servir de son ordinateur, et explorerait des mondes nouveaux.

— Et si je ne lis que quand l'infirmière est dans le bureau avec moi ?

— Pouvez-vous me promettre que vous respecterez ce compromis ?

— Ouais.

— Ça me paraît satisfaisant. Vous allez nous manquer, Bertha. J'espère que tout se passera bien pour vous, en Floride.

— Je devrais avoir tout le temps de lire, là-bas. Et puis, il fera chaud, répondit Bertha en se levant, comprenant instinctivement qu'il n'y avait plus rien à ajouter.

L'entrevue s'est mieux passée qu'on ne pouvait le craindre, songea Mrs. Simonton. Après son départ, elle appuya sur le bouton de l'interphone et appela Peggy. La vie à la ferme peut être rude, se dit-elle. Bertha avait sans doute besoin de l'évasion et de la romance que lui procuraient ses romans.

— Vous vouliez me voir ?

Debout dans l'encadrement de la porte, Peggy interrompit sa rêverie. C'était toujours ainsi qu'elle s'annonçait, mais cette fois-ci, Mrs. Simonton capta quelque chose de différent.

— En effet. Asseyez-vous, Peggy. Je sais bien que vos six mois d'essai ne sont pas terminés mais... Vous avez changé, Peggy, ces quelques derniers jours. Tout le monde me le dit. On dirait qu'à présent, vous prenez votre travail à cœur.

— J'essaie, reconnut Peggy. C'est une espèce de jeu. Chaque fois que j'entre dans la chambre d'un malade, je me dis : allez, essaie d'y mettre du cœur. Je trouve ça plutôt amusant.

— Oui, c'est un jeu auquel il est bon de jouer. Et puisque que c'est comme ça, je crois que nous allons vous embaucher définitivement, si vous souhaitez continuer à travailler ici, naturellement.

— Oh oui, j'aimerais bien !

— Comment avez-vous fait pour changer, Peggy ? Pourquoi vous êtes-vous mise à jouer à ce jeu ?

— C'est à cause du meurtre. Enfin, pas seulement. Si ç'avait été un autre malade, je crois que ça n'aurait pas eu la même importance pour moi. Seulement, il a fallu que ce soit Stephen. Quel dommage !

— C'est vrai.

— J'espère que ses jambes et ses bras sont redressés, maintenant.

— Oui, moi aussi.

— Bon, je devrais peut-être retourner travailler.

— En effet.

Mrs. Simonton avait une conscience aiguë de tout ce que Peggy venait de passer sous silence, mais n'ignorait pas à quel point il est difficile de parler le langage du cœur. Et c'était bien de cœur qu'il s'agissait. Néanmoins, elle avait encore une petite chose à lui dire.

— Peggy, je veux que vous sachiez que ce jeu ne sera pas toujours amusant. À prendre soin des autres, il arrive qu'on se retrouve le cœur brisé. Ce jour-là, j'espère bien que vous vous sentirez libre de venir m'en parler. Parce que je ne voudrais pas que vous cessiez d'y jouer, à ce jeu. C'est la seule vraie manière d'apprendre. En fait, c'est même le seul jeu qui en vaille la peine .

— Merci, madame, répondit Peggy. Vous êtes chic.

— Merci à vous, Peggy.

Et dire qu'il y a six semaines, je pensais qu'il faudrait un miracle pour que cette petite devienne quelqu'un de bien ! songea la directrice. Était-ce pour cela qu'elle se sentait si bien depuis quelques jours ? Non, il devait y avoir autre chose. Des miracles, elle en avait déjà vu dans sa vie. Elle repensa aussi à sa joie d'avoir repris contact avec Stasz Kolnietz. Mais là encore, ce n'était qu'une pièce du puzzle. Le bouleversement qui se faisait jour en elle était d'une tout autre ampleur. Pendant des années elle avait senti un poids peser sur ses épaules, et voilà que tout à coup, il avait disparu. Et ce n'était pas un phénomène passager. Naturellement, la cause principale en était son « expérience » de la semaine passée, cette « voix » qui lui avait dit sans équivoque qu'elle entretenait véritablement une relation profonde avec Dieu. Mais ce qui lui arrivait maintenant était aussi en rapport avec un grand nombre d'événements, un grand nombre d'individus ; c'était le résultat d'un processus très long. Elle avait cheminé dans un interminable tunnel, et débouchait à présent de l'autre côté. Qu'avait-elle traversé, au juste ? Marion Grochowski appellerait probablement ça les Profondes Ténèbres de ceci ou cela.

Ce qui lui rappela que, dans un proche avenir, Marion lui demanderait de venir partager avec elle sa toute première communion. C'était peut-être infantile, mais cette femme de soixante ans trouvait cette perspective curieusement excitante.

De son côté, Roberta McAdams envisageait elle aussi l'avenir. Mais pour cela elle se servait de son ordinateur, car c'était ainsi qu'elle réfléchissait le plus efficacement. Naturellement, elle effacerait par la suite tout ce qu'elle aurait écrit ; mais instinctivement, elle entra les données sous forme codée. Elle employa un code très simple. Elle était assise à son bureau – le plus vaste de tout le Service administratif ; devant elle, un écran où s'affichaient cinq entrées codées bien séparées les unes des autres.

R

P

R & K

R & A

R & TG

R signifiait rester. *P* : partir. *R & K* voulait dire : rester et consulter Kolnietz, *R & A* : rester et me faire soigner ailleurs, *R & TG* : rester et tuer Mrs. Grochowski.

Voilà les possibilités qui s'offraient à elle. Fondamentalement, c'étaient celles que lui avait données Mrs. Grochowski. À part la simple possibilité de rester. Il devait sûrement en exister d'autres. Mais il y avait vingt minutes qu'elle se creusait la cervelle : rien ne se présentait – du moins rien qui soit positif à cent pour cent. Toujours il y avait des conséquences négatives. Il ne s'agissait donc pas de comparer les solutions positives, mais de choisir le moindre de ces cinq maux. Elle était obligée de penser en termes de négativité.

Elle considéra la première ligne : *R*. C'était au fond ce qu'elle voulait : rester. Mais comme le lui avait fait remarquer Mrs. Grochowski, la seule présence de la malade, avec ce qu'elle savait, constituerait une insulte. Ms. McAdams déplaça le curseur une ligne au-dessous et un cran à droite, et tapa un *X*.

Deuxième possibilité : *P*, partir. Or, elle ne voulait pas partir. Cela impliquerait d'envoyer des curriculum vitae, de passer des entrevues, de trouver un nouveau logement, de comparer les tarifs de plusieurs entreprises de déménagement, de faire et défaire des paquets : une quantité incommensurable de désagréments. Elle déplaça encore une fois le curseur et tapa : *X*.

Puis venaient les lettres *R & K* : rester et consulter le docteur Kolnietz. Là, elle n'avait même pas besoin de réfléchir ; l'idée la remplissait instantanément de dégoût. Si elle avait fait figurer cette solution dans sa liste, c'était parce que depuis toujours, elle tenait à se montrer méthodique. Elle répéta la manœuvre et tapa encore un *X*.

Ensuite, *R & A* : rester et me faire soigner ailleurs. Là encore, dégoût instantané. Nouveau *X*. Mais il fallait envisager cette possibilité, ne serait-ce que sur un plan purement théorique. Elle savait depuis longtemps que si l'on n'examine pas toutes les éventualités, on court le risque de se tromper. Et la plus infime erreur pouvait se révéler fatale, dans un monde où chacun était un tueur en puissance.

Et pour finir, *R & TG* : rester et tuer Mrs. Grochowski. Elle n'eut pas à réfléchir longtemps pour se rendre compte que le meurtre comportait des risques. Elle tapa donc son cinquième *X* et se laissa aller en arrière afin de contempler le résultat. L'écran se présentait maintenant de la manière suivante :

R
   X

P
   X

R & K
   X

R & A
   X

R & TG
   X

Oui, toutes les solutions étaient négatives. Il ne restait plus qu'à chiffrer la négativité de chacune. En statistique, on appelait ça le « pesage ».

Elle revint au début. « Rester » était négatif à cause de l'insulte que représenterait la seule présence de Mrs. Grochowski. Mais négatif dans quelle mesure ? Il lui faudrait faire l'impasse sur ses visites bimensuelles, mais falsifier son rapport. Deux mensonges par mois. En soi, ce n'était pas un gros problème, sauf si Mrs. Grochowski la dénonçait, ce qui lui paraissait peu probable. Mais il y avait plus. Mrs. Grochowski avait désormais une compagne de chambre. Elle serait donc forcée d'y aller de temps à autre pour voir Georgia Bates (encore une vieille enquiquineuse, celle-là). Mrs. Grochowski avait raison : tout lui rappellerait constamment son existence. Roberta McAdams entra un deuxième *X* sous la première option, celle qui consistait à rester simplement là, à ne rien faire.

Partir ? L'idée ne lui plaisait guère à cause des désagréments qu'elle entraînerait, mais elle ne voyait rien d'autre qui joue en sa défaveur. Elle n'était pas particulièrement attachée à Willow Glen, ni à la ville elle-même. Trouver un emploi équivalent ailleurs ne lui poserait pas l'ombre d'un problème ; de plus, elle pourrait choisir entre plusieurs endroits, plusieurs systèmes informatiques. Le seul aspect négatif de cette deuxième option entrait dans la catégorie « désagréments dus au déménagement » ; tout considérable qu'il fût, cet aspect n'était pas insurmontable. Provisoirement, elle décida de ne pas ajouter de deuxième X.

Rester et entreprendre une psychothérapie chez Kolnietz ? Possibilité purement théorique. Elle allait très bien, et ce qui se passait dans sa tête ne regardait qu'elle. Et d'ailleurs, elle ne pouvait pas supporter ce type. Il était tellement banal ! Se laisser traiter de haut par quelqu'un d'aussi ordinaire, se laisser manipuler et réduire à merci par lui ? Elle ajouta immédiatement quatre nouveaux X sous cette troisième option.

Rester mais se faire soigner en dehors de la ville ? Mêmes objections. Perte de temps encore plus grande. Seuls aspects positifs : la garantie du secret et la certitude de pouvoir trouver quelqu'un de plus facile à contrôler. Mais de toute façon, elle n'avait nul besoin de thérapie ; et puis, ce serait se mettre elle-même en péril. Elle entra trois X de plus.

Rester et tuer Mrs. Grochowski ? Si elle avait tapé un X, c'était à cause des risques que comportait cette éventualité. Mais en l'occurrence, il y avait autre chose. Cette femme l'avait menacée. Elle lui avait dit que s'il lui arrivait quoi que ce soit, certaines personnes se tourneraient vers elle, Roberta McAdams. Naturellement, il se pouvait qu'elle bluffe. Mais ce n'était pas son genre. Elle tapa encore un X.

Encore une fois elle se carra dans son fauteuil, et examina le nouveau motif qui se formait à présent sur l'écran :

```
R
        XX
P
        X
R & K
        XXXXX
R & A
        XXXX
R & TG
        XX
```

Elle avait fait son devoir : elle avait procédé de manière méthodique et dressé la liste de *toutes* les solutions possibles. Toutefois, certaines étaient tout simplement illogiques – fondamentalement inenvisageables. Son ordinateur le démontrait très clairement. Elle effaça promptement les options *R & K* et *R & A*. Ce qui donnait maintenant :

R

    XX

P

    X

R & TG

    XX

Voilà les seules véritables options qui lui restaient : rester, partir, ou rester et tuer Mrs. Grochowski. À ce stade, il semblait bien que le départ soit la meilleure solution – ou du moins, la moins négative. Oui, c'était sans doute cela qu'il fallait faire. Mais elle n'était pas obligée de prendre sa décision sur-le-champ. Elle actionna le curseur et effaça les données subsistantes. Une bonne nuit de sommeil, et le lendemain elle reprendrait le processus désormais abrégé. Parfois les choses changeaient d'un jour à l'autre. En fait, elle pouvait même remettre la décision à plus tard. Le plus probable était qu'elle s'en irait. Mais pour l'instant, elle n'en était pas sûre.

En rentrant de chez le docteur Kolnietz, Heather trouva le service bien calme. Elle s'installa pour réfléchir dans le bureau des infirmières. Il s'était passé tant de choses ! Et pas seulement des choses extérieures, telles que la perte de Stephen, le fait qu'on l'ait assassiné. Des choses intérieures, aussi. Pourquoi avait-elle brusquement demandé à Mrs. Simonton si elle pouvait se rendre plus régulièrement chez le docteur Kolnietz ? Parce que la directrice s'était montrée particulièrement compréhensive à ce moment-là ? Ou bien parce que le docteur K. lui-même lui avait un tant soit peu parlé de ses propres problèmes, et que sa vulnérabilité à lui l'avait rendu moins menaçant ? Ou alors, c'était que son travail à Willow Glen avait perdu de son importance. Au profit de la thérapie, peut-être ? Ou bien d'elle-même ? Heather revêtait-elle à présent plus d'importance à ses propres yeux ? Tout était si embrouillé !

Puis il y avait eu cette curieuse sensation d'expectative passive, ce fantasme bizarre où elle s'était vue étendue dans le désert, le vide total. Qu'attendait-elle, alors ? La séance qui venait de se dérouler chez le docteur K. ? On aurait dit qu'elle l'avait senti venir. Mais comment pouvait-on pressentir une chose qui n'était pas encore là ?

Elle s'aperçut que la sensation d'inertie avait disparu. À sa place s'était installé une espèce de calme accompagné d'une impression de puissance. Le bureau des infirmières lui paraissait brusquement plus petit, elle-même se sentait plus grande. Pourrai-je jamais travailler ailleurs ? se demanda-t-elle soudain. Puis-je être autre chose qu'une petite infirmière ? Et si je reprenais des études ? Mais dans quelle branche ? Elle n'en avait aucune idée. C'était une notion nouvelle en soi, qui ne la pousserait peut-être pas à l'action mais ouvrait de nouvelles possibilités. Il y en avait tant, tout à coup ! Presque trop.

Oui, elle pouvait modifier les bandes enregistrées qui se dévidaient dans sa tête. Elle tendit la main vers le téléphone, puis la retira aussitôt. Elle prit dans son sac la lettre toute froissée de Petri, la relut, fit un nouveau geste en direction du téléphone, s'interrompit encore. Elle se trouva stupide et se revit en train de rire à la fin de sa consultation chez Kolnietz. Alors elle se remit à glousser. Cette fois-ci, elle composa le numéro du poste de police et demanda l'inspecteur Petri.

On le lui passa.

— Heather à l'appareil, fit-elle gaiement. J'ai décidé d'accepter votre invitation à dîner. Bonne occasion de vous obliger à ramper devant moi.

Petri émit un petit rire. Ils fixèrent une date, et le policier nota l'adresse de la jeune fille.

Au moment où elle raccrochait, Heather entendit un bruit dans le couloir. Une aide soignante poussait devant elle un fauteuil roulant où avait pris place un frêle vieillard. Une femme d'âge moyen marchait à leurs côtés. Sans doute le nouvel arrivant qui allait occuper le lit de Tim O'Hara. Elle jeta un coup d'œil aux papiers posés sur le comptoir. L'accompagnatrice devait être sa fille. Une fois qu'elle eut mémorisé leurs noms de famille, elle releva les yeux. Mais avant qu'elle ait pu les rejoindre afin de leur souhaiter la bienvenue, elle vit Carol Kubrick tendre le bras pour attraper par la manche la fille du vieillard.

— Vous n'auriez pas vu mon sac ? geignit-elle. Vous savez ce qu'ils ont fait de mon sac ? On m'a volé mon sac. Où est le docteur ? Je veux voir le docteur. On ne veut pas me laisser voir le docteur !